JN246846

文藝市場
カーマシャストラ

第2巻

第3巻第8号（昭和2年8月）
第3巻第9号（昭和2年10月）

［監修］島村 輝

ゆまに書房

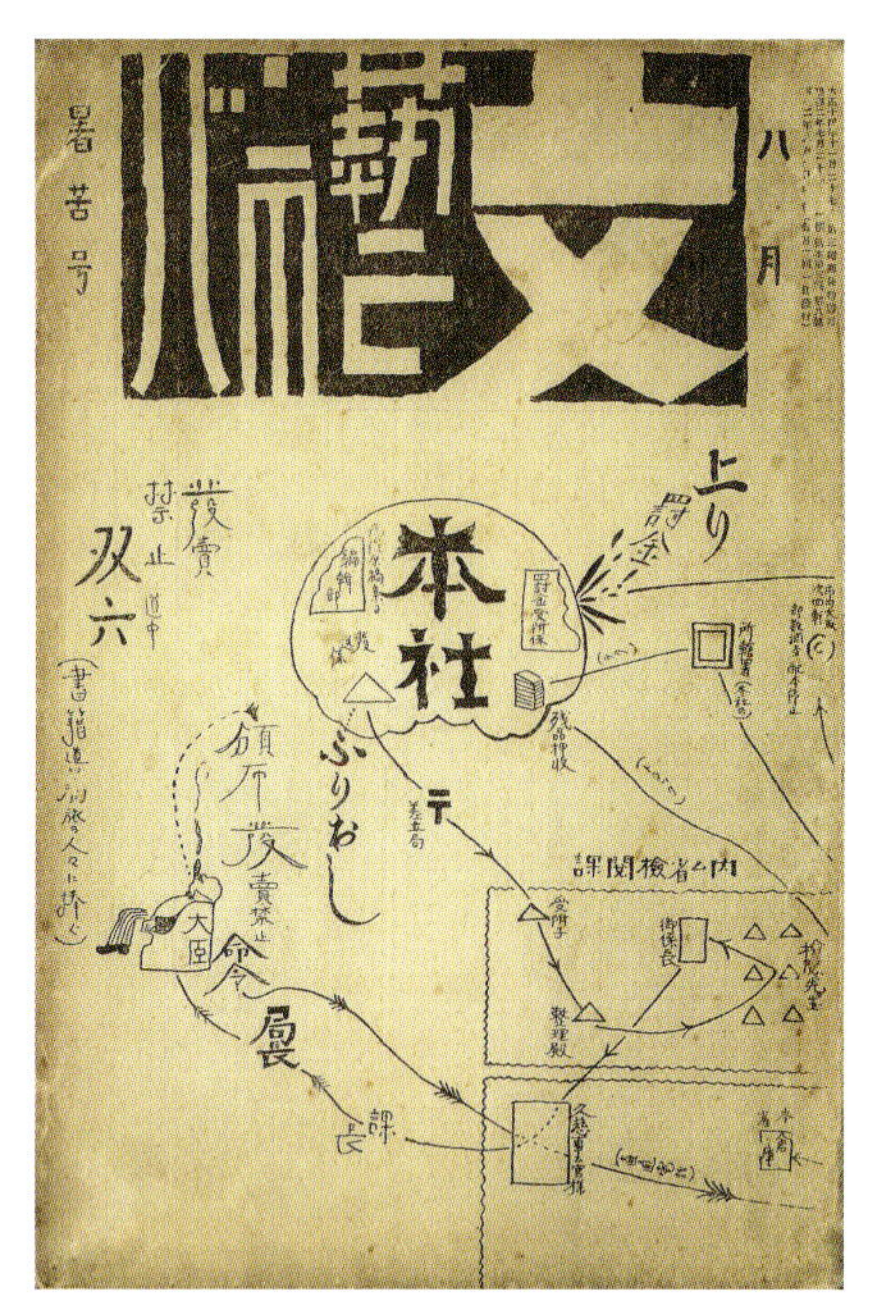

『文藝市場』第３巻第８号。「暑苦号」とある。

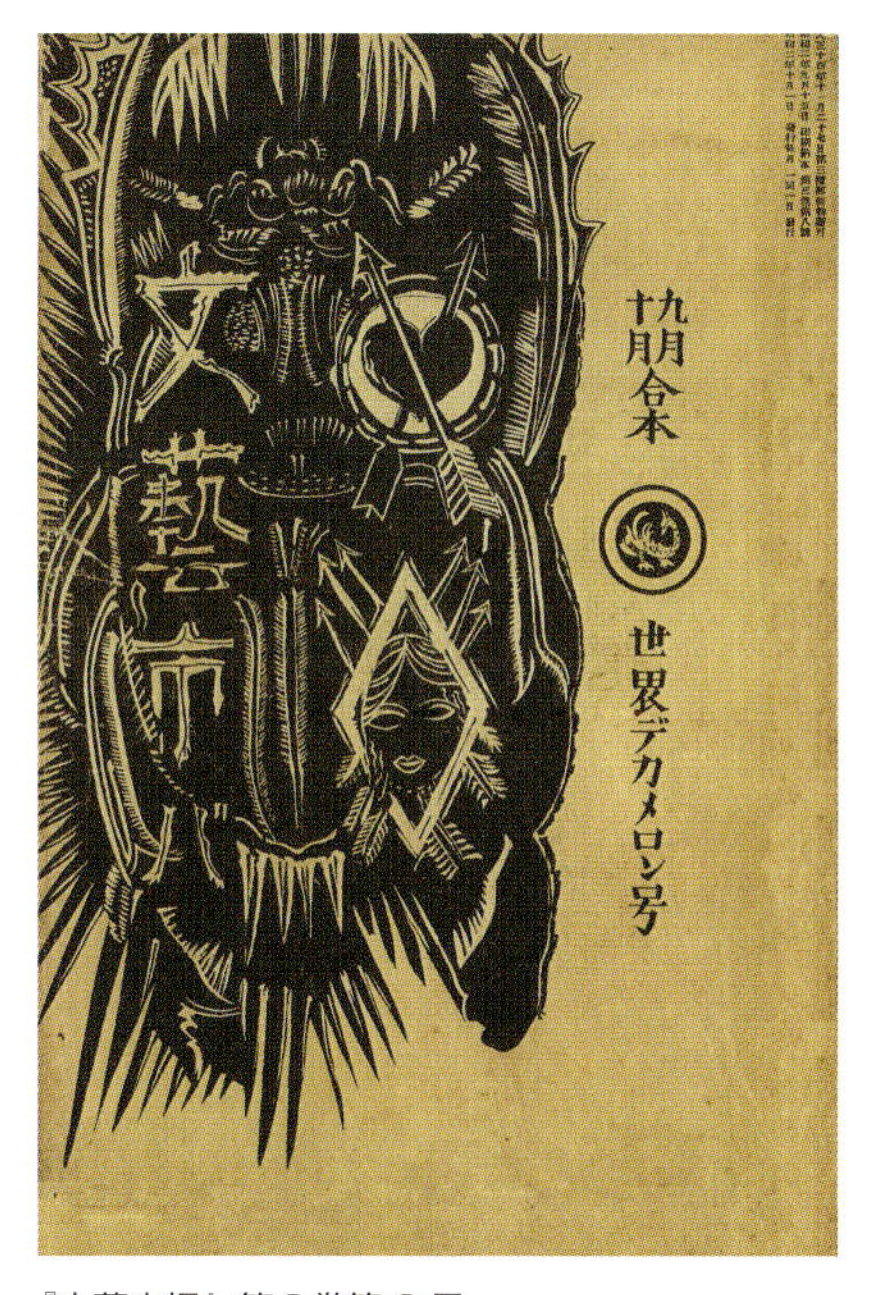

『文藝市場』第３巻第９号。
「九月十月合本世界デカメロン号」。

『文藝市場』『カーマシヤストラ』復刻刊行にあたって

監修　島村輝

『叢書エログロナンセンス』シリーズは、戦前ジャーナリズム界の異才・梅原北明を中心とした「珍書・奇書」類のうち、発刊当時の事情やその後の年月の経過によって閲覧・入手の困難となった書物、とりわけ多く「発売禁止」等の措置を受けた雑誌類を中心にして、復刻刊行しようとするものである。

そのスタートとして、大正・昭和エログロナンセンスを牽引した出版人、梅原北明の代表的な雑誌『グロテスク』（一九二八・一一〜一九三一・八）を復刻刊行した。また永く幻と謳われ、僅かに城市郎の発禁本コレクションに、その書影を確認するに留まっていた第二巻第六号（一九二九・六）も、無事これを発見し収録することができたのは幸運であった。

梅原北明の出版活動での到達点を『グロテスク』とするならば、その引火点は、同書肆より復刻刊行した『変態・資料』（一九二六〜二八）であり、そして導火線となったのが、今回復刻となる、北明個人の編集となってからの『文藝市場』（一九二七・六〜一〇）、上海にて出版されたとされる『カーマシヤストラ』（一九二七・一〇〜一九二八・五）である。『カーマシヤストラ』が、本当に上海で発行されたのか、それとも日本国内での刊行をカムフラージュするためのものだったのかは定かでないが、一九二八年に上海より帰国後、北明は出版法違反で市ヶ谷拘置所に長期拘置される。そして、仮釈放の後『グロテスク』刊行の内容見本制作に着手するのである。

今回の復刻により、『変態・資料』『文藝市場』『カーマシヤストラ』『グロテスク』という、梅原が編集に携わった雑誌が揃うこととなる。

サブカルチャーの領域から、近代をそして現代を照射する貴重資料であり、すべての文学・文化に関心を持つ人々が、この復刻を手許に置かれることを心から希望する。

凡例

◇本シリーズは、『文藝市場』（一九二七〈昭和二〉年六月～同年九月＊梅原北明個人編集時期）、『カーマシヤストラ』（一九二七〈昭和二〉年一〇月～一九二八〈昭和三〉年四月）を復刻する。

◇本巻には、『文藝市場』第3巻第8号（一九二七〈昭和二〉年八月一日発行）、『文藝市場』第3巻第9号　九月十月合本 世界デカメロン号（一九二七〈昭和二〉年一〇月一日発行）を収録した。

◇原本のサイズは、二二〇ミリ×一五〇ミリである。

◇各作品は無修正を原則としたが、表紙、図版などの寸法に関しては製作の都合上、適宜、縮小を行った場合がある。

◇本文中に見られる現在使用する事が好ましくない用語については、歴史的文献である事に鑑み原本のまま掲載した。

◇本巻作成にあたって原資料を監修者の島村輝氏よりご提供いただいた。記して深甚の謝意を表する。

目次

『文藝市場』第3巻第8号

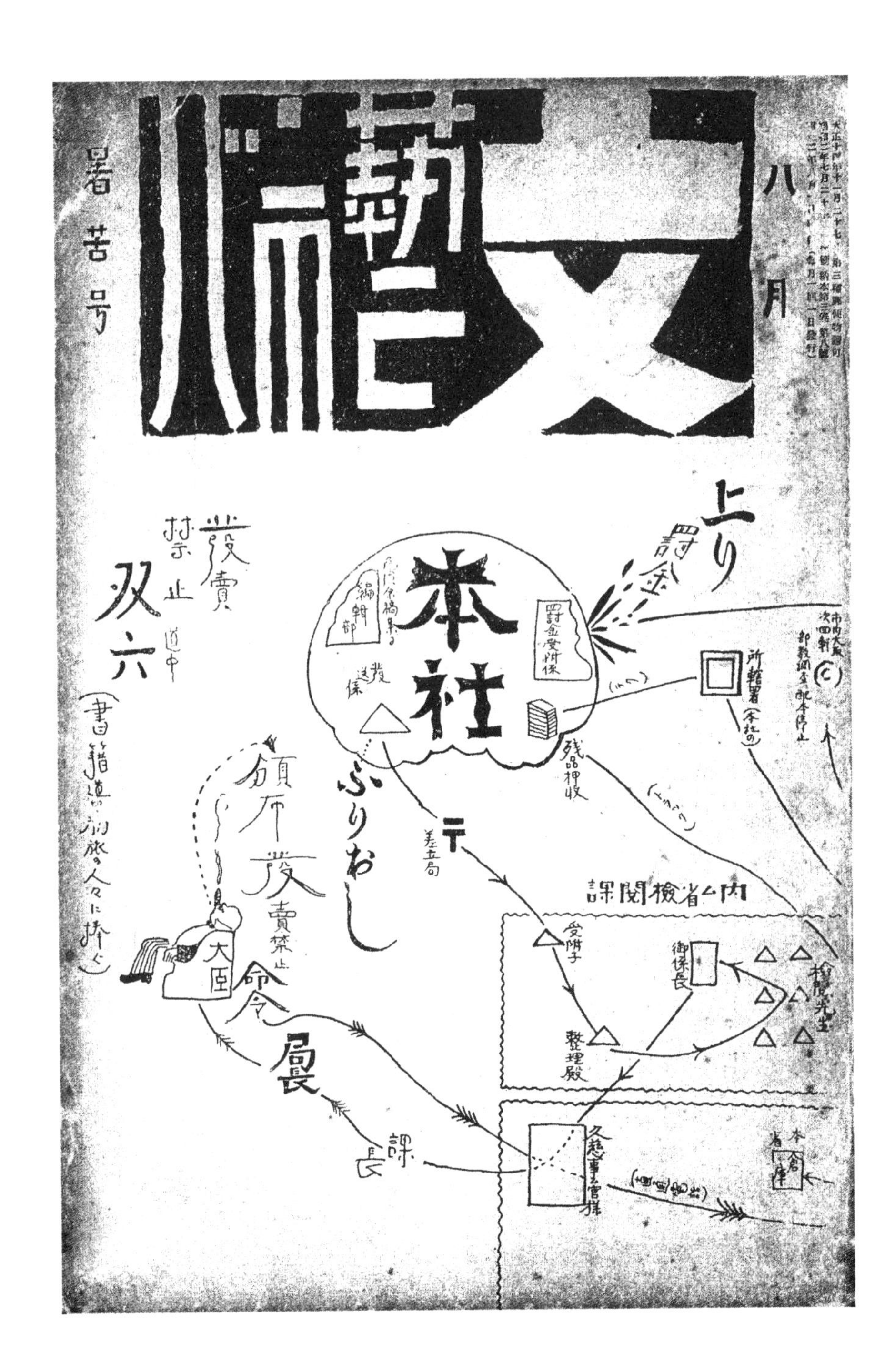
八月
暑苦号
發賣禁止
双六
道中
上り
罰金
本社
編輯部
罰金受附係
發送係
所轄署
殘品押收
ふりおとし
内ム省検閲課
受附子
御係長
整理殿
檢閲先生
頒布發賣禁止
命令
大臣
局長
課長

硯友社同人編

複刻五百部限先着者へ實費頒布

創刊より
終刊まで

我樂多文庫

四六倍判、實物通りの清朝活字を用ひ創刊號より終刊號まで揃美麗帙入別冊共實費
金五圓也
書留小包料金廿四錢也

(別册) 硯友社と我樂多文庫の由來　丸岡九華述

我樂多文庫複製の理由

梅原北明

硯友社の文藝運動は明治文藝史上到底見逃すことの出來ない一重要項目であります。而して此の硯友社の消息一切を知るには彼等の機關誌「我樂多文庫」に俟つより方法がないのです。が該誌は當時發行僅か百五十部より印刷されず而かも其れが日本中に飛び散らかつて四十年も經過した今日、何處をどう探し廻つたつて滅多に探し得られないのが理の當然で、よしんば見付かつたところで、揃ひ安くて二十圓お客次第で四十圓からの高價を呼んで居ります。文藝的古書蒐集家內田魯庵氏をはじめ神代種亮氏でさへ持ち合せて居りません。その意味においても該誌の複刻は充分な意義を持つのであります。

話にのみ聞いて嘗て實物に接したことのない我樂多文庫が本物そつくりの體裁で而かも市價の四分の一値で複刻されました。その方面の商賣人たる文壇人でさへ若い人達なら恐らく讀んでゐますまい。正に本誌は明治文藝の臺頭を物語る唯一無比の文獻です。

內容執筆者

尾崎紅葉氏　山田美妙氏　川上眉山氏　丸岡九華氏
石橋思案氏　巖谷小波氏　江見水蔭氏　大橋乙羽氏
廣津柳浪氏　岡田虛心氏　中村雲後氏　その他諸氏

複製讃助者

丸岡九華氏　巖谷小波氏　江見水蔭氏　本間久雄氏　木村毅氏　齋藤昌三氏

文藝市場社

東京市牛込區赤城元町卅四
振替東京六四一〇四番
電話牛込三九〇六番

魁題百撰相

此の繪は有名な「英名二十八衆句」に比敵する芳年の慘虐物の内の一枚である

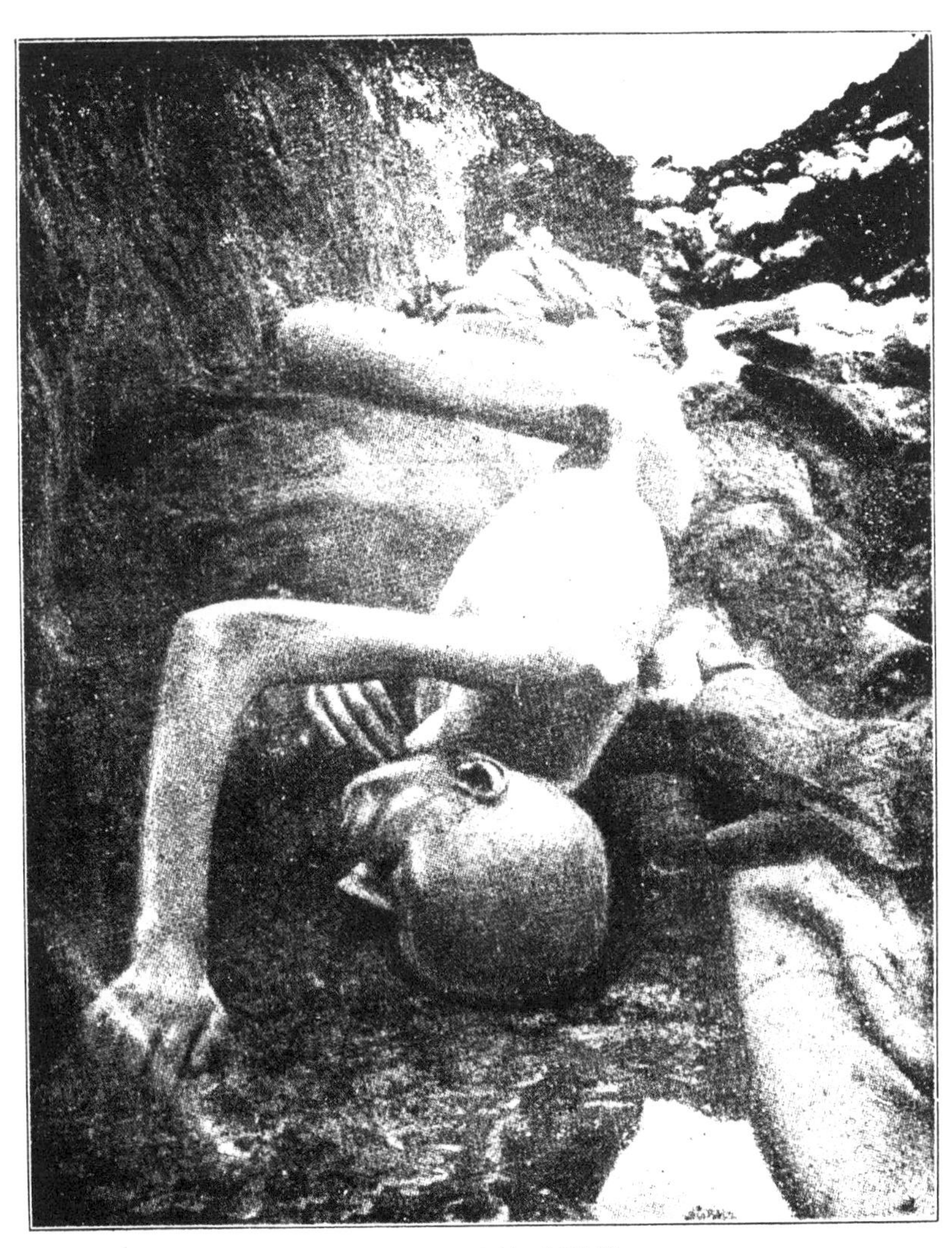

餓死！餓死!!餓死!!!

納骨堂の怪

文藝市場

1 9 2 7. 8

八月暑苦

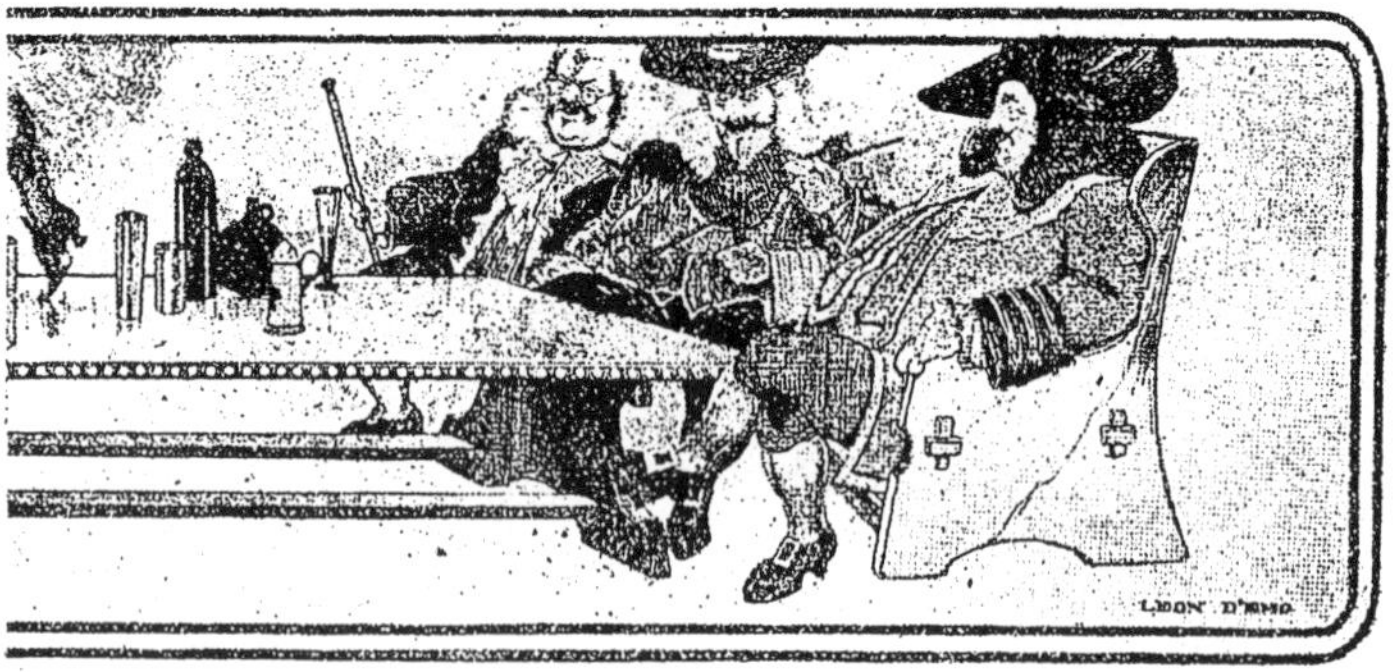

號之目次

腸を喰ふ

宗教刑罰の殘虐

酒井潔

人間が人間を罰すると云ふ意味の刑罰はどの點からも讃成出來ない。然し、此處に一人の天才が居て――ネロとか殺生關白とか――其の趣味が殘虐な方面へヒン曲つた時、彼等が發明する刑罰には戰慄の美がある。

第一圖

第二圖

宏大なハレムである。數百の豐滿な裸女の肉の香りが人間愛慾の渦を卷いて居る。美はしく彩られ刻まれた柱、壁世にありとある香木の精を蒐めて黄金の香爐に焚く。巨大な黑奴の護衛兵は鑄像の如く要所々々に屹立する。たをやかな少女によつて運ばれる銀板に彫れる美食法の料理。白孔雀は思ひ切り尾を擴げるハレムの午後である。薄物に一トきわ肉體の魅力を增す後宮第一の寵妃が蛇の如く舞ふ。男性の嘆美の眼と女性の嫉妬の眼とが舞ふ者の一擧一動に集中される。

　見上ぐる程の蔦からむ壁である。女は薄物の羽根に男を包んで、二人の身體の戀の炎に溶けよと抱き合ふ。なめらかな唇と唇。發止！　白銀の矢が二人を壁に縫ひ付ける。年老ひて肉の落ちた頬に笑を浮べたスルタンは弓持つ黑奴

第三圖

を顧みて云ふ。

「又二匹の綺麗な蝶の標本が出來たわ」

世にも美しい刑罰ではあるまいか！

あらゆる暴君は必ず其の殘虐行爲の中に姙婦の腹を割く樂みを逸して居ない。張り切つて眞白な若き女の腹を割く……或る外科醫が私に云つた事がある。

「ネ、君。想像して見給へ。完全に準備された手術室の中央に磨き立てた手術臺がある。其の上に全身痲醉によつて

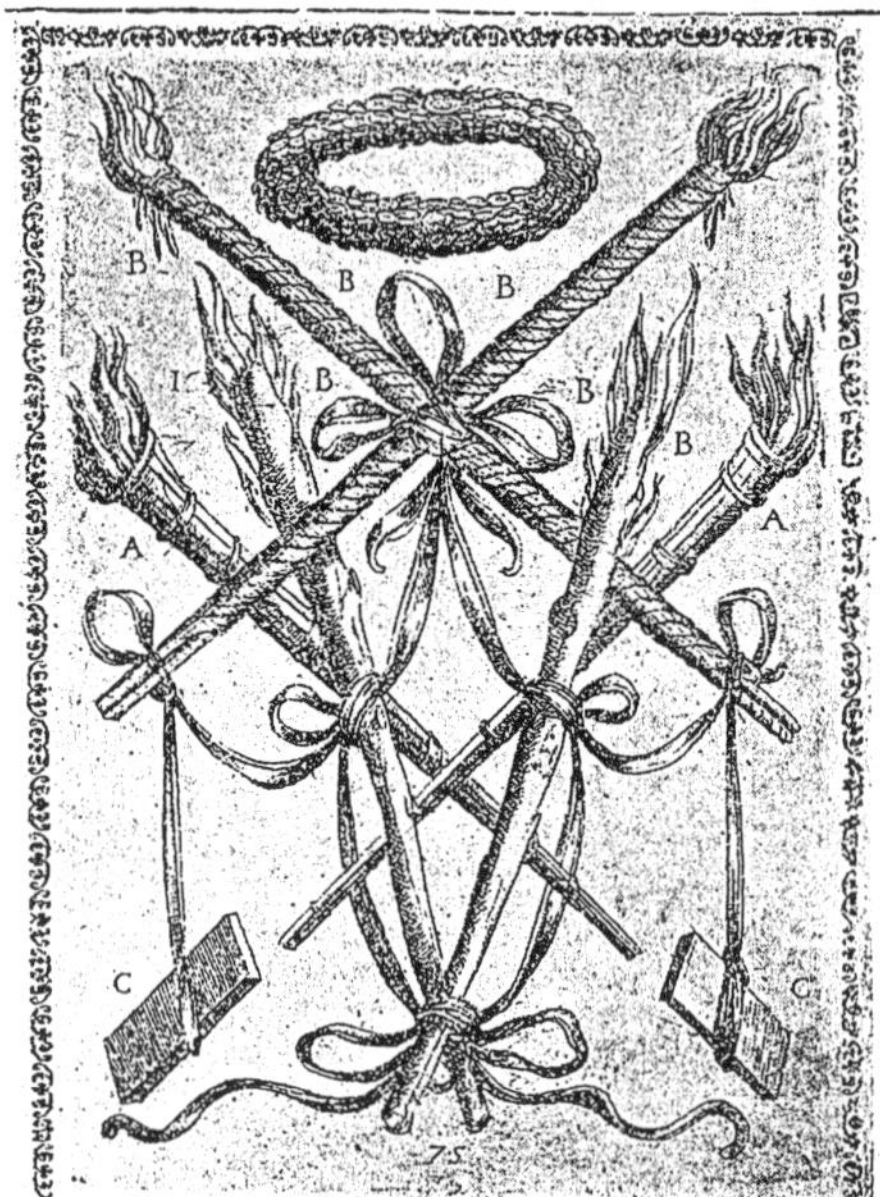

第四圖

昏々と眠る女……十八九の娘盛りだネ。眞白な腹が靜かな波の樣に規則正しく起伏する。其の腹に僕がメスを下すのだ……」

私は此の美男である若き外科醫の顏を考へた。彼の目は科學者の域を突破して偉大なるネロの目に近付いて居た。

　刑罰の中で最も殘虐で執拗なものは宗教上のそれであるなんとなれば、宗教上の被拷問者はどれもこれも信仰の塊りで、身に熱鐵の痛苦を受ける時、彼等はひたすら神の御名を呼びに呼ぶ。極度の苦痛が彼等を恍惚狀態に導いて、其處に神の御姿を幻に見るのである。彼等は責めの中に一種のマソヒスム的快樂を感じる樣になる。從つてあらゆる刑罰に對して頑强に對抗する。拷問者は勢ひ千差萬樣の方法を發明せざるを得なくなる。かくして拷問刑罰の方法は層一層と殘虐になつて行くのである。

　勇敢なる人界の戰士キリストを十字架にかけたローマ人はあくまでも其の一黨に殘酷だつた。其の刑罰方法を列記

第五圖

第六圖

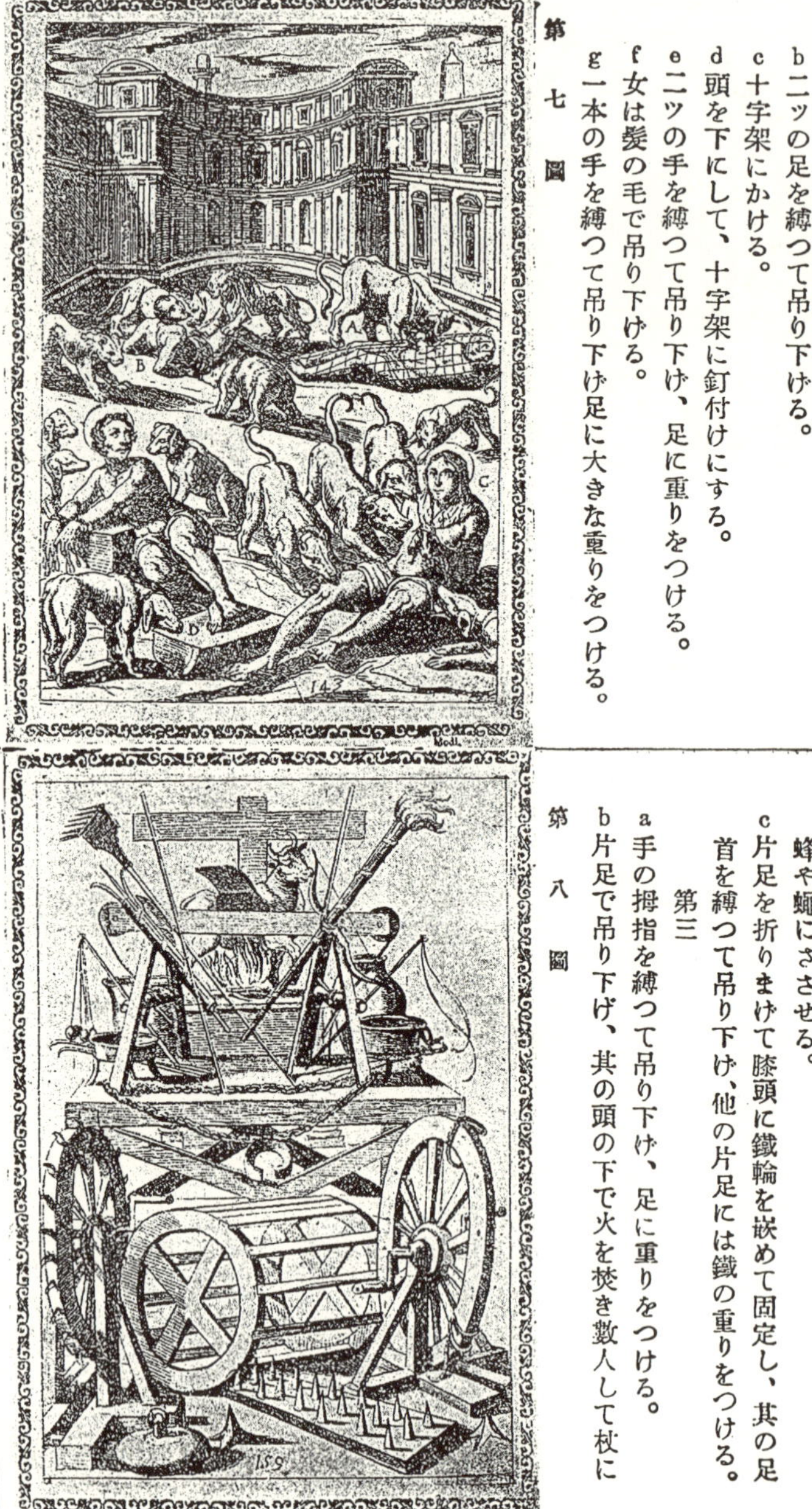

して見やう。

第一

a 足を縛つて吊り下げる。
b 二ッの足を縛つて吊り下げる。
c 十字架にかける。
d 頭を下にして、十字架に釘付けにする。
e 二ツの手を縛つて吊り下げ、足に重りをつける。
f 女は髪の毛で吊り下げる。
g 一本の手を縛つて吊り下げ足に大きな重りをつける。

第七圖

第二

a 二足を縛つて吊り下げ、首に巨大な石をつける。
b 殉教者の身體に蜜を塗つて十字架にかけ太陽に曝し、蜂や蠅にささせる。
c 片足を折りまげて膝頭に鐵輪を嵌めて固定し、其の足首を縛つて吊り下げ、他の片足には鐵の重りをつける。

第三

a 手の拇指を縛つて吊り下げ、足に重りをつける。
b 片足で吊り下げ、其の頭の下で火を焚き數人して杖に

第八圖

て打つ。

第四

a 兩足を縛つて吊し、鐵槌で其の頭を碎く。

b 兩手を背中に廻し縛つて吊り下げ、首と足とに重りをつける。

第五

a 兩手を背中に廻し縛つて吊り下げ、背の上に大きな砂袋を乘せ、口には猿轡として木片を押し込む。

b 顎に楔を打ち込み、それで吊り下げる。

第九圖　イタリーの刑罰

第六（第一圖參照）

a 大きな輪に縛りつけ、石塊の多い所へ突き落す。

第七

a 車の輪に縛りつけ、殉教者が死ぬまで曝して置く。

b 車の輪に縛りつけ廻轉さす。其の下には鐵の針が植ゑてあつて廻轉する度に殉教者の身體を無慘に傷ける。

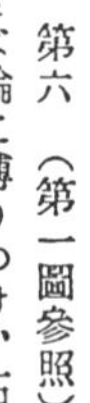

第八

a 鐵針を植ゑた上を車の輪に縛りつけて、ころがし廻る

（第七のbは輪の軸が固定して居てハンドルで廻轉さす

第十圖　身體を引き延す刑罰

のだが、第八のaは針の道をころがして行くのである）
b軸の固定した輪に縛りつけ、其の下に火を焚いて、火の上を廻轉さす。
第九
a地上の杭に兩手を縛り、更に兩足を滑車に結んで身體を引き延す。
b壓縮臺に殉敎者を入れて、葡萄やオリーブを絞る樣にする。
第十

第十一圖　水責め

a殉敎者を滑車で釣り上げ、其の下に尖つた石を澤山ならべ、其の上に急に落す。
第十一（第二圖參照）
a木馬の背に乘せて手足を椙車仕懸で引き延す。
第十二
a兩手兩足を別々に縛つて四人して四方へ烈しく引く。
第十三
a數人の殉敎者を柱に縛りつけ、死ぬまで毆りつける。

第十二圖　火　刑

第十三圖　スペインの刑罰

第十四

a 地上に立てた短い杭に兩手兩足を擴げて縛り、杖にて打つ。

b 鐵の尖つた短い杭の上に寢させ、其上から杖にて打つ

c 兩手兩足を一所に縛り、杖にて打つ。

第十五

a 殉教者を柱に縛り付け、足蹴にしたり、拳で顏を打つたりする。

b 石で打つ。

c 顎、腮を石で死ぬ程打つ。

d 大石を乘せて押しつぶす。

第十六（責め道具の一）（第三圖参照）

a 鐵製の爪。

b 鐵製の櫛。

c 鋸

第十七

a 鐵製の爪や鋏で拷問する。

b 鋸で引き裂く。

c 鐵製の櫛で引つ搔く。

第十八（責め道具の二）（第四圖参照）

a 燃え附いた薪類。

b 松或は其の他の木の松明。

c 火で燒いた鐵板。

第十四圖 スペインの刑罰

第十九

a 木馬形の木組に兩手兩足を縛つて松明で焼き苦しめる

b 滑車で頭を下にして釣り下げ前と同様に火責めにする

第二十

a 焼けた陶器の上へころがす。

b 煮えた油を注ぎかける。

第二十一

a 肉炙器の上で焼く。

第二十二

a 頭から煮え立つた鉛或は油の釜へ突き込む。

b 鐡鍋へ入れて炙り殺す。

c 煮えくり返つた鍋の中へ投げ込む。

第二十三

a 頭、手足を切り離して鍋へ入れ煮る。

b 鐡製の牛の腹中に入れ焼き殺す。

c 鐡のサナの上に寝かせ下から火を焚く。

第二十四

a 香と炭とを交ぜて掌に乘せ、これに火をつけ、殉教者が苦しさの爲に香を落す時は改宗したものと認められる

b 鐡の衣服を着せ、焼け靴を履かせる。

c 鐡の椅子に縛りつけ、焼けた鐡の帽子をかむらせる。

d 松明で眼を焼きつぶす。

第二十五

a 腋下に熱鐵を當てる。
b 燒け炭の上に寢させる。
e 煮え松脂をあびせかける。

第二十六

a 燒け炭の上を步かせ、頭から煮えた松脂や鉛を注ぐ。

第二十七

a 燃料を滿載した舟に殉教者達を乘せ、それに火をつけて海に流す。

第二十八

a 燃えた大竈に投げ込む。
b 大樽に殉教者を入れて火をつける。
c 一室へ閉ぢ込め火をつける。
d 火焰臺の上に乘せて燒き殺す。
e 四本の短い杭に四肢を縛り、其の下から火をつける。
f 杭に縛りつけ燒き殺す。
g 一杯燒け炭がつまつて居る穴へ投げ込む。

第二十九

a 子供達に短劍を持たせて殉教者を嬲り殺にさせる。
b 斧で四肢を切りはなす。

第三十

a 咽喉へ短刀を突き通す。
b 矢で射殺する。
c 頭を斧で打ち碎く。
d サーベルで首をはねる。
e 槍で突き殺す。

第三十一

a キリを脇腹へもみ込む。
b 短劍の一擊。
c 背中へ釘を打ち込む。

第三十二

a 棒で毆る。
b 鋸引き。
c 手足を切斷する。

第三十三

a 舌を切る。
b 齒を拔く。
c 乳を切る。

第三十四

a 顏の生皮を剝ぐ。
b 足首を切斷する。
c 下肢を切斷する。
d 額を傷ける。

第三十五（第五圖參照）

a 生き皮を剝ぐ。

第三十六

a 尖つた棒で突き殺す。

b 腹を切り割る。

第三十七(第六圖參照)

a 股裂きの刑。

b 手足の爪の間へキリを突きさす。

第三十八(第七圖參照)

a 殉敎者を網に入れ野牛に引き裂かせる。

b 種々の野獸に喰はせる。

c 獸の皮を着せ、野獸の餌食にする。

d 指の爪の間にキリをさし、飢えた犬の前に縛り置く。

第三十九

a 野馬の尾に殉敎者を縛りつけ滅茶々々に驅け廻らせる

b 石塊道を足に繩をつけて引き廻す。

第 四 十

a 首の所まで生き埋めにする。

b 腰の所まで生き埋めにする。

第四十一

a 斷崖より眞逆樣に突き落す。

b 燒け竈の中へ突き落す。

第四十二

a 重りをつけて川へ投げ込む。

b 網につゝんで川へ投げ込む。

c 首に重りをつけて急流に投げ込む。

d 井戸へ眞逆樣に投げ込む。

第四十三

a 鉛の箱に入れて川に投げ込む。

b 一ツの袋へ鷄、蝮、猿、犬、殉敎者を入れて海或は川へ流す。

第四十四

a 頸に鐵の鎖をつけて町を引き廻される。

b 燒けた鐵の上をころげ廻らせる。

第四十五

a 分共の建築物を建てる仕事を課せられる。

d 煉瓦や石を運搬させられる。

第四十六(第八圖參照)

責め道具。

以上四十幾通りの刑罰に關して此處に記した解說文では充分了解は出來ないとは思ふが何分四十六枚の畵を全部載せるのは不可能な事だから遺憾ではあつたが其の中から八圖丈御目にかける事にした。畵を複製した傳手だから以上八圖の以外に興味あるものを諸書から拔いて見た。それ等の畵に關連した逸話的歷史は此の次に御紹介しやう。

近世慘虐犯罪史

梅原北明

人間には誰しも慘虐性がある。人類に歷史が始つて以來人間の凡ては慘虐性を持つてゐた。要は刑に觸れるか觸れぬかの問題で、人間の慘虐性は、人間が自己の生存を意識し出せる時より腦裏の奧深くに生ずる或る呪はしい閃きである。

吾等に物語る世界の歷史は悉く慘虐の連續である。吾國の例に見ても古代より中古、平安、鎌倉、室町、戰國、德川、明治と、その時代の跡を探る時、そこには人間の血と血で洗はれた慘虐がある。

が併し、私は今、この稿に於て、それ等の歷史的慘虐談を物語らうとするものでない。ここでは明治時代の單なる巷の殺人事件として慘虐を極めしもののみを次へ掲げて明治慘虐犯罪史の一項目とすれば足りるのだ。

問題は、無名な巷の慘虐事件を、當時の新聞より摑み出して見た迄の話。それも色々な故障續出し、殊に同志樋田の死に逢ひ、雜務に追はれしため、調査思ふ樣にはこばず粗漏に了りたる段は返す〴〵も遺憾の極。いづれ市場叢書中の第何篇かに於て、「日本慘虐叢集」を編纂なす節、附錄として掲載すべき「日本慘虐犯罪史」中「明治篇」内に詳しく掲出する心算りでゐる。

故に、この稿たるや甚だ其場逃れの無責任極まるものであり、何とも相濟まぬ譯なれど、以上の如き災難に遭遇せしことなれば、今回に限り特に諸兄の完胸にすがらんとする次第、乞ふ此れを諒せよ。

木曾山中の食人肉事件

（辱しめ、殺し、喰ふ）

信州佐久間郡某村の住民に小林春吉なる者あり和田峠に

樵りし居たる折り一婦人の通掛りしを認めて坐ろに春情を起し袖を捉へて之を挑みたれども已に從はざるを見て無法にも彼の手と足とを縛し終に意を晴したるに婦人は眉を逆てゝ春吉の顏を睨み切齒をなし屹度汝の顏を見覺えて此の怨恨を霽さで置くべきと罵りたるを聞き春吉は心に戰きて痛く恐怖し此儘生し還しなば後日の患なりと斧を揮つて泣き叫ぶ婦人の細首を只だ一撃に打落し骸を筵に包みて材木の間に隱したり程經て空腹となりたりとて死骸の肉を截取り串に貫きて焚火に炙り啖ひ居たりしに偶々同村の老樵が火を借らむとて春吉の所に尋ね來りたれば春吉は一串の肉を示し這は昨日この山中に獲たる猪の肉なり分ち與へんかと問へり猪肉と聞きて老人は喜びながら之を食はむとせしに異臭ありて鼻を打ち肉色も亦猪肉と異り居るにぞ訝りて問ひ返せば猪肉なりと答へたり老人は之れ我を欺きて馬肉か牛肉かを啖はしめ後にて實を明して笑ふ策略ならんとて共に之を問ひたるが春吉が焚木を採らんと出て行きたる後老人はフト材木の間より鮮血の滴り流れたるを認め愕きて四邊を探りたるに婦人の生首一個を發見しサテは心付き急ぎ逃げ歸りて直ちに其筋に訴へたれば警部巡査現場に出張し春吉を索めたれども早や其影だになし百方盡力して彼の蹤跡を穿鑿し終に上田海野町の蕎麥店藤屋に潛伏し居たるを見出し數日前捕縛して松本裁判所へ檻送したりといふ人皮を被れる豺狼と言ふ可し。（明治二十五年一月廿九日郵便報知新聞第五千七百九十二號）

久萬山中杣小屋の慘劇

◎愛媛縣の七人斬り

河内の十人斬り大和の九人殺し實に聞くも恐ろしの世の樣なるに思ひきや今は又七人斬の兇漢愛媛縣にあらはれんとは時は本月十四日の最夜中頃なり同縣上浮穴郡久萬山の奥松杉蓊鬱りて晝尙ほ小暗き杣小屋に血腥き風は吹きすさびけり。

◎兇漢の素性

兇漢は同縣周布郡石根村大字妙口平民能智重吉の二男同苗八太郎と呼び本年三十四歳、綽名を銀馬と稱し、平素肝癪の强き質にて何事にも立腹し易く肝癪腹の立ちし時には覺えず我を忘れて慘酷の擧動に及びし事度々なりき酒と女は此の男が無上の好物にして身持は至つて放埒ながら、幼少より父に家業の籠細工を習ひ手先器用にして頗る工なりしより篩八の聲名は近郷近在に鳴り響き數多華主も有しけり明治十九年徴兵に當り丸龜兵營に入り目下後備の兵籍に在り入營中の如き朋輩と喧嘩口論の末立腹の餘り我と我が腹一文字に搔き切りし事あり療養效を奏して漸く助命したりしが刀痕は今に歴然と存せりといふ

◎曾て久萬山に住す

篩細工に巧なりしのみならず抽木挽なども熟練なりしものから生活上の都合により曾て上浮穴郡杣川村大字杣野字澁草に移住して稼ぎ居りし中何時しか同村字處藪の後家菅いし(三十四)と割なき間となり暫しは夫婦の如く暮しおもよといふ小女兒さへ擧げしは一昨二十六年の事なりきされど根が好色の男とて、其近邊に住ひせし新居郡大保木村大字黑瀨生れなる丹てい(二十七年)のいしよりは年も若く美人なるに思ひを掛け久萬の山住ひも面白からじと淺ましや子までなしたるいしを秋の扇と振りすてゝ互に手を取り生れ在所妙口へ歸りしは其年の十二月なりと聞く

◎情婦を殺害す

よしや假りの契りと言ひながら固よりいしのあるを知りつゝ靡く水性婦、恥も操をも何かは一年添ふか添はぬに八太郎の眼を忍びて他の情夫に通ぜし事耳に入りては平素の氣質八太郎は何條矢も楯もたまるべき嫉妬の焰むら〳〵と起りしが早く玆に殺意を生じ去月二十六日夜に乘じてテイを新居郡大保木村の田圃道に誘ひ出し難なく、之を殺害せしは恐ろしなんどいふばかりなし

◎再び久萬山中に潜伏す

時しも後備兵役に在る身の八太郎は其筋より召集の嚴令に接したれど疵持つ足の其令に應ぜずしてまづ久萬山に奔り本月一日突然昔馴染の菅いし方を訪れ言葉を低うし前非を謝していとは疾くに手切れとなりたるにより元の夫婦にならうではなきかと味に持懸けしも今は石より堅きいしの心お前の如き水臭き人は懲り果てたりとポンと刎付て迚も飜へすべきもあらざるより八太郎も困り切り今は是非なし實は後備召集令に應ぜざりし罪過ある身其筋の探索嚴重なれば是れより九州地方へ渡らんとの言葉殘して悄然立出でしものゝ固より何處をあてのあるにてもなく暫くは知る邊のあるを幸ひ山の夏草踏み分けつゝ此處彼處の杣小屋に忍びけり。

◎殺 害 の 原 因

罪過ある身は何時までか潛まるべき九州へ遁れんか金はなし途はなし、知邊をたよればとて永く續くものにあらず此の上は我が身の罪打あけて、暫時救ひを求めて後また能き分別を出すに如かじと此の山の炭燒にて同鄕の因ある戶田米市(三十年)を說きて懇意を通じ徐々身の上の犯罪など語りて何卒暫時の間かくまひ呉れよ賴みしに米市はなかなか承知せず情を知りて汝を隱さば我亦同罪たるを免れじ其の義は平に容赦あれ我は汝の話はゆめ他人に洩すまじければ是より心安く何處へなりと落ゆくべしとの返答に八太郎は怫然として再び口を開かず其儘に立去りしが是ぞ殺害の原因にはあらざりしか此の米市といふは、同郡川瀨村大字直瀨エーシ組德永彌五郎が娘いせよと私通し彌五郎の資本を借りて今ま此の山中に炭燒きを營業とせるものなり

◎現 狀 の 慘 況

尋で去る十四日の夜八太郎は再び米市の小屋に尋ね到りしが折柄米市の小屋には夫婦の外に越智光藏(五十年)其の子源之助(十二年)及び玉置藤吉(四十五年)同人私通婦近藤かめ(三十四)其の子きし(四年)の五名泊り居り米市は神ならぬ身の八太郎が深き心の底知れざれば兼ねて貯への村酒取り出し今夕は思ひがけざる珍客の多ければいづれも心置きなく酌むべしとて八太郎にも杯を取らせ爐を圍みて獻酬頻りに飮み續けるうち短き夏の夜のいつしかに更けたり、八太郎は胸に一物あれば泥醉を裝ふて片隅に醉ひ倒れたりしが家の者も各切りあげて其の儘表手の締をなし一々寢床に入ればいづれも醉に任せて直ちに夢に入りたりけり夜はますます更け渡り松吹く風も次第に衰へて、蒲團を漏るゝ鼾の外には此の寂寞を破るものは朧の月影幽かに檐を通して影凄し八太郎は時ぞよしと靜かに起き上り庭の斧取り寄せ二振三振、振り動かして腕試し莞爾と笑みて獨り點頭(うなづ)きつつ其儘ズイと飛んで米市の枕元に立ちて斧眞向に振りかざし我が身の素性聞かせし上は汝等が命貰はで置くべきや汝等が口より吾が罪跡世に現らはれなば實我が身の破滅、覺悟しろいと擊ちおろす斧は忽ち七名の腦骨各々梨割に打ち碎かれ哀れ未だ東西さへ知らぬ幼兒まで無慘の最後を遂げさせけり餘りのもろさに八太郎はカラ〳〵と打ち笑ひ造花神妙と斧を投げ棄てゝ衣類二三點金子少々掠奪めて其儘小屋を出でんとせしが又立ち戾り小屋の笹葺なるを幸ひ之に火を放ちて燒にまぎらさん事屈强なりと米市等の死屍を爐

の內に引き込み其の上に行李など重ねて次第に火の移る樣になし置き玆に心を安じて小屋を立ち出でたるはどこまでも大膽不敵の所業とやいはん然るに爐の火は八太郎が思ふ如く盛ならざりしと見え米市等の頭部を焦がせしのみにて行李にも移らざりければ勿論小屋に移らずして全く其の罪跡を存したり故を以て十五日の朝同郡井內村の炭負某其有樣を發見するや急に村民に報じ村民は又久萬警察署に急報して玆に犯者搜索の端緒を開きたり（未完）

（明治二十八年六月二十四日讀賣新聞第六千四百三十一號）

◎探偵の手配

殺人の急報其筋に達するや松山警察署よりは特に門田巡査宅間外池兩特務及び巡査泉五郎、橫山源太、太政儀作の諸氏八方に出張し專ら其の探偵逮捕に力を盡せしが去る十四日の午後一時頃久米郡川上驛の某飲食店へ一人の男來り米二升五合許りを買ひ與れずやとのことなりしを以て飮食店の主人は先づ現物を一見したる所甚だ粗惡なるに依り直瀨米と鑑定し相當の價にて買入れたりとの事を探知し早速其の人相等を問合はせたるに豫ねて探偵中なりし大保木村女殺の犯人能智八太郎に相違なく又直瀨米を所持し居りたりと其の他種々の點に付、考察を下すときは七人殺の大罪を犯したるも同人に相違なきこと判然し且つ兇漢は久米郡上通邊の各村落を徘徊し晝は最寄の飲食店にて支度を整へ夜は山林又は神社等に寢ね居ることまで探知したり是に於て警官特務の一行は二手に分れ一は久米郡上通りに回はり一は郡中地方に回はり双方より次第に追ひ詰め遂に去る十九日午前十時頃伊豫郡々中村大字下吾川の途上に於て一同力を協せ首尾よく捕縛し同日松山地方裁判所、檢事局へ護送し直ちに松山監獄に收監せり八太郎は當時用意の爲めにや竹切小刀二本を隱し持ち居りしも警官は敏くも之を見付けて押收せしに兇漢は隙さへありたらんには、マダ遣つてやらうものを無念と叫びつゝ縛に就きしとは實に類稀なる兇漢と云ふべし（完）（明治二十八年六月二十五日讀賣新聞第六千四百三十二號）

生首の煮汁を飮む

兵庫和田崎町の漁師藤原五郎吉（四十年）と云へるは久しき以前より梅毒に罹りいろ〳〵治療に手を盡せしもますます重るばかりにて困じはてける折柄或る人の話に人の生首を煮て其の汁を喫はゞ梅毒には屈强の藥といつしか女房よ

し（三十六）が聞き込み夫のためと健氣にも先月十七日明石郡林村の實家にゆき其の旨を告げて母親ひさ（六十）妹くめの二人に同道して貰ひ同村の寺に行きて新佛の墓を掘起し其生首を切りて風呂敷に包み家に持歸つて、大きな土鍋に入れよく煮出して其の汁を亭主五郎吉に飲ませ翌日日に乾して又煮出し去る八日まで毎日乾しては煮煮ては乾して居たを近所の者が見付け五郎吉さんの所にて人の首が乾して在るとの評判特務巡査の耳に入り早速取調べて其の始末に驚き直ちに女房よしを拘引せしがさても世には無茶な女もあればあるもの（明治三十八年八月十三日讀賣新聞第六千四百八十一號）

お茶水の死體遺棄事件

◎お茶の水河岸の死體

本鄕區湯島二丁目高等師範學校前河岸淵に四十年位の女の死體ありしを昨廿七日午前五時頃發見したるを以て直ちに豫審判事檢事等出張檢視ありしに右女は裸體にして面部に數ヶ所の創傷ありたるより何者にか殺害せられしものと認定し目下其犯人搜索中なりと云ふ（東京日日新聞第七六五四號明治三十年四月廿八日）

◎怪しき女の死體（後報）

一昨朝本鄕お茶の水にて發見したる女の死體は全身に十數ヶ所の斫傷あるの外、頭部手足等を荒繩にて縛りし痕迹などもありて謀殺の死體なることは一目顯著なるも他に少しく取調を要する廉のある由にて昨日大學醫院に差廻し解剖せられしと云ふ（東京日日新聞第七六五五號明治三十年四月二十九日）

◎お茶の水虐殺犯人就縛

頃日來世人をして五里霧中に彷徨せしめたるお茶の水裸體婦人虐殺事件も牛込署の機敏なる探偵によつて去る八日午後一時突然其の犯罪者を就縛するの快報に接せり今先づ其の犯人及被害者の何者なるやを讀者に報導し次いで其の被害者及犯人に關する性行及其の近隣の人々よりして聞込みたる虐殺の原因なるべしと豫想せらるゝもの一二をかゝげん

被害者は

千葉縣平郡佐久間村下村字赤坊子
平民御代梅八十松姉
當時牛込區若宮町廿一番地

御代梅この
安政二年二月生

にして加害者は

右同居福島縣大沼郡赤澤村大字赤留
南中二千四百四十一番地士族
松平紀義
安政四年三月十五日生

にして御世梅このは相應の農家に生れたれど同地の習慣として大概の婦人は結婚前に東京に出でゝ一度奉公することなればこのも十八九の頃より出京して日本橋人形町の某商家に住込みたるも僅に半月ならずして暇を乞ひ芝南佐久間町の某下宿屋に奉公せるも是又永くは續かずして麹町山本町一丁目なる湯屋に住込み湯女となりて働き居たる折、入浴の爲に屢々出入せる、高木重次郎と呼べる車夫と何時しか懇意を結び重次郎と夫婦同様となりて牛込區白銀町六番地に世帶を持ちたるは今より廿餘年前被害者このが廿歳前後の事なりき去れど世帶も張り切れずして夫婦共々このが房州の親許に赴き一二年を田舍に暮しけるが重次郎は田舍は面白からず日を送るをきらひ間もなく唯一人出京し麹町元園町一丁目にさゝやかなる家を求めて花屋商賣をなし居たるにこのも親をせびりて多少の資本をもらひ受け次いで出京し重次郎と共に麹町一丁目に以前よりも手廣なる家を借りうけ夫婦共稼の姿にて勉强したれば顧客も次第に多く從つて利益も夫婦口には有餘る程となりて貯蓄も可成り出來るやうには成りけれどもこのは常に斯く商賣の都合よくなり來しも全くは妾の爲なりと稱し自然亭主を尻に敷く形跡ありしが爲に夫婦中兎角に面白からず重次郎もこのが望むまゝに百五十圓の家財代三圓とを與へて夫婦別れをなしたるは明治十九年四月の事なりしと云ふ。其後もこのは多く東京に在りて種々の境界を經來りしと雖も親許の可成りに暮し居る爲別に不自由は感ぜずして隨分我儘勝手なる生活をなし居たるが如し或人は同人が一時失場女をなし居れりと云ひ又妾奉公をもしたる女と云ふ位にして其の品行の如きも餘りに正しきものとは思はれず其内廿七年の頃より加害者松平紀義と如何なる關係よりか懇意となり廿八年二月上旬より先づ同番地差配岡田正義方にこの一人來りて家屋借入の相談に及び女一人の事なれば伯父と稱せる同區宮比町八番地山下竹次郎といへる者を證人として一圓二十錢の家賃にて世帯を持ち鼻緒などを內職に製造して暮し居たるが、程なく男女二人の子供を何處よりか伴ひ來れりこれ今回の加害者紀義の先妻の子にして長男榮長(當年十一)長女のぶ(當年十二歲)の二人なりき夫より紀義も乘込み來りて廿八年二月三日遂に區役所に同居寄留の屆を差出せり夫より最初は至極睦くこのも兩兒を我子の如くいつくしみて暮し居たるが、元來紀義はこの平生貯蓄せる金あるを目當にて一つになりしと云ふ位の有樣にて高利貸を營み傍ら三百代言の如きことをなし居たりしなりその貸付の金も勿論このが懷より出でしなるべし斯くて日を經るに從ひこのの我儘は次第に募りて榮長、のぶ兩人の子供の事よりして夫婦爭の絕えたることなく既に兇行前日の如きも子供の事よりして一寸聲高になりで爭ひたる事ありしと云ふ然して先づ兇行の原因とも豫想せらるゝものはこのが所持せる金を紀義は捲上げ自由にせんとつとめたるもこのも尋常の婦人ならねば容易に其の詞を容る可くもなく時には男を男とも思はぬ所爲もありしより此兇行には及べるならんといふ兇行の當夜は平日の如く子供に命じて二合の酒を買はせてこれを飲みたる後又紀義は二人の子供に命じて酒買に出だしやりたり兇行は多分此際に行はれしならん、然して兩人の子供の寢入るを待ち受け翌廿七日午前一二時の間に屍體を持出しお茶の水の邊まで運びたるならんと云ふ

◎犯人の家宅搜索　牛込警察署の通報に接するや東京地方裁判所よりは額賀豫審判事、藤川檢事は書記同導、警視廳よりは伊藤第二部第一課長等前記若宮町廿一番地なる犯人の住宅に臨み差配人立會の上家宅搜索を行ひ種々犯罪用に供したる證據物をも押收して引上げたりと云ふ

◎加害者及被害の容貌　加害者紀義は中肉に身幹餘り高き方ならず色白く鼻下より下顎にかけて髭髯を貯へ鼻は高き方ならねど大きく眼は一種險惡なる光を帶びて聲は太き皺枯聲にして何處迄も厭に落付きたる所高利貸然なりしと、又被害者このは美人といふにあらねどデップリと肥りたる白色の赤ら顏の女にして髮は常に櫛卷となし居りしと云ふ

◎探偵の端緒　探偵の端緒につきては其の近隣の風說よりして來りしとも云ひ戶籍調査の常務巡査が或日其家に至りたるに紀義も不在このも家にあらず娘のぶのみありて何事をかなしつつあり巡査のこのは如何せしと問ひしに廿七日の朝より何處へか行きて歸らずと云ふ時に警官は兼ねて手

に入れありしこのが若かりし折の寫眞を出してこれはこのなるやと問ひしに夫れこそこのなりと答ふこれより一層踏込んで探偵を盡せる由。

◎松平紀義の身の上　は元肥前島の藩人にして本姓は片桐にして何故か松平の姓を稱し東北地方に立廻はりて舊惡も少からぬ男なりといふ。

◎兇行當時及其翌朝　兇行當夜は何時になく家内靜かにして夜に入れば常にこのが新聞の讀物など聲高に讀む聲聞ゆるが常なるにこれも聞えず其翌朝に至りても其の影見えざるのみか不斷にも似ず紀義は自身裏口の井戸端にて赤縞瓦斯二子の裕を洗濯し居たりしかば近隣の人々もこれを怪み問ひたるに至急の用事にて房州の親許へ行きたりなど答へ居たりしと云ふ

◎松平紀義の居宅　若宮町廿一番地八幡の鳥居前にして僅に一間程の道を隔つるのみ家は南向柿葺にして間口二間奥行一間半許りの小屋にして四軒建長屋の取付なり入口は左手にありて右手は出格子窓になり居り上り口に二疊、其の次の間に六疊又窓の方に三疊許りの室あり一間四方程の庭ありて山吹など咲亂れ庭木戸ありて木戸を出づれば井戸あり井戸の周圍少しく空地あり隣家とは唯壁一重なり門札は加害者松平紀義の名を掲げあり書體も可成りなれば紀義も少しは敎育あるものなるべく士族だけに劍法も心得たるなるべしといふ。

◎二人の子供　二人の子供は淋しげに其の家にあり近隣の人々より世話をなし居ると云ふ昨日社員が赴きたる折にも姉弟は錦繪など弄びて遊び居れり姉のぶは十二歳にしてマセたる方にして襷掛にていと甲斐〳〵しく弟を遊ばせ居たるが如し衣服なども見にくからず平常虐待せられたる樣子もなけれどこのも內職する程なれば炊事等に追使はれ居だるは事實なるが如し此二人は腹異ひなれど共に紀義が胤には相違なしと云ひ又紀義は愚痴に子供を可愛がりしとも云ふ

◎このが平日　このは世に云ふアバヅレにして毎夜酒を嗜み何か氣に逆ふことあれば亂暴を働くことも度々にしてその都度紀義がこのの金を消費せることなど言罵ること聞苦しき程なりしと云ふ

◎加害者の糺問　牛込署にて夫々手配をなし去る八日午前十一時頃加害者紀義を捕縛の上取調べたりしも同人はなか

なか强情にて三百的の辯說を弄し自白せざりしも子供兩人の口供其他到底脫る可からざる證據充分なるを以て遂に包むに包み切れず自宅に於てこのを殺害せる旨白狀せり故に其儘檢事局へ送られたりしは一昨九日午後五時頃なりき。（國民新聞第二千百九十一號明治三十年五月十一日）

◎お茶の水殺人事件の公判廷　松平紀義は其妻御代梅コノを絞殺して死體をお茶の水に放棄したる被告事件は愈々今六日東京地方裁判所に於て開廷することに決したるが同事件は世人の注目する所なるを以て當日は定めて傍聽人多かるべしとて大審院第一號公廷に於て公判廷を開き傍聽は五百名を限り差許す筈なりと云ふ（東京日日新聞第七七九一號 明治三十年十月六日）

縮屋殺し

◎無慘の死體

一昨十三日午後五時頃のこと陸軍戸山學校側の溝中に年齡三十歲位の男咽喉を絞られ頭部に傷を負ひ無慘の最後を遂げ居るを發見し牛込警察署よりは警部巡査醫師東京地方裁判所よりは梅田豫審判事ニ瓶檢事及菊池警察醫等臨檢ありたるが全く他殺に相違なく慘死者は色白く鼻高く髮は一分刈にて中肉丈高く縞紺單物を着し博多帶をメめ白シャツ紺木綿股引に紺足袋を穿ち居れる商人體の男にて新潟縣刈羽郡北角村平民縮商配野傳兵衛（三十六）なるものにて當時日本橋區馬喰町二丁目旅人宿山城屋方止宿なることの判明したり昨日帝國大學にて解剖することとなり警視廳第一部よりは伊藤第一課長臨場したり尙其の後聞込みたる五六零片を記さんに

被害者の傷所　頭部に七寸三分の斫傷、頸部には一寸五分乃至五分位の傷あり尙ほ左の耳は嚙み付きたる如き傷ありて其斷は何れに落ちたるや發見せず

被害者致命と時間　死體の發見は一昨十三日午後五時頃なるが檢視の結果二十時間位は確かに經過したるものと判定されたり且つ現場には履物其他品物存在せざる所より想像すれば或は他に於て殺害したる上此所に運搬したるものなるべしといふものあり或は然らん

被害者の寫眞　昨日午前九時帝國大學醫學部にて解剖に先ち探偵上の必要より被害者の顏を撮影したりと

死體の所在地　戸山學校正門に向ひ外構を右に折れ穴八幡に寄りたる道路より二十餘間を距る秋草の生茂りたる溝中

なりと
加害者の探偵　に就いては隨分至難事ならんか其筋の見込にてはこれが探偵は一時都下の評判に上りたる彼のお茶の水慘殺事件と等しかるべしと云ふ
◎無慘の死體に就て
前紙に報道し置きたる牛込に起りたる大棒事配野傳兵衞絞殺事件に付尚探知したる顚末を記さんに同人は毎年夏季越後縮を携へて上京し府下を行商する者にして殊に山の手邊には得意の場所多く從つて掛賣をなすの慣例あれば今回も掛先きを廻り嚴しく督促し得意先にて喧嘩を惹起し棍棒にて打据へられ其場に悶絶したるを犯人は尙ほも咽喉をメめ絕命したるを見屆け夜蔭に乘じ前記の所へ遺棄したるものならんと而して被害の地は素より知るを得ざる所なるが四谷若くは新宿方面ならんと云ふ者あり又警視廳にては武東警部主任となり白井、水野、鳥井、岩附の各刑事係りは專ら該犯人の捜索に從事し其他府下の各警察署刑事は非常の熱心を以て探索に從事し居り昨日の如きは各警察の刑事二十名近く牛込署に集合して打合せを爲したり被害者の止宿山城屋にありける所持品一切は昨日牛込警察署の手に引上げ同署にて堅く保管し置く由なれば此先き該物品により充分の手掛りを得べしとなり又一昨日帝國大學醫學部に於て解剖したる所被害者は橫死する三四時間前に牛肉店に於て飲食し胃中に葱白瀧など異存しありたるも酒其の他の消化し易きものはなかりしといふ（東京日日第七七七五號　明治三十年九月十六日）
◎無慘の死體に就て　（三たび）
縮商配野傳兵衞を殺害せし加害者に就ては警視廳は勿論他の警察署にても百方探偵中なるが未だ下手人の誰なるかは更に手懸りなく被害地たる牛込署にては逸早くも被害者の宿泊したる日本橋區馬喰町山城屋旅店より引上げたる帳簿類其他の物品は探偵上に格別の効なく却て同人が被害當日旅宿を出るに際し帳簿二冊を小風呂敷に包み携へ行きたる其小包こそ最も有力なる證據物にして即ち縮を貸付け置く所の宿所姓名金高等を書附け置くものなりしに右帳簿は已に被害者の懷中は勿論身邊にもなかりし斯る有力なる帳簿の紛失より考ふれば加害者は充分の注意を加へたるものにて探偵上頗る困難なるべく又加害者は初めより金品を奪はんとての所爲に非ざるは死體より察するも又場所等より察するも豫め謀りての所爲に非ざることは明白にして前號記

せる如く掛先にて口論の末加害されたる後ち彼の所へ遺棄したるは檢案に依り判明しあることなれば加害者は案外近所にあるやも知れず又一說には豫め謀りて殺害したるものならんと云ふ者あれども斯は刑事社會の或る一部に於ける說なりと

解剖の事　帝國醫科大學に於ける解剖の結果は前號に記せしが尙ほ詳報を記さんに被害者は當日煙草を吸はんとて頭を下げたるものならんか其刹那硬質の棍棒にて打据へられ第二擊に左の耳より少し上部を打擊されたるものにて此時窒息せんとして悲鳴を擧げたるを見て加害者は細繩もて絞殺したるものならんと云ふ

死體の引取　右死體の解剖も濟みたる事とて配野の友人等は一昨日大學醫學部に赴き死體を引取り棺に納めて旅宿山城屋の一間に持込み香華を手向け一同通夜を爲したり又昨日故鄕より實兄幷に親戚等も上京したれば死體は荼毘に付して故鄕に持ち歸るべしと

探偵の端緒を得昨朝八時頃の事なりし日本橋警察署は被害者が縮反物を荷車に積みて行商する爲め常雇に爲し居たる輕子某を引上げたる由にて同署は刑事をして被害者配野が常に花主（とくゐ）とする家々に案內させて密々探偵することとし已に之に着手したる由なれば犯人も遠からず縛に就くべし

本人の所持金　被害の當日配野の旅宿を出でたる折は僅かに金三圓を懷中したるのみにて牛込區原町の某々二軒の華主より受取りたる懸金は定かに知るを得ざれど慥かに十四五圓位なるべし　（東京日日第七七七六號 明治三十年九月十七日）

◎高田馬場殺人事件

前號記載の牛込區高田馬場殺人の嫌疑にて陸軍步兵曹長戶山學校助敎一政米吉といふ者一昨日牛込署に引致せられたるが同人は昨日遂に加害の顚末を自白したるよし今其の云ふ所に據れば同人の原籍は宮城縣東臼杵郡紐島村二百三十番地にして當時は牛込區原町三丁目五十二番地に寄留し居り豫て被害者配野傳兵衞より實懸代金十六圓六十錢を督促され居りしが本月十一日も午後二時頃戶山學校まで尋ね來りて督促せしかば酒肴を命じて種々饗應し夫より兩人同道にて同校を出で途すがら金策のことを考ふるも他に其途なく如何はせんと苦慮の餘り此に殺意を生じ戶山學校裏手高田馬場にて帶劍を引拔き不意に背後より突きて其場に倒し返す刀に頭部を斬り息を止めんと兩手にて咽喉を縮め付け

愈々絶息せしを認め小紐にて其の喉を括り引き摺りて現場より一丁許り隔てたる溝中に放棄したりされば傷所は頭部二ヶ所と耳朶の切れ居りしのみなるが耳朶の切れたるは引き行く途中何かに懸りたるものならんと云ふ尚ほ昨日の午後憲兵及警官が加害者を引連れ被害の現場に出張して取調ぶる所ありしが詳細の事はいまだ判然せざれども加害者は本日軍法會議に廻し尋問を遂ぐる筈なりと云ふ

（東京日日新聞第七七七七號明治三十年九月十八日）

◎縮屋殺し

一政米吉自白の顚末　去る十六日午前十一時警視廳の武藤警部は牛込警察署に出張し同署の西尾警部と共に主任となり昨今世評の高き彼の縮屋殺し一政米吉を取調べたる模樣を聞くに右警部協議の上白井以下六名の刑事に召喚狀を持たせ一政方に出張せしめ牛込署に連れ來り第一本人の履歴を聞き取り第二額の負傷は如何と問ひたるに流石の惡漢も俄然顏色を變じ暫時言葉も無かりしが漸く氣附き答へて曰く此額の負傷は十一日午後四時頃學校より歸宅し七時過角袖にて近傍散歩中牛込寺町通に於て二人の書生に出逢ひ互に突當りたるより一場の喧嘩となり之が爲め負傷せるものなりと警部又問ふて曰く貴殿は越後の縮屋配野傳兵衛を知り居れりや（答）存じ居れり（問）然らば何時頃より如何なる手續にて知合となりたるや（答）牛込區柳町十番地日本體育學校長平野晉吉の世話にて本年六月中配野より數寄屋帷子一反と紺飛白一反を金十六圓六十錢にて買取りたり其故知れるなり（問）然らば該金は已に支拂ひたるや（答）十一日午後二時三十分頃戸山學校内にて支拂ひたり（問）然ば受取書ありや（答）學校の自分の卓の抽出しに入置きたり（問）其金は如何にして所持するや（答）同僚間にて無盡を爲し之が當りたるを以てありと之にて暫時訊問を中止し一面には部下の刑事をして寺町通に喧嘩ありしや否やを探偵せしめ一面には戸山學校に赴かしめて請取書の有無を糺すと双方とも丸で跡形も　きにぞ爰に始めて殺人犯は一政米吉なりと思量し武東警部は二人曳腕車にて東京地方裁判所檢事局に至り工藤檢事正に面會したるに伊藤第一課長も恰も同席に在りしを以て右の次第を漏れなく報告したり此報告に依り工藤檢事正は電話を以て憲兵本部に通牒したるに時を移さず下副官矢田寅之進氏檢事局へ來りしかば工藤檢事正は武藤、西尾、矢田三氏協議の上一政を取調よと指揮し右三氏牛込署に赴きたるは午後二時半頃なりし然るに一政は素より軍籍に在る者なれば藤本二等軍曹上等兵一名を伴ひて受取りの爲牛込署に來りたるに武東西尾の兩警部は總ての一件書類を携帶して憲兵本部に至り桐生少尉矢田下副官に其顚末を申繼ぎ尚ほ家宅捜索の必要あればとて夫れより同少尉藤本藤田の二軍曹上等兵三名武東西尾兩警部を始め豫て參考人として牛込署に待たせ置きたる一政の女房木村いし(廿)を同道せしめ家宅を捜索したり然るに白井水野外二名が探偵したる處によれば一政は豫て牛込區若松町の渡邊善次郎(五十二)より金三十圓を借用したるを三十一日無盡に當りし金員にて返却したり此外砲兵工廠の職工渡邊喜代吉(二十二)よりも金三十圓を借用し居り返却の道なく困難を極め居たるが十二日午後七時頃渡邊方に至り三十圓の內元金二十圓利息金四圓八十錢を返却したることあり此事より遂に今日發覺したりと云ふ餘は重ねて報道する所あるべし(東京日日新聞第七七七八號 明治三十年九月十九日)

◎一政米吉の收監　彼の縮屋殺し陸軍步兵曹長一政米吉は第一憲兵屯所に拘留中なりしが昨日午前八時第一師團軍法會議へ拘送の上東京衛戍監獄へ收監されたり

(東京日日新聞第七七八一號明治三十年九月二十三日)

生首賣買事件

○富山の反魂丹主中田藥舗に絡まる怪事件

○生首賣買事件東京に起らんとす

古來藥品として人體の一部を黑燒として靈天蓋、人膵、天粉、天末、人油など稱して賣買せられ彼の死刑に處せられしもの丶頭顱の如きは多く是等の原料として公賣せられたりしが維新後に至り

辨官達　明治三年四月十五日從來刑餘の骸を以て刀劍の利鈍を試來候右は殘酷の事に候間嚴禁取締可致其他人膽或は靈天蓋陰莖等密賣致す哉に候處其効果無之事に付是又嚴禁取締可致事

の禁令を發布して禁止せられたるに拘はらず是等の藥品は依然賣買せられつ丶あり日清戰役の際の如きは人夫にして彼地にて之を製造し或は人膽で歸朝し巨利を得たるものありと傳へられ今日に於ても藥種店に天蓋又は人油として賣買せらる丶は其の原料果して人體を用ひつ丶あるか或は獸類を以て原料となしつ丶あるか疑問に屬し居りしが過般

大阪市に於て生首賣買の事實が發見せられしより餘波は忽ち越中富山に及ぼし反魂丹の本家として有名なる同地四十物町の藥店中田清兵衛は家宅捜索を受け結果九個の天印を發見せられたるが調査に依り買入れ先は大阪及名古屋を重なる地とし東京よりも買入るゝことを確かめたり先是警視廳に於ても疾くより此の事件に注目し橋爪第一課長は機敏なる探偵數名を指揮し密に府下二三の藥店に付き捜索しつつありしが越中富山の中田舗と本支店の關係もあることゝて日本橋區通二丁目中田藥店の如きは殊に注目せられ遂に一昨日に至り同家の調査に着手することゝなりたり去れど固より其筋にても秘密に秘密となし捜索進行中なれば詳細を知るに由なく叉多少方針其他に就き聞き込みし處あるも之れを發表することを得ざるも調査前後の模樣を大略報ぜんに第一の注目、警視廳に於て第一に注目したるは日本橋區通二丁目中田藥舗にして同店は前記の如く此の事件の大阪に起りし餘波家宅の捜索を受け天蓋九個を發見したる富山市の藥店茶ノ木屋事中田清兵衛の支店にして本店主人清兵衛が兩三日前に出京したることを聞き込みたれば同廳に於ても急に一昨日午後を以て同家の調査を行ひたるものなり

▲中田藥舗の取調　一昨日警視廳にては七名の警部巡査を同店に差向け嚴重に訊問する所あり場合に依りては家宅捜索をも執行すべき筈なりしが同店にては既に本店にて捜索を受けしことゝて充分警戒し殊に主人出京諸事始末を爲したるものゝ如く捜索を受くるも差支なき模樣なりしかば取調に留め捜索は爲さゞしが同店支配人井上文造(四十二)外數名の雇人の言に依るに同店に於ても本店同樣天蓋を仕入れたる事あるも東京にては需用少なきより本店に還付せりと然れども是等の答辯は猶容易に信ずべからざる廉ありといふ

▲其他の嫌疑者　警視廳に於ては調査の進行と共に種々の驚くべき事實を發見し天粉、天末、天碎、人油、天石等々死體を原料として製造せる藥品は東京市中到る處の藥店に販賣せられ日本橋區本町、石町邊の藥店にして之れを仕入れざるもの無き者の如く就中下谷區黒門町の黒燒屋の如きは先祖傳來の珍物と唱へ居り原料の出所は分明ならざるも公然販賣されつゝあるは事實なりと

▲全形と細末　調査の結果細末は到處に發見せらるゝも之

れ果して人の生首なりや獸類を以て模造せるものなりや明瞭ならず全形の者は發見せざれば捜索の手順を得ずと雖も既に斯く世上に發表せられたる以上は全形のものを有するものも細末に爲して其筋の目を晦すべければ今後捜索を進行するも全形の發見は蓋し難かるべしといへり

▲製造地　東京に於ける天蓋、天粉、人油等は大阪より仕入るゝ者其多數を占むるは勿論なるも名古屋も亦重なる製造地にして東京に於て製造せらるゝものも少なからざる見込なれば警視廳に在つては種々の方面に向つて其の製造者を捜索中なりと

▲火葬場の危險　東京に於ける天碎天石の類は多く火葬場より得る所のものにして是等は天蓋の如く高價ならざるも相當の價あり引取人なき屍體の頭部は總て此の材料に供せらるゝ者の如く人油は火葬の際青竹を屍體に挿し込み其の燒滴を取るものにして火葬場の產物として販賣せらるゝは事實なり

▲模造人類　細末となしたる者は全形の者より價も安く又賣り惡しく殊に半熟の者を珍とすることなれば火葬場のみにては十分ならざるより人頭に擬ふべき動物に依つて模造さるゝ品あり是等の材料として犬豚鹿なども用ひらるゝも最も妙なるは猿猴の頭なりと然れば野獸商の取引相場も頭付三四圓なるも頭無は半額なりと而して眞の天蓋は一頭三十圓内外にて東京に販賣せられつゝあり（東京日日新聞第九千百十三號明治三十五年二月二十一日）

○生首賣買事件餘聞　中田藥舖取調のことは昨夜に報じ置きたるが警視廳に於ては猶諸方面に刑事を派し製造元、販賣店其他關係者の捜索を進行しつゝあるも事の眞相を發見せんが爲め極めて秘密に取調べられ居れり内務省にあつても此事件を東京、大阪、富山に限る地方問題と見做す能はず既に數日前全國各府縣に對し一片の訓令を發したりと又た警保局に於ても既報明治三年辨官達の禁令今日に在ては有りても無きが如き觀あるより之れに代るべき法令を制定するの必要を感じ目下其考案中なれば何日何等かの新規則の發布せらるゝを見るべし而して目下最も疑ふべきは火葬場にして場所は東葛飾郡砂村、▲龜戸村、豐多摩郡代々幡村落合村、荏原郡桐ヶ谷村、北豐島郡三河島村、日暮里村の七ケ所なるが桐ヶ谷を除き他は悉く東京博善會社の專有なり以上の火葬場に付ては不日山根第三部長臨檢を行ふべし

といふ是等事件の社會に知れ渡りたるは一面大に喜ぶべきに似たるも亦一面此の如き藥種を世の愚婦愚夫に紹介したるものに對し此後嚴重なる取締を爲さゞるに於ては却て需用を增加するの虞あるのみならず却々恐るべきの毒素を含有し人命に危害を與ふるの虞あるを以て其筋に於ても重大問題として取調に着手しつゝありといふ（明治三十五年二月廿二日東京日日新聞第九千百十四號）

迷信人骨を黑燒と爲す

○人骨黑燒の犯人捕縛　島根縣簸川郡久村四十三番地平民無職持田捨太郎（七十九）は墳墓を發掘し人骨を黑燒きとして販賣するの風評ありて此程拘引せられ取調べを受けたる際本人の自白したる處に依れば同人は人頭黑燒の梅毒に効驗ありとの風說を信じ本年三月十三日頃岡山縣岡山市久山町塚本理輔（七十八）が明治二十九年八月廿日行旅中居村字大年路上に病死し同地の墓地に埋葬しあるを發掘し頭骨全部と手骨一本とを取り之を細碎し土瓶に入れ密閉して燒きたる後粉末となし之に桐及茄子の木炭と鼹の黑燒とを配合し梅毒藥と稱し居村岩崎定市田岐村大字小田氏名不詳の男へ各一週間分代價金六十錢づゝにて販賣したることあり猶同人は明治三十年同三十一年の頃居村今岡龜藏夫妻の墓（死後十數年を經過）を數回發掘し其の骨を取り之を黑燒とし梅毒藥として居村及近村の者へ一週間分六十錢づゝにて數次販賣し同三十一年三十二年の頃養父林右衞門の墓及自己の妻タネの墓地を發掘し黑燒とし同じく販賣し（林右衞門は死後六十餘年をタネは十六年經過す）同三十四年十一月頃右塚本理輔の墳墓地を發掘し足骨を取り之を黑燒となし販賣したるものにて墳墓發掘並に窃盜賣藥規則違犯として所轄檢事へ送致せられたり（明治三十五年十月二十八日東京日日新聞

福島の臀部烙印事件

本月十二日福島縣河沼郡氣多宮地內に於て西白河郡五箇村大字蕪內十一番地鈴木長次郎宮城郡七郷村大字荒濱八十一番地平民庄司長太郎、新潟縣東蒲原郡津川町百十一番地平民皆川淸次郎、住所不明加藤豐吉河沼郡氣多宮村六十五番地平民酒井クマの五名詐僞賭博事件に依り被害者河沼郡尾野本村齋藤丑太郎より告發せられ加藤豐吉は逃亡し他の四名は準現行犯として逮捕坂下警察署に引致となり同署在勤巡査本多丑太郎警部代理として取調べの際某巡査は酒井クマ一人を除くの外孰れも事實を白狀せざるものと爲し拷問の結果其の身體に負傷せしめたり拷問の事實は皆川清次郎左臀肉に福島縣坂下警察署と鑄刻したる方一寸三分位の署印を烙印し又同人の左手指の間に棒を挾み之を緊縮し或は繩を以て手を縛し身體を吊したる爲左手の指頭には未だ感覺を回復せずと又同手首の外側には橫へ畫したる擦過傷あり又庄司長太郎は右足の指頭を靴にて蹴られたる爲め控けて糜爛し後頭部は毆打せられたる爲めに腫起せりと云ふにあり該事件を本月十六日福島地方裁判所若松支部に於て第一回公判開廷の際被告等より申立てたるを以て海野裁判長も看過すべからざる大事として第二回(十八日)第三回(二十日)と引續き公判開廷の結果證人として出廷せし坂下署在勤警部小松琴の如き同署巡査が被告等を拷問したる事實なく被告皆川清次郎の如き警察署に於て爲したる聽取書を飜へさんが爲め自ら臀部に烙印せるものならんと陳述し被告清次郎は之を否認し一人の巡査は自分を押付け他一人の巡査は烙印を臀部に押捺したりと主張し被告長太郎長次郎も亦該事實は假留置檻に在りて實見したりと證言したるを以て遂に若松辯護士社會の一問題となり同總會の結果司法大臣及宮城控訴院檢事長に對して意見書を提出するに至り同縣竹內保安課長の如きも目下實否の調査中なりと云ふ

（東京日日新聞第九千四百四十六號明治三十六年三月二十七日）

生膽拔きの兇漢

一時熊本縣下の生膽取り事件として評判高かりし同縣下益城郡字富村の孝子白川部德太郎が何者にか同村北田尻の畑中に於て生膽を斬り取られたる事に關しては同縣警察部に於ても容易ならぬ大犯罪として爾後專ら全力を注ぎて犯人の搜索に勉めたる結果遂に本月十九日を以て下益城警察署の手にて犯人を捕縛するに至りたるが此犯人こそ同縣宇土郡宇土町四丁目士族傘骨削職山本淸十郎(四十九)とて女房カツ(四十)の間に十四五歲を頭に六人の子供あり生計極めて困難なる折柄生膽の高價に賣口あるを聞込みて惡心を起し遂に前記德太郎を慘殺せる旨を自白せしが去る廿三日夜監守の隙を窺ひ下益城署の檻倉を破りて逃走し松橋町の北方より木原山へ逃入りしかば同署は勿論附近各署の警官大擧して其行衞を搜索中同人が恩愛に引かされて餘處ながら

妻子に暇乞ひせんと木原山の南麓なる立岡堤に架せる鱗橋より北へ一丁許りの處まで折しもそぼ降る雨を凌ぎつ出で來りし處を斯くあらんと待伏せしたる警官が取押へて再び下益城署へ拘禁し目下猶取調中なりと（東京日日新聞第九千四百十六號明治三十六年三月二十七日）

小石川柳町の慘殺事件

窃盗强姦放火殺人犯去る卅一年十月廿六日午前二時小石川區柳町三番地酒商宮崎龜吉（三十一）妻セン（二十六）長男彌太郎（六）次男靜次（四）雇人件庭正治（二十六）同保阪銀次郎（二十三）同西蒲濱太郎（十九）同高木キク（廿三）の一家主従八人が原因不明の火災に依り無慘の燒死を遂げ其火は隣家に燒移り全燒三戸半燒一戸に及びたる事件は當時新聞紙上に詳記され世界を騒がしたるが其筋にても尋常の火災に非るを認め仔細に取調べたるも是れと云ふ手掛りもなく打過ぎ居りし内同三十四年より三十五年に掛け東京市内放火の難に罹るもの非常に多きも之が犯人は更に明瞭ならざるより警視廳にても殆んど全力を擧げて探偵に從事し三十五年九月中同廳第一部第一課の宮崎刑事が見込を付け該放火犯人として東京市淺草區北三筋町六番地平民西條德次郎弟西條淺次郎（廿七）なる者を引致し取調べたるに同人は二十三年中放火未遂罪にて重禁錮四年監視二年に處せられ其後尚又窃盗罪にて重禁錮八ヶ月監視六ヶ月に處せられたる曲者なるのみか府内にて三十四年より三十五年に掛け百餘ヶ所に放火して其混雜に乘じて窃盗を働き前記小石川柳町酒店宮崎龜吉方にて窃盗强姦放火殺人の大罪を犯したる旨を自白せり其の要領は犯人淺次郎の外に今一名の共謀者あり窃盗の目的にて忍び入りたる後犯罪遂行を容易ならしむる爲共犯人と共に熟睡せる家人等に對し魔睡劑即ち「コロルホルム」を用ゐて昏睡に陷らしめ目的を達せんとするに際し藥力の加減にて目を醒ましたるものあり俄に聲を發せしにより之を殺害し且つ下女おキクを輪姦する内是亦目を醒したれば直に斬殺したる上臥床の周りに石油を注ぎ放火し一家八人を燒殺したりといふに在り尚ほ進んで犯狀を陳述せんとするに際し恰も東京地方裁判所豫審廷に於て他の放火事件に關し喚問の急報に接したるより第一回の訊問は是にて切上げ一應鍛冶橋監獄署に歸監せしめ同署より更に豫審廷に護送し將に法廷の階段を昇らんとする折しも當日風雨

の猛烈なりしを奇貨とし看守の隙を窺ひ奮然他の四人を排して逃走せしは同年十二月八日の事なりき然るに話一轉して同月二十三日以來靜岡縣下にて放火頻々なるのみか十三歳の少女爲めに燒死する者さへあるに至りしを以て靜岡警察部にては打捨置く譯にも行かず百方犯人の捜索に盡力せし結果偶々十二月二十四日午前一時同縣濱名市篠原村坪井なる東海道南下手下に露宿せる一人の男あるを同村駐在所詰巡査が取調べんとせしに突然短刀を引拔て之に抵抗せし隙を見て逃走せしが程なく同縣舞坂にて取押へたるに曲者は最初の內こそ東京市淺草區新福富町廿二番地平民彫刻業武田銀造を名乘り居たれど遂に前記西條淺次郎は自分なる旨を自白し濱松附近の放火も同人の所爲なることを申立てしを以て其旨同縣警察本部より警視廳に報告し靜岡地方裁判所に於て審理の末同人は死刑の宣告を申渡されたるが淺次郎は强情にも之に服せずして控訴し本年四月東京鍛冶橋監獄に移されたるを幸ひ同月中再三再四警視廳一部一課に引出し再び東京地方に於ける犯罪の狀況並びに裁判所遁走後の狀況につき取調べに着手したるに彼れは逃走後麴町區內幸町一丁目三番地久保方の板塀を乘り超えて邸內に忍び入り人力車置場にて徐ろに手錠を脫し東北隅なる便所の中に投棄し夫より人力車の蹴込みよりマッチと蠟燭を出して物置內に火を放ちたるも家人が氣付きて直ちに消止めたるを見て其場を逃走し京橋區日吉町四番地石田牛次郎方神田區猿樂町二十五番地醫師中村竹次郎方にて衣類雜品を盜み其足にて深川區內に入り込みたるに高橋附近にて刑事巡査に遇ひ擧動不審と認められたるも巧に其目を偸みて路次內に逃げ入り蹤跡を晦まし翌夜大膽にも其筋の樣子を探知せん爲め南足立郡南千住町三丁目三十番地なる巡査派出所の隣なる天麩羅屋太刀川八十方に至り飲食をなし勘定の際懷中の紙入を遺失したりとて其前夜石田方にて竊取したる米澤紬男羽織の然かも特徵着きの贓品を抵當に殘して立去り其儘千住三丁目三十五番地貸座敷山崎樓に登樓し遊興の末四圓の勘定にて支拂金なしと欺き贓品なる十八金二十形の懷中時計を抵當として殘し置き飄然同樓を出で茨城縣水戸市に至り同月十二日の夜久慈郡太田町莨製造會社の手前なる建具の細工場に入りて放火したるに折柄疾風猛烈にして非常の大火となり附近數百戸の家屋及財產を烏有に歸せしめたる其の混雜に乘じ用簞笥一箇を持出し其內に在りし金

四十五圓を盗み取りて逃走し夫より更に横濱方面に出でゝ同市長者町の民家に放火しつゝ靜岡縣下に入込み沼津町より其附近に放火し十月二十三日には濱松城下に出で各所に放火しつゝありしが惡運盡きて前記の如く二十四日同縣舞坂に於て逮捕せらるゝに至りたるものなりし（東京日日新聞第九千五百五十三號明治三十六年七月三十日）

窃盗强姦放火殺人犯（承前）

東京へ靜岡縣より護送せられたる兇漢淺次郎は警視廳の再取調を受くることゝなり日々白洲に呼出され宮崎方にて犯せる罪狀に關し白狀せし次第は稍々重複の恐れあるも當時の狀況目に見ゆるが如くなれば之れを記さんに淺次郎は曾て同監せしことある奥村秀太郎事中村秀雄（三十）とて放火未遂及窃盜犯にて輕懲役六年の刑を受け去る二十九年十二月二十四日淺次郎と同時に放免せられたるものなり此等の緣故より爾來兩人は常に相往來し居り三十一年十月二十六日午前零時頃にも淺草公園に會し兩人協議の上本鄉區通りより小石川柳町に至り平生目星を着けたる同町角の酒屋宮崎龜吉方の裏手の雪隱の窓より忍入り豫て中村が手巾に包みて携帶せる「コロールホルム」入硝子小瓶を取出し奥座敷店、及び二階等に往復し熟睡せる家人の鼻邊に注ぎたる後大丼鉢に酒を酌み來り一杯如何にと强ふるを淺次郎は餘り騷ぐなと注意せしも聞かず十二分藥が使つてあるから大丈夫だと兩人共に鯨飲し夫れより奥座敷に至り金五十圓を盜み來り又鞄在中の儘衣類數點を掠め淺黃風呂敷に押包み引窓の紐を切取りて荷造をなし置き酒氣に乘じて淺次郎は魔醉劑にて殆んど半死半生の體となり居たる下女おキクを强姦し次に中村秀雄が代つて下女を姦せんと臥床に入りたる折柄魔醉劑利目の充分ならざりけん店に臥したる雇人が蹣跚と出で來り見張りせる淺次郎を見て吃驚仰天し一聲高く泥棒と叫びしより淺次郎は前後を顧みる暇もなく短刀にて右顎邊を斫付け絕息せしめたるが此時下女部屋に在りし秀雄も出で來り下女も人心地付きたる模樣ありと語りたるよりこれも一刺に刺殺し事旣に玆に至れば是非に及ばず犯罪の跡を湮滅せんには火を放つて逃走するに如くはなしとて店より石油銅壺一個を持ち來り火箸にて穴を穿ち傍に在りし丼に石油を移し押入へ酒菰を入れ置き用意の石油を充分に注ぎ掛け又下女部屋の次の間の障子等にも注ぎかけ又家族の寢室の邊にも注ぎかけ充分の用意をなしたる後淺次郎は尙ほ手落ちありとて主人夫婦の寢室に至り兩人を刺殺し是にて大丈夫なりと先づ賍品を屋外に運び出し且つ四方の戸締を嚴重にし外部より容易に開放の出來ざる樣になし置きたる後兩人はマツチを以て各所に放火し火勢の次第に燃上るを見て塀を乘越へ東に向ひて逃走し本鄕區湯島切通にて出火の警鐘亂打せるを耳にしたりと然るに贓品中衣類即ち入質せる證據品に關し一場の物語あり昨年三月八日淺草區阿部川町百十八番地質商大和屋事青木大次郎方へ同區同町八十六番地横尾榮吉の通帳を以て入質したる綵織茶鼠縱縞男袷衣ありしを其後警視廳にて引揚げ被害者宮崎龜吉妻せんの實母なる京橋區木挽町三丁目十二番地植草よし（五十七）及びせんの實妹たつ（二十四）の兩人に見せたるに二十五年中せんが里歸りしたる時の着衣に相違なく其證據は哺乳兒の爲めに乳房に汚したる跡着物の寸法等符合し袖丈の縫込袖口の針留、袖付の針留及び着丈、縫込の形跡等は女物を男物に仕直したるの證據なりと申立てたるに付被害品は本人の願に依り兩人へ下附せられしが今更ら世になき娘なり姉なりの紀念よと母子淚に袖を絞り大切に保存し供養もしたしと申述べ引退きたりとぞ尙共犯者中村秀雄に對しては爾來拘引狀を發し嚴重に搜査中の處同人は其他にも放火未遂竊盜犯の廉あり諸所を流浪し千葉、横濱、東京各所に徘徊したる形跡顯然たりしが愈々去る廿六日神奈川縣藤澤驛大阪町竹內寅吉方に潜伏せる事を確め直に逮捕して一昨日檢事局へ送られたるが秀雄は曾て放火竊盜事件にて輕懲役六年に處せられ入監中病監の看護囚たりし時の經驗に依りて魔醉劑の使用を心得たるなりと云ふ（東京日日新聞第九千五百五十四號明治三十六年七月三十一日）

野口男三郎事件

有名な男三郎事件は今尙ほ犯罪不詳に屬してゐる。豫審決定書に依れば、彼は第一に强盜殺人、第二に官印官文書僞造行使と云ふ罪名である。

大阪市西區新町南通三丁目武村祐橋の子で、明治三十年上京、當時麴町紀尾伊町に住しゐたるが、程なく近隣の寧齋事野口一太郎の妹そゑと戀仲となり、一太郎及び其母に說き遂に同家に寄遇すべき身となりしは三十四年の初であつた。一太郎は人も知る如く癩病にて苦しみゐたる際なれば男三郎は一に彼の病を救ひ、二に戀仲なるそゑの感染を未然に防がんとし、外國學校の露語科に通ひゐたる彼は已れの修得すべき學科を棄てゝ、圖書館に藥物學に依る癩痛根治法を研究したのであつた。

その後、同區下二番町に河合莊亮なる一少年附近の路次ばたに絞殺され、左右の臀肉を剜り取られゐたる怪事件あり又、癩病の一太郎が怪死し、及び都築富五郎なるもの代々幡の山林に於て何者のためにか絞殺されたる事件起りたり男三郎の豫審決定書に依れば、以上の犯罪は悉く彼の所爲なりと記錄されあれど、彼が其の豫審決定書に反駁した獄中の告白及び其の辯護の任に當りたる花井博士の明快なる駁論に依り、事件は今におき謎である。

今左に彼の豫審終結決定書を掲げ見れば

豫審終結決定書

長崎縣北高來郡諫早町甲二百三番地平民無業

野口男三郎（廿六）

右の者に對する强盜殺人犯官印官文書僞造行使幷に各謀殺被告事件に付豫審決定を爲すこと左の如し

主文

被告男三郎に對する强盜殺人官印官文書僞造行使幷に各謀殺被告事件を東京地方裁判所の重罪公判に付す

被告は該決定に對し其送達ありたる日より三日以內に抗告を爲すことを得

理由

（第一）被告男三郎は大阪市西區新町南通三丁目四十三番地武林祐橋の男にて同市內私立桃山學校に在學中明治廿九年頃同市南區天王寺悲田院町番外七百九番戶又木亨三は同學の干繋より屢々同宅に出入し漸く同家族の信用を得て遂に同家に寄食するの身となり超て翌三十年に至りたる處其後亨三の母きくは思ふ處あり亨三と共に被告の出京を勸めたる爲め被告は之を欣諾し同年四月中亨三を伴ひ當時東京市麴町區紀尾伊町に住したるきくの實弟石川千代松方に至り序で亨三は他に轉じたるも被告は依然として同宅に寄寓し居たり

而して由來奇智に富み殊に婦女と幼者の歡心を買ふに妙を得たる被告は幾程もなくして其信用邸內に止まらず恰も其近隣に住したる寧齋事野口一太郎の妹そゑは忽ち被告の爲めに動かさるゝ所となり同年初夏の頃より被告と情を通

ずるに至れり然るに右一太郎の監督の下に在り一太郎は年來惡疾の爲め殆ど病床を離るゝ能はざりしも平素森嚴猥りに近づくを得ざりしかば被告等は焦思連日事を設けて出入頻繁を極め益々其情交を濫め居たり

先是被告は石川宅を出で居りしも其當時より又木きくに對し同家に累を及ぼすべき辭柄を以て被告が遊學の資を補はんことを請ひ毎月密かに若干の送金を受け居たるも其額漸く多くして停止する所なかりしより同家に於ては被告の父兄に語りて斷然其求に應ぜざることゝしたる爲め被告は玆に策を案じて野口家に入りたらんには啻にそゑと起居を共にするを得る便あるのみにあらざるべしと圖り巧に一太郎及其母榮子に說きそゑ亦陽に其利を唱へ明治三十四年初頃當時一太郎が住居たる麴町區二番町五十六番地の宅に同居するの望を遂したり

被告は右の如く野口宅に入りてより一太郎並に其母に仕へて愈々厚かりし爲め日を閱するに從ひ家人の眷遇益す加はるに至れり而も一太郎は獨り自ら抑れず容易に被告を信ぜざりしに被告は之を察し得たるのみならず一太郎の病痾たる世に厭ふ惡疾にして其遺傳と感染と共に恐るべきものあるを早く既に熟知したるもそゑとの干繫愈々濃かにして右等の事情を以て之を捨つべくもあらず百方苦慮せる處前同年末頃より翌三十五年に亘り一太郎の疾甚だ良からざりし爲め被告は其病毒の治療と豫防とに力を盡して恩を施し且つ自ら益するの法を講ずるの外なしとし專心之に從ひ看護尋常ならざりしかば一太郎も亦之を喜び時に或は詩を賦して謝意を示したることあり而して被告は豫ねて人肉は一太郎等の惡疾に特效ありとのことを聞知したりしに恰かも同三十五年三月上旬頃被告が閱せる書中亦同樣の記事ありしより被告は右の俗說を聯想し若し之に依て其治療を助け或は之を未發に防ぐことを得ば必ずしも一太郎兄妹等の幸のみにあらずと信じ玆に近隣の小兒を殺害して其肉片を截去し之を供せんとの念を起し窃かに其機を窺ひ居たり

然るに前同年三月二十七日夜被告は同區下二番町五十九番地中島新吾の子たる河合莊亮(十一)の其母中島きくと共に同町三十六番地湯屋營業早崎岩次郎(現今雛谷仁太郎宅)方にて入浴の歸途同午後九時過頃母に別れて自から砂糖を求めん爲め同區麴町六丁目十五番地砂糖店遠州屋事山下壽嘉造(現今今井田砂糖店)方に赴くを認め之を追跡殺害して

其宿望を充たさんと思を凝し其附近を徘徊し同午後十時近き頃同町二十五番地安藤庄次郎（現今川北長守宅）宅前の路上に於て砂糖を購ひて歸宅せんとする莊亮に對し急遽其後方より兩脇を衝き同時に同人の顔面を被告の身體に緊付壓迫し鼻口を閉鎖して以て莊亮を窒息死に至らしめ直に之を其對側の路次內同町二十九番地遠藤磐方臺所前に擁し行き同所に於て豫て用意せる洋刀を以て先づ其頭部中央を刺し序で該死體の左右臀部に渉り横に長さ六寸幅約四寸五分なる不正長方形の截面を有する臀筋肉の大部を剝取し且つ手指を以て左右兩眼球を抉り兩眼瞼結膜を剝離せしめ以て其死因を糊塗し密かに該肉塊を前記被告宅に持歸り翌二十九日更に之を携へ出で京橋區南金六町四番地三銀事加藤銀次郎方に至り陶製鍋及び坩爐を購入し同區木挽町三丁目十二番地貸舟業小林正紀方に至り艫船を借受け自から艫を採て濱離宮附近の海上に達し炭火を以て前記肉片を煮たる上一種の肉汁を製し之を濾過して壜詰となし殘餘の物體は悉く水中に棄投し還つて赤坂區一ツ木町卅五番地澤崎與右衛門方に至り鶏肉汁一壜を買入れ同夕歸宅の上前記兩種の肉汁を混じ其一部を一太郎に薦め他は之をそゑに飲用せしめたり

（第二）被告は明治三十二年九月中東京外國語學校露語學科に入學したりしも翌三十二年より三十五年に至る各年度試驗何れも不合格にして同年九月退校となりたるに拘はらず詐術を用ひ依然同校に在學するもの丶如く裝ひ來りたる末明治三十六年七月より同年八月末に至る間月日不詳豫て前同校の卒業證書用紙を印刷したる京橋區本材木町三丁目十五番地明治商會事知野勝直方に至り某學校の卒業證書印刷を依賴せし爲め見本を要する旨を以て同人を欺き前同校本科別科の卒業證書用紙各一葉を借受け歸り東京市內に於て同日月頃右用紙及び他の白紙を用ひて同年七月六日付被告は同校露語學科卒業證書別科規程に依る獨語學科修業證書幅科規程に依る經濟等の修了證書何れも同校々長文學博士高楠順次郎名義のもの都合三通を作成し且つ同樣僞造せる前同校々印並に同校々長印を各要所に押捺し以て官文書を僞造し同年九月一日頃之を野口宅に持歸り更に之を大阪の實家に送致し其後明治三十七年十二月中同市京橋區釆女町二十六番地浦島堅吉宅に於て同人に對し右三通の證書を同三十八年四月頃同市麹町區土手三番町二十八番地手島知

德宅に於て同人に對し右の中露語科卒業並に別科修業の各證書を何れも提示し以て僞造官印及び僞造官文書の行使を爲し右の如く被告が東京外國語學校を卒業したるは虛僞なるを以て自ら進んで其の資格に由り相當の職業に就く能はざるを知れども理由なく繼續して野口宅に寄食するを得ず而も亦そゑと離るゝ能はざる所あるより同年三四月頃寄留籍を長野縣埴科郡坂城村宮原生吉方に移し同所に於て徵兵檢查を受けたる上徵集を免れ國民軍に編入せられ居るにも拘はらず一年志願兵たらん事を出願し該兵役に就くべき旨詐言を構ひ同年十一月下旬頃神奈川縣三浦郡三崎町六合三輪卓爾方に至り病氣靜養と稱し同居を乞ひ爾後同宅に寓したる所卓爾は其以前より久しく病床に呻吟し家政凡て同人妻つねの掌中に在るを見て之を欺き易しとし誇張し言と懇切の風とを以て遂につねは勿論同家人をして全く眷族の如く遇するに至らしめ玆に永く足を駐むるの地點を作り頻りにそゑと書面を往復し又時に上京して密會を遂げ徐ろにそゑと結婚するを得るの期を樂み居たり

然り而して翌明治三十七年に至りそゑは姙娠の身となり同年七月に及び漸く蔽ひ難く且つ一太郎が豫て親族と協議の上其妹婿に擬したる某に對し交渉の歩を進め來りし模樣あるを覺り被告を促して其處理を乞ひ止むなくんば身を水中に投ずるの外なしと迫りたる爲め被告は此機を利用し一太郎を始め其親戚をして兩人の結婚を諾せしむるに如かずと案出して同月中旬頃そゑを誘ひ共に前記宮原生吉方に逃奔しながら三輪卓爾に對し其所在を通知したるより果して野口家の知る所となり一太郎及び其親戚は更に議して兩人の結婚を許さんと決し一太郎の友人上村才六をして兩人を迎へ來らしめ同月中公に結婚式を擧ぐるに至りたり一太郎宅には元來そゑの外に卑屬親なかりしを以て將來そゑをして一太郎の家督を相續せしむ可しとは同家親戚間にも略決定せる事項なりしが一太郎は被告か一年志願兵と稱したる事の虛僞なるを覺知したるのみならず益々同人の行動を疑ひ表面に私通結果なるを以て祖先に對しそゑ等をして一太郎の相續を爲さしむる能はずとの理由を唱へ先づそゑを分家の有として若干の財產を頒ち之をそゑ名義となし該財產は名義人と雖ども擅に之を處分するを許さず且つそゑ夫妻は當分一太郎と同居すべき旨の約を結びたる後結婚屆出の手續を爲さしめ結婚後直ちに被告に對し通譯官となりて從

軍するか或は其他に職業を求むるかの問題を解決せんことを望みたりし爲め被告は不平と憂悶に堪へず以後全く態度を變じて屢々暴慢の擧動を敢てし同年十二月下旬に至り遂に一太郎と爭論の末怒に乘じて斷然離婚を求むと稱して同宅を出會て多少の縁故ある豐多摩郡淀橋町大字角筈一番地伊澤雄司の妻ひさに懇請して一時同宅に身を寄せたり而も被告は他に身を處すべき相當の策なく一時の怒に乘じて野口宅を出でたるの失を悟り罪を悔ひたりと稱し再び同家に戻らんと圖りたるに用意周到なる一太郎は其家出の際他日の證として被告の離婚を求むる旨の書面を受取り置き輕々しく其復歸を諾せず於是被告は已むなく前掲手島知徳夫妻に哀願し或は一太郎の實弟なる島文次郎同親戚たる前記浦島堅吉等に訴へ何れも其同情を買ひたるも容易に其目的を達せざるのみならず被告が何等職を求めざるは局を圓滿に結ぶに都合惡しき由を傳聞し一面には前記伊澤方に同居中被告並にひさより前顯三輪方に再び寄寓し度旨依頼したるも卓爾の拒む所となり又伊澤方に於てはひさが熱心なる同情を寄するに引換へ其夫雄司は頗る被告に快からず被告を寄食せしむるの義務を有せずと主唱し被告の兄武林龍橋に對し頻りに被告を引取らんことを要求するより同年四月中被告は一時麴町區下六番町四番地和田儀平方に轉宿し其前後に亘りて或は日米商會と稱する商店に在勤せりと稱し或は陸軍に或は海軍に通譯官となりて從軍したりと稱し密にひさに託して同人と共に被告は東京に在らずして眞に軍務に從ひ居るもの丶如く幾多の虛構を表したるも着々之を看破せられ毫も其効なく猶初よりそゑにして被告に對する愛情を冷却するに至らば一切の對策も何の利する處なきを想ひ屢々同人と會見又は通信するに如ずとし同年一月中四谷鹽町一丁目三十二田島秀子を說き秀子をしてそゑを誘出せしめ其後麴町區六番町郵便受取所（現今郵便局）主太田彌三郎夫妻に依賴し同宅に於てそゑと會談し或は野口家に出入する女髮結一柳せいに哀請し之を介してそゑと書信の往復を爲したるにそゑは毫も變心の模樣なきのみならず其兄島文次郎に報じて上京を乞ひ被告等の爲めに一太郎に說き其復歸の願を達せんとしつ丶ある旨の回答を得てそゑの意中を推知したるも依然其成功を見ざるは明に一太郎が獨り頑として被告を排斥するに外ならずと信じ前記結婚前この例に倣ひそゑを唆かして被告と共に逃走せしめんとしたるに

一太郎は早くも被告の行動を測知し爾後髪結の出入を禁じ嚴にそゐの外出を許さゞるに至たるを以て前掲伊澤方より轉宿するや特其當時の野口宅たる麴町區下六番町六番地に近き和田方を選び又其所在を秘して陰に野口宅の模様を探り或はそゐと會見の便を計りたる次第なるも其策悉く畫餠に歸したりしより同月下旬頃和田宅に於て寧ろ巧に一太郎を殺害するは却て被告の目的を達するの捷徑なりと考へ若し之を遂げずして發覺したるときは自殺の外なしと決し直ちに遺書を作り之を他の物件と共に伊澤宅に齎し訪問を缺くこと週日に及びたるときは之を披見せられ度旨ひさに傳へ置きたるにひさは被告の擧動を怪み之を開披し遺書を見て大に驚き直ちに被告を迎へて之を制止し同時に被告の兄龍橘に打電して其上京を促したり

　龍橘は右電報に因り同年五月三日上京したる處其事情左の如くなりしかば被告の爲めに手島浦島等に會見して其復歸の盡力を右兩人に懇囑したるに浦島の口吻不可能なるべき旨なりしを以て同月五日頃其顚末を被告に語りたるに被告は其豫測の誤りなきを確むるを得たるのみならず其前後にそゐより受取りたる密書により同人及び其子君子も嚴しく檢束の下に在り痛苦に堪へず將來は勿論現に寢食の印斐なきを嘆じ居る模様を知りたるより更に熟慮の末愈々一太郎を殺さんとするの意を固うし其方法として毒物を使用するを尤も便宜なりと思慮し豫て麴町區三番町藥店細谷厚三郎方に於て購入したる硝酸「ストリキニーネ」を「サツク」入とし之れをそゐに交付しそゐをして一太郎に服せしめんとしたるも是亦意の如くならざりしより斷然自ら宅內に忍入り之を絞殺するに如かずとし同五月十一日恰かも一太郎が上京中の島文次郎と快談の上夕食を共にし文次郎去て後同午後十一時頃一同と共に熟眠したるを伺ひ翌十二日午前一時過頃不慮の事に備へん爲め短刀幷に前記の「サツク」入の「ストリキニーネ」を携帶して下六番町六番地の一太郎宅に侵入し同宅八疊室なる一太郎の寢所に至り前同刻同所に於て一太郎が病氣の爲め手足を以て抵抗する能はざる上觸覺の神經麻痺し居るに乘じ手を以て其寢衣の襟を摑み脚を以て其胸部を壓迫し力を極めて頭部を緊扼し以て同人を窒息死に至らしめ其目的を遂げたる上他殺の跡を遺さゞらんが爲め門戶の鎖鑰等總て元の如くならしめて窃かに同宅を出でたり

（第三）一太郎死去の報傳へられてより同月十二日手島知德は之を被告に電報を以て通知したるに被告は喫驚の體を爲して直ちに手島宅に至り親しく靈柩を禮拜し且つ送葬の當日會葬を許され度旨同人を經て野口方に申込み其容れられざるや手島夫妻に對し夜陰故人の靈柩近き處に夜伽を爲したりと告げ或は其友人をして自己に代つて會葬せしむべく自分は鎌倉圓覺寺に赴きて一太郎の冥福を祈る手筈なりと通じ以て近く手島夫妻の同情を惹き同月十五日知德をして豫て被告の依賴に基き一太郎の遺族等に對し一太郎の死後に講ずべき第一段として被告男三郎復歸の件を決せんことを申入るゝに至らしめたり野口方にては果して被告が豫期の如く此際被告を復歸せしめんとの說なきに非りしかば知德は直ちに其旨を被告に通知し置きたる處其後親族多數の意見は斷然離婚せしむるに如かずと云ふに在りたるより同月廿二日島文次郎は更に當時大阪に居りたる親戚高橋元吉郎に面して其處決に關し細議を遂げん爲め同地に赴くことゝなり同日知德に會見して略ぼ其意を洩したりしかば翌二十三日頃知德は被告の來宅を機とし同人に對し其後の評議必らずしも望多からざる旨を語りたり初めより被告が通譯官となりて從軍し多少の時日を隔て一太郎等の感情融和したるを待たば復歸の交渉極めて好都合なるべしとは旣記の如く仲介者の意見にして又實に然るべき理由ありしも被告は通譯官たる能力を有せず之を裝ふて東京の地を去らんには相當の旅費を要すること論なきも被告は殆んど之を得るの途なきに窮し遂に策を設けて其資金を得んと欲し同年四月中當時芝區愛宕町二丁目四番地に住したる坪內卓次郎なるもの恰も被告の知己たる同區琴平町六番地濱田れいに依て頻りに職業を求めつゝある由を聽き之に對し清國學校敎師に周旋するを以て其希望あらば旅費として二百圓乃至三百圓を要す可しと告げたるに卓次郎は該金を準備する能はずと答へたる所然らば自分の知人に乞ふて貴下の爲に其金額を借用し遣はすべければ自分と共に同伴せよと眞に懇切義俠なるものゝ如く卓次郎を欺き同月中旬同人を伴ひ前記三輪卓爾方に赴き卓爾に對し陸軍の將校にして戰地より金塊を携へ歸りたるもの今回極めて秘密に廉價にて之を受渡し度希望する趣きに付之を買入れたらんには必ず利益あるべしと稱し同伴したる卓次郎を以て該軍人の親官なりと紹介し卓次郎を歸京せしめたる上更に卓爾等に向ひ同人又

其妻に於て豫め數百圓を懷にし被告と同伴上京して親しく金塊を見たる上賣買の約を締結せられては如何と說きたり同夫妻は各一人にて上京するを諾せざりし爲め被告は賣主より急に見合すべき旨申來れりと稱し其後の談話を止め尙同月中東京市中に於て右卓爾と同町なる久野六松及び府下豐多摩郡淀橋町角筈一番地躬行社員古井仁策等に對し各前同樣の趣旨を以て數百圓の金圓を提供すべきことを勸誘し以て爲す處あらんとしたるとありしが前記五月二十三日頃手島知德より現在の儘に於て殆んど復歸の望なきことを知悉するに及び益々金圓の必要を感じ更に同樣の手段を以て豫て面識ある麴町區麴町四丁目八番地小西藥店事都築富五郎を欺き同人を殺害して金圓を奪取せんと謀り同月二十四日同人が耳聾に近きを幸ひ筆談を以つて巧に勸誘したるより同人は僅に三百餘圓の金子を準備する時は巨利を博するの見込ありと信じ同日午後三時頃麴町區麴町五丁目所在麴町銀行に至り自己の預金三百五十圓を引出し同午後六時過頃該金を折鞄に納め之を携帶し被告と共に麴町三丁目電車に打乘り青山線を經由して被告が指示する目的地に向はん爲め府下豐多摩郡代々幡村大字代々木九十五番地山林德大寺邸裏の徑路を通行したる際同夜九時頃同路上に於て被告は突然其双手を以て富五郎の頸部を締め同人を引倒し更に荒繩を以て之を絞首し即時同人を窒息死に至らしめ右金三百五十圓並に雜品入れの折鞄を富五郎の手より强奪し豫て富五郎の兄妹に精神病者あるを熟知するより人をして富五郎が精神錯亂して自殺したるものと認めしめんが爲路傍の栗木の枝下地上に荒繩を頸部に纒付したる儘富五郎の死體を横へ縊首の際繩の切斷したる體に裝ひ同所を逃走したるものなり以上の事實は其證憑十分にして右被告は第一河合莊亮を殺したる處爲及第二の中野口一太郎を殺害したる處爲は何れも刑法第二百九十二條第二の中官印官文書僞造行使の處爲は共に前同法百九十五條二百三條及び一百六條に第三の中都築富五郎を殺害して金圓を奪取したる所爲は同法三百八十條後段に該當する重罪犯なりと思料するを以て刑事訴訟法百六十八條に遵ひ主文の如く決定したる所以也

明治三十八年十二月十一日

東京地方裁判所豫審判事　石黑豐太郎

右正本也

東京地方裁判所書記　荒川滿政

併し以上の決定書は、彼が苛酷なる警視廳當局者よりの拷問を一日も早く逃れるため、二には愛人そゑ及び愛兒の幸福を希ひ願ふため、そゑの取調べを一日も早く片つけるため、凡ての犯行を是認し、故爲に僞りの自白をなした。決定書はその自白に依つて書き綴られしものにて、彼の獄中記に其眞相は明かである。

斯くして麴町下二番町の少年河合莊亮の臀肉被斬刳事件代々幡の都築富五郎絞殺事件。野口寧齋の怪死事件。以上慘虐の怪事件は今に尙不明であり永遠の謎である。

左に掲げし記事は、少年河合莊亮が臀肉を刳られし當時の新聞より拔き取りしものにて、その記事中に掲げられたる如く、その犯人は鹿兒島縣姶良郡加治木村大字反土三百四十一番地木佐木直志(當時廿三)なるや、將た亦、野口男三郎なるや、當時の事情に暗き私には斷案に迷ふものである

臀肉事件

○少年を虐待し臀肉を殺ぐ

世に悲慘極る事尠からねど又恁くの如き話は少かるべし玆に麴町區下二番町五十九番地に住める京橋區西紺屋町活版印刷業秀英舍の通勤職工にて中島新吾(四十二)といふものあり一昨年十月迄は四谷區信濃町に居住し居りしが先妻は長男河合莊亮(十一)を產みたる際產後の肥立惡しくして此世を去りしかば新吾は乳呑兒を抱いて途方に暮れ居たる內幸ひ叔父河合某に子無かりしより莊亮を其養子となし程無く周旋するものありて宮城縣仙臺生れのキク(三十一)といへるを後妻に迎へ長女シヅ(六)も出來猶ほ目下姙娠中なるに如何なる事情ありてか長男莊亮も家に歸り居れば家內四人新吉が秀英舍より供せらるゝ日給五十錢にて辛くも其日を送り居れり然るに一昨夜九時頃繼母のキクは莊亮を伴ひて同町三十五番地の湯屋早崎岩次郎方に入浴に赴きての歸途キクは莊亮に金二錢銅貨を與へて麴町區六丁目の砂糖商遠州屋事山下壽嘉造方へ一錢五厘の砂糖を買ひ五厘の釣錢を取りて立去りし迄は判然せしも其後如何になりしか繼母のキクは家に歸りしも莊亮は歸り來らず新吾も秀英舍より歸宅して一時間二時間と待詫び果ては隣家なる人力宿藤井爲三郎(五十)も夫れと聞いて大いに心痛し新吉共々處々搜索中夜は早や十二時四十分頃同町廿九番地の差配人遠藤盤の勝手元の方に當りて犬のけたゝましく吠立てるより若し

やと同所へ立入り見たるに勝手元と湯殿との間なる板の上に何者の手に掛りてか荘亮の死體橫はり居るを發見したれば大に驚きて直に麴町署へ急訴したれば宿直宮內警部は松本刑事と共に現場に出張し一應取調べしに事容易ならぬ犯罪事件と認めたるを以て東京地方裁判所に打電して掛官の出張を求めしかば昨日午後三時頃同所より川島判事清原檢事書記北野囑託醫師等出張し檢視を行へるは被害者荘亮は立縞双子筒袖の綿入白棒縞筒袖の羽織を着し木綿兵兒帶を締めメンネルの股引をはき書生下駄を穿き居りしが下駄の片足は同町二十三番地河合某方の窓下に片足は同町三十五番地の魚長の前に脫ぎ捨てあり又同番地の金貸安藤庄次郎方の前なる地上にも血痕あるより見れば此所にて兇行を遂げ死體を前記差配人遠藤方の勝手元に擔ぎ行きたるものならんか宗助の負傷は實に酸鼻に堪へざる程にて先づ鋭利なる小刀樣の物にて其左咽喉を突き第二に左右臀部の肉を茶挽臼大に剔り取り面部前額に擦過傷あり（地上へ押伏せ窒息死に至らしめし疑ひもあり）犯人は果して如何なる考にて此可憐なる少年を虐殺し然も其臀部の肉をまで切り取りしとかに不明なれど珍らしき大犯罪なれば麴町署に於て直に兩親を召喚して假豫審を開きしに新吾が同夜九時頃秀英舍よりの歸途同町三十五番地安藤方の前まで來りし折鼠の外套を着せし一人の若き男が一少年を頻りに介抱し居るが如くなりしも何處かの子供が途中病氣に罹りし爲め之を介抱するものならんと思ひ其儘にして歸宅せしが思合すれば其外套を着する男こそ我が子の仇にして少年は我が子なりしかと坐ろに淚にくれ居たりと又被害者荘亮は平素病氣勝ちにて他の子供の如く腕白ならざる方なれば人より怨みを受くるが如き事もある筈なく且舊居住地に近かりしが爲め四谷區信濃町小學校へ通學し居り去る廿五日尋常三年科を卒業して四年生となり目下は試驗後の休暇中なりしが前にも記せし如く新吾は僅に日給五十錢にて一家四人の生計をなしたる程なれば日頃荘亮の成長を樂しみ居りしに今回の兇變あり非常に落膽し居れるが如く又此急報を得て警視廳よりも武藤警部麴町署に出張し犯人搜査に關し同署員一同と共に百方盡力しつゝありたり猶ほ後報は得るに隨つて報道する事とせん（明治三十五年三月二十九日東京日々新聞第九千百四十三號）

○少年虐殺事件後聞　不思議の手段を以て虐殺せられたる

麹町區下二番町の少年河合莊亮の死體は昨日帝國大學法醫學部室に於て片山博士執刀の下に解剖したる結果、其の原因は全く窒息に在りと決し臀部の肉は極めて銳利なる刄物を以て切り取りしものと確認せられたり依つて死體は縫合の上正午頃ろ實父新吾に引渡され本日午前を以て淺草の菩提所に埋葬するといふ（明治三十五年三月三十日東京日々新聞第九千百四十四號）

○少年虐殺後聞　麹町區下二番町五十九番地中島新吾長男河合莊亮（十一）を虐殺したる犯人に就ては警視廳及麹町署の苦心も尋常ならざれど何分探偵上の手掛りとなるもの少く一昨夜九時頃嫌疑者として年齡廿五歲位にして鳥打帽子を冠り鼠の外套を着したる書生體の男一人を引致し中島新吾をも呼出して取調ぶ所ありしも要領を得ず同代一時頃其儘放還したる程なれど下二番町は彼の皿屋敷もあり怪談に緣故の深き所だけに其附近にては種々の妄說を流布し婦女子は早や日の暮れるより外出せざる樣なし居れりと（明治三十五年四月一日東京日々新聞第九千百四十五號）

麹町少年殺嫌疑者就縛

一時世人の耳目を聳動したる麹町區下二番町五十九番地秀英舍職工中島新吾（四十二）の長男莊亮（十一）が本年三月二十七日午後九時頃其繼母キク（卅一）と共に同町三十五番地の湯屋早崎岩次郎方に入浴に赴きての歸途キクより二錢銅貨を與へられて麹町六丁目の砂糖商遠州屋事田中壽嘉造方へ砂糖を買ひに廻りし儘行方不明となりしを以て百方捜索せしに莊亮は下二番町三十九番地の差配人安藤盤方の勝手口と湯殿との間なる路次に倒れ死し居るを發見し警官も出張して檢視せしに無慘にも莊亮は左咽喉部に一ヶ所の突傷を負ひ左右臀部の肉は共に茶臼大に抉り取られ居たるより麹町署は勿論警視廳に於ても容易ならぬ犯罪とし殆んど全力を傾注し探偵に盡力せしも杳として探偵の緒をだも得ず犯人の素性に關しても種々の妄說流布し或は狂人ならんといひ迷信者ならんと說き或は其繼母との關係を疑ふ者さへ多かりしが終に其筋の見込は雞姦ならんとの一點に歸着したるを以て警視廳に於ては雞姦には最も緣故深き市內の惡書生に付いて着々探偵の步を進めつゝありしに嫌疑の焦點となりしは鹿兒島縣蛤良郡加治木村大字反士三百四十一番地士族木佐木直志（廿三）といへる者にして性雞姦を好み少年を誘拐する巧みにして時には暴行脅迫を加へ獸慾を逞ふ

せしことも少からず其被害者は悉く十一歳若しくは十二歳にして十三歳以上に及びたる事なきのみならず窃盜其他前科數犯の肩書をも有し目下一定の職業も無き男なりき警視廳にては斯くと見込みを付け其の行衛を熱心に捜索せしも少しの手掛りも無かりしかば漸く同人が横須賀市の寫眞師松岡正一方にて友人五名と共に第一高等學校の制服制帽にて撮影したる一葉の寫眞の手に入りたるを幸ひ之を複寫せしめて管內各署は言ふ迄もなく近縣各警察部へも發送し似寄りの男の立廻りし際は容赦なく取押へて急報せしむる手筈となし置きしに茲に去月六日横濱市壽町警察署に於て浮浪罪に依り十日の拘留に處したる村岩唯といへる男の相貌前記木佐木に酷似せるより斯くと警視廳に通知し警視廳よりは大曾根外一名の刑事横濱に出張し村岩を受取りて歸京し取調べたるに果せる哉村岩唯は僞名にして彼の木佐木直志に相違無かりしより取敢へず神田麹町兩區內に氏名を詐稱して宿泊せし廉を以て拘留處分をなし嚴重に取調べる處ありたり今遡つて同人の素性經歷を聞くに直志は去る明治三十一年十二月中郷里鹿兒島を逃亡し上京し同三十二年の五六月の頃麹町區飯田町の城北中學校に入學したるも四五ヶ月にて退校し爾後一定の職業なく諸所を徘徊し惡事を事としたる結果同年十二月東京地方裁判所に於て詐欺取財にて重禁錮三ヶ月罰金九圓監視六ヶ月に處せられ滿期出獄後毫も改悔の狀なく三十三年十月又々同裁判所に於て窃盜罪にて重禁錮五ヶ月監視六ヶ月に處せられ三十四年三月滿期出獄し牛込區岩戶町齋藤方にて監視を受くべき筈なりしを途中より逃亡したる後東京市內及近縣に出沒し三十餘ヶ所にて詐欺窃盜を働き警視廳にて得たる贓品中時計丈にても二十餘箇の多きに達し本年二三月の頃にも芝警察署にて詐欺取財の嫌疑者として拘引せられたるに留置場より逃走したることあり同人の性質は最も兇暴にして前にも記したる如く十一、十二の男子を雞姦するを好み其誘拐に逢ひたる幼兒の數尠なからず現に本年二月の頃市內より十一歳の男子二名を誘拐して横須賀に連れ行きたるより幼者の兩親は大に驚き捜索の末漸く横須賀の某旅人宿にて發見して連れ戾せし事あり其後横須賀より幼兒を東京へ誘拐したる等言語道斷の曲者なるのみか少年莊亮の加害せられし當夜莊亮を鳥打帽子を被り鼠色の二重廻しを着したる男の懷き居たるを見たりといへる者に前記寫眞を示したるに六名の中より直志を指定し此男に相違なしと證言したる事實及直志は犯行前日即ち三月二十六日鎌倉より東京に入込みたる形跡あり其當時の服裝又一致したるを以て警視廳にては最早證據充分なりとし昨日東京地方裁判所豫審判事の令狀を請求し本日檢事局へ絞殺、竊盜、詐欺取財、監視違犯未決因逃亡等數罪俱發を以て送致するに至りしといふ（明治三十五年七月五日東京日々新聞第九千二百二十六號）

大阪堀江の六人殺し

加害者は遊廓の議員被害者は其の內緣の妻の母と弟妹及抱藝妓二名

十日以來降り續きたる霖雨に人々鬱陶しき頭の重きを覺ゆる頃恐ろしき忌はしき殺傷沙汰一昨日夜堀江遊廓の中に起りたり然も加害者は同廓の顏利にて議員の列に加はる者被害者は同人の妻の母及弟妹と抱藝妓二名となりき、左に其の顚末を列記せん

○加害者　兇行の極重罪人は同廓の議員をも勤め北堀江上通三丁目百七十七番地に住み中等以上の貸座敷を營業とする山梅樓事中川萬次郎（五十一年）その毒刃に斃れたる被害者は萬次郎が內緣の妻小萬事雜魚谷あい（二十七年）の母おこま（五十四年）あいの弟安次郎（二十年）その妹すみ（十四年）こまの兄中尾常助の長女きぬ（十六年）同家の抱へ藝妓東店梅吉事松本よね（二十年）紀の佐席津滿吉事川口よね（十八年）の六人なり

○加害者の素性　萬次郎は尾張國海東郡福田村に生れたる者にて本姓を犬飼といひ二十五年程前まで帆船乘の船頭として可成りの身分ありしものなるが當地へ入津するごとに嫖客として山梅樓へ登樓する內同家の娘八重（その頃二十五年）と馴染みて遂に同家の養子となりしなりきその頃同家は八重の母おたみが女主にて營業し傍小間物店を出し居たれば相應に財產ありしは云ふ迄もなし斯くて暫くは夫婦間睦まじく暮らし居たるがその中にお民は病死して一家の全權悉く萬次郎の手に移りしも明治二十年頃名古屋市より萬次郎を便りて上阪せしお作と云ふ女あり大阪にて藝妓となり一旗揚げん心にて來りしを色には脫漏（ぬけめ）なき萬次郎いつの間にか口說き落して妾同樣になし居たるが夫れや是れやにてお八重との間風波絕えず一家に面白からぬ事情も出で來りたれば萬次郎はお作を伴ひて北海道へ出奔し彼地にて

三四年を送りたる後名古屋迄舞ひ戻り同地にてお作を振り捨て單身大阪へ歸り來りしは二十五六年頃の事ならん當時お八重は五六年以來良人よりの便りは絶え女一人にては營業も爲り兼ぬるにぞ同家の客にて何がしと云ふ嫖客を相談相手と爲し居たれば同廓にては二人の間に怪關係はあらずやなど噂しあへりしを萬次郎は耳さとく聞きつけ良人の不在中に仇し男と緣を結ぶとは何事ぞや許し難しとて家附の娘を裸體のまゝ追ひ出したればお八重は悲嘆の涙に暮れながら風寒く月暗き夜尻無川へ身を投げんとして往來の人に助けられし事あり（この事實は當時の本紙に詳記したれば讀者は定めて記憶せらるゝならん）お八重は其後世話する者ありて同廓下通三丁目の路次內に住み、後同町二丁目に轉じて山形樓と云ふ貸座敷を營業し居れど萬次郎に逐ひ出されし後は精神に異常あり今にても堀江の狂人さんと云へば誰知らぬ者なし萬次郎の恐ろしき兇行を爲したるを聞き「內のお前さまが三人や四人お殺しなはつたかてちよつとも差し支へおまへん」とてすぱ〳〵煙草を喫み居たりと云ふ憐れならずや

家附の娘を放逐して中川家の總大將となりし萬次郎は一夜松島の遊廓に遊びて同廓中店の藝妓濱吉の妹小濱事白木おすゑ（三十九年）を買ひ馴染みたり、然るに此のお末は松島高砂町二丁目二十番邸白木いと方同居白木孫助の長女にて然る可き貸座敷を營み居たるが爲め後には同家へ入り浸り更に同人の財産幾許かを取り出させ我が家へ伴れ歸りて內緣の女房となし居れる內、おすゑの姪に當れる雜魚谷あい（南區順慶町一丁目五十三番屋敷雜魚谷平七三女）を養女に貰ひ受け、其の以前貰ひ受けたる尾州西春日井郡淸水村河村新三郎長女れい事萬吉の妹として小萬と名乘らせ東店より藝妓に出したるが中肉にして愛嬌も惡からず容貌も十人並勝れたれば萬次郎はいつしか戀の焰を燃やして屢々袖を引きたれど「叔母さんに濟みませぬ」とて承知せず、暫くは風の柳と受け流し居たるが萬次郎は執念くも附け狙ひ

……………………………………

……………………………………

……………………………………

り）に靡かせたる後はさしもの戀女房なりしお末を邪魔物にし始めたるが落度なければ追ひ出す事も協はず二十九年おあいを伴れて臺灣へ赴き同人に藝妓稼ぎをさせ居たるが

いつの程にか因果の種を身に宿したれば藝妓家業もなり兼ね止むを得ず大阪へ伴れ歸りしが流石家へは入れ兼ねてお八重を下通二丁目へ轉宅させ、その後へ妾宅として住はせ置きしが程もなく産み落せしが今生き殘れる長女の初光（八年）なりされどおあいは萬次郎に對して些の愛情もなく殊に叔母おすゑに濟まぬ〳〵と云ひ續け、おすゑも亦やかましく苦情を言ひたる爲、一たん落したる眉毛を引き、丸髷を新蝶々に結ひ換へて新町木原席より若松と名乘り再び褄を持ちたりき（若松と云ふ名は木原の女主の前名なれど萬次郎は堀江遊廓の議員と云ふに對し特に其の名を讓りしなりとぞ）

おあいが萬次郎を忌み嫌ひ居れると反比例に、萬次郎は又おあいを二なき者に戀ひ焦れ居たれば、新町より藝妓に出したる後も、嫉妬の念に胸を焦し、彼れを他廓に手放し置く事のいかにしても苦痛なれば、屢々おあいを家へ引き入れんとしたれど、おあいは例の「叔母さんに濟みませぬ」を楯として云ふことを聽かざれば、戀に目の暗みたる萬次郎は如何にかしておあいを家に入れ、朝夕手活の眺めにしたく、それにはお末が邪魔なりとの心を起し、恐ろしくもお末と養子明次郎（三十一年）（この男は萬次郎の兄犬飼幸助の子にて二十年前自分の故郷より迎へたる者なり）と姦通し居れりと云ひ立てそれを云前にして去年夏八月頃曾てお八重を放逐したる如く、無實の罪名の下にお末を着のみ着のまゝにて放逐したり（お末は當時朝鮮へ渡航し居れりと云ふ）此の事につきては諸所の知人より忠告説諭をなしたれど、萬次郎は少しも聽き入れず、その翌月新町よりおあいを伴れ歸り望みの如く妻にしたりき、此の事情纏綿執着して遂に此の度の大椿事を起したるなり

○兇行前の酒宴　殺意を決したる萬次郎は當夜十一時頃何氣なき體にて臺所火鉢の前に座を占め宅に居合したるおこま、おすみ、安次郎等を招き寄せ又お線香に赴き居たる津彌菊、津滿吉、梅吉へも貰ひを掛けたれば夫々引取りて最後に梅吉が綿森より歸り來りしは十二時過なりしが萬次郎は一座六人居並びたるを見濟して今夜はお前等へ望み通りの馳走をする西洋料理なり日本料理なり何なりとも望めよ一生に一度仕たい三昧にさせてやる當にも似ぬ言葉の底には素より一物ある可しとも知らず即て取り寄せたる西洋料理と日本料理とに何れも舌皷打ちて下戸も上戸も酒盞を手

にし今二三時間經たば主人が磨ぎ澄ませし邪慳の尖先に罹りて血煙となるとも知らず彼是と雜談の末一時頃となりておこま、おすみは奥の六疊の間に安次郎は二階十疊の間に津滿吉、梅吉は二階三疊の間に、津彌菊は下女おきくこと中尾おきぬと共に階下の表の四疊半の間に、夫々寢床を展べて無心の睡眠に入りたり。

○慘劇の光景　一同寢靜まりて一家寂寞となりたる後まで萬次郎は尙火鉢の側に在りてダビ〳〵と酒盞を傾け居たるが二時を打つ時計の鳴り渡りしとき時分はよしと思ひしか先づ立上りて浴衣一枚の身輕なる姿となり何時の間に買ひ來りしにや二幹の樒を取出して臺所の次の間なる佛壇に供へ其の前に毛布を敷きて黑絽三ツ紋の羽織と仙臺平の袴とを置きしは兇行後裝束を改め玆に屑く自殺せんとの決意を示したるなり、心靜かに斯る準備を調へ畢りて偖最後に簞笥の抽斗より取り出したるは豫て國許より携へ來りし一尺八寸無銘の業物にて鞘を拂ふや先づ奥の間に踏み込み今すや〳〵と眠り居るおこまの右後頭部を一刀斬り下げキヤツと叫ぶ間もあらせず再度の太刀は右頸深く斬り込んで殆んど頸部を切り落さんとせり、この物音に喫驚して跳ね起きんとしたるおすみを起しもせず尖先鋭く左の肩を大袈裟に二箇所浴せ更に右頸部を切つて二人共即死せしめたり、其れより更に二階に上りて仰向けに臥し居たる安次郎の前頸部に斬りつけ辛く薄皮のみ留めし狀にて一刀にて即死、續いて次の間の梅吉に尖先を向け是れまた左の頭部を碎けよと斬り込みて腦蓋破れ腦漿迸り其のまゝ絕息、次に津滿吉の左腕を狙ふて中關節より美事に斬り落し更に右腕中關節を切て是れもぶら〳〵と落ちんまでに斬り下げたり、其れより二階を下りて表の間に出で其處に臥し居る津彌菊には別に怨恨もなければとて目も呉れず血刀を後に隱したるまま下女おきぬのみ引き起して奥の間に伴れ行き「ソラ是を見ろ」とおこま、おすみの無慘な死體を指さし示したればおきぬはキヤツと飛び退る間に素早く左頸部へ斬付けて半ば切斷し是れまた其の場に絕命したり斯くと見るや再び二階に上りて僅に生き殘り居たる妻吉の傍に至り平常この口で乃公の惡口を饒舌つたなと口中に刄を突込んで二太刀抉り舌の半を切り顎を殺ぎ取りたれど尙即死するに至らず翌朝高安病院に入りて治療中なるも素より一命覺束なし

○兇行後の始末　萬次郎は生き殘りの津滿吉を十分斬り刻

みし後其の血刀を拭ふて鞘に收め津滿吉の寢所の横手に捨て置きし後二階より降り來りて衣服を改め再び表の間に行きたり、玆には前に記さゞりしも青木小梅と云ふ今一人の下女が眠り居りしにて同人は宵の中より頭痛がするとて表の押入の中にて眠り居たれば例の酒宴にも與らざりしが萬次郎は此の時初めて小梅を搖り起し「一寸用事があるから來い」と火鉢の傍に伴れ往き「乃公は自殺するつもりであつたが是れから警察へ自首する」と言ひし後表の間のおきぬの寢床にて眠り居る實子初光を先妻中川八重の許に連れ行くこと又重要の書類は一纒めとして紙袋に入れ佛間に置きあれば養女萬吉へ渡し吳れとのことを賴みたり、下女小梅はこの詞を聞く中にも恰も頭上なる三疊の間（津滿吉、梅吉の斬られし處）より血汐ボタ〳〵と滴り落ちて冷りと面を染むるに氣も心も消え入る程にてブル〳〵と顫ひ居る中萬次郎はやがて表口より立出で恭しく東雲の空を拜みて辻待車に乘り警察へ驅けつけしなり、其の後にて小梅、津彌菊の二人とも大騷ぎを始め津彌菊は初光を連れて中川八重方へ、小梅は横町の東店を擲き起して此の大椿事を告げたるに妓夫の由どんは直に飛び出して萬次郎方へ驅け込みしも階下は眞暗なるより慌てゝ二階へ驅け上がる途端何物かに蹴躓いて喫驚し其の品を取り上げて見れば津滿吉の腕なるにヒヤーと膽を潰して仰反りしとき津滿吉の呻き聲を聞きつけ「津滿吉さんではないか奈何した」と聞きしに津滿吉は悲鳴の中に「アヽ萬次郎の鬼に斬られた、仇を取つてお吳れ」と云ふ「好し〳〵仇は取つてやる」と言ひつゝ其の傍に臥したる梅吉の蒲團を捲りしに其の頸は半ば切り落しあるより愈々喫驚して其のまゝ逃げ歸りしとの事なり

○兇行者の自白　斯る恐ろしき大罪を犯したる萬次郎は白千筋の浴衣に黑絽三紋（丸に鷹の羽）の羽織、白縮緬兵古帶して雨中なれば高下駄を穿ち西署の門前に車を乘り棄てて無帽のまゝ公廨へ入り來り當直の書記に向ひ「未だ松本警部は御出頭になりませんか」と問ひぬ松本警部は同署の遊廓係りなるが爲め先づこの人の在否を問ひたるならん書記は何氣なく「前日來高木警部の當直なればまだ御出勤になりません」、と答へたれば萬次郎は「それならば當直警部に御面會致しませう」とて同警部の前に至り、住所姓名を名乘りたる上「私は只今自宅に於て五六名の者を慘殺して參りました由て自首を致します」と穩かに述べたれば高木

警部は驚きながら「あア爾うですか、それならば此方へお出でなさい」とて刑事室へ伴ひ行き本人を中央に坐らせて當直刑事と共に萬次郎を取り圍み改めて其の事情を問ひたりき、萬次郎は言葉を改め「申し上げます、私の妻雜魚谷あいは極めて淫婦でありまして、昨年の十月頃私方の客南區大寶寺町東之町の和田龜藏といふ者と私通致しました、其の事は廓内一般の評判となり居るのみならず、私も現場を見たる事がござります、然し相手は客なり荒立てゝは私の恥辱と心得て其のまゝ泣寝入にした事もござります、然るに本人は改心の模様なく私方の養子として名古屋の親戚より迎へたる明治郎（二十年）と私通致しました、されど私は仍ほ恥を忍んで段々說論を加へましたる結果、本年五月六日前後、明治郎とあいとは前後して家出を致しました然し私はそれをも忍んであいの母にも迫り抱へ藝妓をも取調べましたれど少しも實を吐きません、元來あいは藝妓を勤め居たる者なれば梅吉、津滿吉とも私よりは心易く互に秘密を語り合ひたるは勿論なる可きも頑として實を吐きません、折からあいより私へ當分歸るまじとの手紙を送り越したれば世間へ顏向けもならず無念に堪へかねて此の大兇行をなし遂げ直に自殺する覺悟なりしが一家の事務について差支を生ぜんことを恐れ卑怯ながら自首して出たのでございます」と臆する色もなく述べ立てぬ、是れ彼が警察署に於ける自白なりき

○梅吉の葬式　慘劇後の山梅は目も當てられざる有樣にて午後二時頃までは現狀の儘如何ともする事能はざりしが藝妓梅吉の死骸は實父杉本德兵衛が午後三時頃引き取りに至り中現場より直に葬儀を營みたり、しと〳〵と降る雨の中に淋しく立出でたる棺を眺めたる多くの群集は何人も同情の感を催せるが如く見受けたりき。（大阪朝日新聞第八千三百七十九號明治三十八年六月廿二日）

（堀江の六人殺し續報）

○犯人の護送　無殘の血の雨を堀江の廓に流したる人鬼の中川萬次郎は兇行の拂曉西署へ自首し一昨日假豫審を受けて、昨日午前九時謀殺の令狀の下に、白濱巡査に警衛され監獄に投ぜられたり、是より先萬次郎の養女たる藝妓萬吉は白毛布、秩父棒縞の丹前、ネルの縦縞單衣に鷄卵數個を添へて西署の留置所へ差入れたるに、萬次郎は其の鷄卵を食し毛布は携へたれど、衣服は受けず、罪人の吾には之にて

過分なりとて自首當時の扮裝なる黒紹三ツ紋の羽織に千筋の浴衣を着たるまゝ、署員一同へ「最再びお目に掛りませぬ」と暇の挨拶を述べて平氣に悠々と送られたり、同人素性は前號詳しく記したれど尚聞く處によれば愛知縣海東郡福田村の犬飼某と呼ぶ賤しき漁夫の息子なりしが、廻緣の者にて尾州家御座船のお船手を勤むる同姓犬飼の養子となり、長じてお船手役を襲ぎ居たる由にて、其れが爲め今回兇行用の無銘の刀は、藩主より拜領の品なりと常に自慢半分に話し居たるよし維新後役離れとなりて暫く廻送問屋を營み居たるも思はしからぬより、帆前船愛田丸を買ひ受けて船頭となりしは二十六七年前、其も暫時にして廢め、愛田丸は神戸の人に賣り渡し、懷中に澤山の持參金あるらしく見せ掛け、マンマと中川八重を取り込みて山梅へ入家したる者なりとぞ

○山梅と萬吉　一昨夜より昨日へ掛けて山梅の前の群集は蟻の甘さにつくが如し、同廓の安部取締等は萬吉の依賴に依りて昨朝より詰め切り、血痕附着の品、蒲團衣類を初め〆て四十三點、殘らず荷車に積みて八弘舍に送り、燒き捨てたり其の他戸障子天井板など些しにても血汐に染まりしは削り取り取り拂ふて昨夜燒き拂ひし筈なり又同家の資産としては、貯蓄銀行三百五十圓、現金九十圓、衣類等の外に、三十五坪の家屋敷あれど、其れは一番千五百圓、二番五百圓の抵當となり居れり、出張の判檢事は證據物件と共に現金九十圓を保管し、又西署は同廓の取締安部平三を呼び出して一家の整理つくまで相續者萬吉の保護をなすべしと委託し、更に一昨夜來巡査を同家の表に派して立番をなさしめ居れり

○津滿吉の現狀　辛く即死を免かれて、高安病院に入院したる津滿吉の現狀を聞くに、中々氣丈にて經過は先づ宜しき方なり、左の腕は現場に斬り落され右の腕もぶら〳〵となりしまゝ入院したれば、醫員は直に切斷したり、其の手術料十五圓、入院料前金七圓、計二十三圓の勘定を兇行者の相續人萬吉に請求すれど現金は其筋へ保管されありとて渡さず、ヤツサ、モツサの掛合中なりとか、手切金は藝妓の方が受取るべき筈なるに藝妓から出すは妙なりと小首を捻る氣樂人もあるよし、院長は所詮見込なしと半匙を投げ居れど、本人は無頓着にて、見舞の人あれば、負傷したる舌にてボツ〳〵話し居れり、今慘劇當時の光景に就いて津

滿吉自身の談話を聞くに「初め兄さん(萬次郎の事)が二階へ上つて來た時、第一に殺はしたのは梅吉さんで、其から安次郎さんを斬つたらしい、妾は其の時初めて心づいて蒲團の中でビリ〳〵と顫うて居ると、兄さんは妾の蒲團を引捲つてヤツと掛聲をしたので、妾は夢中で跳ね起きると、其の途端にピカリと刀の光がして、左の腕を落されたらしいが其の時には些つとも覺えないで、矢庭に起きやうとしてバタリ横に倒れた、すると兄さんは何と思ふてか、すた〳〵と階下へ降りて往つたから、斯んな時に弱い心を出してはならんと、沈と倒れたなりに堪へて居ると約そ二時間程經つて、兄さんは又二階へ上つた爾して妾の傍へ寄つて血刀を左の手に持換へ、右の手で妾の口を抑へた、是れは屹度生きてるか死んでるかを試すのだと思ふて、呼吸をせまいと二三分間沈と堪へて居ると口に當てた右の手を引いて、左の刀を再び持ち換へる時に、其の尖先がスラリと口の端に觸れたやうに思はれたので其の時舌と顎を切られたらしい、兄さんは「最う宜いだらう」と言ふて、右の手に血刀を提げ、ぶら〳〵と段梯子の許まで往つて「血刀提げ箱梯子」と、微聲で初右術門五人斬りの淨瑠璃を語つた迄は覺えてゐたが、其の後は氣が俄に遠くなつて、宛で夢中であつた、其れから由どんが驅け上つて、キヤツと叫んだ聲に氣がついて、「由どんか」と云ふと、「あなた斬られましたか」と尋ねたから「仇を取つてお呉れ」と云ふて、又夢中になつて仕まいました』

○狂婦中川八重　萬次郎の爲に狂人となりたる薄命の婦人中川八重は昨朝早く家族一同を呼起し「サア大變、西の家(山梅の事)で四五人の人殺しがあつたさうナ、彼は旦那が殺したのぢやない、此妾ぢや、今から警察へ自首しますわ」と、突然宅を飛び出して辻待の腕車に飛び乘り、急げ〳〵と呼吸遣ひも荒く北へ走らしたり、家族は心配して跡を追ひ行く中、八重は腕車を東店に着けさせ、内に驅け入りてお茶を一杯と頼む、店内の者は早速お茶を汲んで與へ「あなた何方へお越し」と尋ねたるに、八重はグツと飲み乾すやいな、何にも云はず走り出で、元の腕車に飛び乘つて自家に驅け戻り「ヤレ〳〵お腹が空いた」と朝餐を喰べ「朝から忙しくてバタ〳〵したから草臥れた」と、奥の間にころりと横になり寢入りしと云ふ、同家に居る萬吉は此の體を見て頼りにするのは此の姐はんの外はないにと面を掩ふて泣き居るよし、八重は萬次郎の爲に發狂し、其の萬次郎の相續者萬吉は八重の發狂の爲に泣く、天意か自然か、人事の因果は怖ろしからずや

○小萬の行衞　今に知れず、西署は昨日小萬の姉なる同區北久太郎町一丁目佐藤福松妻おかね、及同居人肥田新藏の妻おふじを召喚して、小萬の踪跡を探り問ひしに、兩人は全く知らぬと云ふ、左れど其から其へと調べ見なば或は搜し當らぬとも限られまじ、今日一日の猶豫ありたし、及ぶだけ尋ねて、若し尋ね當らば同道せんと答へて引取れり、序に小萬か何故萬次郎を忌み嫌ふかの疑問に付て一齣の談話を告げん、小萬或る時朋輩に語りて曰く「内の人ほど恐ろしい怖い慘たらしい人はおまへん、妾今から思ひ出してもゾヽ、毛が立ちますワ、臺灣へ伴れて往かれた後、妾が支那人と密通してると痕跡もない事を言はつて、庭の松の樹へ赤裸々にして縛りつけ、刀を拔き放して、脊やお臀を峰打にピシ〳〵と擲りつけ、果は其の刀を頰に差しつけて、コリヤ言はねば一突きだぞと、演劇でも見た事のない程酷らしう打たはりました、妾は最う最う臺灣の土になるものと觀念して默つて居ると、到頭責め飽んで漸う繩を解いて吳りやはりましたが、其れから怖うなつて連れ添ふ氣には奈何してもなれまへん」、萬次郎が如何に殘忍兇猛なるかは此の話にても察せらる可し

○萬次郎が最後の書置　によれば彼れの兇刄に斃れたる六人の外、猶七人の關係者を慘殺すべき覺悟なりしが如し、其の遺書は萬次郎が大兇行を遂げたる後、慄ふ手に紅インキと鮮血とを混じて疎末なる半切に認めたるものにして其の遺書の上にはボタ〳〵と血汐の落ち散りし痕目も當てられず、最初の一枚には此の事件に大關係あるらしき七名の姓名を列記し（憚る所あれば姓名は省く）他の二枚には大字にて左の文字を記せり

七人を皆殺さんと思ふたがもう夜が明けたざんねん〳〵

（原文のまゝ）

右は云ふ迄もなく兇行後奥の間にて認めたるものならん、恐ろしき人鬼よ、夜の開けたる爲兇刄の他七人に及ばざりしは不幸中の幸福とや云はん

○和田龜藏の濡衣　萬次郎が西署公廨にて小萬が南區東寶寺町東の町蒲團商和田龜藏と密通たる旨を述べ立てしは前號に記したる如し、何故斯る疑を惹起したるかを聞くに、

此の龜藏と藝妓津滿吉の實父大石忠造とは別懇の間にて、忠藏が二葉酢を營み居たる時より常に龜藏方へ出入し、零落の後は和田の借家たる八幡筋南綿屋町の木村裏を管理し又和田が組立てし、蒲團講の世話方をも爲し居れり斯る間柄なれば、忠藏の娘よねが津滿吉と名乘りて山梅方に現はるゝや、龜藏に向ひて以後贔負にして吳れと頼み、龜藏も折から或る請負仕事の爲め昨年十月以來時々堀江に遊ぶ事となりて、其都度山梅に登り津滿吉を聘すを例としたり、先月中旬忠藏は偶然山梅を訪れしに萬次郎は一室に招き入れ、實は妻の小萬は逃亡せり其の行衞を突き止め吳れなば津滿吉の年期證文は御禮として返さんと云ふ、忠藏は驚きて、娘の證文は兎に角、及ぶ限りは搜索せんと直に山梅の帳場人力車に乘りて、小萬の實母なる北久太郎町一丁目雜魚谷こま方へ赴きしに意外にも小萬は其處に居合せたり、忠藏を見るより、主人に頼まれて來りしかと尋ねたれば、否頼まれしにはあらねど少し話し度き事ありと、即て小萬を伴れて、前の帳場腕車に乘り自宅に歸りたり、其れより小萬に向ひて家出の事情を聞きたるに、實は養子明治郎と養子萬吉とを夫婦として中川家を讓り渡し自分は萬次郎と共に抱藝妓を連れて分家し雜魚谷の家名を立てたしと云ふ其の談話の中に忠藏は心を利かして、帳場車を山梅方へ返したれば、必ず車夫の口より小萬の事を聞つけて萬次郎來る可しと思ひしも來らず、遂に其の夜は空しく明し、偖翌朝となりて、兎も角其の談話は萬次郎に告げて其の上返事すべし、其れまで實母おこまの宅にて俟ち吳れよと云ひ置き、單身山梅方に出掛けたり、折から萬次郎は居らず程經て血眼になりて歸り來り、小萬が希望の分家一條を聞くや以ての外に怒り、此の家を明治郎に讓る事は金輪際不承知小萬は前夜何れに宿りしぞと威丈高に問ふ、忠藏は自分方へ一泊させしに相違なしと答へ彼是押問答の末に、萬次郎は立ち出で即て南署の青木刑事を伴ひ來りて實は昨夜車夫の詞によりて、堺筋の二葉鮓を搜したれど分らず、已むなく南署の刑事に訴へて共々に搜し廻りし末、南綿屋町の忠藏宅を尋ね、雜魚谷は居るかと妻に問ひしに左樣な人は知らぬと答へし旨を述べて、小萬は屹度お前の心易き和田龜藏指圖の宅に泊りしならんとの途方もなき事を言ひ出したり。忠藏は呆れながら、左れば本人の小萬に會ふて聞き質すが捷徑なりと三人伴れ立つて早速北久太郎町の雜魚谷方に赴きしに小萬は早姿を晦まして見えず、但し其の姉婿たる佐藤福松宛にて自分は松島天神前某方へ身を潜むるとの旨を書き殘しありとの事に又々三人連にて松島へ赴きたれど其處にも早居らずして以來今日まで踪跡を晦ましたるなり、其れが爲め萬次郎は一圖に龜藏の差金にて、忠藏等と同腹になり、小萬を隱したるものと思ひ込みしならんと云ふ

○萬次郎の遺書

萬次郎が今回の兇行を演ずる決心は遠き以前より萠し居たりしと見え一昨日午前判檢事が現場に出張したる際押收したる書類の內合計八通の遺書ありたり、こは何れも養女おれい（萬吉）に宛てたるものにして最も短きものは半切一枚に、最も長き物は半切六枚に赤インキを以て認めあり「今日こそ遺ツ付けてやらうと思ふ度每に遺書を認めましたから澤山になりました」と萬次郎自らが申立てたりと云へば今回の兇行は遠き以前より深く謀り居りたる事を知る可く從つて兇行後は必ず自殺せんとの決意を抱きたる事も明かなり、且遺書八通ともおれいに宛て居る所より見れば萬次郎が最も深く信賴せしはおれい唯一人なりしことを知るべし八通の遺書には悉く月日の記入なけれど左に示すは兇行數日前に認めたるものなる可く八通の中にては最も短きものの一なり

此の度中川の家をつぶす太あくとうのととう人は本人あい母駒姉かね佐藤福松其の外五六人のぎようさんありて中川家ヲつぶスゆゑ實ニにくさ〳〵かさなる者ゆゑ何卒おかみさまニおそれいり候へ共これらのやつら下分におしらべ被下ましてみな〳〵それ〳〵のしよぶんヲ御願申上候やう願升るようお賴み申せもはやこれまで

父　萬　次　郎

おれい殿

文意確ならざれども中川家を亡ぼさんと謀れるおあい以下數名の者憎くて堪らぬ故其の筋の處分を願へとあるが如しこの文面より察する時は萬次郎は今回の如き兇行を演ぜずして自分一人のみ自殺する考にて右の遺書を認めたるに非るかと思はるゝ節あり、讀者の判斷に任さん、尙左に記すは八通の內最も長文にして半切六枚に赤インクを以て認めあり、思ふに兇行の前夜認めたるものなるべし

今日迄しんぼうしたなれどもしんぼうぶくろがはれつし

てやむを得ずおかみさまへふこうのお手すう相かけ候處の次第は金の入れあるひき出しにアィとかいて有るふくろにある物をしらべてよろしくしよぶんしてもらうよにおたのみ申なされ我れも初光がかわゆいのとおまいらがめいわくをおびる事はぞんじ居り候なれども明治郎のにくしみアイのにくしみ實に日に身たいがもてぬゆゑ實に氣のどくに存じ候へ共せに腹はかへられぬゆゑおかみ様にお手數かけ實に面目しだいなき事ゆるしてくれどうぞ〳〵よろしくしよぶんをお賴申してあとは初光をせい人させて山梅の內を立いくように賴みます我はかけからいのりますからたのみます、いかにもして座古谷一統と佐藤一統はかならず殺し倒すから見てをれ、又津滿吉は父の大石がためにころした梅吉はほうとう者のアイに取次したゆゑころしたゆゑこの事はおかみさまへ申上げて下され、然る處この後はかた付次第おまへは子供つれて名古屋地へかへり石黑の內山田(此の間三字不明)に相談して都合のよいようして日にせん香の一本もたむけ念佛をとなへ初光にも云つてやつて下され賴みます、いづれ八重の處よりもいろ〳〵いふではあらうがこれはおたきが居るからよろしいから山梅の內だいじにして初光子供を賴みます金はひきだしに五六百圓かよいがあるからそれでしまつして下され、いひたい事澤山あるが心がいそぎ何をかいたか讀むことも出來ぬからよく讀みくれおかみ様へお願して(此間人名四字不明)明治郎アイに死刑をたのめにくい奴だよ初光を賴みます(此間五字不明)なんぼかいてもきりがないからこれでおきます

父　まん　ら

おれい殿

たのみます

この遺書に依りて萬次郎が兇行の決意の存する處は明瞭となれり、おあい等關係者に對する憤恨を記す間にも一子初光の身の上を案じ煩ひその前途を賴む旨を屢々記せるは流石に親心にて、鬼の目に涙ありと云ふべきなり　(大阪朝日新聞第八千三百八十號明治三十八年六月二十三日)

○西署に於けるおあい

堀江六人殺しに就いて噂高きおあいは既記の如く一昨日裁判所に出頭し訊問終りたる後附添人たる南區炭屋町の折箱原料商大舘由太郎と共に西署に到着したるは同日の午後五

時過ぎなりき、同署にて主任高木警部、獅子野、北村兩刑事が應接室にて七時頃まで取調べし後前記由太郎を呼び出して本人を引渡したり、取調の大要を聞くにおあいは警官の訊問に對して自分は五月五日山梅を入湯と稱して立出で其足にて三軒家の粂重吉方を訪れたり、其は同家にて明治郎と會合する積りなりしも明治郎が居合さざる爲直に母親こま宅に赴き其處にて七日間ほど居たる後知り合の甲乙の宅に潜み其の末同月二十四日再び三軒家の粂方へ赴きしに伯父常助が來て山梅へ歸る氣か奈何かと尋ねたり折から母こま、弟安次郎も來合せしより粂方にては話もなし難く三軒家紡績の横手の牛屋へ四人伴にて出掛け常助に向ひて實は今夜名古屋から明治郎が歸つて來る筈なれば母や明治郎と相談の上明日母まで返事を致しますとて別れ其夜は粂方へ一泊したり翌二十五日一旦母親の宅へ歸りしに豫て萬次郎に賴まれて自分を捜してゐる大石忠藏に出會ひ同人方へ伴れ行かれ一泊の後再び母の宅へ引取りしが南署の青木刑事は早くも此の事を聞きつけしと見え一方萬次郎方へ知らせ置きて其の身は母親方へ乘込みしも自分は折から粂方へ赴き居て弟安次郎より其の事を聞きしより此の上は名古屋へ高飛せんと梅田まで出掛けしも終列車に乘遲れし爲意を果さず止むなく粂方へ引返して一泊せり、其の翌朝午前六時湊町驛に出で一番列車にて名古屋に赴き同市花の木町絲繰業高井しづ（二十八年）方を賴りたり同人は以前阪地北久太郎町笹屋町東へ入る寺の隣に居たる時知合なりしよりそれを緣故に訪れ往きし者にて其の以來同家に逗留し居たり、自分は阪地へ歸る望もなきより名古屋にて藝妓に現れんと眉を延ばして心準備をなしつゝ際圖らずも今回の大慘事を新聞紙にて聞き知り驚いて途方に暮れしが其の後日々山梅事件の新聞紙に現はるゝにつれて不面目に堪へ難くさればとて此の起因も全く妾ゆゑなれば何時までも名古屋に潜み居る譯にも行かずと元難波新地のみどりと云ふ料理屋に仲居奉公せしおきくと云ふが目下相生町溝の側にて竹葉亭と云ふ飲食店武田巳之助の女房となり居る事を思ひ出し兎に角同家を訪ねて身の振方を相談せんと一昨夜十二時名古屋發の汽車にて昨朝八時過當地に着し直に竹葉亭に往て相談の末同家の知人なる大館由太郎に附添はれて裁判所へ出頭したるなり、尚自分は名古屋へ赴きし以來二三度も當地に歸り來り山梅の様子を探りしが、最後に歸りしは六月の九日にて直に母親こまの宅を訪ねしも母弟妹は山梅方へ往き居れりとの事にて得會はざりし爲其の足にて住吉に參詣し守り札を受けて更に堺に往き同地より山梅宛の手紙を認めて（這は前號既に記したる死しても歸らぬとの手紙なりき）郵送し又母こまへも今より名古屋へ赴く旨の手紙を發し置きて同地へ引かへしたるなり、又自分が家出の決心をなすに至りたるは豫て明治郎と相談の上母こま、妹すみ弟安次郎、木村さく（元山梅雇人）ふく等と淸國營口へ渡りて一儲けする事となり其の旅費は明治郎が引受けて國元へ歸り其の後は三軒家の粂方にて面會する約束なりしに明治郎は病氣も重り旅費も調はぬとの事にて已むなく再び藝妓勤めをなす決心を固めたり云々

〇おあいの直話

西署の取り調べを終りし後社員はおあいに就いて親しく談話を聞きしに「今度は誠に面目次弟もない堀江へは顏向けもならぬ程の事が出來まして恥入つて居ります、妾の家出に就いては一度や二度では話し盡されぬ程仔細がある事は御存じでもございませゐがお察し願ひます、妾も今度と云ふ今度は自殺する決心でしたが又思案して見ますと世間から種々な噂を立てられて居りませうから身の明りを立てる爲に名古屋から戻つて來ました、元來お爺（とつ）さん（萬次郎の事）の話に由ると十二歳の時から尾州犬山の藩主成瀨長門守の家來岩田家へ養子に往き二十四五歳から放蕩を盡して遂には帆前船の船頭となつたので自分は力も強く劍術も心得て居る現に長門守から拜領した無銘の新刀を持つて居るから十人や二十人を斬捨てるのは仔細はないと自慢して居ました今度も屹と彼の新刀で遣つた事と思ふて居ります、自分が始めて萬次郎と關係したのは初めて藝妓になつて山形屋へ聘ばれて往つて見ると意外にも其の客は萬次郎でした其の後も方々の青樓から聘せて其末厭らしい事を云ひ出しましたが現に叔母の亭主ですから風に柳と受け流してゐましたすると其の末叔母の不在中に宅の三階へ伴れ上つて例の新刀を半ば拔いた儘面前に差附け今夜と云ふ今夜乃公の詞に從はねばお前の髮が切れるか首が飛ぶか乃公の腹が裂けるか此の三個の中の一つに極つて居るがお前の考は奈何かと血相を變へて言ひ出したので遂に道ならぬ契を結びました、其の後なる可く會はぬ様にすると益々附き纏ふて一家の風波を引き起すことになりました、又其の以來刀を

以て妾を脅迫した事も幾度あつたか知れぬ程でした現に去る四月の末頃奥座敷で妾に是れ見よがしに新刀を取出して鞘を拂ひ其の尖先を沈と眺めて殊更に聲を高め自分の魂とする刀に錆が來たわい研ぎすまして置かねば他日の用に立たぬと叫んだので愈々厭氣が差しました又三月の中頃尾張半田の酒造家榊半兵衛外數名の者が登樓して大散財をした時妾が其の旦那に愛嬌を賣つたのが氣に入らぬと散々蹴飛ばされ毆打されたこともあります、此の外は大概新聞紙に出て居りましたから申上げても二重にならうかと思ひます斯やうな事情を明治郎が薄々知つて私の叔父ではあるが道に悖つた人であると度々妾に言ふて慰めて呉れましたので妾も明治郎の爲を思つて親切に致しますと其れが爲に不義姦通でもして居りますやうに疑はれました云々

此の外種々聞込みたる點もあれど犯人豫審中なれば暫く記載を見合すこと丶せり。（大阪朝日新聞第八千三百八十五號明治三十八年六月廿八日）

小名木川の首無事件

（首無犯人就縛）

△九日千葉木更津にて
△鈴ヶ森事件に眞似る
△裂いた手拭が符合す

小名川首無事件は發生以來警視廳を始め深川本署及洲崎分署に於て極力犯人の檢擧に勉めたりしも其の手段の巧妙にして些の手懸りなき爲め殆んど暗中摸索の有樣なりしが天網疎にして漏さず遂に九日午後八時深川分署の手に該犯人を檢擧し得たり

△加害者と被害者　加害者は茨城縣東茨城郡石崎村大字石崎四十五新助長男當時深川東森下七四鰻屋長洲粂吉（三十五）と云ひ被害者は神奈川縣橘樹郡程ヶ谷山下町千二百七金次郎姉當時深川入船町二關幸吉方同居小山いち（四十四）と云ふ者にて加害者粂吉は明治二十六七年頃横濱市眞金町にて鰻屋を營み居り性來酒と女が好物にて同地の遊廓へ足繁く通ふ中同遊廓の娼妓たりし被害者いちと深く言ひ交はしいちが二十六歳の時年明を待て內緣の夫婦となり引續き鰻屋を營み居りしが不景氣の爲め昨年五月頃世帶を疊みて上京し深川區西六間堀長谷川榮吉方の雇人となり實體に働き居る中幾分か貯蓄出來たるより再び獨立して昨年一月頃

目下の處に一家を講へて鰻屋を始めいちは入船町幸吉方の二階二疊を借りて洲崎遊廓の鴇手（やりて）婆を勤めつゝ互に往來して樂しみ居たり

△厭氣が差して絞殺す　然るにいちは粂吉より年も上にて且つ右の首筋から頬に掛けて焼傷（ヤケド）の痕あり至て醜婦なるより粂吉は何時か厭氣が差し近來他に増花が出來たるよりいちを振り捨てんとすれど是迄の情實もあり且つ粂吉はいちの所持金百圓餘を費消し居る所からいちは執拗（しうね）く附き纒ふて容易に承知せず果ては殺すの生かすのと大立廻りをすることも度々なりしが遂に粂吉は鈴ケ森事件を思ひ出し四月二十日夜いちを酒で盛り潰し散々痴話狂を爲したる後翌二十一日午前二時頃寢息を窺ひいちを絞殺し二十三日其儘に爲し置き同夜首を斬りて床下に隱し置き二十五日夜首胴共に外套に包みて持ち出し一町餘距りたる東元町徳川堀に胴を投棄し首は何所へか深く隱匿し何喰はぬ顏で濟し居たるが死體の浮き上ると同時に其筋の探偵嚴重なるに居堪らず遂に五月五日頃自分の家は甥の長洲喜三郎（十四）と云ふを留守に置き鄕里へ行て來ると言ひ置き一先づ鄕里茨城へ立廻り直に高飛して千葉縣君津郡浪岡村字畑澤料理屋小川屋方の料理番となり間もなく同家の娘お何を蕩し込み圖々しくも入婿の計畫を爲し居たり

△犯人檢擧の端緒　斯て一方死體の浮き上ると同時に洲崎分署にては犯人は附近に在りと目星を附け有ゆる嫌疑者九十餘名に付きて取調べたるが一も成功せず苦心に苦心を重ね居る中八日の朝入船町受持巡査石井某が戶口調査を爲しつゝ前記關幸吉方に至て人員の異動を調査したるに小山いちと云ふが四月二十一日頃突然行方不明となりて未だに何の音沙汰もなしとの事に扨てはと小躍りしつゝ直ちに分署に報告し沼田署長三谷警部補村松古澤二刑事も是こそ當の被害者ならんと早速同家に出張していちが居住し居たる二疊の間を捜索したるにいちが所有のヅック鞄の裡に菱形の模様ある手拭を縱に裂きたる半分が藏ひあるを發見したるより死體の腰卷の紐が手拭を裂きたるものなりしと思ひ合はせて直ちに歸署して右の手拭と繼ぎ合し見たるに果せる哉模様と云ひ裂き目と云ひピッタリ符節を合する如くなりしかば玆に始めて犯人は同人の情夫長洲粂吉に相違なしと一決したり

△犯人逮捕の模樣　此の端緒を得て洲崎分署員は最早功を

収むるも一兩日中なりと何れも喜び勇んで八方に手を分け加害者粂吉の所在を捜索したる結果遂に前記千葉縣君津郡浪岡村字畑澤料理屋小川屋方に潜伏し居るを突き留め九日朝三谷警部補及び古澤刑事が出張して同日午後七時頃同家に踏込み粂吉が何喰はぬ顔にて料理番を爲し居る所を何の苦もなく捕縛し訊問したるに始めは知らぬ存ぜぬ一點張りなりしが同夜木更津署に引立て嚴しく取調べたるに遂に包み切れずして恐れ入りましたと自白したるより早速洲崎分署へ犯人逮捕の旨を電報し夜の明くるを待ち翌十日東京灣汽船會社の愉快丸に乘り込み午後一時四十分無事洲崎分署に到着し直に二階にて南谷檢事山下署長は假豫審を開始し四時二十五分村松刑事相乘車にて本署に引上げたり

△群集分署を圍む　斯くて首無事件の犯人が洲崎分署に到着すとの噂が界隈に傳はるや之を見んとて押懸けたる群集は降る雨も厭はず分署の周圍を十重二十重に取卷き大混雜を極むる騷ぎに巡査十數名が必死となりて制するも聞かばこそ粂吉が門前にて車に乘る際などは大浪の如く車を取捲きて押すな〳〵の大混雜中に誰云ふとなく一同申合した樣に萬歳を唱へたるは滑稽なりし洲崎分署に到着したる犯人粂吉は格子縞白地浴衣に銘仙縱縞の羽織を着し白メリンスの三尺を締め古びた鼠色の中折帽子を被り編上靴を穿ち身丈は漸く四尺九寸位にて小肥の一寸色白の男なるが右の利腕を捕繩にて固く縛され前の帶に括し付けられ惡びれたる樣子もなく悠々としたる態度は流石に兇漢の面魂と見られたり。（東京日日新聞第一二〇三八號明治四十三年六月十一日）

（首の大捜索）

△小名木川犯人續報

△首は大川に投込む

首無事件の犯人長洲長吉（昨紙粂吉とせしは誤聞）就縛の由は昨紙報道したるが其後の模樣を聞くに引續き昨十一日午前二時直に深川署に於て鈴木豫審判事、南谷檢事は長吉に對して假豫審を開きたる結果同人は兇行顚末を逐一白狀せしより判檢事は一先づ同署を引揚げ同時に投棄したるイチの首級に付き大搜索を開始したり

△河底の大搜索　長吉の自白に依れば同人は四月二十一日お市を殺害し首は同二十五日風呂敷に包み日本橋區濱町二丁目河岸へ持行き直徑四五寸の石を結び付けて大川へ投げ

込みしとの事なる故深川署にては十一日午前九時山下深川署長は小袋警部及び洲崎分署見谷警部補と共に深川西元町の水上警察派出所へ出張し同所にて數艘の荷足船を仕立て市川水上署長同道にて現場なる濱町河岸に赴き新大橋上流より首の大捜索を開始し又一方には目下新大橋架設工事を受負ひ居る新井組の潛水夫天島倉德藏(三十三)に命じ濱町河岸渡船場より潛水せしめて頻りに河底の大捜索を爲しつゝあり又其の模樣を見んと同所附近は黑山の如き見物人なるより之れが爲め深川署は數十名の警官を日本橋署よりは長谷川警部十數名の巡査を引連れ出張して混雜を制し居たり

△長吉の現場指定　斯く河底の大捜索を行ふと共に九時三十分加害者長吉を深川署裏門より人力車に乘せ捕繩にて俥の幌へ嚴重に縛り付け尾關、石田の二刑事附添にて現場へ連れ行き投棄の場所を指示せしめたるが同人は茶の中折帽子を眉深に被り辨慶縞の單衣に銘仙紺茶縦縞の羽織を着し洒々たる面貌にて又た此の稀代の兇漢を見んとて集ひ來る群集は沿道に人垣を造り居るより成るべく交通の頻繁なる道を避け伊勢崎町より清住町に出で西元町より萬年橋を渡り濱町河岸へ赴きたり

△何等の手懸りもなし　而して河中の捜索區域は安宅の渡船場より下流約三十間岸寄り巾十五間を限り一面潛水二十分間宛とし午前十時より鈴木豫審判事、南谷檢事、山下署長、小袋警部、沼田分署長、見谷警部補、尾崎、石田の二刑事警視廳の小泉警部立會の上十一時五十分迄前後三回の潛水捜索を行ひしも遂に首を發見せざるより一時休憩し午後一時より區域を擴張して再び捜索に着手し夕景迄に前後七回の捜索を行ひたるが同日は遂に何の手掛りもなくたゞ結び合はせたる牛乳瓶三本を引上げたるは聊か滑稽なりし

△首は鐵材の下か　又右捜索中同所なる新井組工事場の周圍に打込みたる杭の間を捜索中潛水夫が誤つて潛水服を釘に引懸けて右腕の護謨を引裂きたる爲め內部に浸水して命から〴〵船上に引上げ他の潛水服と着換へたり尙ほ荒井組員の語る所に依れば十日程前工事用の鐵材を積込みたる船が同所附近に於て顚覆し鐵材は其儘水底深く沈み未だ引揚げざれば或は首は其の鐵材の下に碎け居るには非ずやと云へり

△鰻屋空屋となる　犯人長吉が兇行の現場たる深川東森下

町の鰻屋は長吉逃亡後は原澤民藏（三十）及び妻まさと云ふが引受けて相變らず鰻屋を營み居りしが長吉が木更津在にて捕縛さるゝと同時に兇行の現場が同家と判明して以來商買所の騷ぎでなく同家を見物せんとて押懸くる群衆は店前に山を爲す許り且つ何となく大慘劇の行はれし跡とて薄氣味惡く未だ床下に血腥き死體の横はり居る様に思はれて恐ろしさに堪えかね最早一刻も住み難しとて右夫婦は九日夕刻頃大急ぎにて世帶を疊み何處へか引越し行き所有主たる同所二十四薪炭商丸万事田川文藏は大に澪し居れり

△小川屋と長吉の關係　長吉が逮捕されたる千葉縣君津郡浪岡村字畑澤料理屋小川屋事小川かつよ（三十五）と云ふは廣島縣豐田郡瀬戸村の生れにて昨年十月小川屋の養女となりしが養母みつが本年一月中病死し其後はかつよが一切切盛りする樣になりしも女中のなき爲め之を雇入れんとて四月六日上京して平素懇意なる深川西六間堀入宿常陸屋方に至り周旋方を依賴し居る所へ偶然長吉も同家とは懇意の間柄なる由にて好き婿の口もあらば世話して呉れと賴みに來合はせ一言二言かつよと話し合ふ中非常に懇意となり遂に怪しき關係まで結ぶに至りしがかつよは歸國の際長吉に向て入婿にするから森下町の世帶を疊んで是非木更津へ尋ねて來て呉れと言ひしより長吉は兇行後かつよの家に身を忍ぶに至りしなりと

△長吉の情婦尚ほ長吉は面貌美ならぬも非常に口先甘く大の女蕩しにて目下同人の情婦となり居るは茨城縣生れ酒井およね（十八）及び深川區西六間堀町三十六丸山於芳（二十五）外數名ありと

△東京府の感謝狀　本事件に關し東京府會は何と思つたか昨十一日杉原議長の名を以て龜井警視總監及び山下深川警察署長に宛て懇篤なる感謝狀を送りたりと（東京日日新聞第一二〇三九號明治四十三年六月十二日）

（小説）

樵夫小屋の慘事

佐左木俊郎

一

其の當時放浪者であつた私は、東北のとある山間の部落で、「牛追ひ」と云ふ職業にありつく事が出來た。その地方では「牛方（うしかた）」と言つてゐたが、牛方と云ふ職業こそ、私には最も適わしい仕事のやうに思われた。私は悅んで此職業に就いた。長いズボンにゲートルを捲いて足袋跣足になり、草色のルバーシカの上からは短いレインコートを羽織り、長い頭髮の上から目深にソフトを冠つて、私は、右手には細い鞭を抱つて牛を追ひ歩いたのであつた。

牛はのろ〳〵と路傍の靑草を喰ひ捲りながら歩いて行つた。私は其背後から、小型の創作集か、或ひは小型の詩集を讀みながら、牛に劣らぬ遲鈍さでついて行くのであつた。そして、讀むことに飽きれば思索をしたり、唄つたりして、三里も山の奥へ這入つて行くのだつた。

目的の場所に着くのは大抵十一時半頃であつた。其處で私は三匹の牛に餌を與へ、自分は伐り倒されてある大木に腰を下して、深い綠に掩われた向ひの山を眺めながら、アルミニユームの辨當箱から飯を搔込むのであつた。其處には杣小屋があり三人の杣人が泊つて居たので、一緒に飯を食ふ時には、お茶か、山百合や獨活（うど）、或ひは蕗、芹、鴨兒芹（みつは）などの味噌汁を御馳走になることもあつたが、此三人の樵夫は、大抵私の着か無い中に午食を濟して、大きな聲で唄を歌ひながら、鋸の目立をしたり、大斧を研いだりしてゐる方が多かつた。

飯が濟むと私は、三十分とも休まずに、――食ひ方の遲い三匹の牛には氣の毒なのだが、さうしないと、明るい中に歸れないので、――牛に材木を擔つけて、Ｎの溫泉場へ歸つて來るのであつた。牛は赤土の泥濘に足を滑らしたり、路傍の靑草を喰ひ搖つたりしながら、長い材木をゆら〳〵と搖振つて行く。私は其後から、鞭を振鳴したり、口笛を吹いたりするそれが每日の日課であつた。

二

其日、私は、なんとない懶さを感じながら牛を追ひ出した。前日、小雨が煙つたので、雨になることを怖れて私は、一日、休んだのだつたから。

麗かな陽は、朝の裡から木の間を洩れて、水溜りや泥濘の多い路面に、明るい縞を織り出してゐた。三匹の牛はのろのろと、頭を振り〳〵私の鞭の先から逃げて、路傍の若草を喰ひ搖りながら坂路を上つて行つた。

路の兩側の叢の中には、白い山百合の花や野薊の花が咲き匂つてゐた。茅の根元には、螢袋の花なども咲いて居た。そして路の兩側には、雜木の大木が奥暗いまでに密生して居て、淡い靄のやうなものが、何時もぼうつと立罩めてゐるやうであつた。私は唄を歌わうが、獨言を言わうが、全て自由なやうに思われた。半日步き續けた處で、容易に人に會ふような事は無かつたから……。全くこの路は、廢道にしてもいゝ程、人通りが尠なかつた。Ｎ溫泉場から、Ａ縣へ越える近道であり、唯一の要路なのであるが、五六年前に、陸羽線が開通になつてからは、Ｏ村に行く者か、Ｋ岳の山麓の部落に行く者で無ければ通らなかつた。

然し私は、この路で一昨日は珍らしく一行三人の者にあつた。二人は土工風の男で、印半纏を着て、ちよつとした風呂敷包を、ステツキの先に引掛けて擔いだところなど、如何にも土工らしかつた。もう一人は女で、未だ十八九の小娘であつたが、色白で丸ぽちやな顏の表情には、何處か若い男を魅する處があつた。そして其顏の色の白さは、自然の、生れつきの肌色では無く、溫泉の硫黃のために垢ぬけがしたのらしかつた。

此三人は、のろ〳〵と牛を追つて行く私の後から來て、何か睦まじさうに語り合つたり、笑つたりしながら私を追越して行つた。全く人通りの尠い此路を、斯う云ふ人々の通ふて行つた事は、私には珍らしく、むしろ不思議な位に思つたのであつたが、その日、私はNの溫泉場で、高繁屋の女中が、發電所の工事に來てゐた土工と一緒になつて逃げ出したと云ふ噂を聞いた。小さな溫泉町のNには、隅から隅まで、この噂が擴つてゐた。そして、彼女は、前々からその土工といゝ仲になつてゐたと云ふこともつけ加へられてゐた、其時は、何處へ行く人々だらう？　と私は思つた。だが、今から考へると、人目を忍んだ駈落者と、其友人とは、斯うして人通りの尠い此路を通ふて、K岳を越してA縣の方へ行くのに相違無かつた。

三

私が山奥の樵夫小屋に着いたのは、やはり十一時半頃だつた。三人の樵夫は既う、午食を濟して、二人は午睡をして居たし、一番年上の、顏中髯に埋れた男は、鋸の目立をして居た。名こそ未だ知ら無いのだが、既う一ヶ月以上も、毎日のやうに、日に一度は顏を見合せて居るのだし、私は其人達から材木を受取つて積んで行くのだし、N町に住んで居る木材商人からの言傳けを持つて來たり、此人達の買物をして來てやつたりして居るのだから、顏だけでは全つかり知り合ひになつて居るのであつた。

「おい、大將。狸を喰わねえか？　狸を……」

私が其男の傍でアルミニユームの辨當箱を開くと、彼は何時も芹の味噌汁をすゝめる時のやうに斯う言つた。

「え？　狸ね？」と私は訊き返した。

「あ、狸汁だ。仲々うめえぞ。喰わねえが？」

「それは珍らしいですね。頂きませうよ。」と、私は言つた。

犬や猫を喰つた人間は、東京に居るグループの中にも澤山居るが、狸を喰つた事のあるものは尠いだらうと云ふ考へがその瞬間私の心頭を掠めて行つた、そして、これなら東京へ歸つてからも、一つの自慢話になると思つた。Gさんは、日本アルプスで赤蛙を喰つたのを自慢にして居たが、赤蛙や蝮蛇なら何時でも食えるが、狸なら………。

「食ふなら、小屋ん中の、大けな鍋に煮てあつから食え。」

「ぢや、一つ御馳走にならう！」と私は、辨當箱の蓋を持つて小屋の中に駈込んだ。

其處には、大きい眞黒な鍋に、大きく刻まれた赤黒い肉が、谷から採つて來た大きな鴨兒芹と一緒に、強い、玉の如うな脂をぎらぎらと浮かして煮られてあつた。私は箸で、肉を辨當の蓋に拾つた。そして厚髯の男の處へ戻つて來た。

「隨分、脂の強いものですね。」と私は言つた。

「あ、家鴨よりも強い脂だ。俺は今度で二度目だが、此前のは、こんなに脂が強くなかつたな。」

「一體、どうして、獲つたんです？」私は肉を喰ひながら訊いた。

「穽でや。毎晩この小屋の後で、いろ／＼な惡戯しやがつて、仕様ねえから、一昨日の晩、穽で獲つて、昨日、征伐して喰つて見たのさ。どうだ？　うまかんべえ。」と、彼は得意だつた。

「え、仲々うまいですね。」と、私はお世辭を言つた。

「うめえなら、もつとどつさり喰え。」

「いや、既う、隨分どつさり頂きましたよ。」

然し其實はあまりうまく無かつた。牛肉のやうに齒切れが惡い癖に、兎の肉のやうに柔らかで、またサリ／＼した處もあつたし、私が嘗つて味つた事の無い、それはほんの少しだつたが、幾分か酸味さへも加わつて居るやうに思われた。私は、狸の肉は、さううまいものではないと云ふ印象を受けたわけであつた。

牛に材木を擔んで居る中に、私はひどく喉が渇いて來た。恰度、極度に腹が空いて食事をした後のやうであつた。だが私は、さう腹が空いて居なかつたので、（狸を喰つたせいかな？……）と思つた。で、私は、樵夫達が、谷間の岩の間から湧き出る水を溜めて、飲水を汲んだり、米を洗つたりする處のあつた事を思ひ出した。

四

牛に材木を擔け終ると、私は辨當箱を持つて谷へ下りて行つた。咽喉がすつかり乾からびて、唾も呑み込め無いやうになつて居た。

だが私は……だが、そんなに咽喉が渇いて居たのに、水も呑まずに駈け戻つて來た。辨當箱を持つて來たか、其處へ投げて來たか、それさへも、記憶に殘つて居無い。凡らく、あんなに驚いた事は、それまでの私には經驗が無かつた。今後だつてもあらうとは思われ無い。また、こんな事がさう度々あられてたまるもんでは無い。

其、私が水を呑まうと思つて下りて行つた泉の傍に、一本の松の木があつた。七尺ばかりの高さの處から、北の方へ、手を伸したやうに突出た枝があつたのだが、其枝に、血みどろの女が、倒に吊れて居た。私は、夫れを一眼見た瞬間に、其刹那に（これを喰わされたのだな！　狸だと言つて！）と思ふと、私はぞつとした。ぞく〳〵つと寒氣がして、私は二足三足後退りした如うであつたが、直ぐに、もう何を考へる餘裕も無く、唯、大變だ！　と云ふ考へばかりで、駈け戻つて來た。

私はたしかに顔の色を更へて顫えて居たに相違なかつた。

「此野郎め！　たうとう見やがつたな！」

顔中髯に埋められた男は、刄渡り一尺もある大斧を振上げ、どろんとした眼を、此時だけは蟹の如うに突出したかと思われる程に瞬つて、私を目がけて飛んで來た。

「待ち給へ。待ち給へ！」と、私は叫んだ事を憶いて居る。

「心配するなよ。私だつて、喰つたのです。喰つたのです。私も、君達と一緒に喰つたのです。僕は喰つたぢやありませんか！　僕が喰つた以上……それでも心配なんですか？　僕は君達と同じに喰つたのに……」

「喰つたがら、誰さも、言わねえつてのが？　口外はしねえつてのが？」と、其男は、斧だけは下した。

「自分のしたこと、誰が、他人に云ふもんですか！　共謀罪です、法律では、共謀罪になるんですよ。」

私は顫えながら、ポケットから煙草を取出した。手の先と膝頭がわな〳〵と戰いて、煙草に火をつける事も、歩く事も出來ない程だつた。

「ほだつけな！　一緒に喰ふと、共謀罪だつけな！」と、彼は伐倒されてある大木に腰を下した。私も、其處へ腰を下した。

二人の、午睡をして居た樵夫が起きて來た。私はまたぞつとした。心臓が飛出す程であつた。

「どうしたんだ。」と、背丈の低い、肥つた方が訊いた。

「やい！　こいつも俺等の仲間になつたや。」と、彼は淋しい微笑を浮べた。「こいつも、喰つたのさ。俺が、こいつに、あの狸汁を喰わせた譯さ。」

二人は、何んの事だが呑込めないと云ふ風に、きよろ〳〵して居た。私は唯、わな〳〵と戰きながら、狼狽て言つた。

「僕も喰つたです。共謀犯です、私も……」

「俺、びつくりしたぞ。こいつが顏色を變いて、駈けて來たから……」と、彼は說明にかゝつたが、私は、どうかして、自分の立場を辯解しなければいけなかつた。

「人の肉を食つたと思つたら、氣持が惡くなつてね。吐きたくなつて……。人に知れるとか、警察に知れるとか、そんな事は、僕は心配にならなかつたがね。こんな處で、知れるやうな事、どうしたつて無いんだから。」

「俺また、こいつに見られたと思つたから、こいつをぶつ殺しぺと思つたのさ。さうしたら、一緒に食つたのだから、共謀罪だつてな?」

「こいつに喰わせたのが!」と、背丈(せい)の高い方の、憶病らしいが訊いた。

「あ、喰わせた。」

「共謀罪だとも。」と、肥つた方が言つた。「俺の方に、鶏を盗んで喰つた奴等があつて、盗んで來た奴等は、無論罪さ。處が、一緒に喰つた野郎共は、皆、共謀罪さ。」

「さうだつてな。喰ひば共謀罪だつてな。」と、彼は針のやうな髯に埋められた、丸い顎を撫でながら言つた。

「そんな事、大丈夫だよ。共謀罪もなにも、わかりつこねえから——」と、痩せた男は云ふのである。「そして、あの娘は、ほら、Nの方から男と逃げて來たつて言つたべ?ほだから、高繁屋の方では、土方と一緒に逃げたと思つて居るし、土方の方では、Nさ歸つたと思つて居るがら、あの娘など、何處さ行つたべなんて、不思議に思われる娘ぢやねえんだがら……」

「俺も、さう思つたがら××××××××。………………」肥つた方の樵夫は、何の心配も無いらしく笑つた。

「然し、馬鹿な娘さな。默つて居ると何んでもねえのに。なじよになるか、後(あと)見ろの、先(さき)見ろのつて………。俺、Nさ行つて、そんな事、警察さでも言はれでがら、大變だと思つたがら、この斧で…………。」

「歸るどき、なんにも言わなげれや、鍋さも入れられねえのに………」と、肥つた方の男は、やゝ苦衷の表情を浮べて言つた。

私は、默つて居た。そして、一昨日、坂の途中で、自分を追越して行つた、三人連れの旅人に交つて居た、あの娘だ、な、と思つた。今はN溫泉の噂になつて居る。高繁屋の女中………　然し、あの高繁屋の女中が、斯うした最後を遂げて、牛や豚の如うにまで、煮て喰われたとは、誰が想像して居よう?

五

私は道路に牛を追出して、初めてほつとした。が然し、私の去つた後で、またどんな相談が彼等の間に纏つて、追かけられぬものでも無いと云ふ氣がした。

そして私は、何んにも知らずに、懶さうに、よつ〱と路を拾つて行く三匹の牛の尻に、强い鞭の一撃づゝを加へた。牛は驚いて、太い短い首を眞直ぐに伸ばし、ぶく〱と涎を流しながら急いだ。私はもう、口笛どころではなかつた。漸く顫ひるのだけは止つたが、心は戰き、心臟はまだ激しく、怖ろしい印象を胸底へ刻みつけるかのやうにはためいてゐた。

俺は彼等に、自分も共謀罪だから、口外は決してするもんかと誓つた！いや、さう言つて彼等を欺した、だが、どうして共謀罪なものか！　俺は何も知らずに喰つたのだぞ。どうして共謀罪なものか？　いや、共謀罪でもいゝ！　俺は喰つたのだから………罪になつてもいゝ。罰しられてもいゝ、罪になるものならなつてもいゝ。俺は奴等を、あの鬼共を、警察へ密告してやる。俺は彼等に、口外をしないと言つた。だが、どうして此約束を守ることが出來よう？　俺は密告してやる。あの哀れな高繁屋の女中のために、俺は言つてやるんだ。短い人生を、種々な形に於て、人間の面を冠つた鬼に虐め續けられ、遂には、煮て喰れた哀れな彼女ではないか！

なんでも、貧乏な家に生れて、散々苦勞をした彼女だと云ふ。それから高繁屋でも、主婦に虐められるのが辛くつて、到頭土工と駈落をした彼女！　また其土工に捨てられて、あの鬼共の鍋に這入つた彼女だ！　どうして人生はこんなに、哀れな境遇に生れた者は哀れな境遇に終り、虐め續けられるのだらう！………と、私は心の中で暫くの間叫び續けた。

（若しも彼女が餘計な事を言わなかつたら………）と私は考へた。若しも彼女が餘計な事を言わなかつたら、あんなにされるのでは無かつたらう、自分がNから逃げて來た事、そして男に捨てられて、またNに戻るのであることを言わなかつたら………してまた、小屋から出て行く時に、「あんなに人を弄んで、どうするか後を見てなさい！」と云ふことを言わなかつたら、彼女はあんなになるのでは無かつたらう。まだ彼等にしても、餘計な事に、俺に喰わせなかつたら、こんなに早く露見されるのでも無かつたらうに………。

私は其夜、N溫泉場へ歸ると、牛を牛小屋に追込んで、直ぐにN分署へ飛んで行つた。そして受付の巡査に、詳しく此事を語つた。そして私は、軈て署長にも詳しく語ることになつたのだが、署長は、直ぐにそれを捕押へにやるから、私にも一緒に行つてくれるようにと賴んだ。

六

私は警察分署で、約一時間程待たされた。其間に、三人の巡査は、股引に脚袢をつけて、木材商人に化け、巡査部長は制服にゲートルを捲き足袋跣足になつて、腰にはピストルの這入つた、黑い革の鞄を提げて出て來た。

其夜は月があつたけれども、兩側に樹木の密生した山路は薄暗かつた。巡査部長は、過去に於て出遇つた、自分の手柄話などを私達にして聞かせた。初夏の夜の山の空氣は冷めたかつた。濃い山百合のかほりが、すがすがしく漂ふて居た。青草の匂ひも、私の身體に泌み込む如うであつた。

私達が目的の樵夫小屋に着いたのは、彼是十二時近くと云ふ、殆んど眞夜中であつた。奥山の眞夜中は全く靜かだつた。靜かと云ふよりも、淋しく、むしろ寂寞と云ふ感じがした。四邊の靑葉を擲りそよがす、そよとの風も無かつたので、まつたく物凄い程であつた。折々山杜鵑が、何の山から何處の山に飛んで行くのか、谷を渡る毎に絹を裂く如うな聲で叫んで行つた。

五人は、跫音を忍ばせて小屋へ近附いた。こんな事に慣れない私の心臟は、どきん〳〵と大波を打つて居た。其音は、小屋の中に眠つて居る樵夫達を醒ませはしまいかと心配になる程激しかつた。自然の寂寞を破る杜鵑の叫び！　赤蛙の落葉を踏む音！　それから私の、激しい動悸の外には、なんにも聞えなかつた。私と巡査部長とは、小屋の後に佇んだ。

而して三人の變裝刑事が小屋の入口へ行つた。

「今晩は………今晩は！」と、一番年上の、頭の禿げた刑事が言つた。「今晩は。もうし！　今晩は。」

「はい！　何人でがす？」と、言つたのは、確かにあの、厚い頰髯の男だつた。續いて、ねがへりを打つ音と、微かに唸る音とがした。

『私達は、仙臺の材木屋でがすがね。今日O村の方さ、森林を見に來て、途中で暗くなられで、どつちさ行つていゝがさつぱり判んなくなつたので………夜中に起したりして………本統に惡がすが………」斯う言ひながら刑事は、懷中電燈で小屋の中を照して居た。

「ちよつと、待たいん。」と言つて、入口の方へ出て來る氣配がして、ぎうつと云ふ音がして戸が開いた。三人は中に這入つたらしかつた。

「Nまでは、隨分遠がすかね？」

「Nまでね？　これがらNまで行つたら、夜明けでがすわね。」と厚髯の男は言つた。「それより、こんな處でも、此處で、火でも焚いてあたつて、夜が明けてから行つたらどうでがす。」

「それは、どうも。ぢや、どうぞ。」と刑事達は言つて居た。

私は、彼等は必ずしも眞の惡人では無いのだ！　と思つた。路を迷つて來た旅人に對して、斯うした美しい心を持つて居る。あの高繁屋の女中にしても、やはり斯うした美しい心で迎へられたのかも知れない。そして彼女の慘殺されたのは、彼女が、長い間女から遠ざかつて居る若い男の心を惹つけ、歸る時に、餘計な脅しを言つたので、案外善心な彼等は、今更ながら自分達の罪に驚きで、あの女をやつゝけて了つたのかも知れ無い。だが彼等の、煮て食つたと云ふ、惡魔のやうな、非人道的行爲は許され無い。俺にまで喰わせたと云ふ、ちよつと無邪氣な處はあるにしても、それだけ彼等は、人を殺して其肉を食つた事を、罪だともなんとも思つて居ないのかも知れない。

「部長さん！　部長さん！」其聲は突然だつた。

巡査部長は小屋の中に飛込んだ。私ははら〳〵して外に立つて居た。刑事等の彼等を罵る聲や、撲りつける音がした。而して私が這入つて行つた時には、三人ともに縛り上げられて居た。手錠までおろされて居た。

七

私達は夜があけるまで、種々と話合ひながら、火を焚いてあたつて居た。而して、夜があけてから谷間へ下りて行つて見た。

岩の間から湧いて流れる水は、青草の生えいた低い土堤に堰止められて、小さな池の如うな形になつて居る。其傍には一抱ばかりの松の木が一本あつて、其松は七尺ばかりの高さの處から、ぬうつと腕を伸したやうに、北の方へ靡いた、かなり太い枝を持つてゐた。

殺された女は、素裸にされて、まるで兎のやうに、其枝に兩足を吊されてぶらさがつて居た。而して髮は半分程ほどけて下に溜つた血にひたつて居る。既にかたまりかけた血の小池！　赤黑い血溜りの傍には、血の氣の褪せた蒼白い、生々しい腕が落ちて居て、其五本の指は、赤黑い血の小池を掻廻してでも居るかの如うに、べつとりと血溜りの中にひたつて居る、其他にも、其邊には幾片もの肉が落ちて居たし、女の軀には、至る處に刄物の跡があつて、其處からはどろ〳〵と流れた血が、べつとりと赤黑く乾付いて居た。一番大きな傷口は、肩の處から腰のところまで、一尺二三寸もあるかと思われる、幅の廣い、底の深さうな傷である。

「この傷は、どうしたのだ？」と、頭の禿げた刑事は、髮の厚い樵夫に訊いた。

「あの………あの、斧で………」彼は斯ふ、怯々しながら答へたが、答へて了ふと、直ぐ下を向いて了つた。

「これは、おまへがやつたのか？」と、巡査部長が疊かけた。

「はい。」

「お前は、殺して了わなければ、自分の罪が、露見されると思つたのか?」

「はい。さう思つて……………」

「ではお前達は、惡い事だと知つて居ながらやつたんだな。知つて居ながら、此女を、何うした譯だな。」

「……………」

彼は下を向いたきり、何も言わなかつたが、勿論、惡い事だとは、知り過ぎる程判然と意識して居たのである。だから彼女が、小屋を出る時に、「どうなるか、覺えてらいん! 私がNさ歸つたら、あんだ達をどうしてやるか! 此、犬め等が!」と、脅し半分に罵詈半分の捨ぜりふに愕いて、このまゝにして置いては、俺達の生命にかゝわる……………と、悲鳴をあげて逃げて行く彼女の背後から、刄渡が一尺もある大斧で、どじんとやつたのだと云ふ彼等の話であつた。

其傷口は赤黒い色を見せながら兩方に開いて、蒼光りのする大きな蠅が、其まわりにぶんぶんしてゐる。彼等が彼女の肉を喰ふために、股のあたりの肉を剝り取つた跡からは、どす黒い血がべと〳〵と、彼女の腹、胸、顏を傳ふて髮の毛の中にしみ込み、地に落ちた跡が殘つて居る。

三人の樵夫は、困つた事をしたと云ふやうに、首をうなだれて沈みかへつてゐる。昨夜からの心配で面窶れのした蒼白い顏には、昨夜刑事等に撲られた跡が、葡萄巴になつて今も尙殘つてゐる。而して時々、地上に、自分の爪先に落した視線を上げては、まるで見ることを禁じられたものでも偸見するやうに、ちらりと彼女の屍や、刑事等の方や、私の顏を見るのである。

「では部長さん、檢事の臨檢を求めるとして、此處は其まゝにして置いて、一先づ引上げませうか?」と、一人の刑事が言つた。

「え! さうしませう。此處で調べた處で仕樣が無いし、其中に、暑くなつて來るから……………」と、部長は言つた。

其處で皆は――三人の刑事は、手錠を下した三人の樵夫を一人づゝ曳いて道路に出た。一番若い刑事が、何の考へもなしに部長へ語りかけた。

「どうせ部長さん、檢事が現場を臨檢すれば、どうせ此三人は、死刑でせうね。」

「…………」巡査部長は何んとも答へなかつた。

今まで、全つかり悄氣かへつて居た三人の樵夫は、「死刑」と云ふ言葉を聞くと、急に暴れ出した。「どうせ死刑になるのなら……」と、彼等は思つたのに相違ない。（完了）

――一九二五年貳月拾參日――

てきや細見（香具師）（一）

和田信義

序説

私は去年――大正十五年――の四月から八月までの間に『文藝市場』の紙面を借りて、四回に亘つて『てきや入門』なる題名の下にてきや即ち今まで長いこと、否今も尚世間から異端視され、別種族のやうに思はれながらも尚且つ一部の好事家からは興味を以て知らうと努められてゐる香具師の話を書いた。それは私が過去六ヶ年程の間に於て、奇しき因緣から親しく彼等と共に凡そ日本全國を股にかけて漂浪して歩いたことがある、其の間に得た極めて雜漠なる印象を辿つての見聞記に過ぎなかつた。云はゞほんの輪廓だけを物語つたのである。今回『文藝市場』の更生にともなつて、亦々梅原北明氏の乞ひに依つて、それを新しくやり直すことになつた。不文不才の私が果して北明氏の此の乞ひに對して、滿足の意を表して貰へるか、どうか。又賢明なる讀者諸氏の滿足に値するものを書き得るかどうか！甚だ度胸がない。併し私は既に北明氏の乞ひを快諾して了つた。ともかくも私は書かなければならない。故に今度は私は、前とは全然行方を異にして出來るだけ細密に、亦出來るだけ努力して大がかりに、私の知つてゐるだけの見聞を全部惜し氣もなくさらけだして了ふつもりである。

さて、香具師の生活を知らうとするには、先づ前提としてどうしても多少の豫備智識が要る。此の豫備智識が無くては全く彼等を知ることは不可能である。だから第一に私はそれから簡單に片づけて行こう。

一、香具師は一般に露店商人の總稱のやうに思はれてゐるけれども、嚴密の意味では單なる露店商人とは全然區別されるべきものである。これを彼等自身をして語らしめれば即ち『神農に非らざるものはてきやではない。』と云ふ。そこで、それならば、其の神農なるものは何か？と云ふことになると仲々むづかしい問題となつてくる。これはてきや自身でさへもちよつと、おいそれと解り易く説明の出來る人が、殆んど無いと云つてもいいくらい困つた問題なのである。これは後に別項で説明を加へることにする。

一、香具師は先づ何よりも舌が唯一の資本である。極端に云へば、金が無くても店が無くても、品物がなくても、何が無くても、靑山あり、人間の住んで居る處ならば、當意即妙！直ちに生れながらにして生身に着いてる至極重寶な智恵袋を開き、魔訶不可思議な魅力をもつ舌端を働かし、能辯なタンカ（口上）を以つて、たとへ古新聞一枚でも直に金に替へる――これくらいの腕前が無ければ、決して香具師とは云はれないのである。

一、香具師は必ずゲソ（家名――親分子分の緣）或は其の家名から繫がる親分を持つてゐる。是れ無きものは香具師即ちてきやでは無い。だから亦從つて彼等の仲間間には常人の羨望すべき義理堅さと相互扶助とを支持してゐる。

一、香具師は前項を完全に擁護するためと又商買上の必要からして、極めて完全な隱語即ち彼等自身が生きて行くために、幾百年月の間に代々自然に完成した創造語を持つてゐる。彼等の仲間ではこれをチョーフと云つてゐる。日本全國津々浦々何處に行つても、彼等は此の創作語を極めて巧妙に、亦極めて便利に使ひこなして、些かも普通人が普通の言葉で用を足すと異らない。エスペラントそつちのけで、現今では此の創作語が、多少作爲されるか或は其のまゝで、博徒又は土方、不良靑少年の仲間にまでも流れ込んでゐると云ふすばらしさである。

豫備智識は大體これでいいと思ふ。これから本文に入るのだが、一寸斷つてをきたいことは、私は必ずしも順序を追はない、只説明しいいやうに、ぼち／＼と記憶を辿つてゆく、そして、それが自然に一巻を成して纏るやうにしたいと思つてゐる。

香具師の沿源

てきやの沿源．これをたづねることは仲々至難の業である。と云ふより寧ろ無駄の努力であるかも知れない。何故かと云つて、賢明なる諸君は百も御承知の通り、てきやにはこれぞと云ふ文献らしい文献が、殆んど無い、のみならず口傳さへもあやふやで頼りない。稀に少しばかりてきやに就いて書いたものを見るには見るが、定つたやうにどれもこれも杜撰出鱈目を極めたもので、正視するに忍びないやうなものばかりである。筆者は曾て放浪中に彼等の有力者の一人から、てきやの虎の卷と稱する秘卷が、關東に一つ、關西に一つ、都合二卷だけ各々どこかの親分の家に傳はつて秘藏してある筈だ——と云ふことを聞いたが、嘘か眞か、未だに見せて貰ふ機會が無い。亦私の知つてゐる多くの香具師は、彼等自身ですらそれを知つてゐるものが皆無なのである。だから虎の卷云々は或は單に噂だけなのかも知れないと思つてゐる。こんなわけで、私は今茲にてきやの沿源を的確に綴出することは出來ないけれど、尙時折彼等から聞いた口傳と、私の及ぶ範圍で調べた書物とに據つて、彼等の先祖が戰國時代の野武士であり、野武士が飢渇を凌ぐために賣藥を業としたのに初まる、と言ひたい。私が彼等てきやから聞いた口傳と、ふとしたことから偶々私が讀みあてた、喜田川舍山述守貞漫稿（近世風俗誌と改題刊行上下二卷あり）と云ふ古書の記錄とは、よく話が一致してゐる。後に神農を語る上にも好參考となると思ふから、左に拔書する。

『矢師。商人、一種の名製藥を賣るは專ら此の黨とする由なれども、この黨に非るものあり。此の小賈の內種々あり、路上の商人多し、齒ぬきも此の一種也、大阪の松井喜三郎、江戸は長井兵助、玄水等最も名あり、喜三郎と兵助とは人集めに筥三方を積累ね、其の上に立つて太刀を拔き或は居合の學びをなし、玄水は獨樂をまわして人を集め、齒磨粉及び齒藥を賣り、又齒療入齒もなす也。其他能辯を以て或は有能、或は無能の藥を賣り、或は、邊土遠國の人に扮して國産と稱して種々を賣るの類其他種々限りなし、專ら出し見世、床見世、天道見世の類也。此の矢師仲間三都各國ともに有之。

文久三年此の黨の者に遇つて其の大略を聞き、以て追書す。矢師は假名にて本字野士也字の如く野武士等飢渇を凌ぐ便りに賣藥せしを始めとす、今は十三種の名目にて大風賣藥香具を專らとす、名は十三なれども其品甚だ多く齒磨は齒の藥なり、紅は脣藥、白粉は顏藥、艾は途中急病に供す、因之燧石、燧鐵も賣之、於玆大概賣藥香具を路傍に賣るは必ず矢師の黨也。三都定まる長なく、其の老功の者に從ひ業之す、則ち親分子分と云ふ。

京師江戸（筆者曰ふ、此處意味不詳）大阪江戸煉藥三臓圓店吉野五運、江戸同本町四丁目酢屋平兵衛、相州小田原驛虎屋うひろうと云ふ賣藥店勅許八棟造り日本一野士と云へり。（或人云ふ、關東の長上野州きさい村竹澤政五郎、關西には三島驛吉五郎追考すべし）

今世御免歌舞妓の外、江俗のおでゝこ芝居と云ふ者皆此の矢師の有にして、其の一座の主たる者香具師某と書く、香具を賣るに人愛を招く術に手踊すと云ふの主趣也。

萬の鬻物も準之必ず矢師の有とす、――鼠取藥、赤蛙の製藥、弄物、蕃菽粉艾賣等各矢師也。』

此の守貞漫稿と稱する書は、もと喜田川舍山が二十年の日子を費して、主として風俗百般に亘つて書寫し置きたるを、次々に寫本して保存され、漸く明治になつてから帝國大學文庫の手に入り活字に組まれて近世風俗誌上下二卷となつたよしであるが、稿はたしか安政年間に起されたと記憶してゐる。とにかく是れに據つて見れば、喜田川舍山が彼等てきやから聞いた口傳と、筆者が今日亦彼等から聞いた話とは全く同一であると云ふことが出來る。更らに今一段突き込んでてきやの沿源を研めるとなると、それは今日まで連綿として人口に膾炙し、講談或は物語本などに現はれたる所謂其の意味で有名、其の意味で舊家でもあるべき彼等も引張り出して來るのも亦何かの便りになると思ふ。尤もさうは云つたからつてさて――となると、さう云ふ代表的人物も割合に少ない。私の知つてゐる範圍では第一に、江戸は長井兵助――居合ぬき同じく松井玄水――獨樂廻し、奥州は仙臺で熊野傳三郎――膏藥諸國行商の本家本元。先づ此の三人ぐらひのものである右の三名共本職は揃ひも揃つて膏藥香具の類の商であるけれど、長井兵助は商はんがために人集めの手段として居合抜きをした、それが本職の賣藥よりも寧ろ内職とも云ふべき方面で有名になり、松井玄水なども其の通り、後には獨樂廻しで見世物に出たり、將軍家の台覽に供すると云ふところまでも發展した。此の中熊野傳三郎、長井兵助二人の傳記は折々講談落語などでお目にかゝるだけで、餘り詳かでない。が、ひとり松井玄水に至つては、『松井家由緒書』なる書物があつてかなり詳はしく松井家の由來が記してある。それに據ると、松井家の當代は第十七代であつて、祖先玄長は越中國戸波産正慶元年六月老母の難病を歎き、立山の奥の院に籠つて一七日の通夜をしたが滿願の夜神の御告げに據つて反魂丹を創製し其の靈藥のおかげで老母の難病も平癒した。二代目道三の時に富山袋町に移り、武田信玄から賣藥御免の朱印を受けた——としてある。そして此の松井家が江戸に出て來て藥を賣り弘めるやうになつたのはいつの頃か明瞭しない。が、四代目玄水、延寶天和の頃であらう、と云ふのが、其の道の研究家の憶測である。私もしばらく其の說に從つてをく。

さて、考證は甚だ貧弱だけれど、斯うして見ると香具師の沿源はかなり判然して來たやうに思ふ。即ちてきやなるものは最初は野武士が飢渇を凌ぐためのかりそめの業であり、從つて其の商品も極く限られたもの、賣藥、香具、艾、其他十數種しか數へなかつたけれど、後に追々世相の變遷するに伴れ、又太平となりて世の中が安定したるため、其の反動として衣食に窮する徒が多くなり、遂に今日の如く衣食の道を得んがためには、彼是れの區別なく、只眼新らしく、比較的多くの利を貪ることが出來るものなれば、いづれを非とすることもなく、是れを商品とする。のみならず、たとへ武士の末で無い者も競つて弟子入りし、遂に拔くことの出來ぬ一個勢力を築き上げたのではないか？

唯だそれならば、今日の香具師仲間が何故『神農に非ざる者はてきやで無い』と云ふか。私はさらにこのことに就いて項を別けて語つてみたい。

神農

私は實を云ふと、情ないことだが此の神農といふことに就いては甚だ詳はしくない、——と云ふと妙に無責任だが、全く止むを得ない。何しろ此の問題は文献でもなければ、勿論議論でもない、全然私說を立てるわけにはゆかない。實はてきやにとつては、此の問題ほど眞劍で、此の問題ほど現實で、亦神聖冒すべからざる問題は他にないのである。だから私がこれを語る場合、それがもし私の憶說であり、一素人のてきや觀であるならばそれはいゝが、もしそれが私の立場であり、私の誤つた神農說であつたならば、それは大變に危ふい結果になる。で、私は極めて白紙の態度で一切私說を入れないことは勿論、研究も發表しないことにする。前述の通り野武士が香具師の祖であるといふ可なり確からしい口傳と考證とがあるのに、現在の香具師が、神農を以て自分等の守本尊とし、且守本尊を奉ずるてきやそれ自身が神農でもあると云ふ。これには必ず何かの理由がなければならない筈である。だが、私はしばらく如述斷り書きの通りそれに對する私說をひかえて、只『香具師は神農である』『神農でないものは香具師でない』といふ彼等の傳統的信仰をそのまゝ讀者諸君の頭に入れてをいて貰ふ。左に拔萃する彼等の宣言は、最近京濱間に散在する露店商人の親分又は準親分達二百餘名が發企となり『昭和神農實業組合』なるものを組織した、そして會員は實に三萬餘名と云はれてゐる。その時に某週刊紙に載せられたものである。宣言の中には『神農道』なる言葉もみえるので、之れに依つて神農なるものがいかなるものであるかを、―勿論これだけでは甚だ難悔であるけれども――みて貰ひたい。

『昭和神農實業組合』なる我等同志の大同團結を組織す。

我等は皇室を神と仰ぎ奉る傳統的國民精神を生命となし國體の精華たる家族愛の信念を高調せんとするものなり。

時代の趨勢は、徒らに新を追ひ奇を衒ひ利己にのみ汲々として我が傳統の美風美俗を輕んぜんとす。これ嘆くべく憂ふべく、是を剪除せずんば皇家百年の禍を遺さん。

我等は此の浮華輕佻を排し、質實剛健なる第一歩を强く印せんが爲めに、我等の不文律たる『友達は五本の指』なる信念を團結の本義となし基礎となす。

此の神農道たる一大家族に在りては、豈一個人の專擅を容さんや、共に憂患にあたり共に國體の隆昌と事業の伸長を期せんとす。
我等の一切は悉く此れ家族愛精神の爆發に依て活動す、我等は我等の團結力を以て確固不拔の社會的地位を獲得し、進んで社會公共に盡瘁せんと欲するものなり。
此の志操を與にする者の協力一致に依つて、共存共榮のモットーを高く揭げての進出は、これ男子の痛快事に非らずして何ぞ。敢て玆に滿天下の士に宣す。」

これに據つてみれば香具師の稱える所謂神農とは、全く彼等の仲間道德、彼等の傳統的精神であつて、有形のものを指してゐるのでないことが解る、即ち祖先の野武士以來幾年月かを閱する間に自然に出來あがつた一種の不文的道德精神――が、何等かの有形的實在と融合して彼等の最も尊崇すべき守本尊となつたのである。昭和神農實業組合の會長倉持忠助と云ふ親分が、やはり某新聞紙に載せてゐる『神農道の提唱』と題する一文は、すこぶるむづかしいもので、とても私みたいな淺學不文のものには其の全部を捕捉しがたいが、而も卷頭の數行はよく神農なるものゝ本體を鮮明にしてゐると思ふので、其の數行を元文のまゝ借用し、この項の結末とする。

太古悠久の昔、愛と態驗とを象徵して、全人類に君臨したる神農皇帝の偉榮を體し、錯綜として極まりなき現代に、家族愛の極まりなき現代に家族の信念と共存共榮のモットーを高くかゝげて進出する我等の大同團結は『友達は五本の指』なる不文律に依り契結せる一大家族である。――以下略」

本項中文字の傍に、點を附したのは、特に讀者の考慮を煩すための私の老婆心である。

神農と露店商人

私は序說の中で、一般人が、露店商人と云へば直に香具師の總稱のやうに思つてゐるが、嚴密の意味では必ず判然と區別されべきものだ、と云ふことを云つた。即ち香具師、てきやと云ふからには先づ何よりもゲソ(親分子分の緣)を持つてゐなければならないと。私はこのことをもう少し詳はしく話さう。

香具師即ち神農である。神農と露店商人との區別は如上述べた通りで、彼等の仲間中ではすぐにも見分けがつく。併し一般にはさつぱり見分けがつかないではないか。何故なれば、香具師のネタ(商ふ品)は必ずしも露店商人の賣品とは異つてゐない。又普通の露店商人は必ず沈默のまゝで無口上で商品をあきなふとは定つてゐない。だが、そこにちよつとした呼吸があるのである。もとよりそう容易く香具師が、ネス(しろうと)から『ありやてきやだ』『これは普通の商人だ』なぞと見抜かれてしまうやうでは仕様がない。そこに彼等のペテン(頭)のよさがあるのである。彼等は普通の商人に比べては何よりも先づ鬱敏である。自分の店の前に何人、何十人、或は何百人の人だかりがしてゐても、あのキャー(客)はムカヘル(買ふ)とか、此のキャーはヒンネカ(金が無い)なぞと云ふことを一眼で讀んでしまふ。そして、それに應じたバイ(商買)をする。又、バイに依つては客に明らかに香具師と思はれてゐない、そこは彼等の唯一の資本、三寸不爛の舌端を以て巧みに客の購買心を煽るタンカ(口上)をツケル(云ふ)のである。場合に依つてはハツタリ(威嚇)をかけても必ず客を逃すやうなヘマなことはしない。つまり正直な客には正直なやうに、狡るい客には狡るいやうに、慾張りの客には慾張りに向くやうに、夫々その向の意表に出て巧みに商賣をするのである。此の點は到底、尋常一様にぼんくらで、鈍感な普通商人の遠く及ぶところではない。もし好事家があつて、あれは香具師か、あれは普通の商人か――てなことを試驗してみたいと思ふならば、先づ右の話を基にして注意して見たまへ!必ず悟るところがあるにちがいない。

さて、私は圖に乘つて神農即ちてきやと普通露店商人との區別、其の識別法までもべらべらとしやべつてしまつた。けれど茲でもう一つ實際を云ふと、その露店商人なるものも實は亦十中の八九までが、御多聞に洩れないてきやの仲間なのである。それは何故かと云ふと、元來てきやは大道の商賈が元祖であつて、その上長い歴史的發展と傳統とが相俟つて、陰に陽に所謂神農道なるものに據つて偉大なる勢力を築きあげて來たがために、凡百の露店商人が此の大勢力と對抗して同じ場所に同じ商法を營むといふことは到底不可能である。不斷の壓迫を感じ、不斷の不便を受くることである。だから商買を愛する露店商人は、たとへそれが腹からでなくとも、表面だけでも『何々の一家』或は『何々一家のうち誰々親分の身內』と名のらざるを得ない。かうして彼等即ちてきやの仲間は商業制度の續く限り、どし〳〵と殖えてゆくのである。

大別小別

香具師の商買を區別するとなると、それは仲々容易なことではない。往昔とちがつて今日のやうに飲食物を初め發明品金物、工業、書冊、何から何まで百貨百般に亘つてゐるんだから始末が惡い。だが、私は先づ念のためにそれらを大別してみよう。

一、コロビ（香具師の商買一般――原始的總稱）
二、サンズン（口上付の店）
三、コミセ（フウセン、ホウヅキ、ゴム人形、絹糸草苗、オデン等比較的小資本でやれる商買）
四、ヒラビ（サンズン、コミセなどとちよつと區別がつかないけれど、銀座、神樂坂、本鄕森川町、淺草、上野廣小路、人形町、新宿等每日定まつた場所に出る店）
五、タカモノ（見世物、興業物の意）
六、ハボク（植木屋）
七、ワリゴト（多數にサクラを使用して利を見るもの一般）
八、ヤサバイ（普通の商家と軒を並べて商ふもの）
九、ヤサゴミ（家別訪問の一般）
十、ヌケ（最も慓悍にして神出鬼沒、今日東にあつたかと思ふ間に、明日は既に西してゐる。さうかと思ふと南船北馬、パルチザンの如く、疾風迅雷的活動を續けつゝ、所謂今日の流行語で云ふと、鬪ひを戰ひとると云つたやうな連中、

商品は一定してゐないが、携帶便利なものでなければならないこと論なし）

十一、ガセバイ（奸賈と稱することが往昔に云はれた。それに相當する。即ちニセものを賣り、或は僞言を以て巧みに商をするもの）

十二、ハコバイ（汽車、汽船、電車等乘物の中にて商ふもの）

十三、大ジメ（玄水、兵助等廣い場所を取つて多くの人を集め長廣舌を振ふもの、今日ではミンサイ即ち催眠術、ノウドク即ち藥の効能書賣り等あり）

十四、カエン（エンカとも云ふ。バイオリンを奏でて歌をうたひ、大いに輕佻浮薄者流をうならせる商賈）

先づざつとこんなものであらう。斯うして一々列擧してくると筆者の頭も茫として何が何やら、おいそれとちよつくらちよつと出て來ない。亦落したものも大分あるかも知れない。もしそれ小別してゐては限りがない。小別はほんのざつと次に、筆者が先日少しばかり新宿のヒラビ（普通日）を約一丁ばかりおひろひで、其の間に窃つとノートに書き取つた實際の出店の列擧で勘辨して貰ふ。即ち時は昭和二年六月中旬の夕七時頃、恰度露店商人が、これから大いに夜の營みに入らうとして並べたばかりの一瞬。省線新宿驛前、三越分店の少し先人道から市電新宿出張所（車庫）前まで僅か一町間の調査である。列記は兩側を交互にした配店順に依る。

1、繪本。2、半襟。3、箱庭道具。4、扇子。5、見切品靴下。6、古雜誌。7、萬年筆。8、アルバム。9、メリヤス類。10、印肉。11、見切品下駄。12、植木。13、發明品セメント液。14、眼鏡。15、唐ガラシ。16、靴。17、花火及ホウヅキ。18、樟腦。19、ゴム印。20、刄物。21、見切綿布及サラサ。22、見切物齒磨粉及楊子。23、電球。24、袋物類25、レザー。26、毛織物腹卷。27、パイプ。28、帽子。29、團扇賣案物。30、聯珠講義書賣り。31、蚊帳の吊手。32、ゴム風船。33、セルロイド人形。34、螢。35、白鼠。36、ステツキ。37、噴水玩具。38、種苗。39、木製名札。40、シヤツ見切品。41、カフスボタン。42、古着。43、ネクタイ。44、箸と妻楊子。45、ノンキな父さん首振人形。46、金物一切。

48、絹糸草。49、ビール及びサイダ抜き。50、靴墨。51、防水マツチ。52、空氣入水上ゴム玩具。53、剪花。54、ハモニカとマンドリン及樂譜等。55、賣卜者。56、手箱。

すべてで六十六種ある。そして此の他には無論同種類又は異同種混合のものもあつたけれど、それ等は省略した。以て如何に小別の種類の多いことが解るでないか。もしもこれがヒラビでなくタカマチ（市祭典等）或は大タカマチ（馬市中市等大がゝりの祭禮的年中行事）であつたならばどうであらう。そこには諸君おなじみの演歌師も出て來る、催眠術も出てくる。其他眼藥賣り、見世物興業、蛇使ひ、射的、法律書賣りの長廣舌、さては甘栗屋おでん等の飲食店等に至るまで、常には松籟と青南、藁葺屋根に活動常設館一つすらない避邑も、忽ちにして喧騒混亂の殷賑の巷と化すのである。

尚、右五十六種あるバイ（商賈）のうち、これまで度々述べた神農と露店商人――それらの區別を明らかにすることは、より一層諸君の興味をひくことゝ思ふので左に番號順に依つてしるしを付けてみる。△印は神農即ち純粋の香具師であり×印を露店商人とする。又、念のために斷つてをきたいのは、かく筆者が一角のてきや通を以て任じ、△×印に依つて今茲に神農と露店商人――その一見しては全く判別しがたい區分を試みたからと云つて、それが必ずしも百發百中整然と的中してゐるとは斷じられない。その點は比較的筆者の直感が正しいのだ――そのくらいの信用に止めてをいて貰ひたい。もしそれでも尚筆者の説明を不滿足とし、且つそれ以上進んでてきや生活の裏面を突き、風習を知り、生活を檢討し、以て研究或は興味を滿足せんと思ふ好事家は、乞ふ筆者に豐富なる費用を出せ。そして何處かある大タカマチの機會に筆者と同伴せよだ。それならば筆者は喜んで、彼等のその一々の實地につき、風習、生活、趣味、區分、等々洩れなく説明しもれなく紹介し、もれなく解説するの勞をとるであらう。

（てきやと露店商人の嚴密なる意味に於ける筆者の直感的區別――昭和二年六月中旬、東京市外新宿の露店一部に就いて）

1×、2×、3、4×、5×、6×、7×、8、9×、10×、11△、12×、13△、14×、15△、16×、17×、18△、19×、20△、21×、22×、23×、24△・25△、26△、27△、28×、29△、30△、31×、32△、33△、34×、35×、36×、

37×、38×、39×、40×、41×、42×、43△、44×、45△、46×、47×、48△、49△、50△、51△、52△、53×、54×5△、56×、

更らに此の項を終るに就いて、てきやと露店商人との區別に於ける傳統的異說を一つ紹介してをく。それは即ちコロビと三寸は神農であるけれど其の他のもの、たとへばコミセ、ヒラビ、タカモノ、ハボク等は皆露店商人に屬すべきものだといふ說である。けれども、コロビがてきやの商法各種各般に亘つての原始的總稱であり、今日の如く其の內容がすこぶる廣域に亘つてゐては、其の外表を以て直に區別することはいよ〳〵困難でもあり、亦到底不可能の事である。

親分の分附

てきやの親分と云へば仲々多い。如述最近に東京及び横濱間を統べて一丸となして出來上つた香具師の組合『昭和神農實業組合』でさへ、又既に親分と準親分を合せて三百餘名と云はれてゐる。況んやそれを全國的に調査し、その分附を見ようなぞとは甚だ虫の善い話である。だから私は先づ東京方面で現在有力な親分衆として右昭和神農實業組合の組合長倉持忠助氏を初め、副組合長松下榮次郞氏、平任理事十六名、豐田喜助、宇田辰次郞、松葉武、原美代治、內藤勝治、倉光藤吉、茨城清作、中西仙太郞、小島貞次郞、安田俊三、重野東一郞、狩野輪唐治、橫井剛三、勝田佐太郞、醍醐長吉、小倉精三郞の諸氏及び伊丹德藏、志村吉雄、杉本勝之助、蒲生義雄、矢部昌、山田春雄、鳥島清二郞、渡邊保八氏等を擧げて後略する。勿論これはほんの一例であつて、其の他に親分又は準親分と稱せられる人たちは天上の綺羅星の如く到底數へ盡せない。よし亦たとへそれを爲し得るとしても私の多忙及び寡聞は、今直にそれを玆に書寫することは出來ない。

さて亦但し書きだが、香具師の親分を語る上に、どうしても呑み込んでをいて貰はなければならない注意事項或は概念と云つてもいい——それを私は次にざつとばかり說明する。何となれば、世人はやゝもすれば土方の親分、又は博徒の親分、それ等と共にてきやの親分をも同一視し、且つ同じ條件の下に了解しようとしてゐはせぬか？私はそれの大變誤れる

ことを怖れるからである。

　元來てきやの親分は博徒或は土方の親分と異つて決してナワバリ即ち支配區域又は持ち場所に執着しない。此の點が既に博徒や土方の親分と、てきやの親分との著るしい相異ではないか。從つて又てきやの親分にあつては、その子分から博徒の親分のやうにテラやカスリを除ると云ふこともしない。なるほど時に依つては、ゴミセンと稱し、一人當て或は一軒の店に就いて五錢、六錢と細微な金額を徴收することはある、けれどもそれは土地の借用代、或は掃除、後かたづけ等の手數料として徴收するものであり、決して親分のふところを肥すていのものではないのである。故にてきやにあつてはナワバリを持つてゐる者、必ずしも勢力があると云ふわけではない。亦有名なる親分必ずしも場所を持つてゐるとは決らない。有名ならざる親分にして尙場所を持つてゐる者もある。其の他個人の親分の名に依つて一ヶ所乃至數ヶ所の場所を持つてゐる者があるかとみれば、組合例へば『淺草コミセ組合』の如き、小さな團體として或る一定の場所を所有してゐるものもある。だから淺草とか、麻布とか行政的名稱のものにナワバリを持つてゐるものは皆無と云つても差支へないのである。之を要するに、てきやの親分とは即ち家名を持ち、そして尙金と度胸と人望と、此の三つを兼備へた者の謂であると解釋すれば、先づ間違ひが無いであらう。今日では家名も引かず、それでゐて、往昔から家名を引き來つた有名なる親分を壓倒するほどの偉者がどし〳〵と現はれるさうであるが、而もそれらは尙彼等の仲間にあつては所謂非神農『一家名を引かざる親分』として値打を爲さないと云ふことである。

　右に據つて、ほゞてきやの親分の如何なるものであるか――と云ふことが解つたと思ふので、次には東京を初め、京都大阪、名古屋等主だつた都市の神農家名を、それも私の記憶を通してだが、列擧してみよう。これは無論順序不同でもあり、亦茲に書き洩したうちに尙有名なる家名があることは言ふまでもない。家名を尊重すること一段と厚きてきやさんのプライドを傷けないために斷つてをく。

　先づ現在東京で最も有名であり、且つ大を爲してゐるものは、飯島一家であらう。これには有力な親分三十餘名あり、その分派分流に至つては何萬あるか知れないと云ふことである。次が宇佐美一家で、これに屬する親分は十餘名と云ふこと、無論其の分派分流まで數へたらこれも限りないことである。其の他に私の記憶してゐる範圍で左の六家がある。

會津屋。上州屋。福田屋、兩國屋。三階松。姉ケ崎。

京都は私は甚だ寡聞。松前屋が有名である。

名古屋は、矢野。福田の二家。

伊勢は、伊勢ノ森一家。

大阪に至つては仲々多い。すべて三十有餘と云ふことであるが、私の知つてゐるのは左の十家である。

鬮谷。澁屋。西永氏。傳安。飴源。盛大。宮川。博勞。河内。松島。

神戸、吉澤。橋本。

中國、木下。小川。

九州、福岡では、佐藤。棧原。長崎で松井一家の小島。

北海道では、新谷一家。

奥州では、德間。星光右衛門。

越後、新潟で、森。新發田は、庄司。長岡で、志村。

以上で此の項を終る。尚私は此の項で、テラ、カスリ、ナワバリ等所謂上品な人々には甚だ難解な言葉を使つたので、ついでながら少しく其の註をしてをく。特に、テラ、カスリの二語に就いては、甚だ僣越な申分ではあるが、日常好んでこれを使用しつゝ尚其の正しい語義に就いては甚だ無關心の人が多いと思ふのである。

テラ、カスリ、ナワバリ、三語共元來これはてきやの隱語ではない。これは皆博徒のテクニックである。さて、それがいつの間にか可半通のまゝ世間に流用されるやうになつたのである。註に曰く、テラは博徒の親分が客を集めて盆ござを敷く、即ち賭場を開帳する、其の節そのバクチ場を保護する代償として五分なり、六分なり利金の頭をはねる――そのことを云ふのである。又、カスリとは即ち自分の親分のナワバリ（支配區域）に於てバクチが開帳されてゐた場合、その賭場に子分が出かけて行つて幾分かの利金の頭を除ねる――その意である。即ち多くの人々は、テラは親分がとるもの、カスリは子分がとるもの、此の解釋を二者一樣にしてゐるやうである。又、ナワバリとは、てきやの方ではショバなる語に相當し、商買する場所と云ふ意になる。

隱語の例

てきやの隱語は前にも一寸述べた通り極めて巧妙なものであり、亦極めて數が少ないにもかゝはらず二樣三樣といろ〳〵の意味に自由に使ひこなされてゆく便利があるので、好んで各種の社會に利用されてゐる。多くは普通語を顚倒したもの例へば宿をドヤ、場所をショバ、店をセミと云ふが如きものであるが、それは寧ろ助成單語とも云ふべきもので、重要なる秘密を守るための他の言葉の補ひに過ぎない。半可通を振り廻はしやたらに言葉を逆にしても決して彼等の語學を卒業することは出來ない。且つこれは活用語である、今日使用してゐるものが、何かの障害に打つかるか、或は素人間に著るしく流布されて、最早彼等の秘密を守ることが出來ない危險を感ずれば、その言葉はいつか廢語となり、以前のものに數倍して全く語源の分明しない新語が、滔々として彼等の間に流布してゆく。思ふに、てきやの造語は斯くすること數百乃至數千回、遂に今日の盛大なる創作語を所有し得たのであらう。以下追々とてきやの內生活を說述する中に、いよ〳〵多く此の創作語を紹介しようと思ふ。そこで此の項では極く簡單に、普通の隱語を註釋つきで例を引くにとどめてをく。

數の例

一（ヤリ）二（フリ）三（カチ）四（タメ）五（シヅカ又はオテ）六（ミヅ）七（オキ）八（アツタ）九（ガケ又はアブナイ）十（チギ）百（チギ十）千（チギ百）

金錢の例。
錢(チョウ)十(カン)圓(リョウ)十(バイ)
百圓(チギ十パイ)千圓(チギ百パイ)
商買の例。
商買(バイ)商品(ネタ)不況(シケ)好況(テン)市(タカマチ)縁日(ヒラビ)
天候の例。
雨降(スイバレ)雪(ハクスイ)
單語の例。
主人(ロク)妻(バシタ)仲間(ダチ)女中(シャリコ)番頭(トウバン)子供(ガリ)文士(ブンブン)社會主義者(ギシュ)女(ナチ)馬鹿(ダリコ)拔ケ作(アツタモン)上品な人(カウヒン)巡査(クリ或はコツボウ)學生(セイガク)淫賣女(ガセ) 女郎(ビリ)金(ヒン)自轉車(ハヤクル)下駄(ゲソ)
最も長い單語。
ペテンカリスのグソアツタ(蛸)
名文章の例。
ハクスイバル、バイテン(白雪は皚々として降りつもる、商買は極めて良好)
ベニのビリツクはナオンがラツてテンなものでした(夕べの女郎買は女が惚れておもしろうございました)
言語の例。
ズンブリにカマロウ(錢湯に行こう)
グルをまいたかゴロになつたらハヤバにロツロツを通せ(喧嘩になつたらすぐに知らせろ)

ナヲはオカルバでカンタンしてゐる（女は二階で寢てゐる）
トヒをキツテズラカレ（店を閉めて逃げろ）
バシタはヤチモノ亦モサガコリ（女房はあれが好きで亦姙娠してゐる）
モサがない（度胸が無い）

ハ　ツ●ト　ン●タ　ク

ハツ●トン●タクとは、ハツは即ちハツタリと云ひ、嚇かしの意。トンとはトントンと云ひ、機智或は頓智の意。タクはタンカとも云ひ、口上の意である。そして、此の三者は共にてきやが商賣をする上には缺くことの出來ぬ秘訣である。如何となれば、てきやは元來小資を本として商賣をするものである。普通の商人の如く巨費を投じて或一定の場所に客の入り心地よき店舖を持つものでない。亦莫大なる費用を投じて誇大なる廣告に依り居ながらにして客の購買心を煽るものでもない。多くの場合、彼等は常に野天に出でて、見るからに貧弱なにはかつくりの店舖をかまへ、聞くからに不氣味な親不孝聲を嗄らして人を集め、さて辛じて其の商品を商ふものである。それならば、彼等は先づ何よりもいの一番に能辯、即ち口上が巧くなくてはならないではないか。そして亦、その次ぎに必要なものは機智、即ち客を逃がさない爲めにはあらゆる頓智を以て其の場其の場に處し、少しの油斷冗漫があつてはならない。亦次に必要なものは威嚇である。彼等の慧敏、彼等の鋭い讀心術は、大勢の客を集め、僅かの口上をつける瞬時にして、既によく個々の客の弱點、弱所を百發百中洞察してしまふ。そして場合に依つては此の讀心術を利用し、ハツタリをかけても商品を捌くことを辭さないのである。

私は次にざつと其の一端を紹介しよう。

便宜のために私は先づ藥賣りを連れてくることにする。玆に胃病粉藥を賣るてきやが、例に依つて客を集め、一わたりくど〳〵と長廣舌を述べ終つたが、刹那！てきやは一人の客の掌を出させた。そして、右の手で力強く客の四本の指を逆に握ると、手早く一匙の粉薬をその掌にのせて、いきなり客の鼻の先に押しやつて『どうです、嘗めてごらんなさい……よく効くでせう、ハイッ！どうも有り難う、五十錢！』斯うしたてきやの腹の底から出てくる不氣味な、相手を呑み降すやうな力強い語氣と共に、てきやの凄氣を含んだ眼は、ぐうつと客の顏をにらんだ――と同時にてきやの左に持たれてゐた一尺以上もあらうと思はれる長くて頑丈な藥匙が、ポーンと凄じい音を立てゝ店頭を一打した。客はハッ……として蛇に見込まれた蛙のやうに腋に冷汗を流したが、默つて袂から五十錢を出すと藥を受けとつてひよろ〳〵と立ち去つた。

てきやはちやんと前から、此の客の弱氣なのを見込んでゐたのである。

斯うしたやり方を即ちハッタリバイと稱するのである。

これに較べると、トントンの方は一層文明的即ちハッタリの野蠻なのに對して近代的なもの、いかに彼等が機略に長じて居り、且又如才ないかがわかる。トントンの例を引くために、私は諸君おなじみの演歌師を引つぱつて來よう。

演歌師がヴアギオリンを奏きをはり、やがて唄本をチラス(賣る)時になると、定つたやうに、流行歌何々々々……』合せて十部で三十錢――なぞと云ふ。これは僅かな定價のものを一部づつ賣つてゐたのでは、甚だ心細い、其の日のドヤヒン(宿泊料)もシャリ代(食料)も得られないことになる、だから幾冊も纒めて、それを割引しても三十錢、五十錢と一ッぺんに賣つた方が都合がいゝのである。ところが、それはネタ本(賣本)に不足してゐない時のこと。もしお客が特に要求してゐるネタ本、それを恰度持ち合してゐない時はどうするか、たとへばお客が『戀慕小唄はないか？』ときく、その時に、それさへあれば他の本と合せて、とにかく五十錢なり、三十錢に賣れるものを、それが無いばかりにみすみす客を逃すか。そこだ！流石にきやはそんな智慧のないことはしない。すぐにトントンで『あります！』と答へる、そして他の本と一緒に重ねてあるやうな風をして、金と引き換へる。もし客が運がよくて、途々本を調べてみてさて、自分の要求した本が這入つてゐないことに氣づいたどする、すぐに引き返して來て其の旨をてきやに告げる。てきやは恐縮して幾重にも粗忽を謝罪する、代りの合本を渡す。客は安神して引き返へす。が、家に歸つてから調べてみるとやはり以前と同じ合本で、自分のほしかつた戀慕小唄は入つてゐない。じだんだ踏んで口惜しがつてももう此の時は遲い。

トントンバイとは斯ういふあつさりしたやり方を云ふのである。

次はタク、即ち口上の例を引く番である。併しこれは筆者があらたまつて例を引くまでもなく、一寸夕食後の散歩に緣日や祭日の巷を素通りしてさへすぐさま眼につくもの、聞くまひとしても聞えてくる──と云つたくらい稀らしくないものである。だから寧ろ諸君が實際に就いて、其の種々雜多、虛々實々の彼等の能辯を觀察して貰ふこととする。

──既に約束の紙數も盡きたので、本月はこれだけ。また來月お目にかゝることにしよう。（以下次號）

淺草の今昔

石角春之助

▽はしがき

文明の齎らす淺草は、全日本の大歡樂境であり、而かも、大東京の心臟とも見るべき最も活達な民衆娯樂の中心地となつた。私は今此の偉大なる大歡樂地の裏面に横はる處の暗黒面、殊に生きるに煩える浮浪者の群、戀の濫用から來る變態性慾者、あらゆる性と戀の葛藤から來る悲哀劇等に久しい間の體驗ばなしとも言ふべき『淺草裏譚』の原稿を書きつゝある。最も淺草裏譚は文字の示す如く文献的のものではないが、それにしても淺草がどう云ふ歴史を持ちどう變遷したかと云ふ心の準備がなくてはならぬ。

本稿はそれ等の爲めに、淺草の歴史變遷など極めて、簡明に其の要領のみを書いたものである。が、『淺草裏譚』と異なり多少文献的に、左の二三の書物を參考に、其の一節中の一部を其の儘轉載した所も少くない。

南無觀世音淺草寺緣起、觀音物語、淺草寺誌、江戸から東京へ（二卷、四卷）、江戸時代（江戸趣味の研究）淺草史、淺草繁昌記、無名通信（初號より）江戸の趣味、上野より淺草、風俗畫報（淺草公園部上中下）聖潮（淺草號）

▽金龍山淺草寺の緣由

淺草が今日の如き繁昌を爲し著しい發達を遂げるに至つた遠由は、言ふまでもなく一寸八分の觀音樣が此の地に垂跡し給ふこと、即ち金龍山淺草寺の開府である。觀音樣が此の地に移垂されたことに付いて面白い傳說がある。

それは淺草近傍が、一體に海であつた時分、（詳しく言ふと人皇第三十四代推古天皇三十六年三月十八日）土師臣中知（野見宿禰の末孫）が二人の家來を伴ひ隅田川の下流で、漁をやつたがどうしたものか、其の日に限り一尾の生魚も得なかつた。その代りに所謂一寸八分の觀世音が、幾度となく網にかゝつた。しかし、中知の家來はそれを邪慳に投げ捨てた。幾度投げても根よく罹るので、遂に其の不可思議なる大靈に驚き其の日は、殺生を諦め而かも觀音樣を拾つて歸つたのである。

これは一つの傳說には違ひないが、淺草の觀世音を書いた書物には、殆ど共鳴した如くこれに似たことが必ず示されてある。

金龍山の山號に付いては、さまざまの說があるが、先づ其の重なるものとして江戸砂子には「待乳山又は眞土山聖天山とも云ふ。昔金の龍を當山から掘出せし故其の名あり」と稱し江戸名勝誌には「待乳山又は眞土山とも言ひ山上に聖天宮がある故山下を聖天町と言ふなり。又金龍山と云ふのは淺草寺の山號であつて、待乳山又は眞土山の山號にあらず」と。其の他「當山から金龍を掘り出したるが故に其の名ありと云ふが如き說もあるが「南無觀世音」の示すように「白雲深處金龍踊」の句に順依したものと見るのが至當であらう。そして又、淺草寺の寺號や淺草村の由來は次の事由から出發したものであらうと云ふのは、其の昔武藏野は、殆ど一面葭蘼が生ひ茂つて、人影も見えぬ深い草叢であつたにもかゝはらず淺草は、開拓の地であつた爲め草も淺く、而かも、海濱に面していたので、淺い海には海苔など發生し淺草と言ふに相應はしい土地であつたから、自然其の名が生れたものに違ひない。

▽往時の淺草村

淺草の由來が假に以上の如くであるとして、其の後の淺草村の光景が、どうであつたかと言ふことに付ても尙的確な判斷を許さないが、兎に角、參考までに「南無観世音」の一節を轉載して見よう。

淺草と言える地名の古記に見えたるは吾妻鏡治承五年に武藏國淺草大工に在るを始めとし和名類聚鈔國郡の部豐島郡の條には日頭、占方、荒墓、湯島、廣岡の五名を載せありて湯島は現今猶ほ地名を存すれども餘の四名は其の地開けたれば淺草の屬せし處其の何れなるや定かならず又今を去る三百五六十年前（明治四十五年現在のこと）永祿年中の圖繪に憑て考ふるに聖観音大士の寶座と仰ぎ奉る淨地と云ふは淺草村と稱する一小邑の中にして東は龜高村（或は龜戸村）牛島村と相對し渺々たる蒼海を隔てゝ遙に房總の連山を望み西は下谷湯島村を斷崖の上に仰ぎつゝ漣漪ゆるく其の汀に打ち寄せたりと見ゆ又南には廣瀨鳥越の兩村ありて一島を爲し不忍の池水は是等諸村の間を縫ふて或は廣く或は狹く各郷の岸を洗ひて自づから漁村の活畫圖を展き北の方は無戸村阿佐谷等の小名ありて宮戸川の流亦千束郷の周圍を廻ぐりて葭葦茫々として人烟稀れに夕ぐれ告ぐる鳥の聲はいとゞ哀れを喚び寂寥たる有様は此の千束郷の孕める淺草石濱の榛莽にみちて磯うつ浪は梵謡を歌ひつゝ淺草の地先きに打ちぞ寄せたるがごとし云々とある。

これによつても往昔の淺草の事情が、略了解されることであらうが、兎に角、今日下町と稱してゐる大部分の地域が、海濱であり、殊に日本橋の葭原（今の人形町邊りで元葭原遊廓のあつた場所）の如きは、日比谷村の眞東に當るちつぽけな島であつた。

或書物によると淺草村は、元鳥越村であつたと書いてゐるが、何れにしても當時の村名や字名が今日尙存するものが甚だ少なく、多くは雲の如く消えて了つたので、當時發行の圖繪がなくては、的確な斷定は出來ない譯である。

▽淺草観音本堂の構造

餘程淺草通の者でなければ、観音堂の構造など記憶してゐない、極く細密な頭の持主でも間口が十八間で奥行が十八間であるをのみ覺え其の他のことは勿論解らない。處が面白いことには、一生一代にたゞの一度しか東京へ來たことのない田舍の爺さんが、何尺何寸に至る細かなことまで、頭の中へ刻み込み東京人に懇々と說明して聞かしたとのことである。

淺草寺志によると、

本堂南向高欄三手先造
輪堂緣四方七間
東西十六間四尺四寸
南北十五間一尺六寸（柱より柱まで）
柱の圍各七尺
向拜柱方一尺八寸
緣側四方共其の一間四尺
欄檻高サ三尺一寸五分
擬寶珠の柱六尺二寸
正面木階八段
東西と北とは石階なり
各七段
建地坪數四百五十六坪餘

とあれば嘗つて某氏其の實際を確めん爲めに、尺度を測したれば間口、柱の中心から中心までが十八間かつ切りで、奥行が十六間三尺あつたとのこと。しかし、緣側と柱の全部を加算すると丁度二十間餘になるとのことである。

▽淺草観音殿堂燒失

欽明天皇の御宇十年の正月と四月の二回に渡り淺草觀音堂が、悉く燒失したことは、歴史が示す處である。

これについて「淺草寺緣起」なる書物には、

人皇三十五代欽明天皇の御宇正月十八日神火の餘炎天にあがりて練若の一寺地を拂ふ本佛炎の底より飛出で相好變じ給はず諸人花の顏を拜し奉るに感涙おさへ難しかやうの炎上七度に及ぶといへども毎度に飛出し給へり濁れる末の世にかゝるめづらかなる事あらめやとて尊びあへりけりされば炎上の後いよ／＼靈驗を增給へるに本尊示現し給けるは此地は多年殺生の所なるが故に七度燒除て清淨の砌となさん爲なりとぞいとやん事なかるべし。

又三ケ月を經て復先きの如く炎上すとかやこの回祿七度に及ぶと雖も毎度飛び出し給へり本尊示現したまはく此地は累年殺生汚穢の所なるが故に七度燒除きて清淨堅固の靈場となさんためなりされは炎上の後いよ／＼靈驗をまし給へり云々

とある。

これはづつと後のことではあるが、安政の大地震にも大正の大震災にも其の災害を少しも被らなかつたことは、既に汚穢な土地を清淨し盡したる後であるから、他に新たな靈驗を示し給ふものと云ふのであらう。全くあの烈しい震動に貧乏ゆるぎもせず超然と舊の儘で高く聳えた殿堂を見ることは嬉しいことには違ひがない。

兎に角、今日の本堂は德川三代將軍家光公の慶安三年三月から十月に築造されたもので、淺草寺誌によると其の經費の高が、一萬二千八百四十八兩一分餘（銀七百八十七貫二十五匁餘、金二〆一萬千八百三十五兩一分餘）金五百五十六兩、米四百五十七石三升五合、金二〆四百五十七兩餘石一兩の積りとある。

假に今日米一石の價を三十五圓とするも尙其の經費の廉價なるに全く驚かされるであらう、あの宏莊な、そして、細を穿つたデリケートな全く完全な大建築を今日なすには實に莫大な金を要するであらう。此の一事によつても當時の工賃が如何に安價であつたかを窺ひ知ることが出來る。

▽淺草寺五重の塔

日本の塔は何れの地方でも苟しくも塔と稱せられるものは、五層に限られてゐるが、唐の國にあつては、七層、九層、十三層と云ふ多きものがあつた。

淺草寺の塔も矢張り五層で朱塗りである。最も其の初め安房守平雅卿が建てたのは、三重の塔であつたが、慶安三年本堂と共に、新たに建造された現今の塔は、五層で其の經費は、千七百十八兩一分餘――銀百十三貫六百二十三匁餘、金二〆千七百八兩二分餘、米九石九斗五合金二〆九兩三分餘とある。

現今の塔は四方何れも七間で礎の處から九輪までの高さが、十丈一尺で九輪の高さが一丈五尺餘であるから都合十二丈近くの高さである。そして、此の塔の内部には、それ〴〵異つた尊堂が、東方、南方、中央、西方、北方とに安置されてある。これを五智如來と稱するのである。

▽淺草寺四大門

雷門と仁王門とはよく間違へられる門であつたが、仲見店の復興と同時に「張子細工」のような雷門を建て呉れたので今の人はもう間違へないであらうが、不評判と共に何時の間にか取拂つて了つたので、又しても間違へられるようになつた。

俗に雷門と言つてゐるが、本當は神鳴門である。又雷神門とも風雷神門とも言ふ。正しい言ひ方は風雷神門である。

要するに雷鳴門は仁王門を距ること百七十六間餘の處にあつた門で、左の方に長さ七尺三寸の雷神が安置され右の方には、長さ七尺の風神が安置されてあつた。が、明和九年の大火に此の門が燒失したので、超えて寛政七年三月再建築されたのであつた。處が間もなく慶應元年十二月に又も類燒し其の後大正十五年三月まで、無門の儘で過ぎて來たのであつた。

次は仁王門のことであるが・仁王門と云ふのは俗稱で實は淺草寺の山門である。これも亦本堂の再築と同じく慶安年間に建てられたもので、其の經費の總額は三千七百六十七兩とある。山門の東と西とに五つの間があり兩方二間は一丈一尺の長さで、其の中には高さ一丈一尺九寸、腰の廻りが七尺三寸の左輔金剛が安置されてある。これは門に向つて東の方で西の方には高さ一丈六尺、腰の廻りが七尺六寸と言ふ宏大な右弼金剛が安置されてあり、左右とも其の臺の高さが、一尺三寸あるから約二丈近くの高さの仁王樣が立つてゐる譯である。其の他の三間はお見かけ通り通行する場所になつてゐる。此の五つの間は柱を除いて各々二間の長さになつてゐる。

二天門は東の方に面する門であつて、門口の町は丁度馬道三丁目邊りである。此の門のことを俗に矢大臣門と言つたことがある。或一説によると此の門は元和以前にはなかつたが元和四年に東照宮の廟を建てるについて新たに造られたものであると。

新門は何んでも西の方にあつた門らしいが、今は其の影を見せないので、どの邊にあつたものか、的確に知ることが出來ない。しかし江戸の俠客として全日本に其の名を轟かした新門辰五郎が、此の門前に住んでゐたので、其の名が世俗に喧傳されたものであると。

▽錢瓶辨天社（辨天山）

仁王門前を右に入ると速ぐ小高い丘がある。そこには時の鐘を打く處がある。そして又錢瓶辨天社が祀られてある。此の山を俗に辨天山と言ひ、而かも、今では其の近傍一體を辨天山と言つてゐる。

可なり淺草に入り込んでゐる者でも單に辨天山と言ふと、其の場所さへも知らない者がある。其の癖時の鐘を打つ處であると言へば、誰れ知らぬ者はない。

兎に角、辨天山のことを大佛山とも言つてゐる。大佛山と言ふのは元來此の山は大佛を安置する爲めに築いたものであつて、自然のものではない。そうした關係上大佛山の名が存するのである。

此の小山の辨天を老女の辨天又は、錢瓶辨天と言つてゐる。慈覺大師の作られたものである。これに付ての傳説があるがそれは後に書く機會があるので省略する。

▽賽錢高と賽錢箱

これは少し以前のことであつて、現在の賽錢高ではないが、淺草寺誌によると年々の賽錢高が、一ヶ年に一萬四九千貫文で、殆ど一錢二錢の小錢であるとのこと、最も年によつて多少の異動はあるそうだが、どんな少ない年でも一萬圓を下つたことがない。大抵は一萬二三千圓から五六千に昇るそうである。

それも其の筈である。全日本を通じ賽錢高の多いのが、淺草觀世音ではないか。況んや參詣人の數に於ては、全國の神社佛閣を通じ淺草の觀音樣にひつてきするものがない。殊に物價の昂とうした今日にあつては、其の賽錢額も著しく增加したことであらう。昔は每月比叡山の御納戶の役人が來て、これを一々點檢したものであつたが、其の都度金の山を築くのだつた。そして、其の金をカマスに入れ封印して、本坊へ送り本坊では、小錢と四文錢を撰ひ分けるのに大騷ぎであつた。が、今日では十日目每に計算してそれぞれ兩替に應ずることになつてゐるから、そうした騷ぎも今は其の影を秘してゐる。

觀音樣の賽錢箱は、縱が一丈六尺三寸五分で、橫が一丈四寸六分で、高さが二尺三寸で十九本の橫木が嵌めてあるから盜難のおそれがない。そして、賽錢箱の下が空虛になつてゐるので、そこから容易に賽錢を取り出すことが出來るようになつてゐるとのことである。

此の外に閻魔堂、藥師堂、六角堂、念佛堂、六地藏尊、延命地藏、仲見世閻魔、成田山、久米平內堂、轉輪藏、等神社としては、淺草神社（三社權現）十社權現、惠美須社天照大神宮、千勝神社、稻荷大明神等があるが、それは後日に讓ることにした。

九月號豫告

九月號は完全に滿足の出來るものを出さうと決心して居ります。私達に打つてつけと云つたもの、題して『世界デカメロン號』とでも云ひますか。兎に角ボツカチヨの靈筆はなくとも、内容丈は飛び切りと云つたものを集めて御覽に入れませう。

所で一寸御相談したいのは、

今私達は二つの計企を持つて居ります。

一、は私達小人數でみつちり澤山書くか？

二、は適材を撰んで分擔して貰ふか？

諸君の御希望は如何でしやう？　これから以後の執筆にもいゝ參考になりますから、御知らせ下さいませんか。

「誰が何を書く」と云ふ豫告は一番難儀な代物で、こちらでは原稿を頼んだから大丈夫だと思つて豫告を出しても筆者の方で突然の故障が起つて豫告を裏切る事が非常に度々あります。これは諸君の方も不愉快なら、こちらだつて實にヂリ〳〵して仕舞ひます それで今度は「誰が何を書く」と云ふ事は豫告せず、私達の秘庫に蒐めてある材料の一部丈を發表しませう。其の材料のどれを誰が取り扱ふかと云ふ事は、諸君先づ想像して見て下さい。存外面白いアテ物かも知れませんよ。

左に列記した題名は決定したものでありません。筆者の都合によつて變化する事と思ひます。

▽囚人十夜物語　（アメリカ）
▽ペルシヤ・デカメロン　（ペルシヤ）
▽近世日本デカメロン　（日　本）
▽古代日本デカメロン　（同　　）
▽支那デカメロン　（支　那）
▽蚤十夜物語　（イギリス）
▽二日二夜物語　（東　洋）

これ位で二百頁になると思ひますが、猶奮發して

▽スペイン・デカメロン　（スペイン）
▽ロシヤ・デカメロン　（ロ　シ　ヤ）
▽ドイツ・デカメロン　（ド　イ　ツ）

等を入れ度いと思つて居ります。

此處に「何々デカメロン」と書いたのは必しもボ翁の形式の十日百話を追つたものでなく、内容がボ翁のそれに似てゐるので假に「何々デカメロン」と名付た次第であります。一言お斷りして置きます これが私達の計企通りに出たら素晴しいですが、非常に難儀な仕事です。萬難交々至ると覺悟して居ります。私達は此の號を以て既刊「文藝市場」の最上のものとするつもりであります。切に諸君の御後援を希望致します。

接吻の研究（一）

青　小　鳥

阿米利加の大學教授連が接吻に就いて曰ふ處を拜聽するとしやう。『阿米利加の青年等が接吻の仕方を知らない者程不幸なものはない。接吻は倫理中最も重要なものである。而して接吻は言葉で言ひ表はし得ない愛の表理である。人間の本當の心はこれを通してのみ相手の心へ注ぐことが出來る。如何なる強い祝福の言葉もこの接吻には勝ち得ない。故に眞の接吻法を知らぬ者は世の敗殘者である。故に大學、專門校、又中學に於ても「接吻法（アートオヴキシング）」の講座を設置すべきは短艇部、野球部、運動競技部の設置よりも急務の事である』と。彼等の說く處は最もである。運動競技もよし、短艇部も然り。けれどもこれは一部分的に過ぎない。然るに接吻は歐米に於ては萬民のなすべき一つの禮式、人事に於ける缺くべからざるものである。友人、父子、夫婦、愛人凡てに於てこの接吻が行はれるものであるからだ。

又映畫に於て、當局は無暗に接吻の場所をカツトしてゐる。彼等の無定見には御同情申す。彼等は接吻の場が觀衆に惡影響するとお考へられるが、それは彼等の心が變なものだ。私等の考へでは、キツスの場面よりも映畫そのものゝ思想が何れ程惡影響を及ぼすかわからないと思ふ。そこで神田の某映畫館で一警官に『私は接吻哲學といふ本を書いて見やうと思ふが何うでせう？』と尋ねた。すると曰く、『接吻のことなんか敎へなくともよい』そこで私は尋ねた『なぜですか』『接吻なんか日本にやいらん』と。これだから問題を起すのも無理ないと思つた。否定するからには、その否定すべき理由があればよい。彼等は否定の理由なしに否定してゐる。彼等は世の指導者であらねばならぬのにかへつて一般民衆よりもレベルが低い。發賣禁止がかへつて好奇心を與へて惡影響を及ぼすやうに禁ずることは却つてよくない接吻の原理を敎へてやつたら、かへつて理解してくれやう。そこで私は、自分の研究を發表することは必要だと思つた接吻法を述べるが、これは虛榮者、遊戲的な者の心を唆るためにでもなければ誘惑するためでもない。眞面目な研究者のためにであることを一言して置く。そして外人と交際するものゝ知るべき事として筆を取つてゆく。

一、接吻の史的研究

接吻は文明國人の有する一つの習慣であつて、愛、友情、尊敬を表はす一つの方法である。然し何時頃から接吻が起因したか先づ史的研究から始めなければならぬ。

希臘ホーマ時代。この時代に於ては、接吻は只慈愛を表はす一行爲に過ぎなかつた。ホーマの詩中、『クヴエオス』といふ言葉が使用されてゐる。この字の意義は、父が子供に對してなす接吻であるか、又は、プロキがユーリセスの手に接吻する場面にこの字が使用せられてゐるが、この場合の接吻は、懇願の意味しかない。今で見るやうな接吻は、このホーマの作中に見出すことは出來ない。ヴエナスとマースとの間のラヴシーンに於てゞさへ接吻を見ることが出來ないし、ユーリセスとチルセ又はパリスとヘレンとのラヴシーンでもこの接吻を見ることが出來ない。（イリアット第三章）又ヘラとゼウスとの間でも然りである。殊にこのヘラとゼウスとの濃艶な場面にでさへも接吻といふことは發見することが出來ない。（イリアツド十四章）アンドロマクとの場面でヘクタは接吻（キツス）ではなく手を顔に摺り合はせるカレスを以て彼女を愛撫してゐるに過ぎない。

古代エジプト――の方を調べて見ると、接吻の定義がある。曰く『唇を以て接吻することでなくて相抱くことなり』とある。この定義によつて、古代エジプトの接吻は現今の接吻ではなかつたことが知れる。

印度古代のサンスクリツト――に於ては、接吻は何時も慈愛の表現を意味してゐたことが知れる。サンスリツト語では「クシアニ」といふが、この字義は專ら『子たること』を意味する語である。ラーマヤナ中に出て來るカリフオの妻が、夫の死を慨くところがある。その時彼女は、彼の手を取つて撫（セレス）でてゐる。カンボディア王の妃に對しては顔ずりであつたが子供に對してのみ接吻してゐる。ゴレッシォの中に、次のやうな句がある。

『父が子をあやす間に、母はその舌で子供の顏を舐む。あだかも牝牛がその子を失ひし時の如く慨きつゝ。(ゴレッシオ第一卷三百三十三頁)』

以上によつて、古代の人達、文明ならざりし人々の間には、たゞ普通の鳥獸の間に於ける食物を與へるだけの動作と同じ位の事しか知らない。眞の愛情、戀の前觸であることは少しも知らなかつたものである。

フエーギニア人の間に接吻が創作された物語りがある。この種の土人には未だコップを使用する程の文明でない。彼等が水を飲む時には、芦の管を通して泉から飲んだものである。

或日のこと、子供が渇ひて死にさうになつた。自分自ら芦の管をもつて飲む勇氣がない。そこで母は自分の口に芦管から水をふくみ子供の口へ口傳へに飲ませてやつた。この時母は今迄にない慈愛を感じたため、接吻、慈愛の接吻が生れたと傳へられてゐる。

古代ユダヤ人――に於ては接吻は全く普通なことであつたが、現今に於ては、この習慣が皆無と言つてもよい程である然し古代の接吻も單に知己の間に於てのみ互に手や、頭肩、などへお辭儀の代りにされたに過ぎぬ。そして彼等は言葉でいふ『平安汝と共にあれ』の代りにしたものである。ユダヤに於て、相手に最も尊敬深い意志を示さうと思ふ時には、相手の足に接吻したのである。或は又、其人の足跡にさへもしたものだ。

やがてこれが初期のキリスト敎會員の間に行はれた。この場合はたゞ兄弟姉妹としての接吻であつて、これより以上の或意味はなかつたのである。けれどもやがて接吻は聖餐式に先だつて、平和の接吻といふものに會衆一同が接吻するものとなつて來た。だからその目的のために牌(メタル)や又は高價な品物が會衆から會衆へと渡され、各々その對象物を接吻するといふ風になつて來たのである。ギリシヤ敎に於ては「イースタ（キリストの復活祭）キッス」といふ名がつけられた接吻がある。信者達は、この日會ふ人達に『主は甦り給ふ』といふと相手のものは『眞に主は甦り給へり』と云ひながら、接吻するのである。

羅馬法王に對しての尊敬のシンボルとして羅馬カトリック敎會では、法王の上靴の先に十字架が縫つてあるものへ接吻する。司敎に對して接吻する場合は指輪をはめてゐる食指に接吻することゝ定めてある。

始めて會ひ尊敬を示す場合これが一つの儀式となつてゐる。例へば新しく法王が選ばれる。この法王は所謂神殿の前に腰をかけてゐる。樞機員（内閣員見たやうなもの）が跪いて法王の上靴の例の先へ接吻する。すると法王はこれに對して立てよと命ずる。彼等は立つ。すると法王は彼の兩頰に『平安の接吻』を與へる。

古代ローマーに於ては、當時ローマーは東亞を征服した戰勝國であつたゞけに、この國には數多くの東洋的惡風習が輸入せられたのであつた。勿論この接吻もその輸入品の一つであつたが、餘りに流行が無茶苦茶だつたのでオーグスツス大帝時代には「甚だ有害なもの」とせられた。

古代ギリシヤ――にては、若し公衆の面前に於て男子が女子に對して接吻したる時は死刑に處すといふ法律が定められた時代がある。處が面白い事件がこの當時起つてゐる。といふのは、專王主ピシストララツスの娘に、或るアテネの青年が戀に落ちてしまつた。勿論磯の鮑式に漏れぬ。思ひ餘つた青年は、或町でその娘に出會ひ、狂的に接吻してしまつた。これを知つた專王の妃は、この青年に法律を以て死刑に處したのである。然し專王ピシストララツスは、その性格にも似ず次のやうに答へて無罪にしたといふことである曰く、

『我等を愛する者を除いたら、我等を憎む者に對して何んな處置をなすべきか』

又一方ローマのパブリウス・マエヴイウスはローマの或る政治家の娘に接吻したために、八裂にさるべき奴隷をもつてゐたといふことである。風紀取締りカトは自分の子供の前に於て互に接吻することさい嚴禁したものである。

古代ローマの法律には公衆の面前にて接吻することは禁ぜられてゐたがこれに關聯した面白いエピソードがある。或結婚したばかりの花嫁が、嬉しさの餘りに夫にだけ接吻してしまつた。處が時の法律は、彼女に一大鐵鎚を下してしまつた

曰く持參金沒收。但し結婚は差止めなかつたことは粋な處かも知れぬ。然るに一方、許婚の間柄で、まだ一度も關係しないので夫婦ではないが、その許婚の男が死にかゝつた際第三者の前でその男に接吻してしまつた。これによつて法律上の妻であると認められて、男の財產半分貰ふべしと政府の御認め。法律はどうでも使用されることは今も昔も變りがないらしい。

古代ローマ帝政時代のことであるが、この時代に於て、この重大なそして高貴的な接吻の制限に關する考へが段々擴がつて來た。ラントンはその時代の接吻狂ナニ帝の傳記を書いてゐる。これが非常に流行したものだからオウグスタス王とチベリウスは接吻に對して嚴禁の布告を發した程であつた。

ホーマはオデイセウスの下臣が彼に對して彼の肩や顏、手等に接吻して敬意を表したがこれは各々階級によつて場所を異にしたことを記してゐる。これをローマにては習ひ頭、手、衣服、秀でたる人の足等に接吻する習慣が出來たと言はれてゐる。

チユートニツク人――には接吻は愛及び、友情の表示として見てゐた。今のアングロザクスンである彼等は握手を以て禮儀の主要なものとしてゐた。處が中世紀になつて、この接吻は、或る感傷的な表象が加はつて來てゐる。即ち接吻は一種の信實の誓ひの表象となつて來た。例せば、裁判所に於て、十字架又は聖書に信實を表はす。

其他オーストリアにては婦人に對してその手に接吻して與へることは善い躾であるといふ風に考へられてゐる。又スペインではどんな嚴格な女性でも『貴女の手に接吻することを……』と言ふ言葉には、一も二もなく滿足してやらねばならぬといふ事になつてゐる。伊太利では、女が互に手に接吻し合ふのは互の親密を示し、これによつて互の友情を增すものと見られてゐる。露西亞では女の手に接吻することは不明である。たゞ額に接吻することがある。こゝで露西亞の婦人が若しも客に對してその人に賞讚を與へやうと思ふ時には、その客が室へ入つて來る時に、その人の眉に接吻するのである。そしてブランデイ酒の杯を與へる。田舍に行けば露西亞の百姓等は地主や領主に禮する、或は主の膝のところを抱きその膝へ接吻するのである。

二　聖書（バイブル）に表はれたる接吻とその意義

我々はヘブル時代の文學中に接吻を尋ねることにしやう。我々の聖書中に凡て八種の接吻觀を發見することが出來る。今項を逐ひ聖書の言葉を引いて説明してゆかう。

一　拶挨としての接吻——『ダビデ石の傍より立ちあがり地にふして三たび拜せり而してふたり互に接吻してたがひに哭（な）くダビデ殊に甚し（サムエル前書二十章四十一節）』

神はダビデを愛してサウロ王の次の王にしやうとなさるが、王はこれを知つてダビデを殺さうとする。ヨナタンはサウロ王の子嗣であつて、ダビデとは最も親交厚つかつた間柄だ。友情の厚いことをダビデとヨナタンの如しといふ語がある程だ。ダビデは王の刄を恐れて山に隱れた。ヨナタンは父にダビデの恕すべく願ふ。願ひ叶へは三本の矢を隱れ所に向けて射つ視よ矢は汝の此旁にあり」と呼んだら王の怒りは解けたといふことにした。けれどもそれは駄目であつたのでこの接吻となる。この場合の接吻は、拶挨の表象である。

『なんぢら潔き接吻をもて諸（すべて）の兄弟の安きを問へテサロニケ前書第五章二十六節）』とあるが、これはその文が示すやうに拶挨である。その他ロマ書第十六章十六節『爾曾（なんぢら）きよき接吻をもて互に安を問へキリストの諸（すべて）の敎會なんぢらに安を問へり』出エジプト記第十八章七節に『モーセ出てその外舅を迎へ禮をなして之に接吻し互にその安否を問て共に天幕に入る』等皆拶挨の接吻であることが知れる。其他コリント前書第十六章二十節『諸（すべて）の兄弟なんぢらに安を問（とへ）なんぢら潔き接吻をもて互に安を問（とへ）』ペテロ前書第五章十四節『なんぢら愛の接吻を以て互に安をとへ願くはキリストイエスに在（ある）なんぢら衆（すべて）に平康（やすき）あらん事をアメン』

二　告別としての接吻。——『エホバなんぢらをして各その夫の家にて安身處（おちつきどころ）をえせしめ給ふと乃ち彼等に接吻しなければ彼等聲をあげて哭き……（ルツ記第一章九節）』とある。これはモアブの娘、ルツがその夫（イスラエル人であつた）が死んだ爲めに、夫の母がイスラエルに歸る時、別れを惜んだ。その別れの接吻である。この文中、「彼等」とあるのはルツとその姉を指す複數である。

三　和睦としての接吻。――『ヨアブ王に至りて、これを告げたれば王アブサロムを召す。彼王に至りて王のまへに地に伏して拜せり王アブサロムに接吻す（サムエル後書第十四章三十三節）』とある。この句のみでは何故に和睦であるか諸君には御了解が難かしいと思ふからその物語りをお話しする必要がある。ダビテ王には數人の妻があつた。アブサロムは不幸な兒である。ダビテの寵子であつたアムノンがアブサロムの妹タコルを辱めたといふことからして終にアブサロムはアブノンを殺す。これを聞いたダビテは非常に怒つた。そこでアブサロムは父を恐れて三年間エルサレムの都から逃げてしまふ。然しヨアブといふ人の取計ひでダビテの處へ歸つて來た。この時、ダビテがアブサロムに接吻するのである。

四　服從としての接吻。――これは詩篇第二篇十二節にある。『子にくちつけせよ。おそらく彼怒をはなち、なんぢら途にほろびん、その忿恚はすみやかに燃ゆべければなり……』即ち接吻して子（基督を指す）に服從するのである。服從の接吻である。

五　崇拜としての接吻――舊約聖書には二ケ所にての例を見出すことが出來る。即ちレツワウ記略上第十九章十八節に『又我イスラエルの中に七千人を遺さん、皆其膝をバールに跼めず、その口を之に接けざるものなり』である。バールとは異敎徒の偶像神であつて、それに接吻することは、崇拜を意味する。マリアの像に接吻すること等は、やはり崇拜である。他の一つはホゼア書第十三章二節に出てゐる。『今もなほます／＼罪を犯しその銀をもて己のために像を鑄その機巧にしたがひて偶像を作る是みな工人の作なるなり彼らは之につきいふ犧牲を獻ぐる者はこの犢に口を接くべしと。』新約聖書にも亦この崇拜の例證を見出すことが出來る。即ちルカ傳第七章三十八節にある『イエスの後にたち、足下に哭き涙にて其足を濡し首の毛髮をもて之を拭かつその足に口を接けまた香膏を之に抹れり』これは惡しき行ひをした婦がイエスを禮拜せんが爲めになした行爲である。自分の罪に汚かれた身と、純潔なキリストを見ては、崇拜せざるを得なくなつたのである。崇拜の行爲中、膏をそゝぎ女の最も尊い髮を以てし、而かも接吻したといふことは、その極であると云はれてゐる。

六　許可又は納得の接吻――シンゲン第二十四章二十六節には次のやうな句がある『ほどよき應答をなすものは口唇に接吻するなり』これは即ち納得又は許可を表示す接吻のことである。

七　裏切りの表示としての接吻――マタイ傳第二十六章四十八節から四十九節を見れば、反逆者イスカリオテのユダが主人であるイエスを敵に銀三十枚で賣渡すところがある。一つの劇的場面だ。『イエスを賣すもの』イスカリオテのユダである）彼等に號をなして曰けるは我が接吻するものは夫れなり之を執へよ、直にイエスに來りラビ（師の意味）安きかと曰て彼に接吻せり』かくしてイエスはユダの爲めに敵の手に落ち給ふのである。なほ舊約聖書のシンゲン書第二十七章六節には『愛するものゝ傷つくるは眞よりし、敵の接吻するは僞詐よりするなり。』とあるのを見る。其他同じ書第七章十三節にも亦これと同じ意味の接吻がある。『この婦かれをひきて接吻し、恥しらぬ面をもていひけるはわれ酬恩祭に献げ今日すでにわが誓願を償せり』

八　情愛の表示としての接吻――創世紀第二十九章十三節を見るに『ラバンその妹の子ヤコブのことを聞きしかば、趨せゆきて之を迎へ、之を抱き接吻し、之を家に導きいたれり……』とある。これは自分の妹の子であるので甥に當るところからの愛情の發露なることは明白だ。又同書第四十五章十五節に『ヨセフ亦その諸の兄弟に接吻し之をいだきて哭くとある。ヤコブの子に十二人の子があつた。その中の十一人目のがヨセフである。餘りに父の寵愛がひどいので、兄達が相談の上、エジプトの隊商に賣飛ばす。そして父へは野獸に殺されたと報告してしまふ。賣られたヨセフはエジプトにて暮し王の夢判斷を的中させて宰相となる。たま〳〵イスラエル及びエジプトには大旱魃。これが王の夢であつた、エジプトにはヨセフの夢判斷で危急に備へてあつたのでさまで影響はなかつたが、イスラエルでは大變である。

食物豊富なエジプトへヤコブはその兄弟を送る。こゝに於てヨセフとその兄弟の再會となるのである。この接吻がなされる同書第五十章一節に『ヨセフ父の面に俯し之をいだきて之に接吻す』とある。第二回目には父もエジプトに移住する。これがやがてエジプトにてイスラエル民の祖先となつてモーゼの時代と遷つてゆく。三十三章四節には『エサウ趨りてこれを迎へ抱きてその頭をかゝへて之に接吻すしかして二人ともに啼泣り』とある。これはヤコブが長子の權を兄エサウから奪つたために怒りに觸れ母のすゝめで伯父ラバンの家へ遁走する。やがて數年を經て和解なしこゝに兄弟の再會となる愛情の一場面である。四十八章十節『イスラエル（即ちヤコブの別名）の目は年壽のために目て見るをえざりしがヨセフかれらをその許につれ來たりければ之に接吻して、これを抱けり』とある。それからシユツエジプト記第四章二十七節に『こゝにエホバ、アロンにいゝたまひけるは曠野にゆきてモーセを迎へんと彼すなはちゆきて神の山にてモーセに遇ひ之に接吻す。』モーセはエジプト人を殺したために曠野に逃げてゐたのだ。アロンはモーセの兄である。こゝで兄弟の愛情からの接吻であることは解し易い。新約聖書の方を探つて見るならば即ちルカ傳第十五章二十節に『即ち起ちてその父に往けり尚とほく有りしにその父かれを見て憫み趨往其頸を抱きて接吻しぬ』これは有名な「放蕩息子」の話のそれである、父を去つた季子が零落して歸つて來たのを見て父は喜び我兒可愛さに接吻さる處である。シトギヤウ傳第二十章三十七節にも接吻の事がある。『彼等みな大に哭きパウロの頸を抱き之と接吻し其再び我面を見るまじといひし言葉に因て別ても愛をなし彼を舟まで伴へり』パウロはいよ／＼海外傳道にゆくその時の友人達が友情を示した接吻である。

以上は聖書に表はれた「接吻」であるが、これより、その他の古書、又詩人の接吻觀古代名士の接吻觀等に筆を及ぼしてゆくことゝする

故 樋田悅之助初七日追悼座談會

（出席者）齋藤昌三　伊藤竹醉　坂本篤（坂本書店主）　澤田撫松氏未亡人　樋田君令妹（愛子）　石角春之助　尾高三郎（新聞記者）　小座間茂（警視廳詰記者）　上森健一郎（變態資料）　大柴頼雄（國際文献刊行會）　酒井潔　梅原北明

場所　文藝市場社梅原北明宅

日時　昭和二年六月二十八日午後四時――九時

隠れたる本誌唯一の功勞者樋田悅之助を悼ふ

梅原北明

去る六月二十二日は私達にとつて何たる呪はしい日であらう！

長年私達の信頼した唯一の事務家樋田悅之助が本誌七月號校正半ばにして突如ピリンの中毒で斃れたからです彼は二十七歳と云ふ働きざかりです。彼は「文藝市場」創刊以來の事務家で、雜誌の營業、會計、印刷、校正、通信回答、庶務一切を一人で背負つてゐた男です。事實、本誌が曲りなりにも創刊以來今日まで命脈を保つて來たのは、彼が如き天才的事務家を持つたためであります。從來諸兄より色々な通信文に接する每に返事を認めた愛すべき男は彼です。出版は彼の全生命でした。飯より好きでした。だから椽の下の力もちであることにも自ら甘んじて居りました。若し私達が彼を得なかつたなら、ずぼらな吾々は、とうの昔に雜誌を失くして居ります。この意味に於て彼が如何に吾々にとつて重要な人間であつたかを諸兄も知り得られることでせう。今、吾々は彼を想ひ、本誌の受難多き將來を考へ、うたた悲しみの絶頂に達して居ります。內務省に睨まれ警視廳にお馴染の深い吾々の出版を取扱ふに、私が直接手を下さずとも彼の奇智は獨特な才能をもつてゐました。

私達は衷心より彼のために泣きます。諸兄も、さぞ泣いて吳れることでせう。この彼の効績多い過去に對して、今回私達は彼の遺族慰問方法を色々に考へます。そしてこれは諸兄の力と相俟つて追々と實現の途に就きたいと思つてます。「市場叢書」の第二卷は實費一圓五十錢であげ、諸兄に二圓五十錢で買つて貰ひます一冊に附き一圓の香典を支拂はされる譯です。又吾々にしても、その叢書の原稿は無報酬で書きます。このことは「市場叢書」發行由來書に詳しく說明いたしました。

とにかく、愛する吾が諸々の友よ、あれほど健康そのものであり、死の二日前まで本誌の仕事に夜半まで熱中してゐた男が、中毒でコロリと斃れて了つた。家庭の人に歸れば彼は唯一の米鑕だつたのです。その愛すべき男を藥が殺して了つた、何たる呪はしいことだ。

愛する友よ。私達は七月號の遲れたことを氣にして夜半まで立働いた男を殺して了つたんです。何んで悲しまずにゐれませう。

左の座談會に列席した人々は皆、樋田に接近したもののみです。追悼座談會は何處までも率直に僞り飾らず眞實の樂屋話です。文中に死者を冒瀆すべき箇所多々あり、あるひは彼の靈に暗影を投げうるやも計り知れず、が、何もかも打ち明けた所に樋田にも吾々にも、そして諸兄にも皆共通した說明拔きの親みが一層湧いて來はしないか？

嘗て彼は、吾々の道樂出版が罰金事件を生んだ時、罪とがもない彼は事務取扱者として不法にも十日間の拘留に逢はされました。これは諸兄も吾々も共に感ずべき責任であります。

今、サトウ、ハチローが、この席にゐたら、早速例の革命歌の節で、左の如き哀詩を創作し吟ずるでありませう。

一、吾々の研究が
　　罰金事件を招く
　留置場に責められた
　　吾等の同志斃る
　悲しみの深き日よ
　　六月の二十二日
　祭壇の亡骸は
　　文市の未來を守る

二、彼ありし其時は
事務一切に始終し
讀者の忠告、激勵に
歎喜を共にせしが
悲しみの深き日よ
六月の二十二日
祭壇の亡骸は
文市を抱いて眠る

梅原。それぢや是から始めます。

伊藤、樋田君の話と云ふと、逸話とか何とかさう云ふ……

…？

梅原。兎に角樋田君は、僕の所で「文藝市場」の仕事をやつて居た人なのです。仕事に非常に熱心で、其日も僕は酒井君と二人で球を突いてゐて、遲くなつてから歸つて來ると、先生まだ一生懸命に仕事をやつてゐる。それでもう寢ろ。と云ふと、僕は今晩中にやつてしまはないと、明日の朝早く正文舍がやつて來るから、校正を渡してやらないと困るから——と云ふので、それでやつてゐたんだ。で僕はそれから寢ちやつて、一眠りしてから、それは一時頃でしたか階下へ降りてみる、とまだ電氣がついて居るから、「君まだ起きてゐるのかい、もういゝ加減に寢ろよ。」つて言つたら、「ウンもう少しだ。」つて言つてたが、それから寢たのは彼是三時頃でしたらう。さう云つたやうな工合で彼はいつも非常に頭を使つてゐたんだ。雜誌の發行が遲れると云ふので、先生それを氣にしてばかりゐたんだね。所が、そのあしたになると頭が痛いつて云ふ、だから夕べあまり遲くまで働き過ぎたんで障つたんだらうつて言つたんだが、それでも我慢して仕事をやつてゐたが、しまひにとう／＼やりきれなくなつて家に歸つて行つた。それから何だか風を引いたやうだと云ふんで、まァ一日か二日ゆつくり休んで寢てゐれば大丈夫だらうと思つてゐたんだ。まさか彼が死なうとは思

在りし日の樋田悦之助君

はんからな……處へ向ふから藥取りに來たんだ。宇津木（醫者）に風藥を貰ひに、樋田君の妹さんが來たんだ。

小座間。宇津木で風の藥を調合すると云ふのは、宜いのかね。

酒井。宜くはないけれど、掛りつけだから……

上森。かゝりつけぢやないよ、樋田は……

梅原。いや、例の病氣でかゝりつけてゐたんだ。それでつまり先生は、僕を出拔いて、宇津木の所へ、風を引て熱が出たつて電話をかけたんだ。で妹さんが藥を取りに來たんだ。

上森、その時か、俺が會つたのは……

尾高、會つた〳〵、俺も。

梅原　それでその藥を飲んだら、頭がガン〳〵非常に痛んで來て、先生七轉八倒の苦しみをやつたさうだ。處がね藥を飲んでから二時間ほど經つと、そのひどい頭の痛みがケロリと癒つた。

小座間　それが惡いな。

梅原　それが惡いんだ。頭が非常に痛んだのが、頭から足に來たんだ、足が痛み出したので、それで『自分はピリンの中毒だ』と云ふことを彼は豫言した。それは何故かと云ふと、彼は藥劑師だつたんだ。

上森　ア、さうか――

梅原　藥劑師と云ふ立派な職業を持つて居りながらも、出版の仕事が好きで、それで僕の方で「文藝市場」を創立以來やつてゐてくれた。その爲に俺の所はどれ位助かつたか知れぬ。でつまり彼が藥劑師であつた爲に足の爪先から斑點が出て來たのを認めると、いよ〳〵是はピリンの中毒に違ひないと云ふことを意識した。

伊藤　何回位飲んだんだらう？　分量だつて例へば〇・五と云ふやうに決つてるんだらう……

梅原　ウン、兎に角風を引いたんで、熱さましをくれろと云つて飲んだんだね。處がそのピリンが體にいけなかつたんだ、それで先生は中毒と云ふことを意識した。それでその斑點が段々上に昇つて來るまでの苦しみと云ふものは、非常なものであつたさうで、一寸障られても痛いのださうだ、その痛い苦しみの中を、翌日樋田君は車に乘つて僕の家までやつて來たんださうだのに、その時僕は居なかつた。尾高の家に行つてゐて留守だつた。僕が歸つて來たら樋田君が家に來たと云ふ――。（上森に向つて）君は會つたんだらう？

上森　俺があの時もう二十分早く會つてゐたら、彼を死なさなかつたがな――。

伊藤　どうして？

上森　病院へ入れるんだ。病院に入ると金が要るなんてことは、あの場合別問題だ、金のことなんかどうにでもする「文藝市場」の編輯が遲れても仕方がないからすぐ病院に入れて手當をしたら、まさか死にはしなかつたらうと思はれる。

伊藤　どこで會つたんだ？

上森　それが君、車に乘つてそこの坂（社の出口の坂）に出やうとする時なんだ。僕はそんなに足が痛いなんて事知らなかつたからな。何だつて車になんか乘つてるんだらう――位に思つてゐたよ。

梅原　兎に角此處までやつて來たのが既に一種の神秘だ、所謂虫の知らせだね。そんなことで僕は會へなかつた。でそれから樋田君は醫者に行つたのださうだ、牛込の……するとと矢つ張りビリンの中毒だと云つて、大切にし給へと言つたさうだ。併し樋田君の家は瀧の川だから、牛込の醫者まで來るのは大變だらうと云ふので、自分の知つ居る醫者が瀧の川に居るからと云ふので、そこを紹介するから、そこへ行つてくれと言つたさうだ。

上森　宇津木がね……

梅原　僕はその晩宇津木の處へ行つたんだ、すると樋田さんが來てくれましたが、此處ではあまり遠いから瀧の川の醫者を紹介して置きましたと、別にそんなにひどかつたやうに言はなかつた。一方樋田君瀧の川へ歸つてからその紹介された醫者に來て貰つたんだ。その時分には既に斑點が股の處まで上つて來てゐたので、その醫者も驚いたとみえて、自分一人ぢや心もとないからと云ふので森と云ふ瀧の川の小峰病院に勤めてゐる博士を對診させて貰ひたい。ビリンの中毒のやうにもあるし、或はさうでないやうにも思はれると云ふことを言つたさうだ。それで二十二日の朝、樋田君のお母さんが僕の家へやつて來て、「今日博士が對診しますので……」と云ふのを聞いて、僕は是は餘程ひどいんだなと、斯う思つた。「就いては金を百圓ばかり借して貰ひたいと樋田が言ひました。」

とお母さんが言はれるので、僕は百圓を都合してお母さんに渡したら非常に喜んで歸られた。僕も好い事をしたと思つて、一度行つてみやう〳〵とは思つてゐたけれどいろ〳〵用にまぎれて居つた。それで、何でもお母さんが家へ歸るまでに、樋田君はよほど惡くて、神經が昂ぶつてしまつた。さうして非常に苦しんで、痛みが上の方に昇つて行くんださうだ。苦しみながらも僕は死にたくない〳〵と云つて氣をもんで居たらしい。そして博士が來ると金が要るからして、早くお母さんが僕の家から歸つて來てくれゝば宜い〳〵と云つて、病人が頻に氣をもんでゐる處へ、お母さんが金を持つて歸つて來たので、それでその金も役に立つた譯なんだ。そこで博士と瀧の川の醫者がやつて來て、對診した。處がドイツ語でしやべつて居るのに依れば、既に是は今晩までにはあぶないと云ふことを言つて居つたらしい。今から考へてみれば……………けれども家の者が「先生どうでした」と云つて聞き、又樋田君自身も醫者に尋ねたさうだが、「何大した事はない、二三日中に快くなる」と云ふやうな話で歸つてしまつたさうだ。それで家の人も、どうもさう簡單な病氣ぢやないと思はれるので、きつと病人の前だから本當の事を言はないのだと思つて、醫者を送り歸す時に、「どうでせう?」と小さい聲で聞いたら、その時にも醫者は「いや大したことはありませぬ。」と云つて歸つたのでまさか命に拘るやうな問題ぢやないと思つて居たさうだ處が醫者が歸つてから、二時か二時半頃に散藥を飲んだ醫者が置いて行つた藥ださうだが……。すると又體が痛くなつて苦しみ出した。約十五分ばかり呻つてゐたさうで、その時もまだ死にたくない〳〵と叫びながら、或はひよつとしたら俺は死ぬかも知れない。痛みはだん〳〵上に昇つて來る。併し今自分が死んだら妹が澤山ゐるし目の不自由なお父さんも居る。お母さんも年寄つて居るしするから、今死んでしまつては家が目茶苦茶になつてしまふ。まだ死にたくない、〳〵〳〵と望みながらも、若しや死ぬかも知れない。死んだら草葉の蔭で、家の者を見て上げてゐると言つたんださうだ。お父さんは「何言つてるんだ、そんな事はないからしつかりしてゐてくれ」と云つたが、彼は非常にその時には頭だけの神經が鋭敏になつちやつてゐたんだね。その苦みも十五分間ばかり經つと癒つて、近所の友達が來た時に、少しおさまつたと云つて、元氣よくしやべつてゐたさうだ。處が五時に水劑を飲んだ。さうした所がその水藥を飲んで十分位經つか經たないうちに、又苦しみはじめた。さうしてその苦しみがおさまらないうちに、午後九時に、彼は苦しみ續けて死んぢやつたのだ。水藥を飲んだ後、あまり苦しみがひどいので、お父さんは、もう駄目かも知れないと思つて、醫者を呼ばうとして電話をかけた。すると今往診に出てゐるから、歸りに診察に寄ると、醫者が言つたので、それを待つてるたんだ。が、その時樋田君曰くさ、「そんな事を云つたのはきつと噓だ、家は貧乏だから來はしない金持の處は日に二度も三度も行くけれど、我々のやうな貧乏の處には來やしない。醫者が二人で、今晩は保つまいと云ふことを豫言して歸つたんだ。恐らく俺が死んでも醫者は來やしまい」と、處が實際、彼が死んでからも醫者は來なかつた。彼の豫言は適中したんだ。苦しみ續けながら、僕に會ひたい、會ひたいと云つて、いろ〳〵「文藝市場」の事業のこと。出版の事もあるから、兎に角僕が死ねば「文藝市場」は困る。誰も事務をやつてくれる人間は居ない、今までの仕事に慣れた人間も居ないと云ふので、その事を氣にしながら、是非僕に會ひたいと云ふので、僕の處へ電話をかけた、處がその時も僕は留守だつた。電話に出たのが伯父なんだ。で例の通り宜く分らない、そこへ以て來て、電話をかけた方の人も、氣が轉倒してゐるもんだから、樋田君が惡くつて、今日博士に診て貰ひましたと云ふばかりで、危篤と云ふ事を云はないもんだから、此方(こつち)でも「お大切に。」と云つたんださうだ。あの時に若し危篤だと云へば、家でも僕を探したのに違ひないのだけれども…………。それで僕は十時半頃、酒井君と二人で歸つて來て、あした早く校正が出るからと云ふので、その晩は寢たんだ。僕は非常に疲れたので按摩を呼んで揉んで貰つてゐる所へドン〳〵表門を叩く人がある。それが女の聲なんだ。それから變だと思つて又上森が細君と喧嘩……

上森　馬鹿！止せ（笑聲）

梅原　それで僕は變だと思つて、上森の奴仕樣がないなと思ひながら……家の者は寢てゐるし、僕は按摩に揉んで貰つてゐるし、仕方がないから酒井君が降りてゐつた。

酒井　それで僕が降りてゐつたら、もう奥さんが起きてゐたんで、僕はそのまゝ上つて來たんだ。すると奥さんがすぐ上つて來て、樋田さんが死んだと云ふことを云つたんだ。

小座間　誰がその知らせに來たんだ？

梅原　お母さんと、妹が來た。今死んだと云つてね――さうしたら、そこへ宇津木の處から電話がかゝつて、「今瀧の川の醫者から、樋田さんが死んだが病名は何にすれば宜いか、私が診察したのでは、アンチピリンの中毒のやうにも思はれるが、どうもはつきりと診斷がつかない博士と對診したけれど結果が分らない。それで死亡診斷書を書くのに困ると云ふので、電話がかゝつて來た。僕は病理解剖をして貰つたらどうかと云ふことを言つて置いた。」と云ふ話なんだ。それで僕は一寸待つて下さい、今樋田君のお母さんと、妹さんが來て、樋田君が亡くなられたと云ふことを、今聞いたばかりなんだから、委しい事を宜く聞いてみてからにすると言つたんだ。そして宇津木からの電話の解剖にしたらどうかと云ふのも、兎に角お父さんとも相談してみてからにしやうと云ふので僕はすぐ、酒井に家の事を頼んで、着物を着直して、樋田君のお母さんと妹さんと三人で自動車に乘つて、瀧の川の家へ馳付けた。さうしたら樋田君のお父さんが骸の側にゐて、「あなたを呼びつゞけながら死にました。まア見てやつて下さい」斯う話した。僕は骸の側に飛んで行つて、布が被せてあつたのを取つて見たら、顔が斑猫のやうに斑點だらけ………

小座間　どんな色に、赤と白か？

酒井　いや、黑と白さ。

梅原　それで僕は泪が溢れさうになつた。兎に角五時半から苦しみつゞけても醫者が來てくれない。そして九時半に死んでしまつたんださうだ。それで醫者の處へ電話をかけたら、その醫者が自身出て來て、「實は今往診から歸つて來たばかりで、是から行つてみやうと思つてゐたのに、それはどうもお氣の毒なことです。」と云ふ電話なんださうだ。それがどうも腑に落ない、さつき電話を掛けた時には、往診に行つた歸りに寄ると云ふことを言つて置きながら、自分自身が出て、今往診から歸つたばかりとは何事だ、どうも變なんだ。僕が行つた時はもう十二時半だつたが、まだ醫者が來てくれない。すぐ行きませうと云ふ電話があつてから……九時半から十時、十一時十二時半、と三時間半も待つてもやつて來ない。それで警察に行つて、警察醫に診て貰つて、死亡診斷書を書いて貰ひませうと、親爺さんは言ふんだ――

齋藤―警察醫だつて、實際は駄目なんださうだ――

梅原　駄目なんだ。で僕は來ないのは變だと思つて、瀧の川の醫者は知らない人だから、宇津木の方へ電話をかけに行つたのだ。そして樋田君の家にすぐ來てくれるやうに、宇津木から言つてくれと言つたら、宜しうございますと云ふので、瀧の川の醫者に電話を掛けて貰つて、すぐに來てくれるやうに賴んで貰つて、僕が待つこと……二時間になつても、三時間になつても、とう〱翌朝になつても來ない。

伊藤　何て云ふ醫者だ……？

梅原　そんなことは聞く必要はない。それで僕は宇津木に怒つてやつたんだ。お前が紹介した醫者は實に怪しからぬぢやないか。死んだ知らせをしても、來てくれない。お前の友達の醫者に、かう云ふ怪しからぬ醫者があると云ふことは、僕は氣がつかなかつたと云つて、兎に角病氣は風ぢやないか。ピリンの中毒のやうにも思はれるし或は何かの中毒だと思はれる點もある。と云ふんだとすれば、ピリンの中毒だとすれば、君は責任があるんだ、君は調劑者ぢやないかと云つたら、いや、ピリンの中毒ぢやない。あれは所謂淋毒性の廢血病の一種だ、さう云ふ病氣も千人に一人位あるんで、つまり淋菌が血管に入つた。それで抵抗力を失つた爲に、黴菌が非常な勢で繁殖して、さうして內出血をやつた。血が溜つて……

伊藤　それは机上の空論だ、自分が實地に行つて診斷した譯ぢやないんだからな。

梅原　さうだとも、只本を見たり、自分の處方箋を見てさう云ふやうな徵候がある。と斯う云ふんだ。

伊藤　いゝ加減のものだ。

梅原　それで僕は聞いたんだ。それぢや君は、さう云ふ患者を嘗て取扱つたことがあるか。今までにそんな患者のことを言つたことなんか、無いぢやないか淋病がさう云ふことになると云ふんなら、兎に角若い男が十人寄れば八人までは經驗のあることだと思ふ。それでそんな病氣があるとすれば、千人に一人どころか、もつと、百人に一人位は死んでゐなければならない筈ぢやないか。現に僕なんかでも、もう永年のことで。慢性の……(笑ふ)

小座間　本當のことを云ふな。

梅原　僕なんか、そんなら疾うに死んでゐなくちやならない筈なんだ。それを樋田君のやうな眞面目な……彼は實際眞面目な人間で、「變態資料」の宮本に伴れられて、引つかゝつたのが初めてなんだ

尾高　さうしてすぐと病氣を貰つた譯なんだね。

梅原　さうなんだ。それで來月は僕と齋藤氏に世話をして貰つて、坂本の妹を貰ふと云つて、日に三回も醫者に行つて療氣を癒してしまふと云ふので、それまでに是非病治してたんだ。家も今の家は汚ないから、もつと綺麗な家に引越したい。さうしたら敷金やなんかも僕に面倒をみてくれと、兎に角一生懸命だつた。さうして僕はもう絶對に遊びに行かない。速く病氣を癒さなければと云つてゐた男を……若し果してさう云ふ男を、天が殺すとしたら、餘りに不公平だ。

伊藤　まつたくだ。

梅原　彼の如き善良な人間に、天が千人に一人しか罹らない病氣を授けたとすれば、天を恨まなければならぬ。彼は坂本の妹さんを貰ふことを、どの位憧れてゐたか、それを言續けて居た。

石角　併し樋田君は職業婦人は嫌ひだつて言つてた。

梅原　坂本の妹は職業婦人ぢやないさ、それで僕は樋田君の方の仲人にならう。坂本の方の仲人は齋藤さんに頼まうと云ふことに決めて、兎に角君のその病氣を癒せ。癒してから僕が頃合を見計らつて、具體的に話を進めるから、と言つてたんだ。併し樋田君は死ぬ前に僕は結婚してゐなくて宜かつた。若も誰かと結婚してゐたならば、こんなに自分は死ぬやうな病氣になつてしまつて、その人に對して氣の毒な事になる所だつたが、結婚してゐなくて宜かつた、が併し僕は死にたくないと頻に言つてゐたさうだ。兎に角、坂本の妹を貰ふと云ふことに憧れてそして來月からは、僕の方も僕が稼いでもう少し面倒みてやらうと云ひ、そしたら少しは家の方も樂になるだらうがと話してゐたのだ。

石角　兎に角梅原さんを非常に信頼して居た。

梅原　でも僕はとう〳〵會へなかつた――
伊藤　不幸な人で……
梅原　死亡診斷書を書いて貰ひに行つたが、それには淋毒性廢血病としてあつた。
伊藤　我々素人の目に依つても、あの骸が藥の中毒と云ふことは現はれてゐる……
梅原　現に僕が、體中斑猫のやうになつたのを、食鹽注射で癒した。
酒井　ウン食鹽注射が好いんだ――
梅原　食鹽注射で癒るんだのに、樋田君の考へでは注射をするのには金を澤山取られるかも知れないと云ふ閃きがあつたんだ、それでやらなかつたんだが、食鹽注射が確に好いと云ふ證據がある。それは樋田君のお父さんが信賴してゐる管江と云ふ醫者があつた。花柳病と內科專門で、腕の確な非常に巧い醫者なんだ。五時半に、彼がひどく苦しみはじめてから、こつそりその醫者を賴んだんださうだ、さうしたら來てくれて、診た所が、「是は藥の中毒で、下の病は關係してゐませぬ」と言つたさうだ
伊藤　まつたく、そんな馬鹿なことはないからね。
梅原　それで「私ならば今食鹽注射します。併しもう手遲れで駄目です。それに博士も立會つて居るし、牛込の人も調劑してゐるのに、自分が一番最後にやつて來てゐながら、出拔いて藥を調劑したり、食鹽注射をすると云ふことは、僭越だから」と、遠慮したんださうだ。で根津の日本醫科大學病院へ、私が紹介狀を書きますから、今すぐ入院させなさい（坂本氏來席）入院させれば、病院なら勝手に食鹽注射もすれば、どんな事でもやれる。
伊藤　何にしても醫者が馴合つたんだ――
梅原　それでお父さんが憤慨するんだ。
齋藤　まつたく醫者が惡かつた、……
梅原　處が死人を前にして、事を荒立てゝ、解剖すると云ふことは欲しなかつた。それでこの意味に於ては、どうも藥でやられたと云ふ醫者の診斷もあるしするから、こぢつけにしろ兎に角醫者の云ふことである以上は。さう云ふこともあるかも知れない。それに僕が三年も通つて居る醫者でもあるしするから、默つてゐるけれども、それ以來僕はその醫者に行かないんだ。
尾高　抗辯しやうとすれば、解剖した上でなければ、此方(こつち)

にも强いことは言へないしね。お父さんが解剖させたくないと云ふんなら、どうも……

伊藤　結局何ですね、死んだ人が不幸なんだ。

梅原　さうなんだ。それで樋田君のお父さんと云ふ人は石工――東京でも有名な石工なんです。非常に腕のある人ださうで…… 僕は樋田君のお父さんには今度初めて會つて、いろ〳〵話を聞いたんだが、子供の時分から石工が好きでやつてゐたんださうで、東京の有名な建築の土臺は大方はお父さんがやつた。帝國圖書館の土臺、宮内省であるとか、森村銀行だの、今の三菱會社の土臺石なぞ、皆このお父さんが監督でやつた。それで商賣に非常に熱中した所が、石屋さんはカン〳〵とやるだらう？ それで眼の中に石の粉が入るんださうだ。その爲に眼をすつかり惡くしてしまつたんで、片眼を小川劍三郎と云ふ有名な眼科醫にくり拔いて貰つた。それ以來眼は不自由になるし、職人仲間の博奕とか何とか、いろ〳〵面白くないことがあつたので、隱居してしまはれたんだ。隱居してからどの位になるかしら？　（樋田氏の令妹に向つて）知りませんか？

令妹　まだ小さい時分で分りません。

坂本　博文館が本石町の方に越した、あの時に……

伊藤　ぢや十四五年になる――

梅原　さう、十四五年前になる。その爲に初めは多少の蓄へもあつたらうが？ だん〳〵困つて來た。それでも初めのうちは人もチヤホヤ云つてくれるし、親分子分の關係もあつたんだが、追々日の經つにつれて、それも續かなくなる。それで樋田君のお父さんは、自分の伜は職人にしたくない。人間は良いけれど、どうも職人にさせたくないと云ふので、それで藥學校に入れた。つまり樋田君を藥劑師にしやうとした譯なんだ。處が彼は藥劑師よりも出版屋が好きで、僕の家へ來る前もずつとやつてゐた譯なんだ。處でそのお父さんの言ふのには「私はさう云ふ譯で伜には隨分面倒かけた。樋田は小さい時から苦しみ通して、自分達の爲に稼いでくれた。が何と云つてもまだ若くつて。二十七やそこらなんだから、是からまア大いにやつて貰つて、自分も寄る年ではあるし、眼も片つ方利かないから、何かと面倒みて貰はうと思つてゐた矢先に、先に逝かれてしまつた。」と云つてね……人が死ぬと兩手を胸の上に組合してやるもんなんだろ？　それが樋田君のはブランとなつたまゝでゐるから、僕が手を斯う云ふ風に（その眞似をしてみせながら）胸の處に組して上げなさいと云ふと、お父さんは肌をぬいで……例の職人の純粹の氣分を出して樋田君の骸の前に行つて――樋田君の家は禪宗なんださうだが、お父さん一代は法華を信仰するんだと云つてね、南無妙法蓮華經を唱へながら「悦公」と斯うやつてね。「お前には俺が面倒見て貰ふ筈だつた。それをお前は先に死んだ、かうしてお父つさんに厄介かけると云ふことは、親不幸な譯ぢやないか、が、まァ宜いや、兎に角死んだ者は仕方がない、お父つさんがお前を成佛させてやる。」と南無妙法蓮華經を唱へながら手を揉みはじめたんだ。處が死ぬ二時間も三時間も前から、體に斑點が出來て來た時分にはもう手足がこわ張つてゐて、關節が突張つたまゝ死んだんだからなか〳〵組めさせられない。それをそのお經の力で、組せなければならぬと云ふ一心で以て、約一時間ばかりかかつて、とう〳〵その胸に兩手を組ました。さうして「俺は石屋だつた、商賣を止めて十何年になる。お前には何かと面倒みて貰ひたいと思つてゐたが、斯うなつては仕方がない。で最後にお前の爲に一遍だけ……お前の墓石を刻まう。」と云ふことを言つた時には涙が流れて、そこに居合した人間で泣かない者はなかつた。それで僕はいろ〳〵な事を思ふにつけても、斯う云ふ善良な人間を殺したくなかつたと、しみ〳〵惜しまれたんだ。それに一方では、僕自身のことを考へた時に、僕はかう思つた兎に角樋田が居なくなつて、どうして今後雜誌を出して行かう。彼は、讀者の全然知らない人間だ、椽の下の力持だ、雜誌がキチンと發行されるのも、讀者から問合せが來て回答をするのも、校正をやつていろ〳〵な面倒をみるのも、皆彼の手一ッでやつてゐた。彼は「文藝市場」に對してどれだけ貢献してゐるか知れないんだ。變態十二史以來、みんな彼の手一ッで今日までやつて來たんだが、さて僕等のやうなズボラの人間が、會計簿にしろ、手紙の回答の事にしろ、皆やらなければならないだらうか僕自身に一體出來るだらうかと云ふことを考へた時に非常に氣持が暗くなつてしまつた。斯う云ふ狀態……つまり今日までに、雜誌の仕事がきちんと出來たと云ふことの半分は、彼樋田君の力だと云ふことを、僕はこの際讀者諸君に知つて貰ひたいと思ふのだ。この事實を。讀者諸君に愬へたいのだ。――さてそれで有合せの香奠を集めて「文藝市場」から贈りました。それから又今までの關係で、變態十二史の方も樋田君に面倒みて貰つたんだから、文藝資料研究會として、靈前に三百圓の香奠を出させました。變態史料の上森君が五十圓奮發してくれたので、樋田君のお母さんも非常に喜んで居た。でこの憐れな樋田君の一家を救ふのには、我々の集めたる香奠でなく、何か意義のある事をしたいと、それでお通夜の席で酒井君や伊藤君と、いろ〳〵相談をして決めた事は最近「市場叢書」と云ふ、叢書を出します。それを一圓五十錢位で上げて、さうして二圓か、二圓五十錢に賣らうそこで一圓乃至一圓五十錢は利益なりと云ふことを、明かに讀者に公言して、その中の五十錢乃至一圓は樋田君への香奠だと思つて、纒めて贈らふ。それはきつと五百圓なり七百圓なりにならうからそこに小千圓の金が出來やう。さうすれば彼は雜誌組合の鑑札を持つてゐたからそれで雜誌屋の小賣店を出して行けば、どうにか斯うにか行くだらうと思ふ。そのうちには妹達も大きくなるから宜からう、と云ふ計畫だけは出來たんで、この事を諸君に訴へてよく諒解して貰はうと思ふ。でその第一篇は石角君の「淺草裏譚」が出來、第二篇には僕が何か書いて、香奠に贈りたいと考へて居る――でそれが餘計に賣れゝば、それだけ樋田君の一家は助かる譯なんだから、今まで「文藝市場」を愛してくれた讀者諸君に、それだけの同情は持つて貰へるだらうと思ふ。僕は酒井君と、いろ〳〵……

酒井　他にも有志の方から原稿を頂いて……

齋藤　いや、そりや好いことだ。

梅原　無論僕もですね、第二篇には半分位書きますけれども、酒井君とか、齋藤君とか云ふ、市場の同人が集り、讀者諸君も贊成して下されるだらう……

尾高　功績を高張する必要がある。

梅原　高張しなくとも、是だけ言へば認めてくれる、だから此席上で、大いに聲を大きくしなければならぬ。酒井君も是は認めたらう……

酒井　まつたくね。

石角　仕事に忠實だつたと云ふことは、死ぬ四五日前に叢書の見本請求が來たら、自分の事のやうに喜んで、それは子供みたいに悦んでゐた。その一事に依つても先生が如何に……

酒井　梅原だつて僕だつて、いつも原稿を書くだけで――正文舍の事から何も彼も樋田君一人……

石角　兎に角仕事が好きであつた。

梅原　それで、讀者諸君から褒めた手紙が來ると、鬼の首でも取つたやうに喜んで、その感激で彼は仕事をして居つた。それ程眞面目で、仕事好きな彼を殺したと云ふことは、まつたく殘念だ。

石角　そして仕事が速かつた。

梅原　厭味がなかつたよ。

尾高　まつたく厭味がなかつた。

石角　併し酒は兎に角好きだつた。

伊藤　酒がそんなに好きだつたか?(石角氏に向つて)

酒井　いや、そんなに飲みやしなかつた。

石角　神樂坂へよく行つたよ。

梅原　兎に角病氣になつてからは、酒もやらなかつたよ。

齋藤　僕としては、氣の毒なのは坂本の妹を貰つてくれろと云ふ手紙をよこして置いて、そのまゝ……

伊藤　葬式の時に花環が來て居たね。

酒井　うん、來てた。靜子つて名の……

伊藤　靜子か、あれはどう云ふ人なんだ。

梅原　親類の娘なんださうだ。

伊藤　戀愛關係は無かつたのか?

梅原　無いんだ、

小座間　妬いてゐるな。

梅原　それでだね、兎に角樋田君は坂本の妹を貰つてゐないで宜かつた、若し貰つてゐたら氣の毒だつた。良いことをしたよ。と云つて笑つた。併し僕はその笑ひが非常に淋しく思はれたんだ。若し笑ひと云ふものに、淋しい笑があるとすれば、その笑ひこそは本當に淋しい笑ひだらうと思ふ。

小座間　樋田君の死んだ事に對しては、僕は仕事に忠實だつたとか、仕事が速かつだとか云ふことより、氣の毒なことはあんな善良な人を雜誌の爲に警視廳に引張られたことだ。それは職務のことで仕方がないと云へば、さうだが……

伊藤　それはまつたくだ。

小座間　死ぬ時は彼は思つたらう。自分は一生惡い事をした覺えもないのに、警視廳で覺えのない事まで言はれて——

梅原　それは言つてた。

伊藤　…………

梅原　彼は云つてた。「高橋君や、玉置君だとかには非常に苛められてゐたんだ。僕は何も惡いことはしないのに」。

小座間　事務をとつたゞけでネ……

梅原　職務の爲に苛められるのは宜いけれど、それを通り越したのはひどいさ。今日僕は橋君の處に用があつて行つたんだ。話の序に樋田君が死んだよつて言つたら、さすがに橋君も氣の毒さうな顏をしてた。君の處ぢやひどいんだな、樋田君は皆なを恨んで死んだぞつて云つてやつたんだ、笑つてゐたつけ——

小座間　それは本當に恨んで死んだよ。

梅原　警視廳の人も氣持が惡からうさ、

小座間　樋田君が引叩かれたことを聞いた時に、僕は實に不當だと思つてた……

梅原　俺が行つた時には引叩かないで、そん方はない間違つてゐる——

（故澤田撫松氏夫人來席）

伊藤　診斷書の病名はどうなつてるんだ？

梅原　淋毒性膀血尿毒症。

伊藤　醫者が癪に障るな。

小座間　醫者を呼んだ時に來ないなんて、規則違反なんぢやないか

尾高　醫者がもう少しどうにか……

梅原　さうだ、人情味があつても宜いんだ。その家の生活振りを見て決定するなんて怪しからぬ。併し現在やつてるんだ、貧乏人ぢや夜中に起しても來やしない。

小座間　さう云ふことは、まつたく怪しからぬ。

尾高　兎に角樋田と云ふ男は、眞まで嚙みしめた苦勞人だつた。苦勞人と云ふ者は兎角ひねくれてゐるもんだが、彼のは苦勞人でゐて、非常に善良だつた。

上森　感じの好い男だつたよ。

酒井　尾高君の批評は宜く當つてゐる。

尾高　あんなに宜く分つてゐる苦勞人なればこそ、梅原はいろんな計畫は立てゝも、立てるばかりで何にもしない後の尻拭ひは、皆な樋田君がやつてゐたんだ。苦勞人だから、誰の氣象でも、一時間と交際つてゐればすぐ呑込んでしまふ。

伊藤　それにあんなに堅い人間が、偶々宮本君に伴れて行かれて、淋菌の洗禮を受けて、藥を飮むのも初めての終り……初物に中毒されて――

梅原　あゝ本當に今まで一度も醫者にかゝつたことのない男なんだ。生れてから二十七年振りで藥を飮んで……初めて藥を飮んでそれに中毒するなんて……

伊藤　はじめて病氣を病つたのが――

上森　兎に角あの男が、先から淋病をやつてゐたと云ふことは、我々は認めなかつた。

梅原　僕が藥を飮んでゐるだらう？　その藥がだん／＼無くなるから、變だ／＼と思つてゐたんだ、さうしたら或時先生、飮む所を見つけたんだ。「おいお前やつたのか」つてな事から、實は宮本に伴れて行かれました、三圓八十錢取られた。（笑ふ）

伊藤　女は初めてらしいね。

上森　初めてのやうにもみえるし、はじめてぢやないやうでもあるんだ。

梅原　いや初めてのやうな所もあるんだよ、確にある――。それは彼が以前金子と云ふ早稻田の出版屋にゐた時分にその主人てのに女が出來たんださうだ。それで女が出來たんで細君が邪魔になつて、追出したいんだが、缺點が無いんだ。それで無理にこぢつけて樋田君と關係したと云ふことを言つたのださうだ。

上森　ひどい奴もあるもんだな。

梅原　樋田君は憤慨して、その店を離れて、ひとりで出版をやつたんだが、潔白な男だから怒つたんだ。いつか告訴をして明りを立てる爲に童貞を守るんだと云つて、遊びになんか決して行かなかつた。どこまでも童貞を守つて、童貞であることを證明して貰はなければならぬと始終言つてゐた。つい最近まで言つてたんだ。それだからその問題が解決しないうちは、遊びにも行かなければ、結婚することも出來ない――

上森　さう云ふことがあるかね。

梅原　そんな事は問題にならない。そんな事を云つても童貞の證明にはならないつて言つたんだ。だから息抜きにたまに行つたつて宜いよ。と僕は云つたんだ。

小座間　惡い事を言つたものだな。

梅原　それで安心して、それから間もなく宮本が伴れて行つた譯だ。兎に角その道では小心であつた。それだから初物を貰つてすぐやられた、藥にもやられた。

尾高　宮本が一遍伴れて行つたと云ふことは、結果から見れば病氣になつた以上の、惡い事であつたかも知れない。

梅原　宮本に、お前が伴れて遊びに行つた合棒は死んだのだぞと云つてやつた。兎に角宮本としちや、よつぽど氣持が惡いんだ、お通夜にも行くと云ひながらスッポカスし、奴、非常にこたへたらしい。此間神樂坂で會つた時にも、「あの時の事は言つてくれるな」つて言つてた。氣持が惡いんだ。

尾高　アンチピリンと淋病は關係はないだらう。

小座間　解剖すれば分るんだらうが、そんな事をするのは死んだ人に對して……

梅原　兎に角十二時半まで醫者を待つた。僕はその間に體中をさはつてみたらまだ溫い。澤田君なんか息を引取るとすぐ冷たくなりましたね？

澤田夫人　はァ左樣で——

梅原　それが樋田君のは死んでから三時間も經過してゐるのに、まだ溫い。僕は本を讀んだことがあるが、死んだ人間で二時間經過して、心臟が止つてからもまだ體が溫かつた。それで醫者がメスを以て切開した、切開いて、心臟に手を入れて、心臟をマッサーヂしたらだん〳〵息が通つて來たんださうだ。つまり心臟は止つても細胞組織が生きてゐたと云ふ本を讀んだ。僕はそれを思出した死後三時間も經つてゐて、僕等の體と變りないのだから食鹽注射をしなかつたのがかへすがへすも殘念だつた。

尾高　いつから樋田君が文藝市場へ來たんだつたかね？

梅原　樋田君が「文藝市場」に勤めるやうになつたのは、三年前で、彼は神樂坂の野天で古本屋をやつてゐた。處が僕は古本を買集めるのが道樂で、それで神樂坂の夜店をしよつちう、毎晩漁つて歩いたので、彼の古本を何遍も買つたんだ。そのうちに、どうも此男、いろ〳〵話してみると、出版の仕事になか／＼詳しい。よく聞いてみると早稲田の金子と云ふ出版屋に居たんださうで、出版の組の事から、發送から、裝幀から皆やつてゐたと云ふ。處で僕の方も雜誌を出さなければならぬし、僕の古本道樂の興味と一致して居る。それで「どうだい、鑑札を持つたまゝで宜いから、僕の家に來て雜誌をやらないか。」と云つたら「さうですか」と云つて考へてゐた。するとそのあした、僕の家にやつて來た。その時分は通り寺町に居たんだ、そして「考へてみたが、一ツやつてみやう。」と云ふから、俺ん處はまア商賣的と云ふよりも、道樂的なんだから、大した事は出來ないけれども、君のやうに委しい人間が居てくれると助かるから……と云つて、何も彼もして貰ふことになつたんだ。僕は原稿を書いた經驗はあるけれど、雜誌の經驗はないから。

齋藤　それだからほてい屋が、梅原君の處に行つたと聞いて安心したんだね。

梅原　ほてい屋の暖簾を分けて貰つて……

酒井　はゝアほてい屋の暖簾を貰つたのか――

梅原　さうです。それで樋田君と最初の取引をやつたのは「風俗畫報」で二百冊ばかり買つたが、樋田君に君の手で探してくれないかと、云ふと探しませう。と云つて、二回三回と持つて來てくれた。それが樋田君と僕との關係の最初なんだ。それで最初から意氣が投合した譯なんだ

坂本　惜しい事だつた。

伊藤　出版はどこで覺えたんだろ

梅原　早稲田で覺えたんだ、そこで濡衣を着せられたので、今まで彼は童貞を守つてゐた。

尾高　堅い男もあるものだ。

伊藤　梅原の子分がそんなに氣の小さいのが面白いね。

尾高　樋田君が仕事に熱心なことは、我々がお七祭りをやつた時に、先生は新調の洋服を糊だらけにして、電信柱に貼付るとお巡りに怒られるのをお巡りが通過ると、實に要領よくピタリと貼る。徹頭徹尾糊を貼るんだ。お七祭りをやつた所で、どうと云ふ事は無いんだが、先天的に仕事が好きなんだ。樋田君の、あの仕事の熱心さには少からず敬服したよ。

齋藤　樋田君が僕に寄越した手紙があるんだ、坂本君の妹を貰ふ事に付てね……今それを讀みます、「僕は來月にな

つてから、先達てお話のあつた坂本君の令嬢やす子さんと是非結婚致したいのです。宜しく、御當人の御意思お聞き下さい。具體的になりましたら僕の身分證明をお送りします。右お願ひまで、悪筆失禮、御拜眉の節萬々、

樋田、齋藤様机下　六月九日」

伊藤　さう云ふ事があつたのか……

梅原　僕は何遍頼まれたか知れない。その度に早く病氣を直せ。それから坂本君の方に話すからと云つてたんだ。家だつて今の家は汚いからとても見せられない。家も變るんだと始終言つてた。

伊藤　それはまつたく可愛想だつたね。それではじめてさう云ふことをやつて、早速やられるし……

齋藤　僕なんか手紙を貰つても、一遍も返事なんか出さなかつた……

上森　僕は何だかまだ樋田が死んだと思はれない。玆に來るやうな氣がしてならないんだ。僕は親爺やおふくろが死んだつて涙なんか出ないよ、だけど樋田に死なれた時は實際悲しくなつた。

梅原　ほんとだ、處で今度は誰の番かな……（笑ふ）

伊藤　齢の順で云へば齋藤さんなんだが、どうも是ばかりは分らない。

梅原　彼は又一面に非常に音樂の天才だよ。……

上森　あゝさうだ、ハーモニカが……

梅原　彼のお父さん曰くさ、「鳴物が好きで、尺八でも竹を切つてきて自分で穴を明けて尺八を拵へて吹いた。」それ位好きだから、上手なんだ。マンドリンも巧かつた。

上森　歌はうたはなかつたやうだね、默つて酒を飲むばかり……

坂本　歌だつて歌つたよ。

酒井　何でも歌つたよ、都々逸なんか……

上森　實際どうもあの時に、もう二十分早く會つてゐたらなア――

梅原　處で戒名の終りが信士になつてゐるから、居士につけてくれろと頑張つた。で和尚さん、餘程考へちやつてやつとあの（戒名を指示して）覺堂法悦居士に直さした。

伊藤　ほんとは何とか院、何々居士――

梅原　さうなんだが、院はなか〱付けられない。

澤田夫人　家のお寺では、院を付けると三十圓……

小座間　馬鹿にしてるな。
梅原　さうなんださうです、金を取つて院を付ける……處があの坊主は違ふ、先祖がさうなつてゐるから、院はつけられない。先祖が何々院となつてゐないからと云つて居士だけ付けたんだ、さ、線香が絶えないやうに、皆な代る〴〵燒香をするんだ。（終り）

樋田悅之助君を憶ふ

井東　憲

文藝市場社で、追悼號を出すのはこれで二回目である。前の澤田撫松氏は、いのちも書くものも充實しはじめたところで逝かれた。この樋田君は、未だ二十七、八といふ若い身空で、華々しい出版業や、美しい花嫁さんの姿を、夢に抱きながら突然亡くなられた。

市場社の梅原君は、よき執筆家と、片腕ともいふ可き事務家を、つゞいて亡くしたのである。

こん度は、俺かな、なぞ思ひながら、頗る悲痛な氣持になりながら、これを書く。

○

何でも、大正十四年の春だつたと思ふが、ある日のこと第一期文藝市場社のあつた通寺町を訪ねると、玄關の二疊に机をすへて、熱心に發送紙か何かを書いてゐる、一人の眼鏡をかけ、片つ方の頰が少しふくれた善良さうな青年を見つけた。その青年は、いつ行つても、私に、非常にいんぎんだつた。そして、默々と仕事をつゞけてゐた。それが樋田悅之君だつた。

そのうちに、文藝市場社から、十二史が出る事となると樋田君は專一にその方面の事務を取扱ふやうになつた。

私は、十二史のうち、二著をうけ持つ事となつたので、樋田君は、原稿のことや校正のことや描繪のことや等々で毎日のやうに駒澤の山の上の私の家へやつて來た。それは十四年の五月頃から、今年の正月へかけてであつた。

はじめのうちは、市場の用事ばかりだつたが、終ひには私用も大分加はつた。それは、私が、樋田君の身邊問題につき、物質的なことである事を引受けたからである。

樋田君は、少しつき合ふと、なかなか人なつこい人で、世の中の苦勞も相當味つて來たらしく、人間がよくねれてゐた。

樋田君は、私とだんだん親しくなると、かの片頰のふくれたわけ（何でも小供の頃石で打つたといつたと思ふ。君の御父樣は、石屋さんだつた。）――やその點は餘程下になつてゐたらしい。然し、私から見れば、そのことあるが故に却つて、君の顏に愛嬌の影をなげてゐたやうに思ふ。――自分の身の上話や、未來の樋田君の理想は出版屋だつたをぽつりぽつりと語つた。

君は、苦學して明治藥學校を出で、藥劑師になつたのであるが、もつて生れた趣味は、寧ろ出版屋にあつたので、それを目的として新本屋になつたり、古本屋になつたり、出版屋の番頭になつたりした。

樋田君が、梅原君に見出されたのは、君が神樂坂で古本屋をやつてる時であつた。

樋田君は、梅原君のやうな氣前のいゝ、人物に使はれてゐるのを、よろこんでゐた。

○

人間としての樋田君は、非常に善良で、少しクラシック過ぎると思はれる程義理堅く、又、並すぐれて親思ひ、妹思ひだつた。

私は、よく樋田君と飮んだ。

樋田君は、割合酒量が强く、醉ひが廻つて來ると、三つ四つ小聲で唄なぞ唄つた。が、その唄の途中でも、急に思ひ出したやうに、父母のはなしや妹たちの話や梅原君の仕事の話をはじめた。

この三つが、君が死ぬまで氣にかけてゐた問題であらう。

○

君を知つてゐる限りの人々は、いかに君が熱心忠實な働き手であつたかを知つてゐるだらう。

君は、市場社の仕事のために心身をうちこんで、それこそ眼の色を變えてふん闘してゐた。

私は、君がやつて來ると、待ちかまへてゐたやうに酒をすゝめたが、仕事中はなかなか飮まなかつたし、又たとへ飮んでも、それがために仕事をずるけるやうな事はしなかつた。

私は、餘り君が、身體をつかひ過ぎるやうなので、

「樋田君、そんなに働いちや毒だよ。」

と、よく注意した。けれ共、彼はたゞ笑つて、

「はあ、しかし、私はこれでも大變丈夫なんですよ。」

と、答へるだけだつた。

事實、樋田君は、健康だつたらしい。

その樋田君が、四日かそこら寢ただけで亡くなられて了つたのだ。

私は、君の訃報を梅原君から受取つた時、悲しみを通り越してたゞ驚いて了つた。

まつたく、人のいのちほどあてにならないものはない。

――あの健康で、善良な樋田君が死んで了つたのだ――

○

私は、駒澤を引越して了つてからは、樋田君と餘り會ふ機會がなくなつて了つた。

しかし、手紙ではよく話をした。

私が、君と最後に會つたのは、帝國ホテルで心座を觀た時だつた。五月の幾日だつたかな。

その時、私たちは、村山君のスカートをはいたネロの幕合ひに、あのうす暗い座席の入口の柱のかげで、三四分はなした。

その時、私が、

「しばらくぶりで飲まうね。」

といつたら、
君も、

「さうですね、ぜしゝゝゝ」

といつて、親しみ深く微笑した。

――あの樋田君も亡くなつて了つた。

私は何ともいへなく淋しい。

そのせいか、どこか坂のある町を歩いてゐると、洋服を着、ふろしきをかゝへ、小供のやうに手をふり少し前こゞ身になつて汗をふきふき降りて來る樋田君に會ひさうな氣がしてしようがない。

「樋田さんは、近いうちにお嫁さんをもらふんだつて、よろこんでましたよ。」

なぞと、市場の人から聞かされると、本當に私は堪らない氣分になる。

一九二七、七月五日

茶目一夕話

（出席者）

齋藤昌三　伊藤竹酔　石角春洋　坂本　篤　尾高三郎
小座間茂　上森健一郎　大柴頼雄　澤田撫松氏夫人
酒井　潔　梅原北明

齋藤　處でユーモアと云ふ雑誌は出てゐるのか？

梅原　ユーモアと云ふ雑誌はもう休刊になつてる。經營者が勝手な眞似をしたとか云ふんでね――ユーモアを僕の方で引受けてくれないか、と云ふんだけれど、僕の方は「文藝市場」で今の處忙しいんだから、もう少し待てと言つて居る。ユーモリストも、どうも巧く行かないので、所謂とう／＼三號雑誌になつて、休刊した。ユーモリストを氣取つてゐたんだが……

齋藤　ユーモリストになつていない。

梅原　處で、此處にゐるこの尾高は、新聞記者であるが彼は實に茶目、無意識的に茶目なんだ。それで一遍彼を知つた者は、男も女も、彼を憎めない。彼の人生はなかなか面白い、前は結婚生活をしてゐたけれども、今は別れて獨りでゐる。別れてから彼是二年になる。その細君と別れるまでの道程が面白いんだ。彼に言はせると、最初は下宿屋で一緒になつたんださうだが隣りにゐた職業婦人なんださうで……その女と一緒になつた當時は、名前を呼ぶのに波多野さんなら「波多野さん」と云ふ工合に呼んだ。だん／＼近しくなつて來ると、次には秋子さんと、名前だけになつた。それから今度は「秋子」のさんを取つてしまつた。「秋子」の次が「オイ」になつて、おいから「こら」になつた。こらの次が「畜生」それから「馬鹿野郎」になつて別れてしまつた。この男の生活と云ふものが、その間に如何なる生活徑路を辿つて來たかと云ふことは、細君の名前を呼ぶことの變化に依つて彼等の生活を窺ふことが出來る。是が俺の無二の親友なんです。

小座間　その點で共鳴してゐるんだらう。

梅原　さうしてこの男は非常に巧い流行語を作る。最初は「よろしくたのむ」と云ふので、そのアクセントが又面白い。この宜しく賴むは銀座界隈で一時非常に流行つた何を！と云ふ言葉……何かと云ふと、何を何を――と二遍つゞけて云ふ。家の子供なんかまでも、口癖になつてぢきに、何を〳〵とやる。それが暫くたつと、ちやんと銀座で流行つてゐるんだ。それから「勘辨してくれ」。「勘辨してくれ」と云ふのは銀座邊りで言ひはじめて、彼は「勘辨しておくれ」そのしておくれ、を略して「しとくれ」なんだ。それから「惡かつたね」是等のアクセントが實に獨特で面白い……まつたくこの男は憎めない人間だ。茶目の標本みたいな……

伊藤　その手で女を茶目してしまふだらう。

梅原　伊藤君は駄洒落の名人――。どうだらう、順々に茶目の失敗談をやつたら……

石角　面白い、貧乏の中にも茶目は澤山あらう……

（大柴氏來席）

上森　酒井、印度の女にふられて、生涯獨身で暮す話でもやらないか

小座間　澤田君の奥さんに申上げなければならないことがあるんです。この梅原がよく大久保の澤田さんの處に、どうしても行かなければならないと云つて、どんな用事があつても出かけて行くんです、或時なんか僕が梅原の處へ行くと、これから澤田さんの家へ行くんだから自動車を呼ばう、つてから本當に行くのかと思つたんだ。で二人で自動車に乘つて行くと、僕は日暮里だから、池ノ端の處で僕を降して、梅原は澤田氏の處へ行つたんだと思つてゐた。すると澤田氏の處から電話がかゝつて來たと云ふんで、澤田氏の處に行つてゐないことが分つた。あすこまで自動車で行つて、どこへ行くんだらうと、不思議に思つたね。それからさう云ふことが再々あるんだこんなこともあつた。此處に綺麗な額があつたんだ。その額を、是は澤田さんの處へ持つて行くんだと云ふから……

上森　うまいぞ〳〵

小座間　僕は澤田氏の處に持つて行くのは宜いだらう。綺

麗な額だから、見るだけでも宜いつて言つたんだ。でその額を梅原君は大切さうに抱えて池ノ端に行つちやつたきり、三日も歸らない。澤田氏の處に三日も泊る筈はない。よく調べてみたら變な……澤田氏の處へ行くんだ〳〵つて言つてたのが、みんな池ノ端の變な處に行つてたんだ（笑ふ）

伊藤　僕は見た。池ノ端でその顏を確に見た。（笑ふ）それを證明する……

尾高　「宜しく賴む」……

伊藤　だから澤田君の死目に……

一同　哄笑（梅原周章てゝ打ち消し乍ら次の話に移る）

梅原　斯う云ふことがある。僕が新聞社にゐた時分のこと同じ仲間に下田文夫と云ふ男がゐたんだ、自ら男爵と名乘つてゐた男なんだ。その時分、英國の何とか偉い人が來た、それで明日の朝七時に橫濱に艦が着くと云ふのでその記事を取るやうに言付かつたんだが、一人では心細いから下田を賴んで一緒に行つて貰ふことにした。彼は僕よりもまだ丈が低い。默つてゐるけれども實に滑稽な男なんだ。よし我輩が伴れて行かう、我輩は下田男爵である。それで貴樣のやうな平民と同行するのはあまり面白くない。と斯う云ふ調子なんだ。處で朝の七時に殿下……何とか云つたその偉い人が着くと云ふんだから、どうしても前の晚に橫濱へ行つて泊つてゐなければ、遲くなると波止場がもう人で一ぱいになつて通れない。で前の晚から出かけやうと云ふので、二人が十五圓づゝ旅費を貰つた。省線に東京驛から乘つて、櫻木町で下りるつもりだつたんだ。すると神奈川の手前の處で下田が、時にどうぢや、と來たんだね。彼は斯うチヨコンとあごひげを生やしてダブ〳〵の燕尾服を着て、シルクハットを被つてゐる。僕はモーニングに山高と云ふ姿なんだ。そのシルクハットを取りながら、時にどうぢや。と斯う來た。一ツ橫濱を止して「戀の神奈川」と行きませうとかう來た。宜いだらう、と云つたんだ、で君はどつか知つてる處があるのかつて云ふと、いゝから默つて伴いて來いと云ふので、兎に角神奈川で下りたんです。さうして何とか云ふ遊廓の入口で飮んだ。好い氣持になつて、シルクハットを變に被つて、さうしてフラフラしながら、兎に角變な處に伴れて行くんだ彼はダブ〳〵な洋服を着て、醉つてゐる恰好はまるで墓のやうだ、その墓のやうな彼は、そこの家に入つてすつかり交渉して登つた。そして又そこで飲んだ、で寢たのは丁度一時過ぎだつたらう。明日の七時までには横濱に行かなければならないんだ。で僕は寢たんだ。三十分ばかり經つた時分に、下田の奴が何か怒鳴つてる聲がする。下田の野郎、まだ座敷に殘つて、女郎が居ないとか何とか云つて頻に怒つてるんだ。何でもほかにお客が來たので、女がそつちに行つたとか云ふんだが、下田の奴、怒つちまつて、僕は歸る君はまア宜しく寢てたまへ。僕は不愉快だから歸る。兎に角華族の來る處ぢやない。つてブン〳〵怒鳴るんだ。で僕だつて、君が行くなら俺一人ゐても仕様がないから一緒に歸らうと思つたんだが、何しろもう二時なんだ。今からどこへ行くにしても、もう皆寢てるからと思つてそれぢや俺と一緒に寢やう、と云つても、我輩は平民の家には寢ないとへゞレケになつて、梯子段に腰掛けぢやつたんだ。さうしたら商賣ののれんに傷を付けたと云つて怒つた。

伊藤　ウン梯子段に腰かけたら怒る。

梅原　男達はもう寢ちまつたんで、おばさんが怒つたするとだ、下田の言ふのに、俺(わし)は酒は飲んだ。併し寢ないから金を返して貰はうぢやないか、と來た。「君、男爵ともあらう者が、燕尾服を着て、シルクハットを被つて、牛太郎なんかを相手に、俺は寢ないのに金を返さないとは何事だ」と云ふと、「恥を中外にさらしても宜い。我輩は金を受取らなければ斷じて歸らない。」と威張るんだから僕は困つちやつた。「止せや、こんな處でくだをまいても仕方がない」つて外へ引張り出した。そして番頭がついて交番に行つたんだ。夜中の三時頃だのに、彌次馬が一ぱいついて來て、いろんな事を云つて怒鳴る、僕は怖くなつて來た。下田はまだ、兎に角まだ寢ないのにも拘らず金を返さない。是は常識で判斷しても返して貰はなければならぬ。と云つて威張つてるんだ。すると、あなたは誰ですか、つて巡査が聞きながら、彼の頭のてつぺんから足の先までジロ〳〵見るんだ。そりやさうだろ君、冗談にもしろ一人は燕尾服を着てシルクハットを被つてるし、僕はモーニングを着てゐるし、もうその時分は醉もすつかりさめちやつてゐたから、巡査も僕等には多少敬意を表したさ。巡査は下田に、あなたはどちらでゐらつしやると聞いたんだ、さうすると　俺は宮內省の某高官ぢや、と斯う來た（笑ふ）某高官は恐入りますね。ぢや御姓名は？と來ると、俺は根津の方面に堂々たる邸宅を構へる下田文夫と云ふ男爵の倅だ。親爺が死んだら當然男爵を襲名することになつちよるんだ、貴樣は何者だッと怒鳴るんだ。すると巡査が、私は此頃神奈川警察を拜命した、と來た。さうしたら下田がさ、斯う云ふ處で知合になつたのも、何かの緣だから、すぐお前を署長にしてやらう（笑聲）姓名を名乘れ。男爵ともあるべき者に、姓名を名乘しておいて、貴樣は名前も名乘らんとは怪しからぬぞ、とやると、巡査は苦笑ひしながら恐入りました何て言つてた、で巡査も手古摺つてしまつたんだが、そこはやつぱり商賣柄で今度は巡査の方から突込んで來た。今あなたが名乘つた姓名は、遊廓にお登りになつた時の名前と違つてるぢやないか、姓名詐稱…僞名を言つた譯である。さうしてみれば當然あなたは刑事上の、法律上の問題に觸れてるだらう。假令あなたが男爵であらうと、何であらうと、場合に依つたら擧動不審で拘引することが出來る——と斯う云つた。すると彼は、何を云ふ、我輩は苟も……我輩の籍は區役所には無いんだぞ。爵位を有つてゐる人間に對して、拘引出來るものなら、拘引して見ろ。檢事の令狀があつても、宮內省の諒解がなければ我輩に指一本でも指させる譯に行かない——と、その實男爵でも何でもないのに馬鹿に威張つちやつた。巡査もさすがに持てあまして、困つちやつたんだ。で僕は、尙ほもあばれる下田に帽子を被せて、やつとの事でそこを出たんだが、また彌次馬に追かけられるやうで怖くつて仕方がない。足早に步き出す後ろから、下田は悠々として、如何にも偉さうにやつて來るんだ。するとそこに橫丁があつて僕はそこを曲つた。悠々とやつて來た下田が、その橫丁に入るが早いか、シルクハットを握るなり、僕より先きに無茶苦茶に逃げ出したんだ。（笑聲）僕を追越して彼は逃げる、彼も急に怖くなつたんだ。で橫丁を見つけるが早いか三十六計をやつた譯なんだ。おい、下田、待つてくれ、つて譯で僕の方が追かける。二人とも怖くつてたゞ目茶苦茶に逃げたんだ、どこをどう逃げたのか分らない。二人とも醉はすつかりさめてしまつた。時間はもう四時なんだ。何しろちつとも寢てゐないから眠くつてたまらない。どこでも宜いから暫く寢やうぢやないか、つて事になつたんだが、そこが何處であるかさつぱり分らない。仕方がないから神奈川の分署があつたのでそこへ行つて、宿直の巡査を叩き起して、又彼は言つたんだ。俺等は明日横濱に着く殿下を迎へに來てゐる新聞記者なんぢやがどつかに君、二兩位で寢させる處はないかと云つて。宿直の者に交渉してゐる。實際金も無くなつてたんだ。前にすつかり拂つてしまつたんだからね……お巡りもくそッ面白くないやうな顏をして、困つちまつたんだ。彼は男爵と云ふ肩書付の名刺を、ちやんと持つてゐるし、門鑑や何かを見せびらかして、宮內省の下田文夫と云ふ男爵ぢやからな……相變ず威張つてる。で兎に角宿屋と云つても起やしないからどつか紹介しませうとお巡りが澁々案內して、さうして變な處へ來てドン〳〵戸を叩いたが起ない。それがもう四時すぎなんだ。その中に內の方で起たやうなんだが戸に窓があつて、直徑二寸五分位の穴から外を覗いて見ては、どうしても明けてくれない。そこは淫賣屋なんだそんな處に巡査が正服のまゝ、燕尾服にシルクハットの男を伴れて來たんだから、妙に思つてなか〳〵明けてくれやしないさ。巡査がいろ〳〵に交渉してくれるんでしまひには、まさか刑事でもあるまいと思つたか、それでも笑談でせう、とか何とか言つてたが、實は女が一人しかゐないと來たんだ。すると下田の野郎、ジヤンケンで……（笑聲）それも例の藤八拳てやつさ、ハトン〳〵てやるやつを、僕は實は知らないんだ。でまア何でも宜いからお前にまかせる……てんでそこへ上つた。處で野郎女の顏をみたらウンザリしちやつて、お前にやる、お前にやるつて、手を斯うやりながら、小さい聲で云ふんだ何だお前が先約ぢやないか、つて言つたんだが、斷る、斷る、つて言やがつて、女は要らない事にしやうとした

……………………………

だと思つて、フッと僕が目をさましたら六時半なんだ、七時までに波止場へ行かなくちやならないつてんで、二人共おはてゝ、下田はシルクハットを被らないでさ、丁

度齋藤實盛の首を取つて來たやうに、小脇に抱えて波止場に馳付た。處で實を云ふと金がすつかり無くなつちまつてるんだ。さうだらう、女郎屋で取られる。淫賣屋で取られて僕は一文無しになつちやつたんだが、僕はきつと下田はまだ幾らか持つてゐるだらうとは思つても、歸りの汽車賃まで殘つてるかどうか、それは分らないんだ、それで波止場へ來て、それからはまァどうにかお茶を濁して、書いた記事は後納電報で送つてしまつた。さア歸らうとなつたら急に腹が空いて來た。何しろ夕べつから、酒は飲んだが、ほかに何も食つてやしないから、腹がへつてたまらない。丁度波止場の處にロシャ人がパンを賣りに來た。で僕がそのパンを買はうと云ふと、いつもなら、男爵ともある者が……何とか彼とか言ふ所だが、彼も金がない事を意識してゐるから、すぐに共鳴して、その黒パンを噛りながら、波止場の處で原稿を書いてゐた。さてそれで、もう櫻木町から歸らう……と云ふことになつた時にだ、下田がもう少し持つてるかと思つてゐたら、金がまるで無い、俺だつて十何錢しかない。歸りの電車賃だけも無いんだ。困つたね……斯うと知つたら各社からも皆なそれ〴〵來てゐたんだから、借りられたんだが、その時はもう各社の人は歸つちまつて一人もゐない。僕等だけなんだ、實際困つちやつたよ。すると彼の曰くさ、まァ安心して俺に委して置け、薩摩の守をやらうぢやないかと云ふんだ。大丈夫かい？つて僕は心配したんだが、何でも宜いから俺にまかせろ、默つて伴いて來れば宜い——つて言ふ。で櫻木町から横濱まで當時は六錢だつた。二人で十二錢出して切符を買つた。兎に角僕は、どうなるかと思つてハラ〳〵してたんだ、下田は相變らず落付きはらつて心配するな、俺の云ふ通りにして、後に伴いてくれれば間違ひないから……つて云ふから、僕ももう仕方がないから、下田の奴どうするつもりなのかと思つてたんだ。そのうちに品川からとうとう〳〵東京驛に着いた。二人とも下りたんだ。奴どうするのかと思つてると、プラツトホームからポンと線路に飛下ると電車の線路をツ、ツと踏切つた。さうして次のプラツトホームに上ると又その次の線路を踏切つて、先のホームに上つた。私もその後に伴いて行つた。さうして行つた處に驛員が下りる梯子がある。その梯子を奴も僕も悠々と下りた。無論驛員は何人も見てゐたが、二人とも服装が服装だもんだから、きつと殿下の事で、本省の者が横濱に行つて來たんだと、斯う思つたらしい。皆なじろ〳〵見てはゐるが默つてるんだ。その中を二人とも悠々として鐵の梯子を下りた、下りて行つた處が小荷物係りの部屋なんです。小荷物係りの主任が帳面つけをやつてゐる後ろから、彼はボーンと背中を叩いて、や、御苦勞！とか何とか云ふのさ、その男不思議さうな顔をしたが、やつぱりシルクハットを曲りなりにも被つてゐるし、殿下の事で、今歸りなんだと思つたらしい。びつくりした顔して我々を見てるんだ。その中を、ぢやすぐ役所の方へ行きませう——つて、その小荷物係りに、やアとか何とか云つてさ、スーツと表に出て、どうだい、この調子だい——と來たね（一同哄笑）斯う云ふ話があつたんです。下田と云ふ男は其後新聞記者は止めたさうだが、今どこにゐるか……

尾高　大勢新聞……

小座間　大勢新聞の部長で威張つてゐるさうだ。

石角　なか〳〵面白ね。

梅原　面白い。だから僕は小説に書かうと思つた。

齋藤　確になるね。面白いよ。

梅原　兎に角、あんな愉快な話はないよ——。

尾高　小座間と云ふ、此男は鼻が少し上を向いてゐるが非常に智惠がある男である。昨年の暮のことでしたが僕は小座間茂を伴つて暮の銀座を歩いた。ブラ〳〵しながら天賞堂の處まで來たので、一寸天賞堂に入つてみた。さうすると暮の事でね。大變賑はつてゐる。さうして指環を賣る店の前に行つた。そこに二圓八十錢と云ふ指環があつた。金色をして、針位に細いが、兎に角金らしい。でまア彼はその二圓八十錢の指環を買つた。尤もそれは私も買ひました——さうしてどすね。その二圓八十錢の指環のサックと云ふのは紙で出來てゐる。ものにならない。さうすると、二三十圓する、或は五六十圓する指環が置いてある。それには立派なサックが付いて居る。さうすると彼は、そのサックを賣つてくれと云つてどすねそれからサックを五十錢で以て買取つた。五十錢のサックはかなり好いサックだ。彼は五十錢で買つたサックに二圓八十錢の指環を押込んだ。彼にはきつと策戰があつたのだらうと思ふ、が僕はさう云ふことは考へない――それから二人でタクシーに乘つて新宿までやつて來た。僕の家は荻窪にあるし、彼の家は東中野だから新宿へやつて來た譯で……新宿でまア一杯飲まうぢやないか、と云ふので彼と僕は或るカフエーに入つた。そこには新宿の遊廓の近邊の、非常に淫蕩的なカフエーそこに入つたさうすると彼は、非常に僕を持上げる、今の話の下田の傳で僕は或男爵になつたのだから、非常に好い氣持になつた譯なんだ。女給達は本當にそれを信じてゐた。所がそこに、もう斯う云ふ商賣はあきたから、堅氣になりたいと云ふ女給が一人居た。それはなか〳〵一寸工合の良さゝうな女で、顏は十人並だけれど……

梅原　工合が良いとは……

尾高　ものになり易い……それで小座間は目を着けた。併し俺は元より女は嫌ひだから――。さうすると彼は眞面目になつて、この男爵の家で小間使ひを一人探してゐるから、何なら行つてみないか？と云ひ出した。そしてよく考へて置け、僕が迎ひに來るから――とか何とか云つてさ、彼は眞面目で二圓八十錢の指環をはづして、女の指に嵌めてみて、お前にそれをやらう……と斯うまァ非常に大ざつぱに出た。さうすると女は、見てみると金色だから、嘘だわ……と云つてゝ本氣にしない。それを、いや、本當にお前にくれてやる。でこの男爵の家に世話してやらう、僕が伴れて行つてやる……

伊藤　お目見えか……

尾高　さうして五十錢で買つて來たサツクを女に渡したんだが、まアこんな物を嘘だわ、なんて言つて彼女は本氣にしない。貰つては惡いわね、なんて同僚に相談してゐてなか〳〵本當にしないのを、彼はその指環をやつたまま、ぢや何れ伴れに來るから、失敬！つと彼は出てしまつた。話はそれで終つた――。處でだ。あさつてになると彼は迎ひに行つた。男爵家に紹介する爲に……其家は二階屋で斯う疊が敷いてある。彼女が二階から下りて來た彼はものも言はずに靴をぬいで上つて行つた。酒を二三本飲んで、それから早速交渉をつけて了つた。否寧ろ交渉も何もあつたものぢやない、何しろ高價な指環を貰つてたんだから、無條件で彼の言ふことを……一時間ばかりの間に一圓四十錢………………

………………………………………………………………………………

小座間　嘘、嘘だ、

尾高　勘定だ、さうすると、彼は女に「おまへ一寸出しとけ」と云つて女に拂はしちやつた。それだから君、考へてみれば只どころかその上お釣りを取つてるんだ（笑）ひどい事をしやがつた。

小座間　笑談言ふなよ……

梅原　小座間ならやり兼ない。

小座間　尾高のことならあの鳥屋の一件を話すぜ……

尾高　それだけは「勘辨してくれ」──

一同大笑ひ

梅原　この石角君と云ふ男は、今年三十幾つになるまで獨身でゐて、「私は女の子は何とか云ふて駄目ですよ、」なんて言つてゐる。僕も石角君は信じてゐた、と云ふ譯は……何しろ石角君は今は淺草にゐるけれど、前には本郷の下宿屋にゐて、その下宿屋の代が三代も變る間同じ處に居た位の男だから、僕も信用してゐた。信用してゐた處が、或日のこと、石角君のインバネスのポケットの中に、眞白な女の足袋が片つ方入つてゐた。（笑聲）僕は、はからずもそれを發見した。それからどうも變だと思つて、そのまゝ數日經つてしまつた或日、實は私は此間ひどい目に逢ひましたと石角君が言ふから、何ですと斯う聞いたら、それきつり言はないで歸つちやつた。それから一月か二月後に、「僕は一遍失敗をやつたんですよ變な女と知合になつて、上野の公園のベンチ…………するとお巡りにフン捕つて、女は逃げましたがその時足袋を取つて來ましたよ」──と來たね。ハヽンあの時の足袋は、これだな……（拍手・笑聲）兎に角僕は石角君の逸話の一つであらうと思ひます。石角君は此頃『淺草裏譚』と云ふ本を出すんですが、忌憚なく言へば、先生は、兎に角永年着古した布團を着て居ます。それで冬になると、一枚ぢや寒いから、その上にインバネスと蚊帳を着て居ります。そして夏になるとその蚊帳を吊るので、夏冬を通して蚊帳を使ふ譯で……彼の部屋には机……その前がガラス窓で、そのガラス窓を通して見えるのが下駄箱なんです。彼は常に下駄箱の下駄をみながら原稿を書いて居ります。そして雨が降つても風が吹いても、淺草を一回グルッと廻つて來なければ寢られないのださうです。さうして起るのが晝からの三時頃——兎に角親爺が死んだ知らせも、妹が死んだ知らせも電報で知つたのはいつも彼の床の中であつた。さう云ふ變人なんです。それほど、淺草を一日でも廻らないと寢られない程の……彼に最愛の妻があればそれは淺草が妻だと云ふ位、淺草好の彼はかなりエロティックな事を知つてゐる。觀音樣のお堂の下に行くと大變なことがある。……………………………………………………處が澤山あるさうです。さう云ふやうな面白い話を『淺草裏譚』に書くので、あの邊にゐる乞食の事から、いろ〳〵な傳說やら、十二階下……あすこは震災後駄目になつたが、ちよいと引張りに來る處がある——。活動に入つて喫煙室で煙草でも喫んでゐる人を、引張る。現に澤田撫松氏が死ぬ少し前に、石角君と淺草へ行つたのが村松君の雜誌「騷人」に『淺草で逢つた女』と云ふ小說になつた。兎に角淺草の總てを知らうとする時は、石角君に聞けば何から何まで分る……

伊藤　淺草の主だ。

梅原　で我々は、石角君の事を淺草の瓢簞池の主、或時は目玉の大きい所から、淺草の仁王さまの目玉が飛んで來たのぢやないかと言つてゐるんだ。

石角　乞食が公園で火を焚く、そこを通ると、旦那樣ぢやと、僕を刑事と間違へてな……

酒井　目がギヨロ〳〵してゐるから……

小座間　火を焚いちや惡いのかね！

石角　火を焚いちや惡い。それでも乞食なんか、よく焚くんだ、僕が行くと、今すぐ消しますから……いつも刑事と間違へられて……

梅原　兎に角淺草は面白い處なんだ

尾高　人のことばかり言ふけれども、兎に角梅原と云ふ奴は、今でこそ……

梅原　僕は淺草と云ふ處は實に面白い……兎に角淺草と云ふ處は日本中のありとあらゆる種類の犯罪者がゐる所である。日本全國に亘つて、さうした變つて犯人を……淺草の象潟警察の——

石角　ウン留置場に入つてみることだな……

梅原　現に僕は入つた事があるんだ、まだ學生の頃に留置場に入れられる程の事ぢやなかつたが、さう云ふ暗黑面を觀察するのも面白からう——斯う思つて入つてみた。象潟の留置場へ夜、僕が這入つた時、そこには既に三人入つてゐた。一人は博奕で入れられたんださうで、それから一人に、あなたは何ですと聞いたら、俺は搔拂ひだと云つた。もう一人の奴は詐欺、僕は喧嘩の側杖で入つた。さうしたら九時頃に男と女が入つて來た。女の方が僕の部屋に入れられた。宜い細君が入つて來たなと思つてゐると、十時頃猿廻しが入つて來た。初めは猿廻しと云ふことを知らなかつた。變な男が入つて來たなと思つてゐたら、看守がお前は何だ、と聞く。さうしたら私は猿廻しです。と云つたんで分つた。何でも猿廻しをやり乍ら、晝のうぢに見當をつけて置いて空巣を覘つた。それで擧つたんだ、處が夜だから調べがつかぬと云ふのでそのまゝ留置場に入れられた譯なんだが、猿だけは留置場に入れる譯に行かない。で猿だけ刑事部屋に入れといた處が、夜中に泣くんで刑事が寢られない。それだものだから猿を又僕等の仲間へ伴れて來た、猿が入つて來たので、皆でカラカツて、猿の尻を引叩くとキイ〳〵と泣く、恰好が面白くつてカラカツてゐたら看守が怒つた。

猿廻しは、旦那申譯ありません、と云つてるが、兎に角僕は面白くつてしやうがない。そこへ醉つぱらひが入つて來て、僕等の部屋へブチ込まれた。ヘヾレケに醉ぱらつて、『惡い事もしないのに、こんな處にブチ込まれちやつた、畜生、覺えてろッ、警視總監は俺の悴だッ』と斯う云ふことを言つてるんだが、まるで舌が廻らない。代々の大臣は皆な俺が決めるんだ、大命降下する前には俺の處に相談に來ることを貴樣達は知らないだらう、』『馬鹿野郎、西園寺と間違るな、』『西園寺は俺だぞッ』と云つて威張つてゐる。その中に、醉拂ひの男、怖い眼を据えながら僕の處にやつて來て、『小僧、貴樣は何だ』と聞くんだ。そんな時に喧嘩の側杖だなんて云つたらひつぱたかれる。で俺は『わじるしだ』……と斯うやつたんだ。うんさうかつて又ほかの男に手前は何だ？一々聞いてから、最後に女の處に來た。さうして、『オイねぇさん熱燗で一杯つけてくれないか……と來た。女は默つて下向いてるんだ。貴樣は返事をしねぇな、つて言つてたが怖い目で睨みつけてさ『分つた間男だな』……とか何とか言つて一人で大きな聲で怒鳴るもんだから、看守が、馬鹿野郎つと叱りつける、酔拂ひはまだ何の彼の怒鳴つてゐたが、結句疲れてグッタリと寢てしまつた。寢てしまつたのは宜いが、寢相が惡くつてドテン〳〵引くり返るんだ。一枚しかくれない毛布に三人位寢るんだが、その醉拂ひ、引くり返りながら酒臭い息を吹かける、おまけにその晩は雨降りでとても寒いんだけれど、僕は我慢してゐた。そんな事で以てちつとも寢られやしないんだで面白いから猿を踊らしてやつた。キイキイ泣く奴をからかつてると面白くてたまない。そのうちにもう一人の詐欺だと云ふ男が起きて來た。この男はその實殺人未遂でブチ込まれたんださうだ。どうして殺人未遂をやつたのかと云ふと、彼は染物屋の弟子で、永年淺草の染物師の處に雇はれて居つた。その染物屋に娘が居た、一人娘ださうで……その娘に惚れて居つた。娘の方でも惚れて居つた。それで二人はよく人目を忍んでコッソリ逢つてゐた。處がそれを邪魔した弟子が居つた。その爲に二人の間を割かれてしまひ、彼は破門をくつて追出されてしまつた。ですつかり逆上しちやつた彼は、「俺は死ぬ、死ぬ代りに娘も殺す」と云ふので、つまり絞殺した。首をしめた。娘がコロッと行つたのを見ると、彼は夢中で逃出して淺草から飯田橋に來た、飯田橋から新宿までの切符を買つて中央線に乘つちやつた。新宿までの切符をもつたまゝ三の宮まで行き、神戸へ行つた、そこで一遍切符を調べられたが、どう云ふ風にごまかしたか、そのまゝとう〳〵廣島へ着いた、併し娘を殺した時の光景が次第に強く眼に映るので、良心の呵責に堪兼ね、遂に驛で自首した。自分は斯う云ふ譯で、夢我夢中で人を殺したと云つて自首したんだ。それですぐ淺草に護送された譯なんだが、一方娘は死なゝいで息を吹返した。併し初めつから殺す意思であつたことが明瞭なので、殺人未遂罪となつたが、その男なんだ。處がそこに入つてから時々カッとのぼせて、ヤケに頭を搔く。さうかと思ふとカラ〳〵と笑つてみたりするんだ。その男が僕が猿にからかつてゐたら、そばへやつて來て猿の上に乘つて斯うやつた……マスターベーションをする眞似をやつたんです。はじめはなか〳〵やらないのに、僕とその殺人未遂の男と二人でからかつてみせたら、猿の奴やり出した。その様子が可笑しくつてたまらない。そしたら猿廻しの男が寝てゐたのがムク／＼起出して、それを見るとびつくりして馬鹿野郎ッと叱りつける。看守に見つかると大變だつて止めさせやうとするんだ。僕等は看守が見てゐないと思つてやらしたんだが、看守の奴いつの間にかちやんと見て居つた。さうして猿廻しが叱つてゐると、看守が「ほつとけーッ」と言やがつた。（洪笑）それが可笑しくつて／＼（澤田夫人辭去）話はそれで終つた譯なんですそれであしたの朝になつた。夕べあんなに威張りちらかして怒鳴つてゐた醉拂ひの男が、もうすつかり醉がさめて、夕べ西園寺は自分だの尾崎行雄は友達だなんて言つてた奴が、平蜘蛛のやうになつてへーへーつとお辭儀ばかりしてゐるんだ。旦那、俺はどんな惡い事をしたのでせう、夕べは醉つてましたので……どうぞ御勘辨を……とペコペコやるのが可笑しくつてたまらない。看守に、馬鹿野郎、もう言ふことはないから歸れ、と言はれてゐた。醉つてゐたゞけで、何も惡い事をした譯ぢやないんだから――。で彼は歸つて行つたが、暫く經つたら又やつて來て、旦那、夕べ蟇口と下駄はどこにやりましたらう、つて云ふんだ。馬鹿、忘れ物なんぞ無い。と怒鳴られて彼はすご／＼歸つて行つたが、實に滑稽だつた――處で僕は、喧嘩の側杖で入れられたんだから、誰か保證人があるなら出してやる、と云ふんだ。保證人は箕浦勝人だと云つたら、さうか、それなら出してやる……僕はそのまゝ出て來たから、後はどうなつたか分らないが、兎に角猿廻しは面白かつた。

石角　いや面白いものですね、僕留置場には入つて居た事があるが、面白いものですね

上森　兎に角醉ぱらひは得だよ。

此の時上森、六尺有餘の蛇を這ひ廻はらせた。速記者「キャッ」と叫ぶ。それで此の茶目の夕はチョンと幕。

世界珍書解題㈢

佐藤紅霞

エル・クターブ

（戀愛秘事律法）

(L' homme ne sait-il pas que nous l'avons cree d'une goutte de sperme: et it s'erige enveritable adversaire.)

(Koran, chap. xxxvl, v. p. 77)

私が本書を知つたのは、巴里版ヰ・ラメレーズ譯『カーマ・スートラ』の裏表紙の廣告にあつたのを見たのが最初であつた。其れは今から凡そ拾年も前の昔のことで、それにはかういふ文句が書いてあつた。

THEOLOGIE MUSULMANE EL-KTAB DES LOIS SECRETES DE

L' AMOUR
TRADUCTION MISE EN ORDRE ET COMMNTAIRES DU
DR PAUL DE REGLA

Noüvelle édition complètement revuc et considérablement augmentée

Un volume in-16 de 325 pages. Les commentaires de lauteur éclairent du jour gui convient ces moeurs gui nous paraissent étrangeset nous les font voir ce qu'elles sont en réalité, plus conformes que bien d'autres à la nature de l'homme et au développement, à Iexpansion des peuples.

IL n'y a qu'a voir ce gui se passe encore de nos jours, au coeur de l' Afrique, ou la religion de Mahomet se propage d'une facon continue et des plus rapides,

それから二三年たつた或年の秋の末に、入手した獨逸版ベルンハード・ステールン著『土耳古醫藥誌』(Medizin, Aberglaube und Geschlechtsleben in der Türkei) 第二册の卷末廣告 (L'amour et theologie hindoue et musulmane 41 vols.) と題するもの〻中の第一卷に

EL KTAB des Lois secretes de l'amour. D'apres Omer Haleby. Traduction, mise en ordre et commentaires p. Paul de Regla Lex. 8° 288 pag. Paris.

と出て居るのを見たのがその二度目であつた。それ迄は本書の内容がどんなものなのか知らなかつたが、前記『土耳古醫藥誌』の第五章

第六節　Das Vorgehen bei der Geschlechtsfunktion.
第八節　Päderastie und Sodomie.
第九節　Eunuchen un Perversitäten.
第十節　Onanie und küstliche Instrumente.
の諸項目の中に盛んにォーメル●ハルビーの名が擧げられ（勿論其他の章下にもそうではあるが）『ヱル●クターブ』の名も見えて土耳古人の性的生活が云々されて居るので、漸く本書に私の好奇の眼が輝き出した。そこで何とかして是を手に入れたいものだと再參佛蘭西本國へ照會をして見たが、其都度絶版品切の通知に接するのみで殘念だつたが遂に彼の大震災の前年までは是れを手にすることが出來なかつた。
丁度大正十一年の眞夏の或る夕のことであつた。私は巴里の一友人（佛蘭西人）から一個の郵便物を受取つた。未だ案內の書面を受取つて居なかつたことゝて、其中味が何であるかは知らなかつたが、兎も角早速開封して見ると、中からクリーム色のパーチメント、ペーパーに幾重にも包まれた、四六判大の綠色表紙の書物が現はれた　ハテ何の本だらうとそのタイトルを見ると思ひも掛けぬ、それは私が多年渴望して止まなかつた珍書『ヱル●クターブ』だつたとは。私の心は歡喜と愉快さに滿ち〳〵て其夜はマンヂリとも眠らずとう〳〵夜の明けはなれるのも知らずに、其本を熱心に讀みふけつたそして私の期待に背かぬ面白い內容を豐富に持つたものであることを知つた。
以上は私が珍書『ヱル●クターブ』を手に入れるまでのザツトしたお話である。
その珍書も過般の大震災當日不幸にして他の數千册の私の藏書と共に烏有に歸してしまつたことは、返す〴〵も殘念至極である。
そんなわけで現在私は右に述べた『ヱル●クターブ』を所持して居ないから、從つて今度引受けた、此珍書解題も、諸君を充分に滿足させるまでには行かないのである。然し一たん引受けた以上は責任上何とか書かねばならぬので、大膽にも筆を執ることにしたが、元來私は餘り筆が達者でない方なのであるから、或は文中讀みづらひ箇所も多々あることであらうが、そこの處は大目に見て頂きたい。前口上は是位にして置いて、ボツ〳〵本題の解說に入ることにしやう。

本書の題目である『エル・クターブ』はもと『典藉（ル・リーブル）』の意味であつて決して書名を現はしたものではないのであると、校訂者ドクトル・ポール・ド・レグラ氏は言つて居る。

著者は一八六五年頃に生存して居た土耳古スタンブール（現今のコンスタンチノーブル）の敎授オーメル・ハルビルー・アビー・オスマンであつて、其頃同地方にコレラが猖獗した。そしてオーメル・ハルビーは不幸にしてその病の爲に斃れたその病床にあつて看護に餘念なかつた、一人の弟子に與へられたのが、即ちこの『エル・クターブ』と表紙に書かれた一束の大部の草稿であつたのである。——土耳古人はこれを『エル・キターブ』と發音する——我邦の『隨筆』といつたやうなものである。

『エル・クターブ』は

本質篇
歷史篇
魔術篇

の三部から成り、それに評註並に附錄が添加されてある。全篇は十七章に區別せられ、各章もまたそれ〳〵異つた細目に別たれて居る。次に私の記憶に殘つて居る目次と、內容の一部分を紹介いたさう。

第一册

本質篇

第一章

男女兩性の創造

告示＝祈願――男子の本質――兩性具有時代――その分離と受動及他動的本質――女子の創造――アダムとエヴァ――彼等の職任――性交に依る結合復歸――その行爲發生の高妙と神聖――萬物の根元――古代の男根神

第二章

自然の結合

告示＝性交の長所――その本質と目的――その實行と最良の方法――性交後に於ける香料の利用と禮拜――性交を禁止すべき人々――猶太教と加特力教とに對比せる回教經典の教義

第三章

性交の合理的種々相

告示＝處女と薔薇花と太陽――處女と行動の手段――猛烈粗暴なる性交より生ずる心配――不姙症と其療法としての四種の性交法――邪覗と呪詛に基づく不姙症――イスラムの法律に依つて許されたる種々の姿勢

第四章

性交と不正の方法

告示＝邪惡の天使と精靈とその誘惑――有害ならざるも健康上不可なる性交法――精液の曲用――偶像崇拜者並に基督教徒間に行はるゝ一般的及び口唇を以てするオナニー――其れに對する回教

經典の定罪

第　五　章

邪淫の種々相

告示 ＝ 神のなさしむる行爲か否かを疑ふ——男子の宦官との姦淫——その自由に行はれた事實——その法律的禁制——獸類との姦淫——獸姦——醫療として獸類犯姦と法律家——牝騾馬其他の獸を犯して淋病の平癒せし實例——回敎經典の敎義

第　六　章

女子に對する男子の義務

此外にまだ〳〵興味ある問題がギッシリと盛つてあるが今手許に原書がないので此先は残念ながら御紹介出來ぬ。

一寸書洩したが、『エル・クターブ』の各冊の第一頁には必ずコーラン經の章句が抜記してあることで

LIVRE PREMIER
LES PRINCIPES
（OUC'CUL）

((Louange a Dieu, qui a envoye a son serviteur 'le livre ou il n'a point mis de tortuosites.))
(Koran, chap. XVIII.)

と云つたやうに書かれてあり、その各章の書出しも必ず。

「寛仁慈善なる神の御名に依て」

といふ言葉から始まつて居る。これは他の類書、カーマ・スートラ、アナンガ・ランガ、ジヤルダン・バーフユメなどゝ異なつた處の一つの特徴であるのである。

是についてドクトル・ポール・ド・レグラ氏も次の如く云つて居る

Le Khôdja commence tous les chapitres de son livre par cette exclamation qui se trouve également en tête de tous les chapitres du Koran, le chapitre IX excepté.

以上述べた處によつて、諸君は幻ろげながら『エル・クターブ』の概括だけは知ることが出來るだらうと思ふから、次に本文二三を抄出して筆を擱くことにする。

第三章の一節

……………………

1

Dkeur の粗暴なる……………………それに衝突し苦痛を感じ、傷けられ、遂に左方に傾むくことがある。そして時を經るに從つて、それをさゝへる靱帶の一方は短縮し、他の一方は弛緩する。

2

同様な結果から、往々花心が右方に傾くこともある。二つの內の何れの場合にしても、……………………

……………………。恰も風力に依つて倒された墻の如く、彼處此處に傾斜するのである、……………………

……………………。（二）

3

Dkeur ……………………、下部は上へ突き揚げられる。花心の底は前方に定着し、而してその端は膣嚢底に落込むでしまふ。斯の如き狀態にあつては花心はその底部を膀胱に凭り、その頸部を直腸に面せしめるのである。(二)

註一、著者は此の二つの項中に於て花心の彎曲についての原因を述べて居る。

註二、斯くの如き問題並に斯の如き子宮の異常な狀態は完全に我が敎授に依つて詳記されて居る。

世界珍書解題（四）

ラティラハスヤ（性愛秘義）

泉　芳璟

印度民族が社會事象に對し常に徹底的の觀察と獨創的の研究を示せることは驚嘆に値する。彼等は人生の目的を宗教と財物と性愛に存すと宣言し、隨て最も眞摯なる態度を以て性愛の技巧を研究し、これを萬人必讀の法典として編纂した。この種の典籍はその數に於て驚くべき多數に上る。然しながらこれらは皆動機の神聖なるに於てかの所謂軟派文獻の淫書春本と日を同じくして論ずべきものでない。かのカーマスートラはその中の代表的のものとして有名である。

年代に於てカーマスートラより稍後れてコーツコーカのラティラハスヤがある。成立年代に就て明確に斷定することは不可能だが、書中にカーマスートラの作者ヴーツチャーヤナを祖述する所から見てカーマスートラより後に成立したことは明かである。即ち terminus a quo はカーマスートラの編纂年代凡そ西紀二三世紀頃を擬すべきである下つて西紀十三世紀ごろのアルジュナヴルマデーヴとかマルリナートハなどに依つて引用せらつてゐる所から見て十三世紀頃を terminus ad quem とせねばならぬ。兎にかくこの書は印度で非常に廣く行はれたもので各地の方言に飜譯せられコーツコーカ或はコーカの名は雷霆の如く隅から隅に喧傳せられたものである。

内容はカーマスートラを整理統一したものと思へば大差はない。然し幾多カーマスートラに出てゐない新しい項目がこの中に發見せられる。先づ卷頭に書かれてゐる婦女の分類の如き、最後の章に見える避姙に關する方法の如きは更にカーマスートラの闕らぬものである。

全編を十五章に分ち、各章は若干の詩で出來て居る詩の形式を取つたのは蓋し記憶に便したものであらう。シュミットの印度の性に關する研究（Beiträge zur indischen Eerotik Berlin, 1910）に載せてゐる解題には全編十章としてある。然し予の手許にある出版本は明かに十五章に分つてある。シュミットはまだ出版本のことは知らぬやうである。寫本には若干の種類もあり、章段の分け方に差違あるものと見える。

第一章種姓篇（詩數二十三）――序言――婦女の四種類、蓮華性、雜色性、螺貝性、象性、――四種類の婦女に對對する性交の日時とその樣態――婦女を御する咒文藥物

第二章快感篇（詩數十七）――婦女のオルガズムスを催起すべき方法――一定の日時――身體の部位

第三章○○種類篇（詩數三十七）――生殖器の大小による分類――兎族、牡牛族、牡馬族、牝鳴族、牝馬族、牝象族、時の長短勢の强弱等、四等○○、向下○○、向上○○、超向下○○、超向上○○、各族の特質等第四章總説論（詩數二十九）――年齡による婦女の分類、幼齡、壯齡、熟齡、老齡――强質弱質――各齡の婦女に對する態度――粘液質、風質、熱質、――天族、人族、藥叉族、乾闥婆族、畢舍遮族、鴉族等――婦女の破滅の原因――オルガズムスの標幟――快感の時機

第五章方處智識篇（詩數二十六）――快感（これは前章の續き）――中部地方――アビーラ地方等多くの地方の習俗に就て記述す

第六章抱擁篇（詩數十二）――接觸抱擁――貫通抱擁――壓迫抱擁――纏蔓抱擁――攀樹抱擁――乳水抱擁――雙腿抱擁――陰處抱擁――額部抱擁

第七章接吻篇（詩數九）――顫動接吻――打衝接吻――屈曲接吻――離間接吻――無咬接吻――上唇

接吻――膣内接吻――驚覺接吻――影像接吻――移動接吻
第八章爪搔篇（詩數六）――爪の性質――觸傷――半月輪――滿月輪――孔雀の足痕――兎の跳躍――
――蓮瓣
第九章齒咬篇（詩數四）――祕密――腫脹――珊瑚珠――粒滴――珠玉――粒滴鬘――斷雲――野猪咬
第十章〇〇篇（詩數六十六）――〇〇準備――ヨーニの樣態――正交――傍交――坐交――立交――
背交――村邑態――都城態――開敷華式――呻吟式――帝釋妃式――壓迫態――覆蔽式――牝馬態
――佝僂式――胸裂態――半身壓迫式――伸展式――破竹式――集鎗式――甲蟹式――鞦韆式――蓮
座式――半蓮座式――蛇索式――拘束式――龜式――側臥〇〇――包函式――轉反式――雙脚式――
磨碎式――猿猴式――特殊〇〇――膝脣式――神力態――二面式――懸垂式――俯伏式――牝牛式
象式――並接、隣接、並殺――快感――不快感――擬男〇〇――回轉式――〇〇態――打擊
第十一章少女親近篇（詩數二十二）――如何なる少女が適當なりや――少女との〇〇に關する注意
第十二章妻女篇（詩數十二）妻の義務
第十三章他妻篇（詩數百〇四）――戀着――他妻にして得べきもの――得難きもの――方法――婦女
にとりて得らるべき男子――努力なくして得らるべき婦女――情事――〇〇をなすべがらざる場合
――使者等
第十四章勢力增大篇（詩數五十三）――婦女の快感增進法
第十五章總說技術篇（詩數百二十九）――刺激法――避姙法――〇〇增大法――ヨーニの缺點除去法
――緊縮法――擴大法――毛髮除去法――孕胎法――安產法――ヨーニの苦痛と惡臭の除去法――體
臭除去法等

予の手許にある出版本は一九一〇年にベナレスのターラ印刷所に於てデーヴィーダッタパラージュリーがカーンチーナートハの註釋と共に刊行し、詩語冒頭索引一〇頁、要項索引二頁、目次五頁、梵語本文二百二十八頁より成る四六版型のものである。

こんな月並な愚痴なんかこぼしたくはありませんが、矢張り暑い時には「暑いなア！」と云つて見なきア氣が濟みませんや。暑い／＼と、愚痴を洩らしてゐる間に、涼しい秋が來ますよ。だから此れも「銷夏法」の一つと見て差支へありますまひ。

酒井　潔

所で諸君は如何です？御見舞申上げます。こんな暑い時には、原稿の材料を抱へてせめて、十日ばかり何處か涼しい所へ逃げて行きたい。誰れか海か山に別莊でも持つてゐる人で、物好きに吾々を十日ばかり開放して呉れる特志家がないか知ら……あつたら、それこそ救ひの神樣だ。

佐藤紅霞

至つて虫のいゝ願ひです。

一九二七年七月下旬

梅原北明

大正14年11月27日第三種郵便物認可
昭和2年7月27日印刷納本
昭和2年8月1日發行

編輯人　東京市牛込區赤城元町三四　梅原北明
發行兼印刷人　東京市牛込區赤城元町三四　梅原貞康
印刷所　東京市神田區旭町二三番地　正文舍印刷所　電話神田〇八八三、二六二六

每號定價五拾錢のこと。
（直接購讀者は三ヶ月郵税共壹圓五拾六錢納入に限る）

東京市牛込區赤城元町三四
（發行所）　文藝市場社
振替東京六四一〇四番
電話牛込三九〇六番

東京市神田區神保町一〇
（發賣所）　溫古書屋坂本書店
振替東京四七五三五
電話神田二六八七

直接購讀は凡て牛込の發行所の方へ申込み下さい

大正十四年十一月二十七日第三種郵便物認可
昭和二年七月廿七日 印刷納本 第三巻 第八號
昭和二年八月一日發行（毎月一回一日發行）

神秘をあばく

新聞紙法による雑誌発禁の経路

神秘をあばくと云ふ事は吾れ人ともに衰に力こぶの這入るものであります
其処で私達も御多分に洩れず大骨折って一つの神秘を諸君の眼前へ引き出して見ませう
雑誌が禁止を食ふ迄はお位の手数と時間と経費とがかゝるか御存じですか？
電報料だって大抵なものではありません
先づとに角雑誌が出来ると
内務省二冊、警視庁一冊、区地方裁判所二冊、東京逓信局二冊、差立局二冊、所轄署高等出版係一冊、都合十一冊を納本します
それからの経路が所謂神秘で普通の人には解らぬ事實であります
とっくり下図によって如何にお役所仕事が綿密で面倒臭いか御らん下さい
待手たかゞ本省の検閲係の人を御紹介します

（普通出版物）
（大）千葉氏（性に関するもの）
（小）千葉氏（小説）
磯部氏（社会主義）
内山氏（同人雑誌）
久保氏（外国新聞雑誌）

区地方裁判所検事局
（通報）
各地方書店現品押収
各地方警察署
各府県警察部
各地方郵便局
東京逓信局
市内中央郵便局
市内各署
市内書店現品押収
所轄署（印刷所）
紙型押収！
警視庁特別高等検閲課
電報発送人
日本庁内倉庫入
高橋古参と其一党
橋シネマの宇
芥川検閲の宇
特高課長
官房主事
總カン

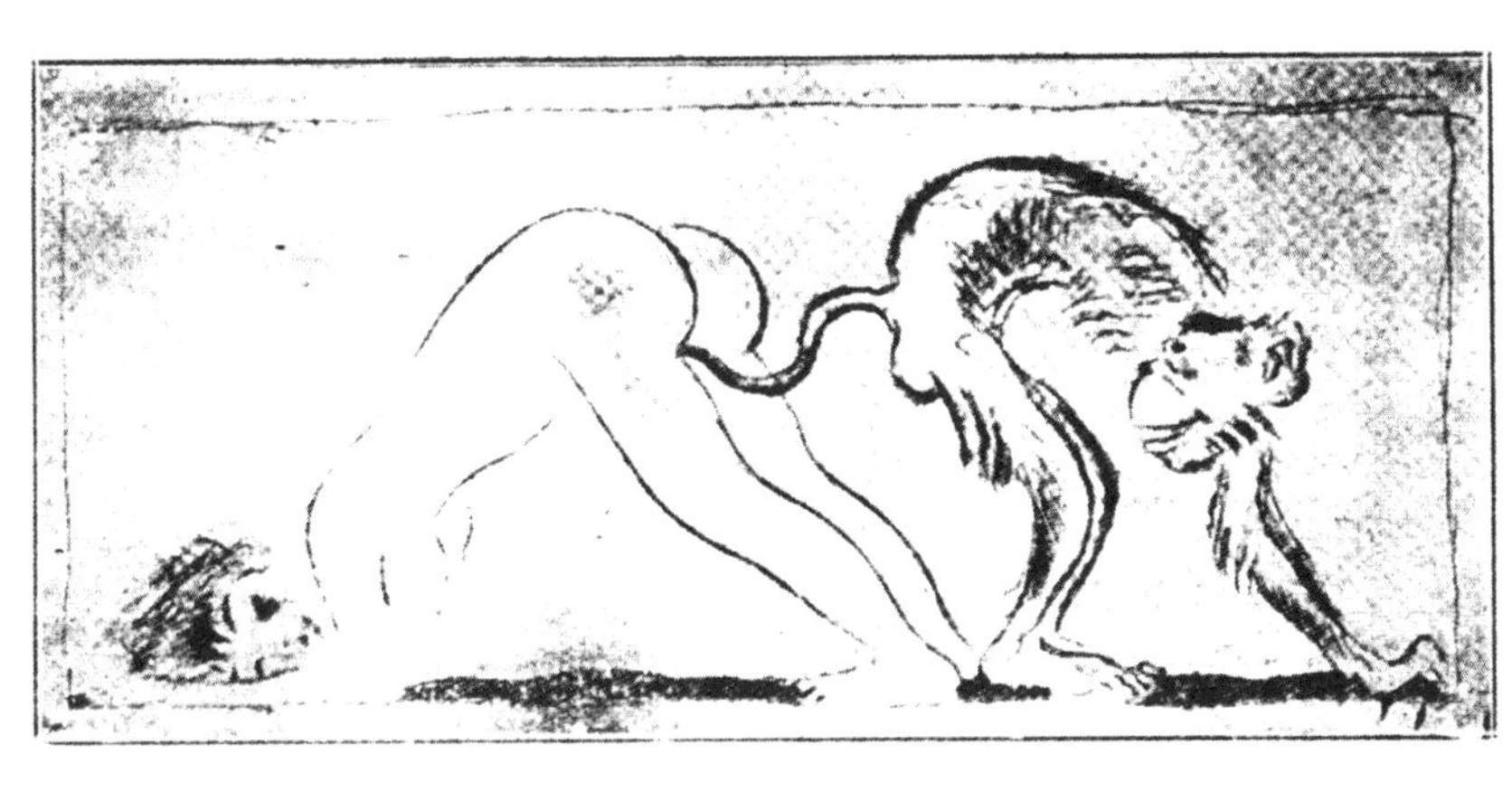

八月號正誤表

（五十頁下段十四行目）
お末の不在中一室の中へ引き入れ强姦同樣（一說には枕もとに今度兇行の用に供したる白刄を突き立て云ふ事を聞かずば刺し殺すとて威嚇しつけ思ひを遂げたるなりと云へ

（百五十頁下段六行目—七行目）
であれをやつてた

（百五十一頁上段八行目）
五錢出すとマスターベーションをやつてくれる。さう云ふ

（百六十一頁十行目。即ち「第三章の一節」と「1」の中間に位する箇所の目次）
猛烈粗暴なる性交より生ずる心配

（同十二行目上「粗末なる」の次）
挿入壓迫に會して、花心は
同十五行「何れの場合にしても」の次）花心は垂直を失ひ膣口に對し（次の行の上へ移りて）てその頸頭をそむける。

（同十三行下段「するのである」の次）從つて Dkeur を膣内深く（十四行上段へ移り）侵入しても頸口はマトモに會せず、子種となるべき精液を注入することは出來ないのである（一）

「同頁最後の行「Dkeur」の次）餘りに長大なる時は、花心の前は後へ

（百六十二頁五行目より以下同頁終りまで）
第二章の一節
その實行と最良の方法

慈善なる神の御名に依つて！

世の男子達に予は告げる！性交を爲すに最も適當なる時は、夜る晩餐を了へて、その消化が終りたる後を良とする。汝等が是れを實行する際に、汝の身體を洗滌し、女を己の側に引きつけ、彼女を喜悦せしめる戯談をなし、相手をして汝の相伴者たらしむるやう心掛けるのである。汝、彼女を愛撫せば、彼女も亦汝を愛撫するであらう。然して汝は彼女の頬、唇胸、項等に接吻を與へ又其手指を以て彼女の髪の毛を弄ぶ可きである。若し其性質が冷淡であつて、その性感が汝のそれと同一である場合には、汝のその手指を彼女の舌の上に置き、專心に、輕忽に或は強く摩擦し興奮せしめるやうにする但し自慰の程度までに達しないやうに心掛ける可きである。それは律法に依つて罰せられるからである。

斯くして準備がとゝのつたらば女はその慾望の爲に濕潤する、その時を計つて汝はその上に乘るのである。彼女が汝を受け際に嘆息を洩し低い叫をあげたならば、生殖器から漏す粘液の力を借りて、彼女の中に送り込むやうにする、顔と顔、腹と腹、を合せ粗暴ならざるやうに、強くやはく／＼と、侵入せしめ緩かに躰を動搖せしめるのである。此際惡魔を追出す爲め兩人で、神の御名に依つて！と唱へる。最後の拘攣の時、即ち射精の刻に達すると、女はヂット躰を動かさず、丁度エクスタシーに入つた如くなるものである。此時汝は殘りの神聖なる眞言を唱へるのである！寛仁慈善なる！と、このきゝめは頗る灼然たるもので、汝の產まんとする子は惡魔の手からまぬかれるのである。

終りにシュミットはアナンガランガの英譯を引用し、その中にこのラテイラハストゥの來歷が書いてある。それを左に引用することしよう。

(百六十四頁第四行目より以下終りまでの全文)

『嘗て一人の婦人があつた。性慾の衝動を何人によつても滿足し得られないために着たる衣服を脱ぎ捨て、裸體となり、自分を滿足させて吳れる男子に出會するまでは裸體のまゝで天下を横行しようと宣言した。かくて彼女は王の謁見室へ誰れ憚ることなく闖入して來た。其處に聖者コーカ大仙も居合はせたのであつた。廷臣たちは驚いて周章てふためき、そんな見苦しい風をして羞かしいとは思はないのかと尋ねると婦人は傲然としてこの室の中に一人として男子といふ値打のあるものは無いではありませんかと空嘯いた。王を始めとして廷臣一同はこれに對して返す言葉もなく只默然として恥ぢ入るより仕方がなかつた。其の時大仙コーカは掌を合せて王に奏し、この淫蕩飽くなき婦女を御せんことを許されたしと申し出でた。王の聽許の下に大仙は婦人を家に伴ひ歸り、法の如く充分に御したので婦人は最高滿足の快感のために失神するに至つた。此に大仙はその婦人の腕と足とに黄金の針を貫き、復び王の宮廷に出でゝその婦人に敗北の告白をなさしめ、其の場で衣服を着けさせた。王はこの時大仙にその見事な勝利を贏ち得た方法を説かんことを乞ひ、これに對して聖者は性愛の秘義を説き、性交に關する幾多の有利なる智識を傳へた。普通民間に傳へらるゝ繪畫にては聖者コーカは王の前に講説をなし居り、王は玉座に坐し、傘蓋が翳されて居る。後宮の婇女も侍つて講説を傾聽して居る』バーネルの梵英目錄には八種の寫本を擧げ、その中二種はテルグの文字で書けることを述べ、その中にタンジョール王宮の中には嘗てこの種の書籍の內容を描ける繪畫が非常に澤山あつたが、次第に破壞されて今は殘つてゐないと云つてゐる。

『文藝市場』第3巻第9号　九月十月合本 世界デカメロン号

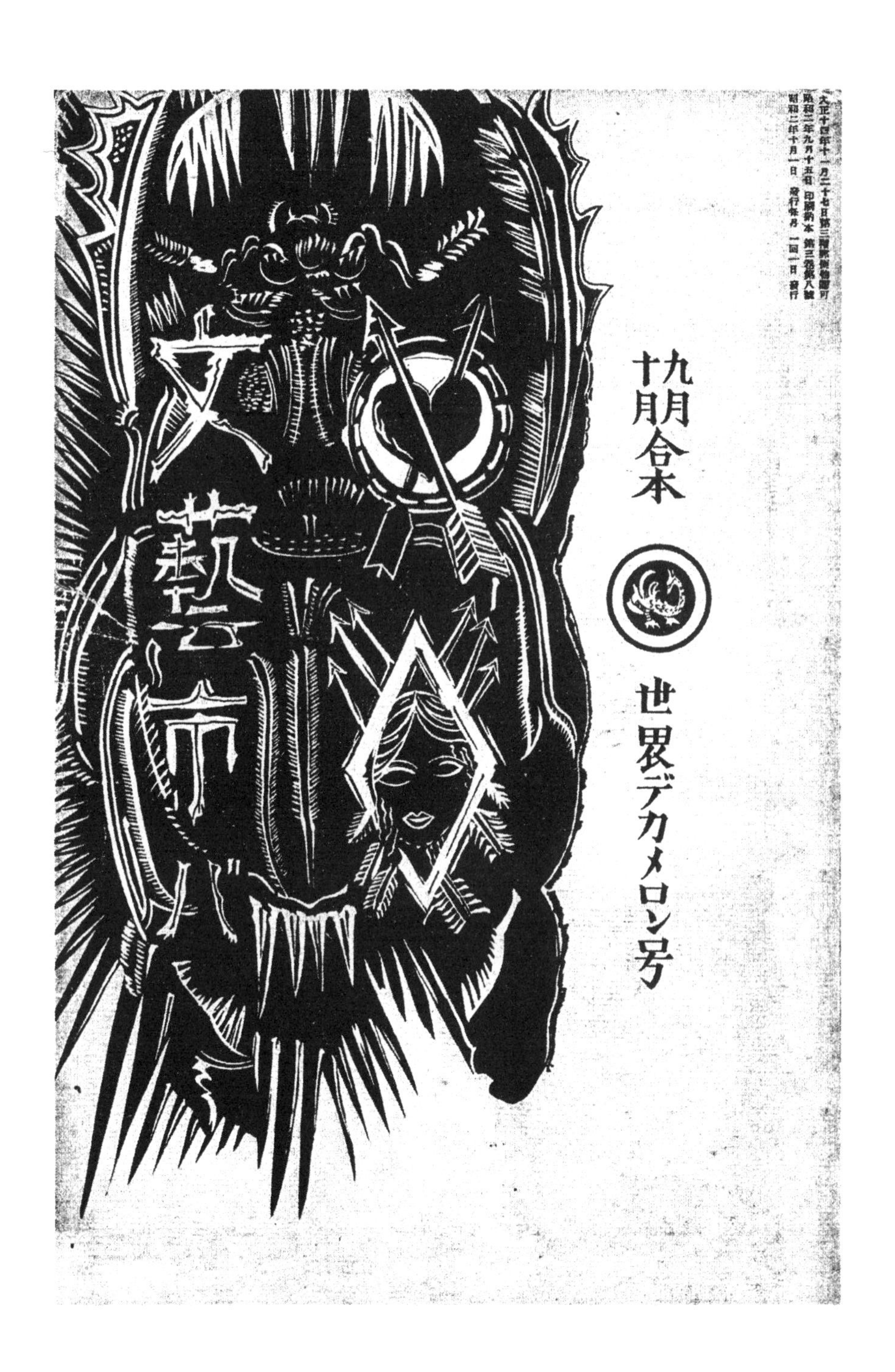
文藝市
九月十月合本
世界デカメロン号
大正十四年十一月二十七日第三種郵便物認可
昭和二年九月十五日 印刷納本 第三卷第八號
昭和二年十月一日 發行每月 一回一日 發行

文藝市場

1927.9

世界でかめろん號

◇

文藝市場（第三卷第九號）

秋季倍大目次

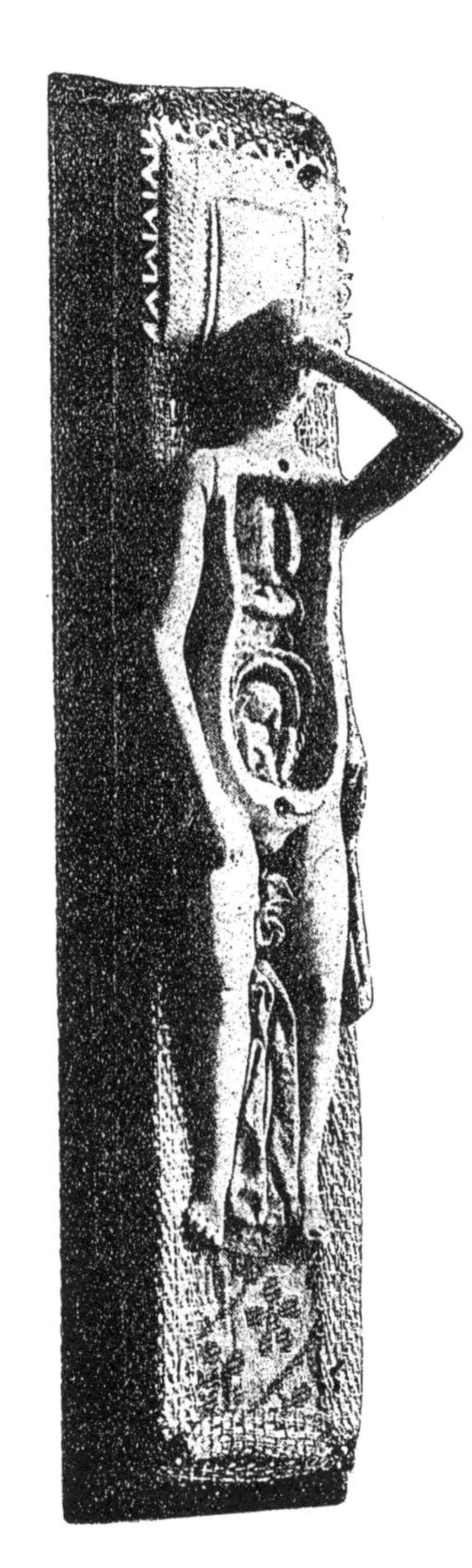

(ロツプス畫)

デカメロンの文献に就いて

ボツカツチヨの「十日物語（デカメロン）」（Decamerore）（伊太利の原語讀みにすればデカメローネと云ひ、デカメロンといふのは英語讀みである）は、いつ讀んでも、その面白さは正に世界隨一である。

このデカメロンを一度でも讀んだことのある人は、今や單に「デカメロン」――と云ふ言葉を聞いたのみで毎時もいゝ氣分に浸ることが出來る。それほど愉快此上もない說話なのである。

で、今度、吾々デカメロン黨が思ひ切つて「世界でかめろん」號と洒落て見たのは、現在世界各國を通じて「デカメロン」ばりの說話が、どのくらゐ殘されてゐるかを一寸しらべて見た譯で、勿論本號に揭載したものがその全部であるとは云はない。又、各國のデカメロンと云つた所で、必ずしもボツカツチヨのデカメロンのやうに、その出發が、恐ろしい傳染病の蔓延より脫れた三名の紳士と七名の淑女とが、一團となつて遠く平和な樂園に走り、毎日そこで一名が一話づゝ戀愛その他に關する喜悲劇及び凡ゆる奇智奇計を弄する樣々な物語を談じて十日間を過ごす――と云つた本式のデカメロンの筋を眞似たものを指すものでもない。その十名が一話づゝ十日間物語る話の內容に近いものを各國の例から拾つて見たもので、デカメロンとは云へ、本號に揭載した各國のデカメロンは必ずしも拾日間の物語を取扱つたものではない。デカメロンの十日百物語に現れる一つ一つの話に似た說話を各國の說話中に見出して、それを本誌の內容としたものにすぎない。

が、それは扨て置きこの機會を幸に本物のデカメロンに就いて、その文献を一寸茲に紹介して見るのもあながち無駄ではあるまい。

デカメロンが近代小説の開祖をなすものであることは誰れしも知つてゐる事實だ。そして又、デカメロンの著者ジョヴアンニ・ボッカッチョこそ、凡ゆる思想文明の向上と自由を阻止して飽くなき專制的暴威を振つたローマ法王の傍若無人に激怒し、その殘酷な壓制に堪えかねて憤然と起ち中世紀の暗黑なヨーロッパ全土を一朝にしてルネッサンスの明るみにサラケ出した一代の藝術と宗教の革命兒である。――と云ふことも周知の事實だ。

中世紀の暗黑な長夜の眠りから「醒めよ、醒めよ」と最初の警鐘を亂打した國は實に伊太利であり、ダンテとペトラルカとボッカッチョとは其の主要な三大人物である。殊にボッカッチョに至りては其の改革的痛罵の鋒先放も鋭く、遂に迷妄に包まれた歐洲全土の暗黑を根本から顚覆せしめるに至つた愛すべき反逆者である。後年彼の意志をついでルーテルの宗教改革となり、又その政治的腐敗暴露は封建制度の廢滅を來たさしめ、アンチ法王權に對する自由思想と相俟つて彼のフランス大革命を齎すに至つた。既にカーライルも「ダンテとボッカッチョは今日のルネッサンスを生み、ルーテルの宗教改革を生み、而してフランス大革命を齎らせり」云々。彼の藝術は有ゆるものに好奇心が投げられ、批評的で物質的で無信仰的で、享樂的な點は到底他の作家に其の追從を許さぬ。トルストイの言を借りるなら「ボッカッチョは世の凡ゆる作家に比して、最も大膽な且つ最も露骨（無遠慮の親しさ）な、肉慾的記錄の讃美者だ」云々に徴しても明かであらう。彼ほど現實の世界を愛し、現實の世界に美を求めた作家は他になかつた。

彼の作品は多方面に亘つて頗る多い。獨り散文に止まらず、詩、唄、神話、傳記等幾多の作品をを數へることが出來る。（これは後章に置いて詳しく述べたい）が、何と云つても彼の存在を全的に知らしめたのは「デカメロン」であらう。ナチユラリズムの驍將エミール・ゾラをして云はしめると「ボツカツチヨの名は其の傑作デカメロンと共に地上の存在せん限り永遠にして不滅である。」――恐らく何人も同感であらう。

今日デカメロンが、フランス文學の影響を受け、而してフランス文學に多大の影響を與へてゐると評者の一般は云ふが、自分も全く同感である。

事實彼は、フランス文學とは最も緣の近い密接な關係をもつた作家なのである。伊太利のチエルタルドで生れた筈の彼が、今日人々の口から巴里生れの伊太利人だと云はれるほど、彼の作品は中世紀に於けるフランス文學の香ひを濃厚に含んでゐる。全く彼は、感受性の鋭敏な少年時代をフランスで過したこと、及び法律を修めた大學時代が巴里であつたこと、殊に中世紀の伊太利文學なるものが殆んどフランス文學の模倣であつたと云ふ點などが、彼をして自然にフランス文學的にして了つたものであらう。

デカメロンに於ても、彼はフランスと云ふものゝ愛着より脫れきれず、作中主要な人物をフランス人より取つてゐる。殊に、その發端とも云ふべき第一日目の第一話はフランスでの物語である。

デカメロンは中世紀の文學中、民衆文學に屬する諷喩詩の系統を代表する作品である。當時人々の尊敬を一身に荷負ふた武士も、彼の眼から見れば、その最高の美德として考へられた武勇が、殘忍極る惡德として排斥され（四日目九話）、殊にカトリック坊主と來た日にはそれ以上凄く槍玉にあげられてゐる。彼等は常に僞善と肉慾の化身であり、その他、尼さんも彼の前にはボロ糞である。或る好色の男が啞者を裝ふて尼寺に住み込み肉に飢えた彼女等を全部手玉にとる話。或は、伊太利で最も散虔な尼寺に於て、尼の一人が獨房に男を伴れ込めるため他の尼達の嫉妬を招き、現場を押へられて、神の前に其の罪を責められた時、聖人に近いと尊敬されてゐる尼の院長が一同を禮拜堂へ集めた。然るに此院長は久しい以前より窃かに男僧を己が部屋にかくまひ朝な夕起居を共にしてゐたが今よほど周章て禮拜堂に出かけたと見え、頭を包むヴェールの代りに愛人の腰衣を頭にかけて、一同の前に現はれたのだつた。然るに計らずも其の腰衣が、今や不義を發見されて、神の前に出された彼女のために痛快にも見つけられ、それ以後尼寺に於ける夜の戀愛が默許され出すに至つたと云ふやうな話でもちきつてゐる。

又、吾等の前に、その諷刺の對象として最も滑稽に感じられるのは、女房にだまされる薄野呂な亭主である而かもデカメロンに現れる斯うした女房の凡てが、一般に美人で、性愛の樂しみに熱心な、そして良人に對する道德心の全く持ち合はさない享樂そのものなる女である。しかも男の要求に對して無抵抗的に其の愛を容れ同時に快樂を享有しやうとする女である。

故に著者の諷刺は、斯かる男の申し出に對して從順でない女、換言すれば、ひじ鐵砲を加へた女に對して猛烈に加へられる。恐らく此の氣持は、彼が世界で誰よりも愛したフィアメッタに棄てられた苦痛に對する復讐的氣持が始終魂の奥底にてい迷してゐたからであらう。

又、逆に、女房を人に寢取られて、而かも女房を讃美してゐる馬鹿な亭主、姦夫姦婦に翫弄されて喜んで二人の快樂の手助けにならうとする甘黨、眼の前で妻の不義を見せつけられて不思議がるお人よし――と云つたやうなノンセンスな亭主も、デカメロンの著者には至る所で槍玉を食はされてゐる。

これら社會人の性格的弱點を遠慮なく指摘して痛烈に諷刺する才能が原始フランス人のもつてゐた最も優れた才能である。この諷刺がフランス文學全體の中に占める重要な地位をなし、中世紀より十七世紀のモリエール・ラ・フオンテーヌ、十九世紀のモーパッサン、ついで所謂「巴里喜劇」の名で包括される無數の作品の中にどれ丈此の諷刺が活躍してゐることよを考へるとき、デカメロンはフランス文學の流れを過分に汲み、そして中世紀以後のフランス文學に、どれくらゐ影響を與へてゐるか計り知れない。

フランス文學より觀て、彼の生命は中世紀に於ける如何なる文學よりも彼の藝術は極めて美しく所謂色硝子の窓を通して流れ込む光線の趣に似た甘味となだらかさがある。如何なる露骨な話も上品に磨きあげられた大理石のやうに氣高く輝いてゐる。そしてその上を藝術と云ふ衣が蔽ふてゐる。

それ故、デカメロンは、鋭さよりも軟かさを愛されるそして强さよりも氣品を貴ばれる十六世紀の貴族社會の婦人達に愛着を感ぜられたのであつた。殊にナバルの女王としてフランソワ一世の實妹であつたマルグリットの如きは、デカメロンを熱讀するの餘り、遂に彼の有名なエプタメロン（七日物語）を創作するに至つたのである。その他十七世紀に於けるラ・フオンテーヌの「物語」もの、モリエールの「喜劇」もの、ヴオルテールの小說など、彼の影響を受けたこと歷然たるものがある。

大體、自分はフランス文學の畑ではないので、デカメロンがフランス文學に及ぼした關係も、左程詳細に亘つては知らない。で、自分は次に、デカメロンが英文學と如何なる關係にあるかを一寸述べて見たい。

先づ自分は、デカメロンが如何なる經路を經て英國に輸入されたかを見るのが、物の順序だらうと考へる。

デカメロンと云へば、先づ吾等はチヨオサアのカンタベリイ物語を想ひ出す。彼が此の大作「カンタベリイ物語」を創作した時は、既に彼が再度の伊太利旅行を終へて居た時であり、勿論デカメロンにも接してゐたとは疑ふ餘地はない。內容上より見ても、カンタベリイのトロイラスとクレシダ物語(Troylus and Criseyde)は、その行數八千二百四十六の中、二千五百八十三行迄がボッカッチヨのフイロストラト(Filostrato)の飜譯であり、又、「カンタベイ物語」中「水夫の話」に出る僧侶と商人の妻との話は「デカメロン」第八日第一話に出てゐる話である。その他、忍耐强い女の龜鑑として有名なグリゼルダの話は「カンタベリイ物語」に出る「牛津大學生の話」と同じである。

斯くして見るとき、チヨサアは英國に於けるボッカッチヨの最初の模倣者と云へよう。尤もデカメロンの最初の飜譯が英國に出たのは千四百三十年英國の牧師ジヨン・リドゲイト(John Lydgate. 1370—1451)氏の手になつたボッカッチヨの(De casibus Virorum et Feminarum Illustrium の譯述がそれである。次は "Govemour." の著者として有名な醫師トーマスエリオット(Sir Thomas Elyot 1490—1549)氏の「Titus と gisippus との話がそれであり、次いで、千五百六十三年にはロバート・ウイルモット(Robert Wilmot)氏の飜案によるボッカッヨの "Taucred ard gismunda." 及びデカメロン四日目第一話(俗に云ふ黃金の墓)が上演された。又、一千五百六十六年より翌年にかけて公刊したキルヤム・ペンター（Willam Painter 1540 - 1594）"Palace of pleasure"）の「歡樂の城」中、第二卷には、ボッカッチヨやバンデルや、ストラパロラ及びナバルの女王等の作品を集めたもので、第一卷に屬する六十篇の說話及び第二卷の三十四篇の物語は、シエクスピイアをはじめ多くの劇曲家に久しい間、種を提供する寶庫となつた。例へばシエクスピイアの「ロオミオとジユリエツト」は、その材料をデカメロンより撰んでゐる。

次に飜譯の現れた順序を左に示せば

H. G氏の "Philocopo" 原名("Il Filocopo") 1567 —Bartholomew Young 氏の "Amorous Fianetta" 原名("L' Amurosa Fiammetta") 1567 Robert Burton 氏の Anatomy of Melancholy) 1621-とか、ロバート・バートン氏の「憂鬱の解剖が」馬鹿に人氣を得たと見え、當時の人達は、此のデカメロンを聲高らかに朗讀することを以て唯一の娛樂としたとのことである。そして此れ以來デカメロン熱が益々高調され、その需要に應じて出現したのが一千六百二十年に於けるデカメロンの全譯である。が、これは全譯とは云へ、實はアントアヌ・ル・マソン(Antoine le Macon) の佛譯本を底本としたもので、精確なものとは云へぬが、イリザ朝後期の文體を示すものとして珍重されてゐる。この全譯の題は、

The Decameron Preserved to Posterity by Giovanni Boccaccio, and Translated into English Anno 1620.

ーと云ふ。

次が一千六百二十四年で

The model of Mirth, Wit, Eloquence and Conversation"
なる題の下に飜案されたデカメロンの一部である。

十七世紀に入るとジョン・ドライデンがデカメロンより三篇の物語を抽いて韻語の譯を試みた。そのため此れは飜譯と云ふより寧ろ意譯(パラフレイズ)に近いものだ。作中の人物の名も勝手に變更してゐる。一例を擧ぐれば、Theopore and Honoria"即ちデカメロン五日目第八話に出る青年紳士 Anastasio degli Honesti の如きドライデンの作ではシオドオアとなつてゐる。

十九世紀後半になるとデカメロンの英譯本が遽かに增加し出したが、譯者として最も人に知られたのは John Payne, I. M. Rigg, Sharpe 氏等で、一番ポピユラーな版となつたのはリッグ氏の譯にシモンヅの序を附したルウトリヂ(Routjedge)よりの刊行ものであらう。

次にデカメロンが英文學にどれほど影響を齎らしたか?をチヨッサア以外の作家に就て見るに、十九世紀に熱心なるボツカツチヨの崇拜家が現れた。彼はウオルター・サヴエジ・ランダー(Walter Savage Landor, 1775—1864)と云ひ、一千八百三十七年に至り"Pentameron"(ペンタメロン)を公にした。又、ウヰリアム・モーリス(William Morris 1834—1896)もその傑作「地上樂園」("The Earthly Paradise")に於てデカメロンばりを復活させたかの觀を呈するもの。その發端に於いてデカメロンと類似してゐる。

降つてモリス・ヒユウレット氏は「新カンタベリイ物語」と題するチヨサアばりのものを出したが、これは表題のみの類似で內容は相互に全く聯絡のない小品集である。その他ロバート・グリイン氏の一千五百六十年

の作 “Perimides”, “Philomela”.
シリル・タアナア氏の一千五百八十年の作　“Atheist's Tragedy”,
ジョン・マアストン氏の一千六百六年の作 (“Parasitaster, or the Fawne”)
ジョン・フレッチヤア氏の一千六百十年の “Women Pleased” 及び “The Triumph of Ione”
ジエイムス・シヤリイ氏の一千六百三十八年の作 “The Royal Master.
以上は悉くデカメロンにヒントを得て創作された作品である。
又、デカメロンの飜案として劇曲化されたものは沙翁の “All, s well that ends well”はボッカッチョのベルトラモとヂレッタの話(三日目第九話)の飜案であり、“Cymbeline”のプロットはデカメロン二日目第九話に由來してゐる。
それが十九世紀になつてキイツが飜案に從事してゐる。一千八百十八年二月、彼の作つたイサベラ (Isabella) は、デカメロン四日目第五話である。彼の死後、暫らく時を隔てゝ詩人アルフレッド・テニスン(AlfredTennyson. 1809—1892)氏が、「鷹」The Falcon と題する一幕韻文劇を物し、一千八百七十九年の十二月、セント・ジェイムズ座に於てケンドル夫妻によつて上演され六十七夜も打ち續けたと云ふ破天荒な成績を收めた。この「鷹」こそはデカメロン五日目第九話に出てゐる話である。その他女流作家としてはジョオジ・エリオット女史の一千八百六十九年に作つた “How wise loved the King” と云ふ詩は、明かにデカメロンよりヒントを得たものである。
扨て此稿も大分ながくなつたやうだ。此位に止めて。最後にデカメロンが如何なる經路を經て日本に輸入されたかを簡単に一言して置きたい。

ボッカッチョと云ふ名が、始めて日本に知られたのは明治三年出版の「西洋易知錄」と云ふ纂譯書に現れたのが最初である。そして其の纂譯書の卷四の下に依れば、ボッカッチョのことに就いて、彼が西暦一千三百十三年にフロレンスに生れ、詩よりも文章が巧みで、其の著すデカメロンと云ふ小説の如きは一百條の物語を集めた面白い書である——と云ふやうな紹介が出てゐる。が、日本にデカメロンの飜案が出たのは明治十九年十月に出版された一小冊子「想夫戀」が最初である。これは五日目の第七話より拔いた飜案で A. Sabatier Castres のボッカッース抄 Contes de Boccace と題する佛譯本の飜案で、譯者は佐野尙と云ひ、補閲が菊亭靜、そして高瀨眞卿、笹島吉太郎、田島象二氏等の合評をのせてゐる。繪は佛人ビゴー氏のエッチングで、和紙摺活字四六版の和裝本で、本文四十六枚、緒言及び奧附等で四枚、文體は在來の人情本式のものである。

次が明治二十年に出た「鴛鴦奇觀」及び「密夫之奇獄」である。共にデカメロンの一話を飜案したもの。次が尾崎紅葉の飜案で、彼の「四の緒」(明治二十八年七月出版)には五日目の第九話(鷹料理の話)と七日目の第九話(三ケ條の難問)とが取られてゐる。そして翌二十九年となるや「冷熱」と題して八日目の第七話を初めは飜案半ば以下を梗概の程度にして讀賣新聞へ連載したのであつた。

併しデカメロンが全譯となつて日本に現れたのは明治四十年以後のことで、

明治四十三年　　水野和一譯

大正五年　　戸川秋骨譯

大正十二年　　大澤貞藏譯
大正十四年　　梅原北明譯

の四種である。尤も本年になつて出た萬有文庫中にデカメロンあれど、誰れのテキストを用ひしものなりや不明。恐らく右に揭げた四種の邦譯をテキストとした編輯ものであらう。抄譯ともつかず、と云つて勿論全譯の半分もない。尙ほ又、近く新潮社より世界文學全集の第何卷かに森田草平氏の全譯が出る筈である。水野、戶川の兩者のものは禁止であり、大澤譯のものは殆んど抹殺されてデカメロンの香ひぬけ、今の所では梅原譯のもの最も抹殺をまぬかれて居る。そして近く出る森田譯のもの、どの程度に公開を許されるか疑問である。

過般來檢閱制度の富に嚴重となつた今日、恐らく無削の完譯本が日本に出現するなどは夢であらう。

戶川譯はリツグ譯のルトリツヂ版の一種で、梅原譯はアントアヌ・ル・マソンの佛譯を底本としたジヨン・ペインの譯本に、一九〇一年スペインのマドリイドで出版されたコーネルのオランダ語譯と、日本駐在伊太利大使官にゐたコルツチ博士の所有する一八三九年版の原書でベンツベリイの現代語譯「新譯デカメローネ」をテキストとして邦譯を試みたものである。

戶川譯には原著者の有名な序文（フイリツプと我島の話）なけれど、梅原譯には原文通り四日目第一話の前に、この序文が譯されてある

この他、ボツカツチヨの傳記、及び彼とダンテとの關係等については、歐羅巴文藝史上重大な硏究に屬するものであるが、本稿は早くも紙數を超過してゐるので次の機會に讓ることにし玆に擱筆する次第である。

16

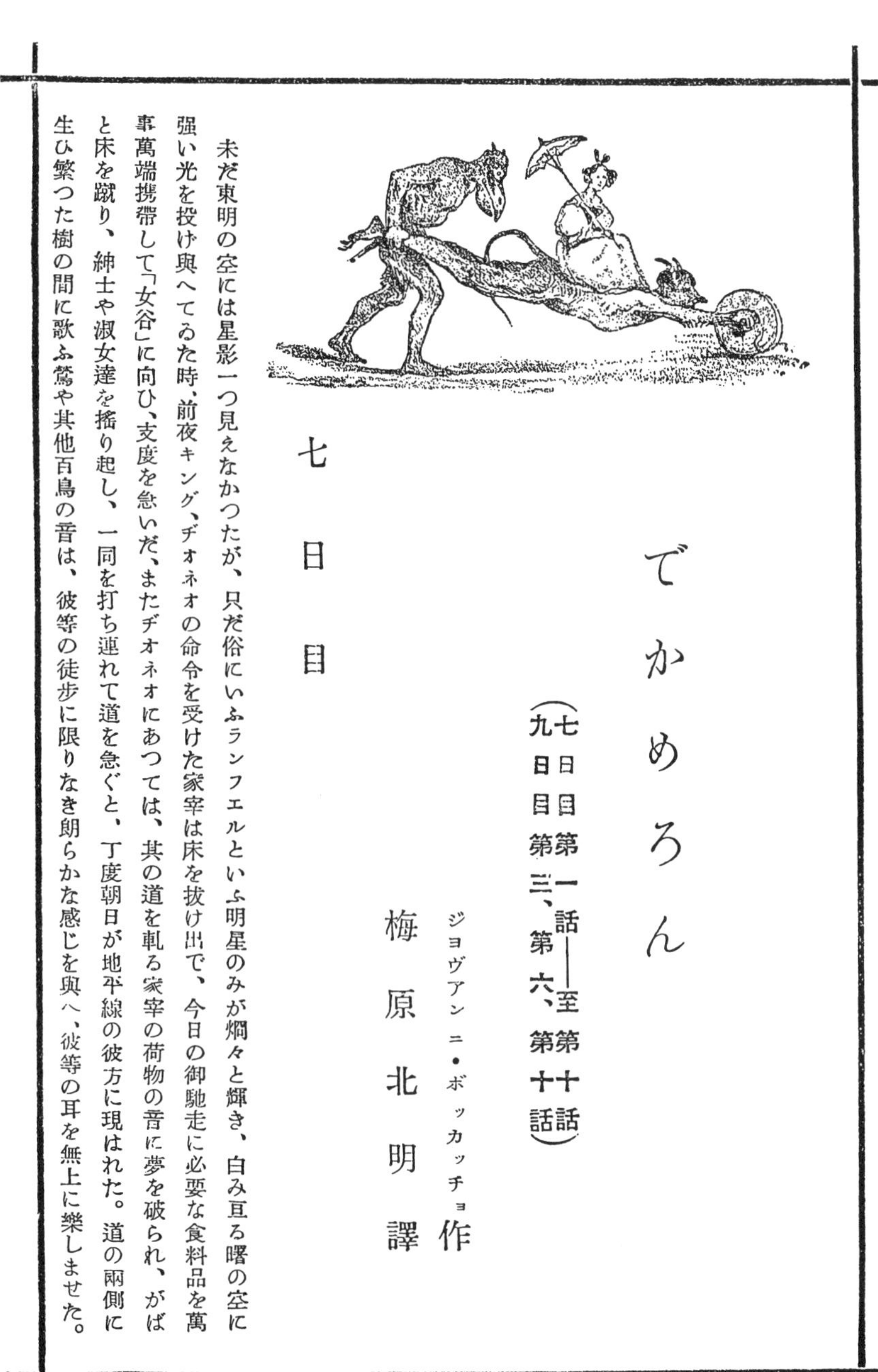

でかめろん

（七日目第一話――至第十話
九日目第三、第六、第十話）

ジョヴアンニ・ボッカッチョ作

梅原北明譯

七日目

未だ東明の空には星影一つ見えなかつたが、只だ俗にいふランフエルといふ明星のみが炯々と輝き、白み亘る曙の空に强い光を投げ與へてゐた時、前夜キング、ヂオネオの命令を受けた家宰は床を拔け出で、今日の御馳走に必要な食料品を萬事萬端携帶して「女谷」に向ひ、支度を急いだ、またヂオネオにあつては、其の道を軋る家宰の荷物の音に夢を破られ、がばと床を蹴り、紳士や淑女達を搖り起し、一同を打ち連れて道を急ぐと、丁度朝日が地平線の彼方に現はれた。道の兩側に生ひ繁つた樹の間に歌ふ鶯や其他百鳥の音は、彼等の徒歩に限りなき朗らかな感じを與へ、彼等の耳を無上に樂しませた。

軈て「女谷」に到着すると、此處では一段と大きな鳥の合奏が聞かれたので、彼等の喜びは譬ふるに物なく、百鳥等の歡迎に對して心からの讃辭を呈した。そして昨夕此處を訪れた時にも勝る今の景色に、彼等は恍惚として了ふのであつた。

そこで、彼等は例の如く酒や砂糖菓子の輕い食事を濟ませてから、とみに元氣を引立たせ、囀る百鳥に向つて『此れから愈々我々の世界だ。何んでお前達に後れを取らうや?』と一同は聲を張上げて唱ひ始めると、其れが谷間に擊當り木靈となつて返つて來るのであつた。すると不思議や谷々の百鳥等も此時俄かに『なにッ、人間に負けて耐るか』と出來得る限りの妙音を振つて、一段と合奏を新にし始めた、軈て例刻になるや朝の食卓は盆泉際の樹の下に並べられたので、彼等は尙も列を作つて合唱を續けながら、正式な朝の食卓に就いた。食事中絶えず魚の泳ぐ樣が眼前にちら付くので、彼等の悅びは一方ならず、思はず其の事が話題となつて色々の談話を交へるのであつた。

食事が濟むと彼等は以前の處に戾り、先刻に變らぬ悅びを以て尙も唱ひ始めた。すると此時谿の合間合間にテントの如き天井の塞がれた寢臺の配置が出來たので王は一睡を取らんとする人々に其の許可を與へ、眠らざる人には例の如く自由行動を命じた。

軈て定刻が訪れたので、一同は盆泉の緣に集り、其のほとりで輕き料理を認めたる後、毛氈を擴げて其の上に坐つた。するとヂオネオは本日の序幕をエミリヤに命じた。そこで彼女はにつこり微笑みを湍えて快諾の意を洩した。

第一話（幽靈樣）

ヂヤンニ、ロツテリンギは妻の情夫の訪づれし扉を叩く音に驚き、妻を搖り起したるに、彼女は良人を欺きて、「そは幽靈です」と信じさせ、共に扉際まで進み、奇怪な呪文を唱へて退散を請ひしに、情夫は、それを知りて其儘扉の外より消えたる話。

王樣、本統に今日のやうな結構な話題は、成らう事なら私は誰方か他のお方に御開始をお願ひしたいので御座いますが王樣は特に私を一番先にお選びになつたんで御座いますから、今は止むを得ません謹んで御命令に服從致します。それで私の此れからお話しやうといふ物語りは、將來皆樣に必らずお役に立つお話かと存じます。殊に世間の御婦人中に私と同樣幽靈を怖がるやうな小膽な方には、此のお話は持つて來いの題材で、必ず幽靈を退散せしむるに充分有効な方法をお覺りになる事と存じます。が尤も幽靈の事に就きましては私も今迄に一度も見た事がないので御座いますから、果して此のお話に依つて實際に應用出來るか出來ないかは素よりお受合出來ません。

フロレンスの聖ブランカツィオの街に、昔ジャンニ・ロツテリンギといふ人が居りました。羊毛を梳くのが此の人の職業で、幸運な事には何時も店は大繁昌をしてゐますから、誰でも一見した丈では、屹度この人は萬事に拔目のない人のやうに思はれますが、處が其の實は餘り悧巧な方ではなく、至つて商賣政略の下手なはうだつたのです。生れ付き此の人は誠に心の緩つくりした性質で御座いまして、丁度その頃建立されたマリア寺の唱歌隊が彼の宅で會する時などは、折々此の人に音樂の指揮を賴むしそれ許りぢやなく、些少ながらも時々好意を見せるものですから、御當人は何時しか自惚れが出てお目出度くも自分で自分を偉いものにして了つてゐるのです。それと申しますのも今も云つたマリア寺の僧侶に莫大な喜捨を致しました、それに必要に應じて帽子とか靴とか袈裟など日々缺さず贈つてゐるからの事で、其れで僧侶は此の手厚い寄贈に酬いる積りから、(我等の父よ)を澤山に捧げたり、アレキシアス上人の悲歎や、ベルナルド上人の哀歌や信女マテルダの聖歌、其他此の種類のものを色々唱へてやると、此のお目出度い商人は、其れに最上の注意を拂つて心に留め『我が魂よ健やかなれ、我が魂に幸を與へよ』と只管願ふので御座いました。

扨て、此の商人にテツサといふ細君がありましたが、彼女は先づ以て美人の部に屬する方でせう、可成り陽氣な質の人でマンヌツチヨ・デルダ・ククリアの娘さんで御座いますが、仲々どうして大の策略屋さんですから、無論立派な頭腦の所有者の方に入れて恥かしくありません。彼女の目から見ますと、夫の薄野呂がはつきりと分りますから内心馬鹿にして、其れに夫の氣質も底の底まで見拔いて居りますから、今はその結果を怖れず、昨今では益々大膽になつて、豫ねてフエデリゴ・デ・ネリといふ青年と好い仲になつて居たのですが、今、夫の氣持を底まで斷定付けて了つたので、彼女は彼の許を避けて田舍の別莊へ行きました。そして此の別莊へ若き燕を誘ひ込むやうに、女中の智慧をも借りて計略を立てたのです。

其の別莊といふのはカメラタといふ土地にあつて、彼女の夫が曾つて買ひ求めたもので、テッサは毎年夏になると此處に來て暮す事にして居たのですが、夫のジャンニにあつては何をいふにも店を控へて居ますから、此處へ詰め切りには出來なかつたのです。時々夕方になつてやつて來ては、御飯を食べると一泊し、翌朝フロレンスへ歸つて、例の祈りを捧げた後、店に勤めるのが例になつて居りました。

それでテッサは別莊へ行きますと、若い燕のフエデリゴも約束を違へず尋ねて來て、其の夜は泊りましたが、其時二人は迚も重寶な方法を案出しました。其れといふのは彼女は、彼を呼ぶに當つて非常に手數がかゝりますから、その次ぎからは其の面倒を省いて了はうといふので御座いました。其の方法は今申上げますが、此のフエデリゴも世の所謂色男の癖を充分に持つた一人で、始終別莊の附近を彷徨付いてゐたのです。彼女は其れを利用したのに過ぎません。といふのは丁度家の横に在る葡萄畑の棒に驢馬の頭蓋骨をかけて置いて、其の頭蓋骨の向きやう如何に依つて、彼女の部屋へ忍んでもよいか惡いかを決める事にしたのです。若し其の場合、其の頭蓋骨がフロレンスの方に向いて居れば這入つても差支えなく、此の際はそして扉が閉つて居た時には、トントントンと三つ戸を叩き、彼女が中から開ける迄待つ事にし、併し頭蓋骨がフイエソの方に向いて居た場合には夫のジャンニがフロレンスから來て、彼女の側にへばり付いて居る時で、其の節は直ちに其の場を去つて貰ふ事に二人は決めたのでありました。そして此の便利な妙計に依つて其の度々逢瀬を樂しんで居たので御座います。所が或る晩のことです。此の祕密を包む別莊に意外な出來事が惹起しました。といふのは彼女が可愛い燕と一緒に御飯を食べたい許りに、鷄を二羽料理させて今か今かと男の訪れるのを待つて居ましたが、其の內に時刻は大分過ぎて、もう夕刻になつて了ひました。斯う遲くなつては彼女の氣を揉むのも無理は御座いません。「折角二人で仲よく喰べやうと思つてゐるのに一體何うしたつてんでせう？　焦れツたいわ！ほんとに」全く氣が氣で御座いません。其の內にカタツと戸の外に音がしましたので、そらこそ御座つたと悅び勇んで座を立上りますと、意外も意外、待ちに待つたフエデリゴは何處へやら。來ても來なくても關はぬ夫だつたので御座います。餘りに大きな期待を裏切られて彼女は、其の刹那極度の落膽を覺えたのですが、まさか其れかといつて『斯んなに遲くなつてから何故のこ／＼やつて來たんです？今夜は私の方で都合があるんですから此の儘とつとゝお歸へんなさい』とも云へませんから、非常に氣を揉みながらも、仕方なしに夫と共に食卓に就きました。が餘り馬鹿／＼しいので夫を優遇してやる氣が素より起りません。先刻の見事な鷄は隱して了つて、小さなベーコン丈けを何も入れずに煮詰めた料理を食はせて虐待したので御座います。

元來が總てにお目出度く出來上つて居るジャンニの事ですから、自分が今、虐待されて居る此の事實に對しても少しも氣付かず『假令材料は什麼に安くとも、お前の料理にかゝつては全く耐らない、いや仲々旨い』と大喜びで喰べて居ります。するとテッサも跋を合せて『料理の仕樣でどうにでも成るんですからねエ』と喜ばせ、其の隙を覗ひ女中に、そつと耳打ちをして『お前濟まないがね、今、彼處に隱しといた鷄に、ソース代りの卵とお酒を一本付けて、其れを綺麗なフキンに包み園生の方に持つて行つて頂戴な、ほら、お前も知つてるでせう？　あの葡萄畑に續いた處に桃の木が有るでせうその木の下へ置いとけばいゝんですから、こつそり賴みますよ。』

テッサは今云つた園生といふのは、別莊を通らなくとも行ける道が付いた處で二人はよく其處で媾曳をした場所なんです。それは兎に角として、彼女は夫の前もあり、餘り周章過ぎたので肝腎の事をすつかり忘れて了つたんです。其れといふのは『フエデリゴさんがお見えになる迄お前が其處に待つて居て「これは奧樣からのお言葉で御座いますが、今夜はねエ、生憎と主人が參りましたものですから、折角貴方と樂しく喰べる積りで拵らえた料理なんですけれど、そんな譯で御座いますから此處へ包んで持たせました。何卒ね、惡くお取りにならずに、今夜は此れを持つてお歸りになつて下さいましな。本統に濟みませんわ。」斯う申上げてお吳れ。』と女中に云ひ付ける筈だつたのです。それを忘れて了つたんですから女中が出てつてから思ひ出すと、さァ居ても立つても居られません。まあ何んといふ事を忘れたんでせう！　と氣も遠くなる程不安を感じましたが、夫の手前があるので口へは出せません。暫くは心が騷いで收まらず、騷げば騷ぐ程殘念に思はれてならなかつたのですが、併し幾ら口惜しがつた所で今更追付きませんから、軈て夫に誘はれる儘に床に這入りました。すると女中も同じく自分の部屋に行つて寢に就いたので御座います。

一方若き燕フエデリゴにあつては、其麼事が有らうとは露知りませんから、間もなく葡萄畑からやつて來て、毎時の如く戀に浸つた柔い手でトンと一つ戸を輕く叩きました。もと〳〵其の戸は寢室の直ぐ側にあるのと、其れに寢た許りで御座いますから、其の音を聞き付けて夫は直ちに眼を醒しました。無論細君のテツサとても同じ事ですが、此れは大變な事になつたものだと此時心に或る不安な閃きが鋭く映じましたので、さあ心配でなりません。若しも吾身に疑念が掛つては一大事だといふ氣遣ひから、わざと狸寢をして居りました。ところが續いて二つ目のノックがドアに響いて來ました。『此れは一體何うしたといふんぢや？』とヂヤンニは驚いて、テツサの身體を劇しく搖り起しました。

『おいおい。お前にあの音は聞えないのか？　誰れか家の戸を叩いてゐるぢやないか。』

無論テツサは、最前より夫より以上に感付いてゐるのですが、こゝは肝腎なところだと思つたので、彼に身體を搖振られて漸つと此の時、眼が醒めたといふ風に見せかけ、寢呆け聲を出して『貴方、何うしたといふんですよ。眠りませうや』とさも〳〵眠むくて耐らぬといつたやうに夫に話しかけたのです。

『何うしたも斯うしたもないのだよ。誰かドアの外に來てゐるんだ。慥かに來てると思ふがね？』

『えツ、ドアの處にですつて？　おゝ怖い、まあ何うしたらいゝでせう。貴方からかつちや厭ですよ。嚇かさないで下さい。屹度あれだわ、あれだわ！　おゝ怖い！……』

『何が怖いのだ？　何が何うしたといふのだ？　一體あれは何んだといふのだ？』

『貴方、何うしたも斯うしたもない、あれは幽靈ですよ、屹度幽靈が出て來たんですよ。此間中だつて幾晩も續けざまに出て妾は什麼に惱まされたか知れないわ。ですから妾、怖くて怖くて慄へながら蒲團を頭から引被つて夜が明ける迄、一度も顏を上げなかつたんですよ。』

『そうか？　幽靈が出るのか？　成程。道理で變だと思つた。が假令幽靈にしたところで別に怖はがるには及ばないぢやないか、現にこの私を御覧、ちやんと寢る前に祈禱文を二つ讀んで色々な有難い祈りを捧げて寢臺の脚に十字架を書いて置いたから、幽靈なぞ百匹出て來たからつて私をどのやうにもする事が出來ないのぢや。』

テツサは此の場合、夫を怒らしては萬事にかけて都合が惡いと思ひましたので、自分が起きて出て、夫の來て居る事を何とかして彼に悟らせるに限ると決心したので『貴方は其れで御無事で御座いませうが妾の方はそうは行きません。貴方は御信心のお蔭で此麼時には氣强やう御座いませうが、妾は可弱い女です。せひ今晩は貴方も來て下すつた事ですから、妾も氣を大きく持つて幽靈樣にお願ひして見やうかと思ふのですが、全く此處を去つて貰はないと厭で御座いますからね』と彼に囁いたので御座います。すると夫は眼をぱちくりさせて、

『ほウ、お願して去つて貰ふて？　それは奇體ぢや、一體何ういふ風にするんぢや？』

『あゝ貴方、その事なら譯ありません。妾先日フイエソレへ免罪符をお受けに行きました　、矢張り仙人の仲間で非常に信心深い尼さんがゐらつしやいまして、妾が幽靈を怖がつてゐる話を致しますと、それは氣の毒ぢや、そんなら幽靈退散のお祈りを敎へて上げませうと、斯う仰有つて妾に敎へて下すつたんです。尼さんのお話に依れば、未だ浮世にあつて髮を下す前に、度々の呪文を唱へたら慥かに効力があつたとの事で御座いました。此間中からも實は、幽靈の出る每に此の呪文を唱へたかつたのですが、だつて貴方、妾一人ですもの、押し切つて唱へる勇氣など出やしませんわ、併し貴方、今晩は貴方がゐらつしやるから、二人で戸の側に行つて唱へて見ませうか。』お人好しのジャンニはよし來たと許りに點頭いて、テツサと共に拔足差足で扉の前に近づきました。一方戸外に居たフイデリコは此麼事件が起つて居らうとは露些か知りませんから「どうしたつてんだらう？　長いなア。」

待ち呆けを喰はされて、今は焦ら／＼して居りますと。

戸の內では此時、細君が夫の耳に口を當てゝ『妾が今お祈りを上げたら、貴方濟まないけど唾を吐いて下さいな。わか

つてと甘へるやうに眞しやかに云ひますと、根が薄のろなジャンニの事ですから『おゝよしよし、譯のない事つた。』と承諾しましたので、其れぢやあといふので、細君は所謂呪文なるものを鹿爪らしく唱へ始めました。

『幽靈樣よ幽靈樣よ。貴方が今お出になつた道を少しも間違ひなしに戻つて下され。早く〳〵。園生の方を御覧になりますと鷄が一匹に卵が御座います。一瓶ですけれども酒も備へて御座います。其れをお呑みなされて、一時も早やう立去つて下さいまし。何卒妾を虐めずに、またジャンニをもお虐めにならぬやう偏へに〳〵お願ひ致します。』

斯う唱へ終ると、周章てゝ『ほら唾を！』と催促しましたので、正直にもジャンニは其の通り實行したので御座います。

戸外にあつてはフェデリゴです。今しも幽靈退散のお祈りを聞いて『道理でドアが開かないと思つた。いや宿六の御在宿なのか。成程、これは〳〵』と點頭く事が出來たのですが、何んとなく變に感ぜずには居られませんでした。併し其の呪文なるものを聞かされた時、危く噴き出しさうになりましたが、こゝが笑ひの耐へ所と無理に壓へて、「ジャンニよ、一層の事齒まで諸共吐き出して了へ」と獨言ち宿六の御投宿とあれば止むを得ぬ、今日は歸つて遣はさうと其の儘歸りかけました。扉の內では彼女がフェデリゴに頓着なく、同じ呪文を三度唱へてから、其處で漸く安堵したといふ風に、ジャンニと共に寢床に行きました。

フェデリゴは道々馬鹿を見たと呟きながら、其上腹が減つて居るので尙更悄氣て「此麼事にならうと解つてゐたら、本統に來るんぢやなかつた。」が併し其時、鷄が一匹云々の呪文を思ひ出しましたので、此れは有難い、戀に破れたが食物には勝つたと云はぬ許りに急いで園生の方に行き、桃の木の下に來て見ると、果して件の三品が置いてありましたから、早速家に持ち歸つて、初めて甦つたやうに、旨い夕飯に有り付いたので御座います。

其後彼はテツサと會つた時、此の呪文の事を語り合ふて腹を抱へて笑ひました。

私のお話は大體此れで終るので御座いますが、此の話には今一つの說があるので御座います。其れはどういふ事かと云ひますと、何んでも其の夜驢馬の頭蓋骨が豫ての約束通りにフィエソレの方に向ひて居たのですが何氣なく葡萄畑の百姓が、杖の先きでフロレンスの方に向かせたものですから、其れで此麼珍事が持ち上るやうになつたのだと云ふ事なんです其れに今一つは祈りの文句も少し違ひまして、斯ういふ風に云ふ人も有るんです。

『幽靈樣、お化け樣、神の御名に懸けて早やう立去つて下さりませ。驢馬の頭蓋骨の向きを變へたのは、妾ではなく外の者なんで御座います。無論それは誰方か知りませぬが、其の惡戯者は軈てペストにかゝつて死ぬでせう程に、何は兎もあれ妾は今、夫と一緒に居るので御座います。』

併し私の近處に居るお婆さんに其後聞いたので御座いますが、其のお婆さんのお話に依れば、何んでもお婆さんが未だ小さい時分に其の話は聞いて知つてゐると申し、呪文は何れも決して間違つてゐないのだとそう申されるのです。但し後の方の呪文はジャンニ・ロツテリンギとは違つて居るので、實は矢張り彼の樣な頭の鈍いジャンニ・ヂネルロといふ人の場合に起つた呪文なんだそうで御座います。

私の話は此れで濟んだので御座いますが、終りに臨んで皆樣は、此の話の二つのお祈りの內で、どちらでもお好きな方を御選びになり、幽靈退治の時に御利用して下さいますなら、大變に有効かと存じます。まあ皆樣、物は試しで御座いますよ、屹度意外な効力が有ると思ひます。

第二話（妻君萬能）

ペロネラは夫の外出を覘ひ、情夫を引入れ居たるに、突然夫に歸宅され、此上もなく狼狽せしが、一計を案じ、情夫を桶の中に隱せしに、更に運惡くも夫は、その桶を賣らんがために實は屑屋を伴れ來れるなりと云ふ。今や彼女は進退谷まりたれど最後の妙計を捻出し、桶の事なら安心されたし、目下自分も既に賣拂ひの約を濟ませ、現に桶屋は桶の中にありて、傷所の有無を檢べ居れりと欺き、巧みに罪を免れたる話。

聽衆一同は此上もなき愉快を覺えながらエミリヤの談話を聞き、中にも淑女達は聲を揃へて其の呪文を必ず實行しますと言明した位であつた。軈て王は引續きフィロストラトに次ぎの談話を命じたので、彼は直ちに物語に這入つた——

親愛なる淑女諸君。皆様と同性の婦人が吾々男子を、殊に其の夫に對して弄する策略は、實に枚擧に遑もない程、多種多様に亙つて居ります。元來婦人は男子に比して悧巧でないといふ說が多いやうですが、併し婦人の悧巧なのに懸つては其の夫が可愛相です。何事に依らず猜疑心の强いのは婦人で御座いますが男子になると比較的其の影が薄い爲、偶々失敗をする事があるのです。といふのは夫が妻に對して或る事を信ぜしめやうとする場合、妻には持つて生れた猜疑心がありますから、一度や二度では容易に信じないのが普通で御座います。併し此れが反對に、妻が夫に或る事を信ぜしめやうとする場合には、一言で譯もなく信じ切られて了ひます。そこに悧巧な女の魅力があり、征服力があるので御座います。ですから妻と夫と同等の頭腦の働きを有する夫婦生活にあつては、餘程夫が確りして居ないと妻に欺されて了ふのです。ましてや女が悧巧で、男が薄のろの場合には問題ではありません。それで私の此れからお話しやうといふ物語は、或る卑しい婦人が自分の安全を期する爲、其の刹那に機智を働かして夫を欺いた話で御座います。

餘り古い昔の事ではありません。ネーブルスに貧しい石屋が居りました。彼は幸か不幸か、ペロネラといふ妙齢の美人を妻に持ち、非常に滿足を覺えながら每日仕事場に通ひ一心不亂に働きました。また細君の方では神妙にも糸を紡いで幾らかの賃錢を稼ぎ、此の二人の働く金で、どうか斯うか其の日の家計を立てゝ居たのです。斯うして始めの內こそ此の夫婦は至極圓滿な生活を續けて行つたのですが、何しろ細君の方が悧巧でしたので、軈ては貧乏に飽き、此麼慘めな生活を續けねばならないのなら、お嫁になど來るのぢやなかつた。といふ考へが段々募つて來出したのです、これを世間では、よく魔が襲すと一言で片付けて了ひますが、まァ蟲が付いたとでも云ひませうか、斯ういふ隙に乘じては得て間違ひが起り易いもので御座います。ペロネラに於きましても此の例に洩れず、すぐ近所に住むジャネロストリニヤロといふ若者に何時しか深ひ思ひを寄せて居たのであります。此のストリニャロといふ青年は、或日の事、遂ひに我慢がし切れなくなつて、彼女に有りの儘を露骨に、情熱を以て告げたのです。所が案ずるよりも生むが易いで、彼女は今の生活に飽足らなく思ふて居る矢先でしたから譯もなく話が纒まつて遂ひに逢瀬の手筈を決める段取りにまで運び、夫が毎朝家を出て仕事場に行くから、其間に忍び來れば戀の戯れに浸る事が出來る――斯ういふ風に牒し合せたのです。そこで男は巧みに其の機會を狙ひ幾度も彼女の許を訪れたのであります。ところが或る朝、例に依つて石屋は仕事場へ出かけたので、先刻より其れを待ち受けて居たストリニャロも得たり賢こしと忍び込んで來たのです。所がです、抑々の問題が此れから起るので御座います。其れといふのは今日に限つて、どうしたものか、何時もなら日が暮れないと歸らないのに、今し方出て行つた許りなのに此時、石屋は家に歸つて來たのであります。そして何氣なく入口の戸を開けやうとすると、中から錠が懸つて居りますから、トン／＼と戸を叩きながら『おい、一寸開けて呉れ』と聲を掛けたのです。が併し中からは返事が聞えません。だがお人好しの彼は、火の付くやうに催促するでもなく、今しも獨言を云つてるやうです。

『成程、此れは偉い。本統に俺の嬶は感心な奴ぢや。俺は斯うして貧乏をして居るが、其れも飽きずに俺の女房は此の通り律義者ぢや。萬事に氣が利いて貞操(みさを)な女ぢやから、どうだい此の用心は！　俺が出て行くと直ぐ此れだ。内から戸締りをして置くなんて、迚も機轉が利いてやがら、全くだ、俺の留守に什麽瓢六玉(どんなへうろくだま)が潜り込んで、惡事をしないとも限らんからなあ。流石は俺の女房。偉いぞ偉いぞ。』

　戸の中ではペロネラが耳を欹てると、戸を叩いて自分を呼ぶ聲は確かに夫に相違ありませんから。颯ッと顔色を變へ、その儘眼が眩み相になりましたが、今倒れては命に係はる問題だと思ひ直しましたので、心を無理に落着け、床上を腹匐ひになつてストリニャロの方へ進みました。

『まア大變だわ。どうしませう？　ちよいとストリニャロさん。今發見されたら百年目ですわ。此の場で妾は殺されて了ひます。ねえ貴方、どうしませう？　あの音は慥かに良人(うち)ですよ、あゝ良人が歸つて來たんですよ、多分貴方が此處に居らつしやるのを見付けたものだから私達を殺す積りで、此麼に早く歸つて來たんです。えゝそれに違ひありませんわ。本統に困るわ妾、ストリニャロさん、早くさ。でないと殺されて了ふぢやないの。さゝ妾何うしたらよいでせう？……おゝさうだ。あゝ嬉しい！　素敵な名案が浮んだわ。一寸貴方、さア早く彼の大きな桶の中へ這入んなさいよ、早くしなけりや駄目ぢやないの、早く〳〵、隱れて頂戴。妾いま戸を開けて、何故まア此麼に早く歸つて來たか、其れを聞きますから……』

そこでストリニャロは急いで桶の中に潜り込むし、またペロネラは戸を開けて夫を入れました。そして不意に歸つて來て人を驚かし、戀の邪魔をした恨みがあり、其れに今一つは腔に疵持つ恐ろしさを隱す防禦上、わざと仰山に出て聲も荒はに、噛み付くやうに彼を詰りました。

『一體どうしたといふんです？　朝つぱらから歸つて來たりなんかして。必と仕事が厭になつたんでせう！　それ其の道具が證明して居ます。何んと云つたつて駄目です、駄目です。一體暮しの方は何うする積りなの？　よくもまア呑氣になれたものだね？　ヘン妾しや厭ですよ。今日といふ今日は、我慢も張りも出來なくなつたんです。妾の晴着を質屋へ入れやうと云ふんでせう。厭ですよ本統に。今度こそは今度こそはと云ふので、何度承知したか分りあしない、御蔭で後もう三四枚しきや無いぢやないの。其れをもお前さんは剝いで行つて了はうといふ了見なのかい？　可哀想に、どうせお前さんのする事だ。妾を可哀想だなんて爪の垢程も思ふものですか。考へて見たつて分るぢやないの、えお前さん。妾が此處へ嫁てからといふもの、斯うして夜業なしにさ、ぶつ續けに糸を紡いで、仕事に精を出さなきあ、其日から食へないといふ不甲斐なしのお前さんだから、此の通り此れお前さん。妾の指といふ指は、まるで木か何かの根つこのやうに……妾しや泣きます。えゝ泣きますとも。お前さんは妾を馬鹿にして居るんです。でなきア晝日中呆け面で歸つて來れるものですか。お前さんは返事が出來ないでせう？　また出來て耐るものですか。一體お前さんが毎日仕事場へ行つた後で、妾は什麼に辛い思ひをしてゐるか其れを今、聞かされたら幾らお前さんが呆然だつて、少しは妾の身にもなつて呉れるでせうよ。フン妾は毎日什麼思ひをして居るとお前さんは思つて居るんです？　近所の人達はお前さんのかひしよ無しを取り上けないで皆妾が始末が悪いからだと笑はれて居るんです。本統にお前さんは幸福な人だよ妾を踏み付けにしてさ、白ら切つて濟まして居られる所なんざ、偉いものだよ。どうせ妾しや不運なんだから、お前さんのやうな鈍さんと夫婦になつたんだ。だから今更兎や斯う愚痴は溢したくないけれど、お前さんがあんまりだからさ。一層の事あの話が出た時、お前さんを斷つて、あの縁談に走つて行つたら、妾しや今頃は榮耀榮華はお手の物、左團扇で暮して居られるだらうに、思へば馬鹿な事をしたものだ。其れでも一時は諦めて、金持が何んですと力み返つて見た事も有るけれど、他のお神さんを見る度に、妾は口惜しくてならないんです。よしやお前さんだつて知らぬ筈がなからうが、他の神さんは誰だつて情夫の一人や二人は持つてない者は無いぢやないの。其れでも御亭主は知るや知らずや、いゝ氣のもので、お神さんを床の間に奉つて御機嫌を大事と取つてるところは、はたで見る目も羨ましい位。でお神さんだつて斯うなりや益々亭主を尻に敷き、團子のやうに圓め込み、まあ早い話が「ねえ一寸貴方、お月様つていふものは青い色の牛酪（チーズ）で拵へてあるのですよ。」とか何んとかいふと、其の御亭主「フム、そうか、そうだらう。」と受けるやうな案配で、骨抜きにして了うんです。だがお聞きよ。妾はそんなに口幅つたい事をお前さんに云つた所で、是れでも妾は操に懸けては世界中の女に引けを取らない積りだからね。其れはお前さんも恐らく知つて居るでせうよ。だから困つた事には、尚更他人から不愛相に扱はれるんです。其んな時には妾だつて同じ人間ですもの、矢張り世間並みにさアせめて情夫の一人でも持つて見たいといふ氣にもならない事もないけれど、併し妾しやお前さんが可哀相だし、其れに妾しや假令貧乏でも立派でありたいと斯ふ云ふ了見から今まで色んな誘惑に惱まされたけど今日が日迄、立派に斯うして勝つて來たんです。一體誰の爲に妾しや斯んな我慢までしなけりやならないんです？　其れを考へたらお前さんといふお前さんは……えゝッ其麼眞似は出來た義理ぢやあるまいに！　お前さんは石屋だけれど、妾しや操の點に懸けては石屋さんより堅いんですからね。本統に思へば思ふ程、口惜しいたらありあしない。朝からのこ〳〵、妾の氣も知らないで……餘りといへば餘りです。」

斯う散ざッぱら出鱈目な熱を吐き、吾れと吾が言葉に興奮されて泣き出すと云ふ始末ですから、最前より聞かされた善良な石屋は、もう鑿も玄翁も立たなくなつて、眼は早や涙曇り、聲もおろおろ周章てゝ『これ女房、俺が悪い、皆麼俺が悪いのだ。其麼に泣いて呉るな、俺まで悲しくなるぢやないか。勘辨して呉れ。其麼に怒つて呉れるな。俺はお前の偉いといふ事を常平生から充分認めてゐるぢやないか。況して今も歸つて見れば表の戸まで閉つて居るので、あゝ何んといふ世にも感心な女房ぢやらうと、これペロネラ、俺は肚の中で泣いて感謝して居たのぢや。だから其麼に俺を窘めて呉れるな。お前が愚痴を云ふと此の俺の胸は鑿で刳られるよりも、尚辛いのだ。だから頼む、勘忍して呉れ。成程お前の云ふやうに今日早く歸つて來たのは、仕事を休む了見からなんだ。だつて今日は誰の日だと思ふのだ？ 俺とお前も悉り忘れてゐるたんだ、今日はお前がレオネ上人様の祭日ぢやないか。俺達は仕事を休んで御上人様を祀るのが當り前ぢやないだらうか？ それを忘れて居たのでお前も怒つたのだ。其れに違ひない其れで俺は仕事場に行く途中不圖思ひ出したので、此れは早く歸つて女房にも教へてやらにやならぬ。可哀想にお祭の日まで忘れさせて稼がせなけりやならぬとは、何んといふ俺は意氣地なしだらう。其れで俺は足を宙に飛んで歸えつて來たのだ。それに喜べ、假令俺達は此れから仕事を一ヶ月休んだつてびくともしない程の現金を摑んで來たのだ。といふ譯は、そら家に在るあの桶だ。どうも彼奴がごろ〳〵して居ては第一邪魔になるしするので、お前にも云つてたやうに疾から何うにかしやうと思つて居たのだが、幸ひ今日は二兩二分で買手が見付かつたから、今俺と一緒に家に來て貰つたのだ。』（譯者註、今から少くも六百年前の二兩二分ですから大したものです）

　石屋と云ふ問題の桶の中にはストリニヤロといふ情夫が隱れてる事は、皆樣も旣に御存知の筈です。それで、此の桶の話をされた時に、彼女は思はず氣も狂はん許りに打驚いたのですが、危く內心で踏み耐え、此の場を如何に切拔けようかと、其の考へを俄かに彼女の頭の中に渦卷かせたのであります。若し假にも其れが失敗に了るやうな事があつたら、今の今迄、大口開いて貞操問題を爭つた事が第一フイになるし、其れよりももつと怖ろしいのは、あばかれたが最後、命が失くなるといふ其れが問題です。そこで此所は生命の瀨戸際といふ危ない時ですから、彼女は有らん限りの智慧を絞つた時嬉しや一つの妙案が突嗟の間に思ひ浮びました。彼女は思はず、占めたと腹の中で叫んだ位です、其して今は勢ひ切つて斯うやり込めました。

『本統にお前さんといふ人は何所まで仕様のない人だらうね。呆れて物が言へないわ。ほんまに女房喜べもあつたものぢやないよ。一寸お前さん。其れでお前は氣が慥しかゝい？　二兩二分とは何んです？　もつと物解りのするお前さんだと思つてゐたのに、阿呆らしくてお話にもならないよ。第一お前さんは毎日世間に出て何を見て歩くの？　ちつとは世間の相場も知つて置くがいゝ。妾は斯うして家に許り引込んで居たつて、お前さん何んかに未だ未だ負けは取らないんだよ。此れ怒るな、二兩二分だ……アハヽヽヽ、お前さんは二兩二分といふ言葉を生れて始めて聞いたんだらう？　其の桶だよ、一ヶ月だよと、何を云つてるんです。妾は斯う見えたつて三兩だよ、今しがた三兩で其の桶を賣つたんだよ。そうお前さに鼻に懸けられなくたつて、妾だつて此の桶は場所塞ぎだといふ事は知つてるさ。だから今日といふ今日は賣つてやりませうと思つて、丁度桶屋が家の前を通つたから早速呼んで、値踏みをさせた所、矢張り二兩二分だといふから、馬鹿を云ひなさい、此の桶が二兩二分ならお前さんの今着て居る着物は無料でもお釣りが來るよと云つてやると、其んならお神さん一體幾何で賣るのですと尋ねるから、其麼馬鹿値を付ける人には、もう賣らないよと斷はると、其麼事を云はないで、折角呼んで下すつたんですから、貴方の値段を付けて下せえと斯う云ふんです。其れで妾は三兩より鐚一文下には賣らないよと云つてやつたんです。すると桶屋も、元來桶の値打が充分其れ以上有るんですから、よろしゆう御座いますと斯う話が決まつて、今し方桶屋を裏から入れて桶を見せ、お前さんが今表の戸を叩きなすつた時丁度其の桶屋が其の桶の中に這入つて、傷んだ個所でもないかと檢べて居る所だつたんです。』

假令二分にしろ買ひ手があるといふ事を聞いて、石屋は欣喜雀躍たるものです。ですから、態々家の前迄連れて來た屑屋に向つて『今もお聞きなすつたでせうが、斯ういふ譯ですから此の儘歸つて呉れませんか。二兩二分と三兩では二分も違ひますからなあ。同じ二分でもお前さんの方が二分上の三兩二分なら、私は喜こんで讓るのぢやが今も云ふた通りぢやから濟まないけれど此の儘歸つてお吳んなさいな』と約束を取り消しますと人の好い屑屋と見えまして、『何ァによう御座んす。わつちは商賣でげすから。』と云つて怒りもせずに立去つて了ひました、

斯うして今は一切の危險物が失くなつて了ひましたから、ペロネラは俄かに大膽になりました。

『ねエお前さん。折角お前さんが歸つて來たんだから、今一度よく桶の中の桶屋に掛け合つて見て下さいな。』

此方はストリニヤロです。彼はペロネラの出鱈目な石屋苛めの言葉や、其れに對する亭主の辯解や、桶の賣却の一件まで、悉く手に取るやうに聞きましたので、今彼女が云つた言葉を機會に、機轉を利かして桶の中からつか〳〵現はれウンと空呆けて、而かも怪訝らしく、只今のお神さんは何處へ行かれました』と尋ねたのです。此れが普通ならば『貴方のお神樣は』と問ふ所ですが、其所が彼の機轉の利かし方なんです。

すると夫の石屋は彼に進み寄つて『何ァに彼女でなくとも、俺で澤山だ什麽用だ？』

『へえ、一體貴方は誰方樣で、私は今、桶をお拂ひ下すつた御婦人の方に用があるんです。何處へお出でになつたんでせう？』

ストリニヤロにも、他人の女房を物にしやうと云ふ程の人間ですから、萬事に懸けて、斯うと話が決まつたら其處は拔け目がありません。

馬鹿な石屋は、すると益々躍ッ氣になつて、『俺は彼女(あれ)の亭主なんだ。だから何か懸け合ふ事が有るなら、俺に云つたつていゝじやないか。』と頗る不足顏で、內心色めいて居る氣持がよく讀まれます。が悧巧なストリニヤロは、そうなると益々呆(とぼ)けて、

『へえ旦那ですかえ？　いや此れはお見外れ致しました。何ァに外でも御座いませんがね、只今檢べて見ますと、別段此れと云ふ程の傷みは有りませんが、何んだか知らねえけど尠し泥汁のやうなものをお入れになつたと見え、桶の中一杯にこびり付いて居ますね。今一寸爪で搔き取つて見ましたが、怖ろしく堅くなつてるので、爪位では仲々取れそうにもありま

せん。ですからあれを奇麗に落して貰はないとどうも困るんで御座いますがね。」

斯う云つて居る處へ、ペロネラはのさばり出て來て『いゝえ其れは駄目ですよ、一旦決めて居て今更兎や斯う云つたつて承知出來ませんよ。主人は今直ぐに中を奇麗に致しますから、何卒決めた値で持つてつて下さいましな。』

石屋は何處まで正直な男なんでせう。『譯は無いよ』と云つて、早速仕事に使ふ道具を持出して、シャツを脱いで片手に蠟燭を持ち、桶の中に入つて泥汁の黒い塊をこつ〳〵と削りながら、見てる内に綺麗にして了ひました。桶の外では細君が折々聲を掛けて『成るだけ綺麗にして頂戴ね。』と、イヽ氣なものです。

石屋はすつかり削り取つて了ひましたので、桶の中から出て來ました。

するとペロネラは俄か桶屋に向つて『さあ貴方、其の蠟燭を持つて、今度は得心が行くかどうかよく中を檢めて見て下さいまし。』と目で合圖して云ひました。

俄か桶屋のストリニヤロは、云はれる儘に彼の手から蠟燭を受取つて、一寸中へ這入つて見ましたが、碌々檢べもしないで『いや今度は結構です。』と答へそこで約束の三兩を拂ひ、桶を土産に歸宅したのであります。

第三話（寄生虫）

若き僧侶リナルドは或る夫人と戀に落ち、彼女の宅にて今しも戯れに耽けらんとせしに、運惡ろくも彼女の夫が外出先きより歸宅せしかば、見破られては一大事と計りに妙計を案じ、今僧に依賴して呪文を唱へて戴き、吾が子に寄生せる蟲を驅除して貰ひつゝある所なり、と巧みに欺き、難を免れたる話。

フイロストラトは、此の物語が猥褻に終るのを怖れて、所々態と省いて、露骨に總てを話さなかつた。併し淑女達は其の意味を暗々裡に了解し、彼の物語を決して詰らない物とは思はなかつた。そして恐らく話が自然であつた爲、其れに對して忌はしさを感じなかつたのである。扨て其れは兎に角、三番目の談話を仰せ付かつた淑女エリザは、直ちに次ぎの如き物語に這入つた――

愛する皆樣。先刻エミリヤさんが幽靈にお祈りをして退散して頂いた面白いお話をなさいましたが、あの話に刺戟されて私もまた、お祈の呪文を唱へて或る病氣を驅除する話を思ひ出しました。勿論此の話は幽靈退散のお話に比べては比較にならない程詰らないものかも知れませんが、別段是れと申して適當な話も只今思ひ浮びませんから、今日は此のお話で勘忍して頂き度う存じます。

御承知の通り私達の國シエナに名をリナルドと云ふ青年が居りました。此の青年は元來立派な家柄に生れましたので、其れが爲、何時も貴公子のやうに上品で御座いまして、長い間近所に居る或る美人に思ひを寄せて居たので御座います。其れで彼は有りと有ゆる手段を盡して、此の戀愛の勝利者にならうと心を千々に碎いてゐたので御座いますが、遂に思はしく行かず、全く水泡に歸して了つたのです。其れで此の美人といふ人から申上げて懸らねばなりませんが、其れは或る資産家の奥樣であつたので御座います。こゝでまた前に戻りますが、戀に破れた青年リナルドは幾度か死を決し、すんでの事に自殺を遂げやうとした事もありますが、其の都度人に助けられて未だ生きて居たので御座います。そういふ譯で日々憂鬱な日を送つて居たのですが、今度は斷然髮を剃つて坊主となつて了ひました。其して只管聖い神のお教へに身を任せやうと、新しい生活に這入つたので御座います。が元々自ら進んで僧侶となつたのではなく、戀に破れて其の結果止むを得ず僧侶の生活に自分を見出したといふ立場から今、自分も僧侶になつたのですから、勿論其の意氣込が違ひます。併し彼は當分の內こそ殊勝げにも品行を謹しみ其の夫人に對しても戀を捨て、また虛榮心の一切をも抛擲して居たので御座いますが、皆樣、日數が經つ內に持つて生れた心といふものは、長年慣らされた性質といふものは、何んで元の木阿彌に歸らずに居られませう。彼の僞信心と無理强いの僧侶生活とは跡方もなく消え失せて、元の通り人間味の豐かな青年となつて了ひました。其處で彼は世間の目もありますのに、爲るにも事を缺いて、綺羅びやかな袈裟を付けた儘、俗謠を唱つたり戀歌を口吟んだり或は舞蹈を始めるなど、有りと有らゆる遊戲に耽り始めたので御座います。

そこで皆さん一寸待つて下さいまし。妾は此れを特に靑年リナルド一人のみに就いて申上げてはならないので御座います。何故と申しますに、有りと有らゆる坊さんは、皆麼リナルドに似て、其の現はれた結果こそ違へ其のふしだらさに至つては同じであると思ひます。實際世の坊さんを特と御覽になつてもお解りになるでせうが、一體彼等は何の爲に豚の如くに肥へ、醉ひどれの如き赤い顏をして居るのでせうか？　此の事にお氣付きになれば强ちリナルド一人に責めを負はすのは可愛相であります。あの立派な其して奇麗な衣を身に付けて、街路を步く樣は、鳩にあらずして鷄冠の大きな雄鷄其の儘では御座いませんか。皆さんも御承知の如く、中風と云ふ病氣は美食と惰怠との結果に生れ出づる病氣で御座いますが、彼等は斯うした過去の生活の不謹愼さを公然と世間に曝して居るとは氣付かずに、自分達の中風をさも得意らしく見せびらかして居ります。此れは大いに詰問すべき現實だと思ひます。

彼等の部屋に色々の香水や其他非常に高價な調合物の瓶を豊かに並べてあるといふ事、また綺麗に蒸溜した水の瓶や、油壺や、或は色々な葡萄を入れてある器や、または希臘から輸出されて來る最上の酒などをズラリと並べて、一見藥屋か又は化粧品屋と間違へさせそうで御座いますが、此等の事に就いては妾は今更意見を申上げる必要もあるまいと存じます。一體彼等は私等を頭から馬鹿にして居るんです。攝生を重んじ粗食をすれば、人間の身體は彼等の如くに肥滿せず而かも健康は彼等に勝るやうになる事を、私達は知らないとでも思つて居るのです。お話するのも畏れ多い事で御座りますが昔ドミニコ上人もフランチエス上人も共に粗末な盲縞の着物をお召しになつて、寒氣をお凌ぎになられましたが斯うした着物でさへ『私は本統に結構なものを着て居る。』と仰有つた位です、淚の出る程有難い言葉です。綺麗な着物を着て自分を偉いものに見せ、喜捨を多く貪ぼる事程、立派な僧侶であると心得て居る彼等に是れは偉大な敎訓でなくつて何んでありませう。敎訓を施す筈の彼等が、私達に詰問されるなんて、馬鹿氣て物が云へません。ぢや一體彼等の斯うした夥しい立派な着物の費用を負擔する者は誰れなんで御座いませう? 其れは申す迄もなく低腦兒の信者、つまり薄つぺらな信心屋さんが、此の莫大なる費用を背負されて居るので御座います。

まあ皆樣勘忍して下さい。何時の間にか脫線して居りました。此れから急いで話の本筋に立還る事に致します。扨て僧侶のリナルドは勿體なくも身に袈裟を纏ひながら以前の放縱な生活に還つて、再び夫人に熱烈な戀を燃やし始めました。

すると夫人は彼に對し、彼を以前のリナルドとは解釋せず、今は性質の溫順な人間と變つてゐるとでも思つたのでせうか。今度は餘り剛情も張らず『坊さんの世界にも戀愛といふものがあるんですか? 何んだか可笑しいわっ』位にあしらうた程、氣を緩め出したのです。

『えゝ奧樣、僧侶にだつて戀愛はありますよ。衣をとれば同じ人間ですからね。』彼は斯う答へたものです。そして此れが事の始まりとなつて、其後彼は此の夫人と度々顏を合はせるやうになつたのです。リナルドは夫人と言葉を交はす都度、片思ひの戀愛が如何に心苦しいものであるかを口を大にして語り、己れの意の閃きを彼女の頭に鋭くチラ付かせたのです。そして彼女の虛を突いた閃光は、軈て彼女を魅惑して了つたので御座います。

或日の事リナルドは仲間の僧侶を一人連れて夫人を訪ねました。すると夫人は彼に向つて、『一體何うなすつたんです? 其後チツともお見えにならなかつたぢやありませんか。いゝお友達でも見付かつたんでせう。』と笑ひながら彼を促したのでした。

『冗談でせう奧樣。そういふ事があつて吳れゝば至極結構ですがね。最近馬鹿に急がしかつたんですよ。』彼も笑ひながら答へたのです。そして一寸四邊を見廻しながら、

『今日はお留守なんですか?』と、彼は夫人の目の前に親指を出して見せたんです。

『えゝ今日は出かけたんですよ。ですから緩つくりしてらつしやいな。』と夫人は、意味あり氣に彼を促し、此時一段と聲を祕めて、『でもあの方がいらしてはね?』と、今一人の僧侶を氣にし出したのです。すると彼は、『何ァに僕の友達ですか

ち、何うにでもなりますよ。』と云ひ、譯もなく片付けて、彼は相手の僧侶に向ひ、『君に面白いものを見せやう。此處に鳩がウンと飼つてあるんだ。女中に案内して貰つて鳩部屋に行つて見給へ。其の代り女中さんにはお禮として、例の君が大得意の祈禱文を、彼女が覺え切るまで三つか四つ敎へてやつて異れよ。此處の女中さんは、祈禱文と來ては、其れこそ夢中なんだからね。』と、巧みに口實を設けて彼等を遠ざけて了つたんです。夫人も此の詭計には些か驚きましたが『此んな頓智のいゝ人だから、決して問題を起すやうな、へまな結果にはなるまい』と、頗る安心して、幼兒を抱きながら、リナルドと一緒に寢室に這入り、內から堅く錠を下しました。所が運の惡い時と來たら仕方のないもので、彼女は今、戸を閉めかけてまだ閉め切らない內に、此時主人が外から歸つて來て、妻が寢室に居る事を感付いたらしいのです『おい開けろ開けろ』と頻りに戸を叩き始めたのです。

不意打ちを喰らつて細君は蒼くなつて了ひました。餘りの驚きに慄へながら、『お、どうしやう？リナルドさん、主人が歸つて來たんです。あゝ妾困つた！　見付けられては大變です。早やく何んとかして下さいな。』

リナルドにあつては此時すでに、衣を脫いで、綏つくり戀の戯れに這入らうと用意をして居たのですが、今此の驚くべき出來事を聞かされて同じく自分も小さな聲で、が併し落着き拂つて、周章てゝ切つてる夫人に注意を與へました。

『奧樣、周章てちやいけません。却つて變んに感付かれます。私達は何も未だ惡い事をしてないぢやありませんか。心を靜めて僕の云ふ通りにしなさい。譯もない事ですよ。僕が衣を着て了ひさへすれば、何んとでも云ひ譯が立ちますよ。だから決して周章てゝ騷がず、貴方は戸を開けて下さい、でないと貴方許りぢやなく私も共に命が無くなりますからね。』

命の瀨戸際に在るといふ重大な時ですから、夫人は此時、有りと有らゆる智慧を絞つたのです。と其の刹那、彼女の頭に迚も奇拔な妙案がチラと浮んだのです。其れで彼女も急に落着き拂つて、リナルドに斯う申しました。

『其れでは貴方、早く〳〵衣を付けて此の赤兒を抱いて居て下さいまし。そして妾が主人に什麼事をいふか、其れを注意して聞いてゝ下さい。今此處で其れを牒し合せる丈の餘裕がありませんから、妾の云ふ事に對して、貴方が拔かりなく跋を合せてさへ下されば、屹度此の場を胡麻化す事が出來ると思ひますわ。ではね、お願ひしましたよ。』

夫は先刻から續け樣に寢室の戶を叩いて居ります。『どうしたんだ？　開けないか？　おい！』頻りに癇癪を起して居ります。

夫人の方では今は全く手筈が調ひましたから、扨て此れから愈々芝居に懸ります𛀁云つた調子で、扉の中からウンと濟して、

『わかつて居ますよ。今行きますから』と第一の臺詞を試みました。其して態と靜かに戶を開けながら手招いて、夫を意味有り氣に少し部屋の中に入れてから、さも嬉しくて耐らないといつた調子で『貴方、喜こんで下さいな。偶然にも今日リナルドさんがお出になつたんですよ。全く何かのお知らせでゞもあつたのか、本當にゐらして下すつたばつかりに、命拾ひが出來たのです。若しお出にならなかつたら、今頃赤ん坊は死んで了つてゐたでせうよ、全く危ない所でしたわ。』

と、眞しやかに夫に告げたのです。

赤ん坊にかけては大の親馬鹿チャンリンであつた彼が今、夢にも思ひ懸けぬ赤ん坊の變事を聞かされたので、殆んど氣が遠くなる程打ち驚きましたが、漸つと踏み耐へ、眼を白黑させて『そ、それは一體本當か？　そしてどうしたんだ？』と言葉も碌々滿足に出ません。赤ん坊可愛いさの一心で、早や眼には熱い淚さへにじみ出て居ます。

此れを見てとつた夫人は、扨てこそ待つてゐましたと許りに、言葉巧みに說き立てました。

『貴方、本當に驚喫しましたわ。今朝あんなに元氣だつたのに、今し方、急に、見てゐる內に變になつて來たんです、此れは只事でないと、周章て出したんですが、何を申せ貴方も居らつしやらないし、もう血が頭へ上つてどうすればいゝか解らなくなつて了つたんです。そしてまご〳〵してますと、運よくも其所へリナルドさんが尋ねていらつしやたんです。子供の事が心配で碌々物も云へないで居るものですから「どうしたんです？　大變顏色がお惡いやうじやないですか？」と仰有るので、思案に餘つて子供の樣子が變な事をお話したんです。するとお坊樣は、兩手で坊やをお抱きになつて、一

應診察なされ「此れは大變な事になりましたね」と、不安げに斯う申されるんです。全く其時は氣絶しさうになつた程驚いて「どこが一體惡いんでせう？　泣いて許り居てチッとも分らないんですよ。ねえ救けて下さい。」とあの時許りは、思はず妾も涙ぐんで了ひましたわ。するとお坊樣は斯のやうに仰有るんです。「奥樣、大變な事になりましたね。若し此の儘放つて置いたら今夜中に赤ちやんは死んで了ひます。心臓の附近に澤山變な蟲がたかつたんです。貴方にはお解りにならないか知りませんが、此の顔色といひ、此の胸の動悸や黑づんだ色といひ其れに違ひないんです。これ此の通りですよ、御覽になつて下さい。」其れで妾も急いで覗きますと、全くお坊樣の仰有る通りになつて居りますから、今度は我慢も恥も忘れて、其の場に泣き崩れて了つたんです。せめて貴方でもゐらつしやれば、什麽にか心强からうと、斯う思ふと、斯う思ふと、益々涙が流れ出るんです。一層の事、妾は赤ん坊と一緒に死んで了はう、何んで坊や許り死なせやうと斯う思ふと、もう悲しくつて悲しくつて、益々涙が止度もなく流れ出るんです。其の内に妾は「奥樣！」と云ふ聲を聞き付けましたので、ホッと我に還り見上げますとお坊樣は先刻から幾度も〳〵妾を呼んでゐらしたことが分かつたんです。そして決して御心配には及びません。私は屹度癒して上げませう。斯う仰有いますから、妾は夢ぢやないかと思ひましたわ。ところが貴方夢でも何んでもないのです。お坊樣は斯う申されるんです。「私は其の病氣を呪文で一ぺんに癒して上げませう。御安心なすつて下さい。呪文を唱へたら黴菌は一匹も殘らず死んで了ひますから、氣を大きく持つて私の云ふ通りにしなさい。」

斯ういふ場合に、其の言葉は妾にとつて百萬の味方です。妾は起き上つて「其れではお言葉に甘へてお願ひしますわ」とお頼みしたんですが、其れでも未だ貴方のお出にならないのが心配になつて、といふ譯はお坊樣に呪文を唱へて頂く間、せめて貴方でもゐらして下されば、屹度、呪文を唱へて下さる間、坊やの爲にお祈を捧げて頂きたかつたのです。其れからと云つて何處へお出かけになつたのやら皆目解らず、當もありませんから探しにやらうにも行先が解らないんです。無論女中にも聞きましたが要領を得ず、半ば狂人になり懸けて居た時ですから、氣許り焦つて何もならないのです。併し愚圖々々して居ては坊やの一命に拘はると云ふ事だけは判然と意識が働いて居りますから、リナルド樣と一緒にお出になつた今一人のお坊様に頼んで鳩部屋に上つて頂き、貴方の代理にお祈りをして貰つたんです。今もお坊様からお聞きした事ですが、何分此の呪文を唱へて病氣平癒の祈願をなさる場合には、出來る丈け祕密にしなければ効力が無い許りでなく、第一神樣の罰を被むるやうな事になるのだそうです。其れで妾は機轉を利かして、妾の寢室を選んだので御座います。そして故意と扉も開かない樣に錠を懸け、此れなら誰も呪文を洩れ聞くものはないでせうと云ひますと、お坊樣は結構ですと仰有いましたので、其の通りにして居るといふ譯だつたんです。尤も其の節お坊樣は、赤ちやん以外には誰方も此處へ、お這りなつては困ります。と斯う仰有いましたが、併し妾は子供の母親ですから、是非妾だけを入れて下さいとお頼みしてみたんです。するとお坊様は仕方がないでせうと斯う仰有り、其の代り貴方は呪文を唱へてる間、眼を閉むつて赤ちやんの爲にお祈りしてゐらつしやらなければなりませんよ。と斯う申されますから、妾は其の通りにして居たんです。するとお坊樣は、其の內に呪文をお唱へになつて了はれたんです。そして坊やを抱きながら、いまは鳩部屋でお祈りをしてらつしやるお坊樣の、お祈りが終るのをお待ちなすつてゐらつしやる位のもので御座います。御呪文と御祈禱と相俟つて始めて完全なものに成るのだそうで御座いますが、お蔭で坊やの病氣は、最早ケロリと癒つて了ひましたよ。まあ坊やを見てやつて下さいまし、本當に子供つて正直なものです。此れ御覽なさい、病氣が癒つたら此麼に元氣になつたんですからね。』

何も知らぬ夫は、子供が可愛い一心ですから、斯うして巧みに今、仕組まれた此の狂言に對して、容易に其れを見破るどころの騷ぎではありません。

妻の話を一通り聞くと、始めて吾れに還つたといふ氣持になつて、ホツと安堵の溜息をつき『どれ、坊やを見せなさい。』と、ズカ〳〵前に進まうとしますと、夫人は急いで遮つて『まあ、一寸貴方お待ちなさい。お坊樣に一應お伺ひしないと惡いわ。折角呪文を唱へて頂いたり、御祈禱をして貰つたりしたのが、フイになつては一大事ですからね。妾一寸聞いて見ますから、貴方は此處で待つてゝ下さいな』

併し夫人は、此麼心配はしなくともよかつたのです。といふのは細君の言葉に最前より跡を合せて、袈裟衣も厳めしく帽子迄殊勝に頭に載せ兩手に子供を抱いて、何時でも辯解が出來るだけの用意をして居たのです。

おまけに今、夫人の言葉を聞いて、自分から進み、自分に向かつて來る彼女に對し、

『やア奥様。入口にいらつしやるお方は御主人ではありませんか？』此れを聞いて夫は逸早く、『そうです。私は主人です。』と、子供を早く手に取りたい一心で、主人は、もどかしさの餘り、斯う出しやばつたのです。

『矢張りそうでしたか？　貴方ならば此方にお這りになつたつて構はなかつたんです。まあ早やう御覧になつて下さい。大變なところでしたよ。私も本當に濟々しました、さ貴方にお渡し致しますから靜かにお抱きになつて下さい』斯う云つてリナルドは、勿體を付け乍ら重々しく、彼の手に渡しますと、主人はもう目に涙を浮べて、『お蔭様で本當に有難う御座りました。』と平身低頭の姿で、赤ん坊を受取り、妻に耳打ちをして、出來る丈の御馳走して歡待するやうに命じたのです。

更にリナルドは彼に斯う云ひました。

『病氣平癒のお禮としてお子様と同じ位の大きさの肖像を蠟でお造りになつた上、アムブロウズ上人に御献納遊ばすやうにお願ひして置きます。實際御上人様の特別の御加護があつたればこそ、此のやうな絶大の恵みをお受けする事が出來たのです。其れをよく心に感謝して下さい。』

瀕死の狀態に置かれた赤ん坊は此の時、父の顔を見て、無心に笑ひ他愛もない事を偶然にも口籠りましたので、今は彼も耐らなくなつて、『おゝ坊やか、坊やか』と涙の瞳を輝せながら、天井を仰ぎ『天にましますす我等の父よ』と、限りなき快癒のお禮を捧げたのであります。

話變つてリナルドと一緒に此の家を訪れた若僧は、此時、以上の狂言の筋を聞き知つてわざと鳩部屋から此部屋に現れ、リナルドを見るなり、『御依頼の御祈禱は滞りなく濟ませて來ましたよ。赤ちやんの工合は如何です？』と巧みに、合鎚を打つたのであります。するとリナルドも眞顔の儘『御足勞を煩らはして恐入りました。お蔭様でお子様は此の通り全

快なさいましたよ。』主人は天にも上る心地になつて、兩僧を生佛のやうに崇め尊び、其夜彼等を引留めた儘、出來得る限り宴を張つて御馳走をし、幾度も幾度も兩僧に感謝する事を忘れなかつたのです。軈て夜も更けかゝりましたので二人の僧は、名殘惜しげに暇を告げました。すると主人は翌朝早速蠟人形を造らせ、澤山の喜捨品を添へてアムブロウズ上人の御前に献納したので御座います。併し皆様、其れはミランのアムブロウズ様でなかつた事だけは、玆にお斷りして置きます。

第四話（良人の恐怖時代）

或る夜、トファノは妻の外出せるを知り、懲しめの爲に家の戸を鎖したるに、軈て彼女は外出先きより歸へり來たり、その理由を述べ只管歎願せしも、彼は頑として諾かず、扉を開けざりしかば、彼女も機智を働かし家の前の井戸に投身すると見せかけ、其の實は石を水中に投げ入れしに、流石の彼も泡を喰ひ、此の體を見屆けんと表に走り出でしかば、その隙を覘ひ彼女は素早く交替に家中に這入り、此度は彼に締め出しを喰はせて、思ふ存分痛罵を浴せたる話。

エリザの談話が了はると、王は直ぐラウレツタに次ぎを命じたので、彼女は物語りに這入つた――

おゝ！　戀愛。何んといふ力強い言葉でせう。戀愛の偉力は餘りに甚大です。如何なる無智盲昧な人間でも、一度戀愛病に罹つたなら、其の熱き情熱は何物をも燒き盡して了ひます。戀愛の力の編み出す策略は、多種多様に亙つて實に偉大なものが御座います。一度その力が動き出す以上、何物にも敗けを取らない巧緻さを示します。其の事實は、現に皆様のお話になりました本日の話題に徴しても明らかであります。戀愛の力は、その當事者が生死の境に逢うて、始めて力強き光彩を放ちます。只今のお話を聞いてゐますと、斯ういふ考へが切實に浮んで參ります。それで妾も引續き或る婦人が其の夫に對して用ひた、策略に就いて、お話したいと存じます。無論その婦人は戀愛の力に指揮を受けた事は申す迄も御座いません。

昔アレッツォに、トファノといふ金持が居りまして、名をキタといふ美人を妻に持つて居りました、がどうした事が原因でか俄に大の嫉妬屋（やきもちや）となつたのです。その妬き方と來ては少々焦げる位では飽き足らず、其の都度粉にして了はねば滿足しないといふ嫉妬屋さんだつたのです。それがため細君の迷惑は一通りでは御座いません。『一體何の爲に、何を根據にして貴方は妾を疑ふのです？』と何時も夫を責めたので御座いますが、その答に對しては夫は無論、答へるだけの材料を持つて居なかつたのであります。只漠然とした疑はしい氣持に驅られて、彼女を滅茶苦茶に、疑ひ出すに過ぎないといふ程度だつたんです。斯ういふ譯ですから妻の怒るのも、全く無理が御座いません。それに得て人間といふものは横意地になりたがるものですから、此のキタも其の例に洩れず、このやうに眞面目であるに拘はらず、濡衣を着せられるなら、一層の事、夫への面當に、兎もすれば我身に懸る疑ひを實地に演つて驚かし散々腹癒せをしてやりませう、と斯ういふ了見を起したので御座います。そして此の考へは、彼の嫉妬が始まる毎に愈々募り今は實行する事に決心の臍を堅めたので御座います。全く可愛相に一人の貞操高き立派な女性を殺したのは、正に其の夫であります。

彼女は口惜しまぎれの結果、以前に或る青年紳士が自分に懸想してゐた事を思ひ出し、今は自分から其の青年を訪れ、邪（よこしま）な戀を捧げたのです。無論青年にあつては失戀の浮身に惱んで居た際ですから、一も二もなく此の戀愛は成立致しました。

元來トファノといふ人は、この他にも尙、澤山の惡い癖がありまして、第一酒が大好物だつたのです。それを今夫人が利用して彼に飲酒を薦め、へゞレケに醉はして寢かして了ひ、その間に青年と媾曳の機會を作らうと考へたのです。そして此の事を幾度も實行したのであります。

斯ういふ風に夫人は、味を覺へましたので、其後も頻りに夫の酒癖を利用しては、情夫を家に引入れたり、或は彼の住居が近所であるのを幸ひに、自分から出かけて行つたりして、夜の大凡を樂しい寢物語に過し合ふのでありました。斯ういふ風にして引續き不義の快樂に耽つて居ります内に、或日の事です。夫のトファノは薄々變に感づきました。それといふのは、自分に最近、あれ程避けた飲酒を進んで薦める、而も自分に許り飲まして、彼奴は少しも口にしない、どうも變だ。此れが變でなかつたら全くどうかして居る――斯ういふ風に氣を廻し、これは確かに自分が泥醉して前後不覺になつて居る間に、淫賣婦奴！　そうだ。それに違ひない。――斯ういふ風に理論を立てゝ參りましたから、さア事が穩やかで御座いません。

それで今度こそは揚足の奪られないように、確かな證據を摑みたいと、或る夜一滴をも飲まないのに恰かも、大酒を飲んで來たといふ風に見せかけ、勉めて言葉も荒々げに亂暴の限りを盡し、まるで氣が狂つた動物のやうに大亂痴氣を働きました。彼に圖られたとは露些かも知らず、夫人は此の狂態を見て、今夜も情夫に逢へると人知れず會心の笑みを洩し、『其麼に飲んで來ては困るぢやないの。早くお休みなさい。でないと家が無茶苦茶に破壞されて了ひます。』斯う云つて寢かせやうとするのですが、尙も彼は亂暴を働きますので『止しなさいてばさ。困つちまうぢやないの？』と今度は彼の利腕を摑んで、直ちに寢床に拉し去り、共に其の中へ入れました。そして彼を寢かすと直ぐ其の足で、毎時もの如く家を拔出し、情夫を尋ねて、夜の大部分を其處で過しました。

此方はトフアノです。狸寢入りをして居ると、妻が床から拔出て行きましたから、最初の程は便所にでも行つたのであらうと、待つて居たのでありましたが、いくら經つても寢床へは戻つて參りませんから、扨こそ怪しいと熱り立ち、床を蹴つて家の中を隈なく探しましたが、元より影も形も見えません。さア斯うなると持前の嫉妬の焰が益々燃え立ち、今にも天井を燒き盡して了はん許りです『己れ姦婦！案に違はず俺の眼を忍んで男狂ひをして居るのだ。えいツ此上は、どうしてやるか覺えてゐろ。』と早速入口の扉に錠を下ろし、窓の前に腰掛け、妻の歸りを今や遲しと待構へました。

斯ういふ結果になつて居やうとは夢にも知りませんから、夫人は夜の明けぬ間にと情夫の家を出で、何喰はぬ顏に吾が家路に近づき、今しも扉を開けやうとした刹那、こは如何に、固き錠が下りて居ますので、扨ては感付かれたかとビクツとしたのです。併し元氣を出して、今一度扉を捻ねつて見ましたが開きません。それで今度は自棄（やけ）氣味にこじり開けやうとしましたが、どうしても開きません。する内に突然、夫のトフアノは窓から嚙み付くやうに吸鳴りました。

『馬鹿野郞。夜が明ける迄其處に居れ。でなきや今來た處へ歸れ〳〵。覺えてゐろ。畜生！　態ァ見やがれ淫賣婦奴。』

扨ては密事露見したのかと、此時彼女は顏の色まで變つたのですが、併しこゝが命の瀨戸際と出來るだけ下手に出て、泣くやうに云ひました。

『貴方、後生です。何卒此處を開けて下さいな。決して貴方が邪推遊ばすやうな所へなど行つたのぢやありません。夜は長いのにどうしても眠れないし、また自分一人起きてボツネンとして居るのも耐へられないので、其れで近所の貴婦人を訪問して、斯麼に遲くなつたんです。』

彼女は熱心に斯う辯明したのですが、併し、どうも駄目らしい事が分りました。といふのは見た樣子では、夫はアフツツオの市民全體に妻の此の體たらくを見せつけて、彼女に恥を曝させやうといふ積りなんです。そうして、斯ういふ風に事柄を荒立てないと、今後の爲の見せしめに、よくないとでも思つたらしいので御座います。

どのやうに懇願を重ねても、少しも利目が現はれませんから、夫人も一計を案じたのであります。其れは反對に、夫を威嚇かして否やでも應でも戸を開けさせやうといふ目論見だつたのです。そこで今度は大きな聲で『どうして戸を開けないんです？　開けなきや開けないで、もうよう御座んす、妾にも覺悟があります。世界一の慘めな人間にしてやります。あんまり馬鹿にしなさるな。』と吸鳴り付けたんです。すると夫は扉の內から『ぢや一體どうしやうといふんだ？』と聲に應じます。

戀愛の力は此の刹那、夫人の腦頭を銳利に磨いたのです。何んと皆樣、戀は偉大では御座いませんか？夫人は其れに對してどう答へたか？　まァ聞いて下さいまし。

『今に始まつた問題ぢやありませんが、一體貴方は何んでも僻んだ目で見なさるのです。それなら其れでよう御座います。妾を家の中に入れずに世間の人に見せ物にするなんて、餘りと云へば餘りです。それも仕方が御座いません。貴方が貴方なら妾にだつて了見があります。妾に對する不名譽に對抗して、妾は貴方を、此上もない不名譽にして見せます。嘘偽りぢやなく、今此處で其れを實行して見せます。この井戸の中へ身投げをして死んでやります。どうせ斯麼生活を續ける位なら死んだ方が増しです。そして妾が此處に死んで居るのを、人が見付けたなら、世間では何んと噂をするでせう。それは云はずと分り切つた問題です。トフアノの仕業だ。トフアノが殺したんだ。彼麼に酒癖の惡い奴だから、大方醉つぱらつた擧句、亂暴が高じて細君を井戸の中へ叩き込んぢやつたのだらう。斯う云ふに決まつて居ります。そしたら貴方は、眞逆此の土地に居られますまい。それこそ尻に帆を懸けて夜逃げでもしなければならなくなるでせうよ。夜逃げをしたら莫大な貴方の財産が、無くなつて了ひますが、それでもいゝんですか？　それが厭だつたら貴方は殺人罪に問はれて、死刑を免れないでせう。問題は二つに一つです、素直に此の扉を開けるか、さもなきや妾を身投げさすか何方かです。それに依つて夜逃げと死刑が附いて廻るのです。』

足並を揃へて、ぐん〳〵トフアノを手酷く嚇かしたのですが、少しも効果が現はれません。併し夫人は今更、引つ込みも就かず更に緊張振りを見せて『もう此れ以上耐へられません。妾は只今、貴方の爲に死んで行きます。併し多分神様は貴方の罪をお宥しになるでせう。』と此の世に殘す最期の言葉を述べたのです。

幸ひにも其の夜は眞の闇で、假令途中で誰れに逢はうとも皆目、見當が付かぬ程の暗さですから、彼女は得たり賢しと井戸に近寄つて其處に在つた石を抱へ、『神樣、この憐れな身投げをお宥し下さい。』と態と聞へよがしに、件の石を井戸の中に投り込みますと、石は水面に當つて、ドブンと大きな音を立てましたので、無論この時トフアの耳に這入つたのです。扨ては妻が投身した。本當に投身した。これは一大事だ。と顔の色まで變へて、『愚圖〳〵して居たら妻が死んで了ふ。スハ一大事だ。』といふので、妻を救ひ上げる爲、繩とバケツを携へて、井戸端へ飛び出しました。

夫人は石を投り込むや否や、足音を殺して、扉の側にピタリと喰付いて身を隱したのです。ところが案の條、泡を食つて夫が井戸端の方へ走り出しましたから、此處ぞと許りにヒラリと身を躍らし、彼と交替に、自分が家に這入り、堅く錠を下ろして、同じく今度は自分が窓際に行き　井戸端へ行つた夫を嘲り乍らトファノを呼び、斯う冷やかしました。

『若し貴方、貴方は酒の代りに水を飲むのが本當です。ウンと其處で飲みなさい。一刻も早く醉ひを醒ます事が目下の急務なんです。』

確かに妻が投身したと思つて、井戸の中を検べて居た時、突然家の中から自分を嘲弄する妻の聲を發見しましたので、『扨ては彼奴に一杯食はされたか。ちぇッ！』と地團太踏みましたが、今更追付きません。其處でぷり〳〵怒りながら家の中に這入らうとすると、戸が開きません。これは變だと二三度ドアを捻つて見ましたが、いつかな挺子でも利きませんから矢庭に激怒に驅られ『馬鹿ッ。開けないか。』と、腹立だしさに、極度の憤りを覺へ、『何處まで俺を馬鹿にするんだッ！』と叫び狂ひました。併し窓の中の細君にあつては悠々たるもので、ゲラ〳〵嘲笑ひ、てんで問題にしません。

『精々吹鳴りなさいな。お日様の出るまで御苦勞様ねエ。』

『其麼事云はずに開けてお呉れよ。』と今度は流石の彼も、稍々下手に出ました。併し細君は未だ承知致しません。

『飲んだくれの、役立たずの嫉妬屋！　今夜は駄目〳〵、偶には夜中の空氣も吸つておくのも經驗でせう。貴方は什麼貧の人間で夜遲くまで何をして歩くか、世間の人樣に僞りのない所を見て貰ふのだ。さあ其處にちやんと夜明けまで立ちん坊で居なさい。』

此の暴言にトファノは、再び嚇ッとなりました。そこで今度は亂暴を働き、怖ろしく騷ぎ立てましたので、隣り近所の人達は『一體何事が起つたんだらう？』と、何れも眼を醒し、其處へ出て來て見ますと此の體たらくですから『まあ何うなすつたといふんです？』と呆れ返つて尋ねました。

斯ういふ結果になりましたので、彼女は占めたと思ひました。そして俄かに泣顔を作り『皆さん。宅の人の顔をよく見てやつて下さいまし。斯麼道樂男は何處の世界に居りませうか。夜は何時にならうが一向お關ひなしで、何時もこれ此の通り醉つ拂つて歸つて來るんです。長の月日の事だからと妾しや今までどれ位我慢したか知れあしないんです。併し此のドラさんは段々妾を馬鹿にして、小言を云へば、踏む蹴る擲るといふ土方根性を發揮して、身に生疵を絶えさせないんです。今夜も此通り斯麼に遲くなつて歸つて來たから、今日こそ懲しめの爲に、と斯う思ひましたので、戸を閉め切つて家の中に入れず世間樣に恥を曝らさしてやらうと、それを實行したんです。この醉つ拂ひを穴の開く程見てやつて下さい。』

『何んだと此の賣女?　何を吠ざきやがるんだ　反對ぢやないか。反對も反對大反對だ。馬鹿にするない！』とトファノは意氣り立つて斯うなつた迄の顚末を人々に語つたんです。そして最後に妻に向ひ、

『畜生！覺へて居やがれ。この噓つき奴！』と嚇し付けたんです。

併し細君は一向に頓着せず、近所の人達に向つて斯う判斷を求めました。

『皆さん其れ此通りで御座いますから厭になつて了ひますよ。此麼噓が平氣で吐かれる人間ですから什麼性質の人間であるかといふ事が略々皆樣にもお考へが附くだらうと思ひます。妾が入替つて家に這入つたなど〻、噓も此處まで吐けたら一人前で御座いますよ。それに妾が男の家で寢て居たなんど〻、どうして其麼馬鹿げた事が平氣で云へるんでせう！　自分が情婦の處に居たもんだから其れで其麼難題を吹掛けるのです。また井戸の問題にした所で、皆さん馬鹿氣てるぢやありませんか。誰が好き好んで夜夜中、井戸の中へなど飛び込む奴がありますか。大方この男は酒と水を間違へて井戸端をうろ付いたんでせうよ。』近所の人達は皆麼、トファノが惡いのだと分りましたので今は總懸りで彼を責め『これは何んと云つた所で貴方が惡いんです。私達に目がない譯ぢやなし、全く貴方の行ひは常平生の仕打ちを見ても分りますよ。これからは其麼慘酷な眞似はお止しになつた方が貴方の爲ですよ。』と眼玉も飛び出る程に、彼を蔑んだのです。

間もなく此の出來事が市中一般の評判となり、彼女の身内の人々の耳にも這入りましたので、其れは大變だと許りに大勢固まつて彼の家に押掛け、近所隣りの誰彼に一應聞き糺した後、トファノを引ッ捕へて打つやら蹴るやら擲るやら、全治五週間の打撲傷に遭はせました。

『巫山戲やがつて畜生！傷が癒つたらまた其の內に來て酷い目に會はしてやるから、性根を据へて待つて居ろ！』と捨臺

詞を残し、夫人の手をとり、彼女の所有物をも一切引拔いて實家に引上げました。

トファノは散々な目に遭はされたので、その當座、地團太踏んで口惜しがりました。がもとを糺せば自分の嫉妬から事が起つたのだといふ事に氣付きましたので、彼女に對する未練も有るしするので、其後友人を仲に入れて、今後絶對に嫉妬を燒かぬから、今一度機嫌を直して家に歸つて貰ひたい、といふ條件を付け、それでも先方が拒むのなら、彼女の好き勝手な行動も許すといふ、最後の條件まで附して賴みにやらせたのです。斯うして此の愚かなる夫は、散々傷つけられた後に、痛い身體を更に抂げ、自ら進んで和睦を要求したので御座いました。

第五話（壁の穴）

嫉妬深き夫は袈裟衣を着し、愚かにも天晴れ僧侶に化けたる積りにて妻の懺悔を聽かんとせしに、彼女は一見するや吾が夫たるを看破し、逆襲を試むべく出鱈目な懺悔を吐き、それを巧みに信じ切らせ、毎夜若き燕を引き入れ、散々樂しみたる話。

ラウレッタの談話が了るや、王は時間を惜んで直ちに次ぎをフランメッタに命じた。そこで彼女は物語に這入つた――

ラウレッタさんのお話を承りまして、妾も嫉妬深い夫の話を思ひ出しました。理由無く徒らに嫉妬を起す夫は、只今のお話の如く瀕死の狀態に逢はされるのが當然で御座います。法律を制定致します場合に於ても、この事に關しては充分考慮を拂ふのが當然かと存じます。强者の爲の法律でなく、何處までも弱者の爲の法律であつて欲しいと考へます。實際のお話が嫉妬深い夫を持つ妻の身になつて見ますと、死そのものよりも遙かに辛らう御座います。貞操は獨り世の妻のみが遵奉すべきものでは御座いません。彼等男子は自分達の素行を棚に上げ、そして妾達女性を許り責め付けるので御座います。此麼矛盾は何處にありませう。そして偶々妻の行動が少しでも變だと氣付いたが最後、團栗のやうな眼を開けて彼女の一擧手一投足を見張り、二六時中家の中に閉ぢ籠つて彼女の監視から眼を放しません。また休日や祭日等の安らかに樂しく遊び暮さねばならぬ日に於ても、彼等嫉妬屋は、その娛樂の一切を省き、平日よりも更に根強く家內に噛り付いて居るといふ始末です。全く彼等は嫉妬の鎖りで繋がれた奴隷で御座います。ですから妾達は此の法律の矛盾に對抗すべく、殊更に特殊な示威運動を激勵するのが目下の急務ぢやないかと存じます。つまり彼女等が夫を欺して巧みに姦通を奬勵するのであります。といつて誤解されては困りますが、不平等に對する同權を叫ぶ手段として、これ以外の方法は無いと存じます。所謂毒を以て毒を制す式の筆法で御座いまして、反動的に出る示威運動、必ずしも不穩當であるまいと存じます

昔アリミノに或る金持の商人が、美人の妻を持つて居りました。彼は大の嫉妬屋で、その嫉き方は側で見る眼も思はず反感を催さしめる程の猛烈なもので御座いました。それでは一體どういふ譯で斯うした嫉妬を起すのか、その原因を調べて見ますと、何の事です、これは亦餘りに馬鹿々々しくつてお話にもなつたものぢや御座いません。まあ皆樣、その原因といふのを一寸聞いて下さいまし。自分は妻を此上もなく愛し、また妻も常に自分を善ばすやうに心懸けてゐる。それは充分に分かつてゐるが、併し其れだけに心配でならない事がある。といふ譯は世間の男といふ男も何時かは自分のやうに妻を戀し、そして彼女の袖褄を引くであらう、すると彼女は其の男達の歎願を入れて遂ひに靡くに相違あるまい――斯う考へ詰めた結果大の嫉妬屋になつたので御座いまして、これは云ふ迄もなく夫に過分の猜疑心の有る事を示すと同時に、知識の淺薄さをも同時に示すものでなくて何んでありませう。

斯うして一日中彼女の一擧一動を嚴重に見張り、死刑の宣告を受けた罪人より以上の窮窟な干渉を怠らなかつたので御座います。如何に口實を設けた處でお祭にも出さねば寺詣りにも出さず、閾の外から一歩も足を踏み出させなかつたので御座います。只管家の中へ閉ぢ込めて窓の外を眺める事すら禁止し有りと有らゆる自由を束縛したので御座います。彼女にあつては、來る日も來る日も慘めな籠の鳥ですから、現在の生活に死ぬ程の厭はしさを感じ、それでも出來るだけ虐待に耐え忍んで居たので御座いますが、遂ひに勘忍袋の緒を切らして了つたので御座います。後ろ暗い事は只の一日もしな

いのに、斯麼に虐待されるのなら實際に貞操を破つて嫉かれた方が遙かに氣が利いてゐる。今度といふ今度こそは本統に其れを實行して驚かしてやらうと、虐待を受けた彼女としては、全く無理からぬ決心だつたので御座います。

何分にも家の前を通る人達の顏を見る機會が御座いませんから、誰を見付けて、相手にしてよいか分りません。頻りに考へ出したので御座いますが、もとより容易に見當が付きません。その內に不圖思ひ出したのは、隣の家に居るフィリップといふ自分の好きな青年の名だつたのです。それで早速彼女は、若しや壁に皸でも這入つてはゐまいかと、部屋の四方を見廻して萬一皸でも這入つて居たとしたら其處から彼に話し掛ける事が出來る。また戀愛の言葉を送る事も出來る。さうだ、巧みに隙さへあれば、彼を度々自分の部屋へ忍び來させる事も出來る。そして現在の悲慘な生活から、今少し愉快にしなければならぬ。さうすれば亦その內に夫の嫉妬を癒す機會も見出せるだらうと考へたのです。それで兎も角も、壁を精細に調べ始めますと、運よくも部屋の隅の方に割れ目が一個所見付かりましたから、其處へ眼を付けて覗いて見ると正しく隣家の一室になつて居ります。餘りの嬉しさに彼女は思はず獨言を放ちました。

『若し此れがフィリップさんのお部屋だつたら妾は什麼に愉快になれる事でせう。』妾の計畫は既に半ば成就したも同樣になりました。』そして女中に、斯う命じました『お前も知つてる通り妾が若し此麼事をして、あの嫉妬屋さんに見付けられては大變だから、一寸お前濟まないけど妾の代りに、此の穴を覗いて、一體誰れの部屋であるか見屆けたら妾にこつそり知らして下さいな。』と賴んだのです。すると女中は二つ返事で間もなく、『あの奧樣、フィリップ樣がお獨りで隣の部屋へいらつしやいまして、橫におなりになりましたよ。』と復命したのです。

夫人は非常に善び、聲に應じて早速割れ目から覗き、次ぎに棒切れや藁の類を入れました。そして相手に自分の呼び出しを知らさうとしたのです。此方はフィリップの方です。部屋の隅から棒切れや藁の屑が飛び出しますので、如何なる遺恨があつて隣の人が此麼惡戲をするのかと、軈て割れ目の處へやつて參りました。

すると夫人は、『フィリップさんぢやありませんか、妾ですよ。』と言葉を掛けたのです。フィリップは夫人の聲を豫ねて知つて居りますから、此時迄も驚いて、『やア誰れかと思つたらお隣りの奥様で御座いましたか。』と餘りの意外さに暫しは二の句も出なかつたのです。

夫人にあつては此れを唯一の機會にして、譯もなく自分の意中をフィリップに通じたのです。無論彼にあつては大贊成です。餘り話が甘過ぎるので、これは事に依つたら昨日見た夢の續きぢやあるまいかと、自分で自分を疑つた程です。併し夢にしては餘りに秩序が正しく、現實味が帶びて居りますから、まゝよ夢でも拘はんと、彼は自分の部屋の割れ目を大きく開け始めたのです。勿論人に知れては一大事ですから、穴を開け了る迄絶えず心を四方に配り、用心の上にも用心を怠らなかつたのであります。斯うい ふ風に二人は壁を隔てながら、互ひに人の眼を忍んでは相談を交はしたり、また穴の間から握手を交したりしましたが、素より壁といふ障害物がありますので、それ位の事をするのが關の山で、フィリップが彼女の部屋に忍び込む等とは、夢にも出來なかつたのです。何を申すにも、夫は絶えず彼女の擧動に出來るだけの監視をし、其上嫉妬が狂的と來て居りますから、全く此れ以上手も足も出なかつたので御座います。

その內にクリスマスの日が近付いて來ました。

或日彼女は夫に向ひ『ねえ貴方、一年にたつた一度の事で御座いますし、それに聖キリストの子なら誰れしもさうするので御座いますから、せめてクリスマスの日だけはお寺に參詣にやつて下さいまし。そして妾も人々と同樣に懺悔を述べてから聖餐禮をお受けしたいと思ひます。それ位の事はいゝでせう?』

夫は不意に何事を云ひ出すかといふ顏で、彼女を眺め、『フン其れは變だな。一體お前は什麼罪を起して懺悔が必要なんだ?』

『まあ驚いた、貴方は何を仰有るんです? それぢや妾を御上人樣と同樣にでも思つていらつしやるんですか? 幾ら妾が家の中に閉ぢ込められて、一足だつて外出は出來なくとも、それでも妾は世間の人達と同じく、矢張妾も平凡な人間なんです、自分では氣付かずに居ても何かと罪を犯してゐるに決まつてをります。妾は只今迄心に思つて居る事を明ら樣に懺悔したいだけです。貴方はお坊樣ではありませんから、それで今迄貴方に申し上げる必要がなかつた迄です。』

妻の口から厭な事を聞かされたので、彼は忽ち例に例つて猛烈な猜疑心を起し、妻の云ふ所謂罪とは如何なるものであるか？　そして其れは如何なる內容のものであるか？　それをどうかして探知したいと思つたのです。それで彼女に向ひ素知らぬ氣に斯う嚴命しました。

『それ程懺悔がしたけりあ仕方があるまい。併し俺は、何處の寺へ行つても拘はぬとは許さない。必ず自分の寺の禮拜堂へ行かなきや駄目だ。といつて時間を無制限に開放する事も考へものだ。朝ならいい、朝の內早く行つて來い。それから懺悔とかを述べるお坊樣にしても、お前が勝手に選んだりなどしてはいけない。毎時も家に來る坊樣か、さもなけりや俺の指定する坊樣に限つて、懺悔を述べる事を許してやらう。これだけは念を入れて云つて置くが、この二人のお坊樣以外には絕對に許さないからなあ、性根を据ゑて行つて來い。それで懺悔が濟んだら、斯麼事は云はなくとも分つてるだらうが、直ぐ其の足で歸つて來なきあいかんぞ。若し他へ立寄つたりなんかして居たら、發見次第酷い目に合はせるからその積りで行つて來い。』

無茶づくめの許可命令を聞いて、夫人は彼の計畫を幾分か看破する事が出來ましたが、今この場合餘計な事を云つては反つて損になると思ひましたので『えゝもう貴方、仰せの通りに致しますわ。』と答へたのです。

愈々クリスマスの日が訪れました。夫人は豫て夫の命令ですから、朝早く起きでゝ、夫の指定した通りの禮拜堂に行きました。するとまた夫の方では、豫め計畫があつての事ですから、彼女に先立つて禮拜堂に急ぎ、ィの一番に着きましたので、豫て其の計畫を洩してある僧侶に會ひ、法衣を借り受け、そして顏は大きな頭巾を被つて胡麻化したのです。そして彼は禮拜堂の內陣に座を取つて彼女の來るのを今や遲しと待ち構へたのです。

此方は夫人です。何喰はぬ顏をして禮拜堂に上り、和尙樣に面會を求めて、懺悔を述べたき旨を申出でたのです。和尙の方では聯絡がありますから此の時、何喰はぬ顏をして、

『甚だ失禮ぢやと思ひますが、只今一寸手が放せぬ用事が御座いますので、誠に恐入りますが私の代りに仲間を一人此處へ寄來しませう。』と云つて、俄か僧侶に化けてゐる嫉妬深い彼女の夫を連れて來たのです。

何しろ商人が俄か坊主に化けたのですから、中々手際が思ふやうになりません。自分では巧みに化けた積りで居りますが、併し夫人は一目見て此の坊主こそ、自分の夫である事を知つたのです。それで肚の中で彼女は、『何處迄嫉妬屋（やきもちや）さんなんだらう。斯うして夫が化けるなら自分も欺しを懸けてやらう。』さう思ふと冷笑せずには居られませんでした。

それで彼女は夫を小馬鹿にした風情をば微塵も見せずに、悲々しく彼の膝下にひれ伏しました。この時俄か僧侶は聲の調子を變へる爲に、口の中に小砂利を含んで居たのです。巧みに化けた僧の姿といひ今また小砂利の用意といひ、僞者の僧侶にしては餘りに微に入り細に互り過ぎてゐる――と、獨知れず己惚れ顏に、彼女の談話を聞きとつたのです。また彼女にあつては、この邊で僞りの懺悔を述べて驚かしてやらうと斯う思ひましたので、

『お坊樣、誠にお恥かしい事を申し上げて恐入りますが、實は夫ある身に拘らず、妾は或るお坊樣と深い仲になつて居るので御座います。そのお坊樣は毎晩のやうに來て、妾の側へお休みになられます。』

斯うした思ひ懸けない懺悔を聞いたので、彼は餘りの驚きに思はず卒倒しさうになりましたが、グツト踏み堪へ、『フム其れは怪しからん事ぢや。それで其のお坊樣といふのは何處の何んといふ人ぢや？ それにした所で一體お前さんは、毎時も御亭主と御一緒に寢てゐるんぢやないのですか。』と努めて落着き顏に尋ねたのですが嫉妬の怒りに心臟の高鳴りを止める譯には行きませんでした。併し夫人の方では待つてましたと云はん許りに、

『ハイ。それがお坊樣不思議なんで御座いますよ。妾は無論夫と一緒に寢るので御座います。』

『と云ひなさると、それでは何んですか、御亭主と一緒に寢てゐなさるのに、また其處へ坊主が來て添ひ寢をなさるんですか？ でないとすると、それは一體？……』

夫人は彼の顏を盜み見て、この時。態と當惑げに眉をひそめ、『お坊樣、全く其の通りなんで御座いますよ。確かに夫と

寢てゐる筈の妾が、不圖眼を醒すと何時の間にかお坊様が來ていらつしやるのです。全く妾にも譯が分らないのです。その後何んでもお坊様が這入つていらつしやる時を一度見た事が御座いますが、指を一寸お觸りになる許りで不思議にどの戸も皆開くので御座います。妾の考へます所では寢室の戸を開けなさる前に何か呪文をお唱へになるらしいので御座います。それは妾の夫を眠らせる呪文で御座いまして、夫が眠つてからお這入りになり、そして妾の側にお出になりますので、それで誰にも知られないのでないかと思ひます。』

俄か僧侶は、これを聞いて、心で更に驚き、忌々しげに『それは怪しからん話です。若し今後も其麼事を續けていらつしやつたら、それこそ神罪を受けて大變な眼に逢ひますぞ。だから不義な行ひは、只今スッパリ捨て去りなさい。それが貴女の爲ぢや。』

『所がお坊様。どうしたらさういふ風に出來るか、妾には見當が付かないので御座います。何時の間にお出になるか其れも分らぬ上に、お坊様には呪文といふ唯一の武器が御座います。そしてよしんば妾が其れに打勝つ事が出來得たとしましても、內々妾は其のお坊様に首たけ惚れてるので御座います。』

と夫の嫉妬心に油を注いたのです。

『不貞な女奴！　左樣な儀ならば赦免する事罷りならぬ。』と彼は口惜紛れに怒鳴り付けたのです。

『お坊樣其麼にお怒り下さいますな。そのようにお怒りなされては、折角虛僞りのない懺悔を申し述べやうと思つて來たのが、何の役にも立たなくなつて了ひます。何も事を明ら樣に云はずに置けば其れ迄で御座いますが、それでは此のお寺へ參りました目的にも叛く事になりますし、しますから其れで隱さず懺悔致した次第なんで御座います。』

『兎に角お前さんは氣の毒な人ぢや。私の見た所ではお前さんの魂は今、地獄に墮ちて居るのぢや。併し、折角有りの儘に白狀しなさつたのぢやから、私はお前さんの爲、特別に祈禱をして進ぜやう。それで御利益が有るか無いかを聞きに、時偶人を遣はすから、その人に結果を云つて貰ひたい。私は其れを聞いた上でまた何んとかしなけりやなるまいから。』

夫人は周章てゝ、彼の口を遮りました。

『いゝえお坊様、それで澤山で御座います。家へ人をお遣はしなさるなんて、それこそ大變です。主人の惡口を申したくは御座いませんが、それは〳〵大變な嫉妬屋さんですから、理窟も何もあつたものぢや御座いません。萬一その様な人をお遣はしになれば、その人がお氣の毒で御座います。と申しますのは他でも御座いません。屹度此奴は肚に一物ある奴だらう? さうだ俺の妻を誘惑に來た奴だとかう心を其處へ曲げるので御座いまして、假んば世間の人達が全部お揃ひで、その妄想を主人の頭から取り除けようとしなすつた所で、迚も無駄です。それ程主人の頭は頑固で凝り固まつて居るんです。ですから妾は三百六十五日、只の一日として樂しく暮した事がないので御座います。』

僞坊主の夫は、少しは耳に徹へたかどうか、其處迄は解りませんが彼女を宥めて、『その事だけなら心配は有るまい。私はお前さんの爲に盡力をするから、人を遣はした所で、決してお前さんの主人が嫉妬なんぞ燒かぬ様になるぢやらう。イヤ屹度その様にして見せる。だから其の點だけは安心するがいゝ。』

『本統で御座いませうかお坊様! 妾は未だ疑はれてなりません。』

懺悔もこれで一先ず了りましたから夫人は罪の赦免を受け、立上つて溜所の方へ行きました。すると彼は、今迄堪へ忍んでゐた憤怒が俄かに爆發して、彼女をどのやうに折檻してやらうかと考へたのです。併し彼女よりも更に怒りを覺えたのは、その夜毎忍んで來るといふ怪僧に對してだつたのです。何は兎もあれ手早く袈裟衣を其の場に脫いで家に歸りました。そして今夜その坊主が忍んで來たら二人を横に並べた儘、恨みの刄を報いてやらうと夜の訪れるのを只管待ち構へたのです。夫人も寺から歸つて來て、何喰はぬ顏で夫の様子を探りますと、自分がクリスマスの贈物として夫に送つた罪深い懺悔に對して、憤怒を覺えて居る様が有り〳〵と伺はれます。勿論夫は、今日坊主に化けたといふ事も、また妻の懺悔を聞いたといふ事も、並びに二人に今復讐をしようと思つてゐる事をも努めて隱すやうにして居りますが、悧巧な夫人は只今も申しました通り夫の顏色を早くも讀んで、これは只事ならぬ事を考へて居るわいと、直ちに看破して了つたので御座います。

夫は尚もさあらぬ體で、努めて平靜を裝ひながら、件の怪僧を、入口の戸際で抑へてやらうと、斯う決心したので、彼女を欺きました。

『私は今夜夕御飯を食べたら、明日の朝迄歸らないから、お前は戸締りを嚴重にして、表の戸も階段の戸も寢室の戸も皆んな錠を下して置いて呉れ。『私が居ないからと思つて、戸締りをいゝ加減にしては承知しないぞ。そして眠くなつたら毎時でも寢てよろしい。』

夫人の方では思ふ壺に嵌つたと思ひましたから、嬉しくて堪りません。早速例の壁穴に行つて毎時もの如く合圖をし、今朝の禮拜堂に於ける一件と、只今の夫の言葉とを簡單に物語つた上『それにフィリップさん、喜こんで下さいまし。主人は明日の朝迄表の戸口に見張りをして居て、一歩も彼處から動かないに決まつて居ります。全く斯麽機會はまたと御座いませんから、貴方は其の間を御利用なすつて、屋根傳ひに這入つていらつしやいな。』

フイリップも思はず飛び上つて喜び『奧樣本統ですか？　ぢや必ず行きますよ。』と即座に答へたのです。

軈て夜が訪れましたから、夫は嫉妬に燃えながら祕そかに一刀を腰に差し込んで、地下室に隱れたのです。すると同時に夫人は、戸といふ戸を悉く閉めて了ひました。それに彼が今隱れた地下室の上の戸は特に念入れに閉め切つたのです。フイリップの方ではもう出掛けてもよい時刻だと思ひましたので、屋根傳ひに夫人の部屋に近付いて、窓の中から巧みに這入りました。

扨て夫の方は、腹立ち紛れに、晩飯を食べるのも忘れて、身を隱して了ひましたので、間もなく段々空腹が襲ひ、何か喰ひたくつて堪りません。併し今更歸る譯にも行かないので、我慢をしながら、怪僧早く來れと、地下室から表の戸際へ出て、夜通し待ち受けて居ります。冬の寒い時で御座いますから、夜が更けるに從ひ寒氣は愈々募り、これに反して腹は愈々減つて行きますから、憐れにも今や殆んど死に掛りました。『糞坊主奴！今夜は一體どうしやがつたんだ。』とぶり〳〵

慄へながら溢して居る內に、夜は段々と白らんで、曉を報じて來ましたので『もう坊主も來ないやうだ、今日は此れで安心してもいいだらう。』

心が弛んだ故か落膽して、その場で眠りに就き、丁度三時間許りしてから、驚いて眼を醒しました。さうして不圖見れば入口の戶が旣に明いて居りますから、家の中に這入つて『昨夜は友達の處へ行つて泊つたが、夜通し話してゐたので迚も疲れた。』と云ひ繕つて、朝の御飯を急ぐやうに命じたのです。そして彼女と一緖に朝飯を濟ませると、自分は書齋に行つて一人の男に手紙を持たせ、その旨を含めて、昨日懺悔を聞いた僧侶に賴まれたように繕はせて、彼女の許に遣はしました。その手紙といふのは怪しい坊主が昨夜訪れたかどうかを聞いてあつたので御座いました。

夫人は此の手紙に就いては、イヤと云ふ程解つて居りますから『昨夜はどうかなすつたのか、いらつしやいませんでしたよ。この調子で若しお坊樣は私の許へお出にならぬ樣になるとしますならば、私は一そお坊樣の事を忘れて了ひませう無論私には充分未練が御座いますけれども、いらつしやらないものは仕方が御座いません。』

皆樣。こゝ迄お話し申し上げれば、最早後の事はお解りになる事と思ひます。詰り彼女の夫は每夜缺かさず、見張りを致しましたし、彼女とフィリツプとは其の時間を利用して、始終顏を見合せて居たので御座います。其後夫にあつては每日斯うして幾ら嚴重に張番をして居ても、怪僧の影も形も見えませんから、到頭癇癪玉を破裂させ、憤怒の餘り顏の色を變へて怖ろしく夫人に肉迫しました。

『やいッ! 貴樣、先日寺に行つて坊主に何を懺悔したんだ。さあ其れを云へ。』

すると夫人は愈々お出なすつたね、と云はん許りに心に點頭き、『懺悔と申しました所で、あの時のは出鱈目なんで御座いますよ。ですから貴方に打開ける譯には行かないんです。』と斷わつたのです。

何をッ? 此の盜人女幾ら隱したつて駄目だ。あの時、何を云つたか、俺は皆麼知つて居るぞ。每晩呪を唱へて貴樣の側へ來るといふ坊主は一體何處の何者だ? さあ、白狀して了へ。おい、どうしたんだ? 白狀が出來なきや、出來るやうな目に遭はせてやる。どうして默つて居るんだ。畜生！　えいッ、貴様の咽喉搔き切つてやるぞ！』

併し夫人は落着いたもので、悠々として答へました。『貴方何を仰有るんです！　妾は何時誰れに坊様と寢たと云ひました！　フン一度だつて穢らはしい、寢た事なんかありはしませんわ。』

『何んだと？　寢た事がないつて！現に貴様は懺悔した坊様にさう云つたぢやないか？知らないと思ふのか？馬鹿野郎。』

『それぢやお寺でお聞きなすつたんですか？　貴方のお耳に入れやうと思つて、お坊様にあんな事を云つたのぢや御座いませんが、併し最早貴方の耳にお這入りになつて居るとすれば仕方が御座いません。確かにお坊様の件に就いてあの節申しましたよ。だがそれが一體どうしたと云ふんです？』

夫は嚇となつて「それがどうしたんだつて？　やい恍けると承知しないぞ。さア坊主の名を云へ？」

併し夫人はケロリと濟まして、口調鋭く、思ふ存分夫を遣り込めました。

『世の中に男程馬鹿な者は御座いません。妾は鈍間な男が、女に操釣られてゐるのを見る度に、妾は痛快を叫ばざるを得ません。餘程賢い人でも得て女に操釣られ勝です。それは彼等男の心の中に、ある嫉妬心が無意識に働いて居るからです全く悧巧な人でも斯ういふ風になるのが自然なんで御座いますから、まして貴方の様な餘り悧巧な方でない、云はば嫉妬で固まつて居るやうな人ですから、とんとお話になりません。一體何の理由が有つて斯う無茶苦茶に妬き餅を燒くんですか？　今日は其れから聞いて懸らうぢやありませんか。世の中に嫉妬といふもの程健康を害するものはありません。御自分が苦しむ許りでなく、それが延いては妻をも苦しめ、また其の嫉妬を聞かされた第三者をも苦しめるので御座います。斯うして皆麼が心配して苦しみ、そしてあたら健康を害するのであります。つまりお互が迷惑し、また其の事に依つて名譽を著しく傷付けねばならないのです。それは兎に角として、貴方の氣狂ひじみた嫉妬には呆れて物が云へません。妾は未だ貴方のやうに非理性的ではないので御座います。現に妾が懺悔をした時に、それをお聞きになつたお坊様は一體誰であるか位は看破して懸つて居たので御座います。妾は未だ貴方のように、いや貴方に欺される程馬鹿ぢや御座いません。

折角お坊様にお會ひするのだから、本統の氣持を申し述べて、神様の慈愛に浴したいと。家を出る時其の積りで參つたので御座いますが、不圖見れば俄か作りのお坊様で、滑稽にも口に小砂利まで含んでいらつしやいますから、本統にあの時は噴き出しさうになりましたが、その時妾に惡魔的な氣持がチラと頭を掠めましたので、今度は急に模樣變へをして揶揄つてやりませうといふ毒婦的な氣持になつたので御座います。それで貴方が常平生から期待していらつしやる事を其の儘そつくり趺を合せて、あの樣な出鱈目な事を申し上げたんです。定めしお氣に入つた事と存じます。申す迄も御座いませんが、あの場合今少し賢明でいらつしやいますなら、第一あの舌には、さう安々とお引つ掛りにならなかつたで御座いませうし、また妾の秘密に立ち入らう等といふ了見そのものをとうの昔にお棄になつて居られたで御座いませう。妾は其の節、或るお坊様と深い仲になつて居ます、と貴方に申しましたが、その意味が貴方にお分りにならないのですか。先づお尋ねしますが、あの時のお坊様とは誰れを指して云つてるので御座いませう？　第二に、お坊様の寢室夜襲問題で御座いますが、あの際申し上げた妾の言葉を思ひ出して下さいまし。お坊様が妾の寢室へ來なさる時には、戸が決して閉まつた儘になつて居ませんと申しましたが、それに違ひないぢや御座いませんか？　第三に、お坊様は毎晩妾の處へ來て、妾の側へお休みになりますと申しました。その意味もお分かりになつたで御座いませう……何んですつて？　一つもお分かりにならないつて？　それ〳〵其ういふお馬鹿さんですから問題にならないと申すんですよ。ぢや貴方にお合點が行くやうに說明申しませうか。貴方が妾の寢床にいらつしやるのは、毎時も何時ですか？　一體晝ですか？　それとも夜ですか？　それからお聞きして懸らうぢやありませんか。そして其れが濟んだら第三に移りますが、翌朝になつて、夜昨怪僧が來たかどうかと人を以てお尋ねにお寄越しなつたのは、一體誰方で御座いませう？　それを知らない妾だとお思ひなさるんですか？　ですから妾はあの日何んとお答へしましたか、今一度貴方の面前で申し上げて差支へ御座いません。貴方はあの晩戸の際に見張りをして寢室へお出になりませんでしたから、それで妾は正直に昨晩はお見へになりませんでしたと返事をしたので御座います。若しあの晩貴方がお出になられますなら。何んで嘘僞りを申しませう。妾は立派に昨夜はお坊様がいらつしやいましたと、斯う申した事でせう。幾らお馬鹿さんでも、此處まで說明申し上げれば、今は何も彼もお分りになることだと思ひます。それを今迄少しもお悟りにならずヽ依然と馬鹿な揶揄ひをお信じになつていらつしやつたのは、何かゞ其の原因をなして居るので御座いませう？ それは嫉妬です、嫉妬です？ 嫉妬が貴方の心を盲目にして居たのです。貴方は淺ましい、そして貴方は大馬鹿です。斯んな幼稚な舌に懸る人は、貴方を除いて世界に何處に有りませう？ それから妾は未だ申し上げます。每夜家の戶に頑張つていらつしまる癖に、馬鹿らしい、瘦我慢は止して下さい。何處かへ夕飯を食べに行つて、遲くなるから其れで泊つて來るのだ――ちえツ外聞が惡い、嫉妬は斯麼馬鹿氣た白らをも平氣で切らせるものですかね？。冗談ぢやありませんよ、本當に確かりなさいよ今少し物事をよく考へて、男なら男らしくして貰ひませう。貴方が什麼事をなすつた所で、妾は其れを一々知り拔いて居るんですから、此れ以上貴方のお值打ちを妾に暴露させないで下さい。此れ以上妾にお疑ひを懸けなさるほど、貴方は益々馬鹿を見るのです。ですから嫉妬も此の邊で離緣なすつて、それでも落着かねば、ほんがりと燒く程度に止めておいて下さいましな。でないと本統に妾にも覺悟がありますよ。幾ら貴方の眼が千も有つたにしましても、その眼を潛つて、何とでも勝手な事をする位ゐ、やらうと思へば出來るんです。この調子で御座いますなら、假令貴方の眼が千の物が一萬になつても、頭の働きは知れて居りますからね、兎に角貴方は、今少しお悧巧になる事が肝要です。そしてお悧巧になるには唯一の障害物を除いて了はねば駄目です。その障害物といふのは、貴方にあつては嫉妬心なんです。』

嫉妬深い夫は、これ迄自分程偉い者はないと己惚れ、また世間でもそう信じて居ましたのに、今や無慘にも、憐れにも、愚かしくも、徹底的に侮辱されましたので、流石の彼もギヤフンと參り、暫しは一言も發せず、自分自身の低腦さ加減を考へ詰めて居たのですが、成程自分の性癖が惡いと氣が付き、斷然と嫉妬心を打捨てゝ了ひました。そして其れ以來といふもの夫人をば貞淑と從順そのものゝ權化たる賢婦人として、祕かに尊敬し出したので御座います。

さて皆さん、こゝまで事が運べは大丈夫なものです。情夫のフィリップをば、まるで猫かなんぞの樣に、わざ〳〵屋根から降ろさせなくとも濟むやうになつたのです。といふのは其れ以來戸は始終開いて居ますから、若し彼女がフイリツプと會ひたいならば、機會は毎時でも自由に得られたからです。

第六話（一人芝居）

イサベラ夫人は或る日、別莊にて第一の情夫レオネツトを引き入れ樂み居たるに、折惡しく第二の情夫ラムベルツチヨが其處へ訪れ來たりし爲、いゝ加減にあしらつて今日は第二の方を歸へさんとせしに、時も時、彼女の夫君が歸宅せしかば、突然の事に極度の恐怖を覺えたるも、即座に頓智を案出し、己れ自身は無論、第一も第二をも巧みに、その難より免れしめたる話。

紳士淑女一同はフランメツタの談話に此の上もなき滿足を覺え、夫人が無智な夫に對して斯くまで巧みなる辯舌と奇拔なる行爲に出でた事を何れも讃美した。そして談話が終つた時キング、ヂオネオは次ぎの物語をバムピネアに命じたので彼女は直ちに語り初めた――

皆樣。世の中には此れで仲々愚かな考へを持つた人が多いもので御座います。假令ば戀愛にしました所で、彼等の多くは、戀愛は人間の理性を奪ふものである。現に其の證據には、戀をして居る人達は何か突發事件に出喰はすと、周章(あはて)切つて側で見てゐても笑止に耐へない位滑稽な悲劇を演ずる。と斯のやうに申します。併し私は毎時も斯うしたお話しを聞く毎に、頭から蔑(さげす)まずには居られません。如何なる見地から戀愛は理性を奪ふか、それが私には分らないので御座います。全く此の說の滑稽さ、または此の說の一片の價値も無き事は先刻以來お話になりました皆樣の御物語に依つて、明瞭で御座いますし、また私の是からお話しようといふ物語に依りましても、明白なので御座います。

私達の故鄕フロレンスに起つた出來事で御座いますっ昔この地に名をイサベラといふ一人の美しい婦人が御座いました。彼女は或る立派な騎士の妻であつたので御座いますが、何を申せ日々の單調な生活に熟々(つくづく)飽きが來ましたので、どうにかして今少し變化のある面白い日を送つて見たいといふ氣持になつたので御座います。これは恐らく誰方も感じなさる一種の希望で御座いまして。彼女は其の結果、夫に對しては自然他々しくなると共に、或る青年を見出して、機會を見ては秋波を送つて見せて居たので御座います。青年の名をレオネツトと申しまして、家柄こそ大して立派では御座いませんでしたが、非常にチヤーミングな快活な性質でしたので、それで彼女は心から好意を持ち出したので御座います。青年レオネツトにあつては、彼女の物を云ふ瞳といひ、艶々した顔といひ、その他態度や素振りの總てに依つて、彼女が自分を見出して居る事が明白に解りましたので、無論この道は誰れしも好む所ですから、早速彼は自分の方からも、思ひを寄せて居る事を見せましたので、程なく此の二人は猛烈な戀の奴となつたので御座います。

所がこゝに名をラムベルツチヨと申す騎士もまた、彼女に戀慕して、時偶訪れては、彼女に胸の思ひを捧げたのです、併し彼女は無論彼を問題にしなかつたので御座います。併しラムベルツチヨの方では根強くも、問題にされねばされぬ程、益々足繁く、有ゆる手段を講じて間斷なく口說く事を止めなかつたのです。そして遂ひに其の騎士は最後の手段に訴へる積りで、自分が今樞要な地位に居る所から、それを濫用して、どうしても自分の望を聞いて吳れなきあ、その返報に、貴方の不義密通を暴露して、名譽を失墜させる積りだ、それでも未だ强情を張りなさるのか、と或る時、もどかしさに堪へられず、彼は斯う嚇かしだのであります。これには流石の夫人も一本降参らざるを得ませんでした。それで仕方がないから、彼の云ふ事も偶には聞いてやらうとさへ、考へ直す様になつたので御座います。

丁度時は夏の事とて、彼女の一家は田舍の別莊に移りました。それで幸ひにも夫は外出して、今日は多分歸りが遲くなると云つて行きましたから、彼女は時こそ來たれと許りに、打喜こんで早速夫の留守の間に早くいらつしやいまし、と若き燕のレオネツトを呼びにやつたんです。するとレオネツトは無論大喜びで女中の聲に應じて飛んで參りました。所が運の惡い時は仕方のないもので御座いまして、例のラムベルツチヨが、彼女の夫の外出を知つて居りましたので、この時、從者をも伴れず只一人馬に鞭打つて訪れ、入口の戸を叩きました。彼女の女中は、一體今頃誰方がお出になつたのであうと訝かり乍ら門を開けますと、他でもないラムベルツチヨですから吃驚り仰天して、起きつ轉びつ夫人の居間に驅け上り。『奥様、大變で御座いますよ、あのラムベルツチヨ様がお出になつたんです。』と注進に及びましたので、彼女は顏の色を曇らせ『何？　ラムベルツチヨさんがお出になつたつて？　困るわね。どうしたんでせう？　本統に馬鹿にしてるわ。だが併し。と云つて……』と共の氣の揉みやうといつたらありません。

併し遂ひに一計を案じたものと見えまして、若い燕のレオネツトに向ひ『ねえ貴方、お願ひだから早く寢臺のカーテンの後ろに隱れて下さいな、あの人が歸る迄さあ、濟みません。』と賴みますと、無論レオネツトにあつても彼女と同じく恐怖に慄へて居る矢先きですから二ッ返事で隱れる事を快諾したのです。それで彼女は彼の隱れるのを見てから、女中に向つて『仕方がないわ。お客様を此處へ通して下さいな。』と命じたのです、

そこでラムベルツチヨは馬を降り、手綱を門に繋いで二階に上つて行きました。

すると彼女は早や階段の上に待ち受けて居て、彼を見るなりニツコと笑ひ、肚の中では碌でなしと呟きつゝも、『まあよくお尋ね下さいました。それで今日はどんな御用で――？』と空々しげに來意を尋ねたのであります。

すると根が圖々し屋のラムベルツチヨの事ですから、笑顏を作つて臆する氣色もなく、正直に答へたんです。

『お、私の生命、私の生命であるイサベラ様、私は今日、御主人のお留守を知りましたので、それで獨り從者をも連れず斯うして遣つて來たんで御座います』『そして共に椅子に着きながら、四方山の物語を始め出したのですが、未だ幾らも時間が經たないうちに、どうしたのか此の時、一大椿事が突發したのであります。

張番をして居た女中は、意外にも主人の姿を發見しましたので、二度吃驚して二階に轉け込みスワこそ一大事！　奥様タヽ大變ですよ、旦那様がお歸りになりました。もう中庭へお這入りになりましたから、程なく此處へお出になると思ひます。』と周章てゝ注進したので御座います。

さあ流石の夫人もこれに手のつけやうがなくなりました、極度の混亂と當惑さが頭に渦卷いて、眼が暈りそうです。幾

ら隱しても駄目だと思ひました。何故なら若い燕の方を假んば隱し得たとしても、いま一人の碌でなしの情夫の方は、何しろ門に馬を繫いで來て居るので御座いますから、これ許りは隱しやうがありません。それで彼女は突嗟の間に、愈々殺されるときが來たのだと覺悟したので御座います。が皆樣、戀愛の力は斯かる時に始めて絕大な威力を示すものです。まあ皆樣、どの樣に彼女が始末を付けたか、それを見て下さいまし。

夫人イサベラは、情夫の一人ラムベルツチョ騎士に向ひ、斯う賴みました。

『いま貴方の芝居一つで、妾も貴方も完全に助かるので御座います。本統に妾を可愛いと思召すなら、その芝居を打つてこの危險から逃れて下さいまし。芝居と申した所で、何も別段むづかしい事ぢやないんです。ね貴方、說明して居る暇が御座いませんから妾の云ふ通りに守つて下さいまし。まず貴方は非常に怒りに燃えた顏付きをなさる事が必要なんです。そして頭から湯氣を立てゝ、拔身をぶら下げ、矢鱈に四方へ振り廻して「己れ無禮者？」と吸鳴り散らし、下へ降りてから「やい、覺えてゐろ。今度何處かで出喰はしたら――！　屹度血祭りをしてやる。」と恐ろしい聲で、二階の窓の方を睨み、斯う獨言をして下さいな。　で若し其の際、妾の主人が驚いて、「何を貴樣ッ！　待て、」とか、「一體どうしたッてんだ！」とか、或は他に何んとか云つて尋ねても、そう吸鳴り切つたきり、他の事は一際何も云はずに、直ぐ馬に乘つてお歸り下さいまし。什麼事が起りませうとも、決して〳〵主人と一緖に言葉をお交はしになつちや困りますよ。』

騎士ラムベルツチョは、彼女の命令通りに服しました。

此方は彼女の夫の騎士です。思ひ懸けぬ門の處に馬を繫いでありますから、心に怪しみ乍ら、二階に上つて行きますと。驚いた事には今しもラムベルツチョは猛り狂うて血眼になり、白刄を片手に引ッ下げて『己れ無禮者！　覺えてゐやがれ。今度出喰はしたが最後、貴樣の命は血祭りだ――』と齒を喰ひ縛り乍ら罵り憤うつて梯子段をドタバタ降りて參ります。

危險至極ですから、夫は益々魂消て『一體これはどうなすつたんです！』と眼を白黑させて尋ねたんです。

併しラムベルツチョに於ては豫定の行動ですから、何んと云はれやうが糞でも喰らへと云つた調子で一言も答へず、直ちに馬に飛び乘るや一鞭當てゝ、『己れ無禮者！今度何處かで會つたら最後の助……』と一つの文句を繰り返した儘、見て居る内に彼方へ消え失せました。

夫はヒタ呆れに呆れて居ります。此の異樣な光景を見送つて、再び階段に上つて來ますと、其處にイサベラは立ち竦んで慄へて居りますから、

『一體どうしたといふのだ、イサベラ！ 何が因でラムベルッチョ君は彼麼に怒つて立ち去つたんだ！』と驚きの餘り、彼は妻に糺したのです。

するとイサベラの方では、後に未だ〳〵芝居を打たねばならぬ事が控へて居りますので、自分が今彼に答へる言葉にしても忽がせには出來ません。次ぎの芝居の唯一の條件として、その答をレオネットに、聞かせる必要が御座いますので、態と部屋の附近に寄り添うて、斯のやうに申しました。

『本統に貴方、吃驚りしましたわ。生れてから斯麼に怖い目に逢つた事は一度だつて有りはしません。今し方の事なんですよ、妾は何氣なく部屋に居りますと、突然、妾の知らない何處かの紳士が一人、追つ掛けられて此處へ逃げ込んで來られたんです。驚き乍ら追手は誰だと見ますれば、あのラムベルッチョ樣で、それは〳〵見たゞけで怖毛の立つやうな拔身をお持ちになつて、後からどし〳〵追つ掛けてお出になるんです。それで妾の知らない紳士は此の戸が開いてゐるのを發見されたものと見え、それはねエ命懸けで御座いますから無理も御座いますまいが、ぶる〳〵お慄えになつて此處へお這入りになり、「突然で恐入ります。どうぞ奥さん、命を救けて下さいまし。でないと私は、私は此處で殺されてしまひます。」と、周章ながら、妾に哀訴なさいますから、妾も氣の毒だと思ひまして、立上つたまゝ、それでもお名前と其の理由だけでも貴方の手前尋ねて置かふと致したんです。するとラムベルッチョ樣は早や階段の所までお上りになつて、「己れ！ 無禮者は何處へ行つた？」と大きな聲で叫ばれたんです。妾は折角助けて上げやうと思つてゐる矢先きですから、今見付けられては一大事と考へ、驚いて部屋の戸口へまで出て來ますと、物をも云はずにラムベルッチョ樣は、女だと思つて馬鹿にさ

れたのか、妾を突き除け飛ねまじき權幕で、無理矢理中へ這入らうとなさいましたから、思はず妾も興奮して、「何をなさるんです？ 餘り失禮ぢや御座いませんか？ この中へお這入りになる事だけは斷じて拒絶致します？」と妾も生命懸けで斷はつたんです。するとラムベルッチョ樣のお怒りも激しかつた事でせうが妾の權幕も其れに負けなかつたものと見へ、或は流石に婦人に對する禮儀をお守りになつたとでも云ひませうか、絶對に這入つてはいけませんと云ふ妾の決意を見てとつて、何かしら二三呟き乍ら、引返へされたんです。丁度其處へ貴方がお歸りになつたんですよ。あ！ 驚いたわ。』

夫ほ非常に喜こんで『フムそうか、それは近來にない上出來だつた。萬一この家で人殺しでも有つたとなると、第一私もお前も非常に信用を墜さにやならなくなるからなあ。ラムベルッチョは怪しからんよ。僕の家だといふ事は百も二百も承知の癖に、其處へ相手を追ひ込むなんて實に怪しからんよ。併しイサベラ、それはそうと、その紳士とやらは何處にいらつしやるんだ？』

『さあねえ、何處か其處らへ隱れなすつたに違ひありませんが、一寸探して見ませうか。』

すると騎士は、彼女に向ひお前が探さなくとも、俺が見付けてやると云はん許りに、一人で點頭き、彼女に先立つて部屋の中へ行きました。

『もう危險は去りましたよラムベルッチョは歸りましたし、それにまた假んば今一度遣つて參りましたとしても、今度は大丈夫です。私が付い居ります。さあ出てお出になつてもいゝですよ、安心なさいまし。』と呼んで廻つたのです。

若い燕のレオネットは、寢臺の側のカーテンの蔭に隱れ乍ら、どうなる事かと、生きたる心地も無くびく付いて居たので御座いますが、今二人の間に交はされた話を聞き、且つ彼女の夫に呼ばれたので、ヒョッコリ其處から姿を現はしました。

憐れにも騎士は、この青年が自分の妻と關係のある人間だとは露些かも知りませんし、それに今は一も二もなくラムベラッチョに追ひ込まれた紳士とのみ信じ切つて居りますしするので、『實に危い所でしたなあ。一體どうしたと云ふんですラムベルツチョが彼麼に無禮を働きましたのは？』とレオネツトに尋ねたのです。

そうなるとレオネツトも今は、全然その紳士なる者に成り濟して、『それがね御主人、私にもとんと譯が分らないんです。屹度彼は氣でも狂つたんでせう。さもなきや人違ひをしたのに違ひありません。今し方の出來事なんです。お宅の少し向うで彼が私を發見するや否や、物をも云はずに白刄を閃めかして「己れ無禮者！　貴樣の命は貰ひ受けた。」と大喝を浴びせ掛けるんです。何しろ突嗟の間ですから、殺される理由を糺すよりも、逃げた方が早いと思ひましたので、それで泡を食つて遂々お宅へ這入り込んぢやつたのです。幸ひにも神樣の御惠みと、奥樣の御慈悲とに依りまして斯の樣に生命を完うする事が出來たのです。』

騎士は此の言葉を聞いて非常に安堵致しました。世に「知らぬが佛」と申します言葉は、この事を云つてゐるんぢやないでせうか。

『それは氣の毒な事です。無茶な人間に懸つては、常識で判斷が出來ませんからね。いや驚きなすつたでせう。併しもう安全ですから、御心配には及びませんよ。最早この上間違はよも有るまいと思ひますが、何あに關ひませんよ、念の爲めにお宅へ迄送り屆けて上げませう。その上でラムベルツチョが亂暴を働いた理由をお檢べになつた所で遲くはありますまい。』

そして此の三人が晩餐を喫めた後、騎士は馬に跨がり、若い燕のレオネツトを連れて、フロレンスに在る彼の家に送り屆けました。それでレオネツトにあつては其の夜、夫人イサベラの命を受け、祕かにラムベルツチョに會つて安協を申し込みました。併し此の事實は後に世間の噂に上りましたが、でも、知らぬは亭主許りで、遂に騎士は妻の計略の眞相を感知する事が出來なかつたのであります。

第七話（泣き笑ひ）

ベアトリチエ夫人は若き三太夫ロドウヰコの眞劍な戀に報ひさすため、夫のエガノを吾が姿に扮裝せしめて裏庭に行かせ、その隙を覘ひ、彼と寢床を共にし散々樂しみたる後、彼に棍棒を持たせ裏庭に行かしめて、そこに居たるエガノを袋ろ叩きにし、哀れ數十の瘤を出來せしめたる話。

イサベラが眼の前にぶら下つた危難に對して巧みに遣つて拔けたその腕前に、聽衆一同は絕大の賞讃を浴びせた。次いで淑女フィロメナが王の命を受けたので直ちに次の談話に這入つた—

むかし昔、佛蘭西の巴里に或る金持の紳士が居りました。彼の生れは妾達と同じくフランスの出でありますが如何なる理由で失敗したのか、その眞相は分りませんでしたが、少なからず財產を減らしましたので、仕方なく身をささやかな貿易商人に墜し、家業大事と一心不亂に働いたのです。その結果遂に又巨萬の富を築くやうになつたのです。斯のように金錢の運には過分に恵まれましたが、相憎く肝心な子供に運がなく、幾ら骨を折つても其後出來ず、子と申しては只一人、名をロドウヰコといふ男子が有る許りだつたのです。金が腐る程ある家庭にあつて一人息子と來てゐますから、この上も無き親馬鹿チャンリンを發揮したものと見え、ロドウヰコは年と共に愈々增長し、肝心の商賣の事は頓と念頭に置かず、父が以前貴族であつた事をのみ念頭に置いて、自分はどうにかして昔の立派な家柄に叶うだけの素養を付けたいと、貴族趣味を高調して、駄々を捏ね始めますから、父も遂に我を折つて家業を繼がせる事を斷念し彼を貴族の若様達に加へて、佛蘭西王の許へ御奉公に上げたので御座います。

ロドウヰコは金持の息子に有り勝ちな低腦兒とは異なり、元來が悧巧な方でしたので、飽まで一念を貫かうと、夜を日に次いで刻苦精勵した結果、今は有りと有ゆる學問技藝に通じ、押しも押されもせぬ立派な青年紳士となつたので御座います。

或日のことです。ロドウヰコは、丁度聖地エルサレムから歸つた許りの數名の騎士達と寄り合ふた際に、話は例に依つて美人の問題に移りました。彼等は何れも佛蘭西や英吉利を初め色んな國の美人を、問題視して論じ合つたので御座いますが、軈て其の內に、一人の青年が、或る確固たる決意あるものゝ如く、斷乎として斯樣な事を申しました。

『僕はこれ迄世界中至る所を旅行して、隨分と美人の顏にもお目に懸つたが、誰が何んと云つてもボロニアのエガノ・デ・カルッチの妻君であるベアトリチエに及ぶ美人は只の一人も居なかつたね。いや實に美人だつたね。恐らく異性である以上、お目に懸つた刹那氣が變になるのが普通だ。』

他の騎士達も、今この大膽な斷定を下した青年と共に、ボロニアへ行つて居たのですから、何れも彼の言葉に、『然り、』『大いに然り、』と是認したので御座いました。

併しロドゥヰコだけは、その美人といふ相手が未知な女ですから、一度見度くて堪りません。それ以來といふもの、純眞なる彼は、可憐にも未だ見ぬ美人に思ひを慕らせ、その事で夢中になつて了ひました。そして遂ひに見ぬ戀に憧憬るゝの餘り、御苦勞樣にも親しく伊太利のボロニアへ行つて、若し其の美人が、果して自分の氣に入る女であるなら、自分は其の土地に暫く滯在してても關はないと、その支度迄致しまして、扨て父に向ひ大眞面目になつて『これから聖地に參詣致して參りますと。』出鱈目な口實を設けたので御座います。

併し父は、假令聖地なりとは云へ、只一人の悴を遠國に遣るには忍びませんから、無論容易に承諾しなかつたので御座います。併し一度云ひましたが最後、駄々を捏ねる事に懸けては古今の大名人ですから、散々父を手古摺らせ、そして漸くウンと云はせました。そこでロドゥヰコはアニキノと變名して、目的地たるボロニアに參つたので御座います。すると天の配劑とも云ひませうか、到着した其の翌日に、窓に寄り掛つて往來を眺めて居る問題の女王、ベアトリチエに逢ふ事が出來たので御座います。

おゝ何んと云ふ氣高くも美しき美人であらう！　と彼は思はずうつとりと絕叫した程、彼女は絕大の美人だつたので御座います。且て自分が、全力を盡した豐富なる想像力で考へて居たよりも、遙かに圖拔けた美人だつたので御座います。さお皆樣、こゝ迄申し上げれば後は云はなくとお分りになる事と存じます。見ぬ内から夢中になつて居た彼の事ですから、今其の實物を見せられては、如何でか默視出來得ませう。

この上は本望を遂げる迄、斷じて此の土地をおめ／\引き下るまい、と決心したので御座いました。それで、如何にすれば最も巧みに、且最も手早く成功する事が出來るかと、今は其れのみ夢中になつて思案を重ねた結果、遂ひに一計を案じたので御座います。それと云ふのはベアトリチェの夫たる、エガノに仕へて親愛なる下僕となる事に決心したのです。で彼は乘つて來た馬を賣拂つて、また自分の從者に向つては『什麼事が起つても私に眼を付けては絕對に駄目だぞ。』と警めて彼等を解雇したので御座います。

そして宿屋の主人公を呼び『時に御主人、このボロニアの名家に、下男に住み込む奉公口は有りますまいか。』と尋ねて見たんです。すると、まあ皆樣運のよい時には、總てがトン／\拍子に行くもので、この時主人はハタと橫手を打つて、『貴方樣のやうな立派なお方なら持つて來いのお邸が御座いますよ。エガノ樣と申しますが、何んなら是から御一緒にお供をしてもよろしゆう御座います。隨分と今迄色んな召使ひを抱へていらつしやいますけれど、貴方樣のやうな御上品なお方なら、一も二もなく文句は御座いません。この私が大丈夫保險を付けても構ひませんよ。』

そこで彼は宿屋の亭主の紹介に依つて、ロドウヰコのアニキノは、直ちに主人附きの下僕となりましたので、當人としては大滿足で御座います。何分にも今も申す通り、主人附の身分ですから、每日ベアトリチエの顏が見られますので、それが一層の勵みとなつて、腰を四つにへシ折つて、念に念を入れて仕へるといふ始末ですから、主人エガノは非常な氣に入りです。今は寸時も手放さぬ程に寵愛して、果ては家事一切を司どる三太夫に迄拔擢したので御座います。

或日の事、主人のエガノは鷹狩りに行きましたので、自分は其の間留守を預る事になりました。夫人のベアトリチエはこの若き三太夫が自分をこれ程深く戀ひ慕うて居るとは少しも知りませんが、常に甲斐々々しく働いて吳れますので、何んとなく好意を持つて居たので御座います。それで此時、彼を自分の向ひに坐らせて將棋の相手を命じました。ロドウヰコのアニキノは、無論將棋なんぞはどうでもいいのですから、出來得る限り夫人の機嫌をとらうといふ心から、勝負を重ねる毎に勝ちを彼女に讓りますので、それを知らぬ夫人はお目出度くも大喜びで御座います。

軈て、何かの用事が起つたのか、奥女中共は此の部屋を出て行きましたので、ロドウヰコは夫人と只二人限りになりました。すると彼は何を思つたか、突然深い溜息を衝いて見せました。

この樣子に夫人は何事が起つたのかと、打驚いて彼の顏を眺め乍ら『アニキノや、どうかしましたか？　私が餘り勝ち續けたものだから、氣が氣でないんでせう？』

アニキノは悄氣切つて答へました。

『奥樣……？この溜息は將棋に負けたから出たのでは御座いません。そんな單純な、安價な溜息では無いので御座います。非常に重大な譯があるんで御座います。』

『重大な事つてなァに？　申して御覽なさいな、妾にだけならいゝでせう？』

アニキノは世界中で誰よりも愛して居るベアトリチエから、意味有りげな質問を受けて、恰かも戀を打開けるやうに今、懇願されましたので、更に一段と深い溜息をつきました。すると夫人は更に溜息の理由を知らうと彼を促したのです。そこでアニキノは、幾度も躊躇しながら、

『溜息の原因は餘りに怖ろしい考へです。これ許りは、何卒お願で御座いますからお聞きにならないで下さいませ。屹度奥樣の御機嫌を損ずる事が莫大だと思ひますし、それに又この事が他に洩れては私の致命傷になる事ですから何卒この儘にして置いて下さいまし。私は私し獨りだけで惱んで居ればいゝんで御座います。』と、まづ探りを入れて見たのです。

すると夫人は、大袈裟に驚いたといふ顏付きで、『大丈夫ですよ。いゝから早く仰有いな。』と美しい眼を圍回々々動かしながら相手に點頭いて見せ『決して機嫌なんか惡くしはしません。また其れが什麼怖ろしい事であつても、決して他言なんかしません。妾は神樣に誓つても構ひませんよ。ですから早くさ、氣を焦さずに云つて御覽なさいな。』と急き立てたの

です、

『本當でせうか、奥樣。それ程迄に誓つて下さいますのなら、私は何をお隱し致しませう。喜こんで溜息の原因を申しませう』と稍々顏を赧めながら、次ぎに顏を曇らせて涙を浮べ、これ迄の一伍一什を具さに物語りました。詰り自分は商家の身に生れたけれど、財産よりも昔の家柄を尊び憧憬れたといふ事、それから佛蘭西王の宮廷に仕へて居るうち聖地ヱルサレムより歸つた靑年貴族達の口から、世界一の美人が伊太利のボロニアに居るといふ事を聞き知つた事、或は旅館の主人を紹介者として下男奉公に住込んだといふ事等を、事細やかに物語つた後、『斯ういふ譯で御座いますから。何卒私が憐れと思召されたら、私の祕かに捧げる眞劍の戀を御受納下さいまし。が併し、素より私は强要するのでは御座いません、また强要すべき筋道のものでも御座いませんから。ですから若し此の事が私の身分に過ぎた怖ろしい陰謀で御座いましたら、素より是以上望むものでは御座いません。矢張り主從の關係で御奉公させて頂いて結構で御座います。私は天女にも勝る此のお麗はしい顏容ちを、人知れず心の中に讃めつ稱へつして、日蔭乍らも御滿足を得ようかと、それだけで澤山で御座います。知らぬ戀をするより、知る戀の片思ひをして居た方が、現在の私の生活にとつて、どれ程意義深いものであるか解りません。』と彼は熱心に搔き口說いたので御座いました。

扨て皆樣、天女にも勝る絶大の美人ベアトリチエは、果して此の哀願に耳を傾けたで御座いませうか？　それが問題です。

ベアトリチエは彼が云ひ了る迄、始終その顏を凝視（みつめ）て居りましたが、今は一言も僞り無き事を確めましたので、急に心が動きました。それ程自分を深く思つて吳れて居るのかと思ふと、もう彼に對する愛情が泉の如くに湧いた來るのでした。世に眞劍な情熱の訴へ程、魂を動かすものは御座いません。其處で天人は、同情に耐へずと云つた面持ちで、『アニキノさん御安心下さい。妾は貴方のやうな偉いお方に、眞の味方に見出された事を感謝します。』と彼に微笑を投げ乍ら、『貴方は戀の勝利者です。毎日の樣に諸國の宮樣達や、貴族達が、それは〳〵五月蠅程妾に思ひを寄せた贈物を下さいます。併し妾は無論、曾て一度だつて要求を聞いた事はありません。それ程の妾を、貴方はたつた一刹那で征服なすつて了ひました。ですから貴方を偉いお方だと申したんですよ。それは兎に角として、妾の心はもう貴方に在るんですから、妾は何んでも貴方の命に服さねばなりません。差し當り愛の證據を先づお見せしたいと思ひますから、今夜の二時頃妾の寢室へお出になつて下さいまし。』

斯ういふ風に話は目出度く進捗しましたので、今やアニキノは天にも登つた心地で有頂天になりました。それで此の上は長居は無用と、その儘彼女の前より引下り、只管夜の訪れるのを待つ事にしました。

その內に彼女の夫エガノは鷹狩りを濟ませて歸宅致しました。何しろ朝から一日、山や溪を驅け廻りましたので、非常に疲れて居ります。夕御飯を濟せると直ぐ寢床へ這入るし、また夫人も彼に從つて寢室に行きましたが、但しアニキノとは豫々の約束が御座いますから寢室の戶は態と開けて置きました。

此方はアニキノの方です、時間の一刻も早く經つのを待ちに待つて居る內に、彼女の指定した眞夜中の二時となりましたから、さあ今だとガバと跳起き彼女の寢室へ忍び込みました。先づ開ッ放しになつてるた戶を閉めて、息を殺して拔足差足、有らゆる注意を此の部屋に集中させ、寢臺に迄辿り着き、片手をベアトリチエの胸の上に乘せると彼女も心待ちに待つてたものと見え、直ちに兩手を延して彼の片手を堅く摑み乍ら、……サア此處で皆樣豫想外の珍事が起るので御座います。まあ默つて聞いて下さいまし。この時夫人は何を思つたのかクルリと夫の方を向いて、

『若し貴方、大變です。一寸眼を醒して下さいな。』と幾度か呼び起し、遂々彼を起した上、突然にも此麼事を云ひ出しました。

『今日は鷹狩りで貴方もお疲れのやうでしたから何も申し上げませんでしたがね、實は一寸お尋ねして見たい事が出來たんですよ。宅の下男の內で、どれが一番忠實でせうね？　貴方の一番お氣に入りなのは、そして誰れでせう？』

『それはまた變んな事を聞くぢやないか！下　男がどうしたといふのだ？　現に私はお前も知つての通り、一番可愛がりも

し深く信用もして居るのはアニキノ一人だけぢやないか？　だのに何故また其麼事を、今此處で事新らしく尋ねるんだ？』とエガノは腑に落ちない態度で彼女に問ひ返したのです。

皆様、此時アニキノはどう思つたで御座いませう？　今、彼は此の部屋へ忍んで來て居るのです。然も片手を夫人に確かりと摑まれて居るんです。眞夜中、突然に眼を醒して、而も夫人の方では充分に知り乍ら、今、夫婦で以て、自分を中心に問答を始め出すとは、ちえッ扨ては一杯喰はされたか、さうだ、それに違ひない。これは屹度、夫と豫め相談し合つて自分を誘き寄せ、此處で赤恥を搔せる爲だつたのだと考へると、どうして仲々チツと息を殺して盜み聞きして居られた騷ぎでは御座いません。餘りの驚きに泡を喰つて、一刻も此處から立ち去らねば危險だと覺悟を決め、摑まれてゐる片手を拔かうとしましたが、彼女は兩手で更に確かりと握つて居りますから、どうしても拔けません『酷いよ、實に酷いよ。人をペテンに掛けるなんて。』と心中焦れば焦る程、彼女は確かりと摑んで居るものですから、どうにも仕樣がないので御座います。

する内にベアトリチエは更に言葉を次いで夫に答へました。

『妾も大抵さう仰有るだらうと思つて居ました。ですからお互ひにお目出度いんですよ。何も妾だつて今此處で、自分一人よがりをして貴方を責めるのぢや御座いませんが、實に呆れるぢやありませんか。人間といふもの程當てにならなくつて、心の中では什麼怖ろしい考へを持つて居るか分らないといふ事が、今日といふ今日こそ明瞭解つたんです、まあ貴方圖々しいにも程がありますよ。貴方が今日鷹狩りにお出になつた留守に、申すにも事を缺いてアニキノは妾に、それは淫らな事を云ひ寄るんですよ。あの時は本當に呆れ返つて、暫しは言葉も出ませんでした。餘りの言葉に、どう返事をすればいゝか分らなくなつたんですよ。併し貴方、さう淫らな言葉を掛けられた刹那こそ驚いて二の句も容易に出ませんでしたが、あれ程信用して居たアニキノに今、根本的に裏切られて了つたかと思ふと、口惜しくつて口惜しくつて堪らなくなつて來たんです。併し其の事の爲に妾がアニキノを獨斷で、解雇したりしては穩やかでないと思つたんです。何しろ妾の云ふ事よりも彼の云ふ言葉の方が、常平生貴方に信用されて居たんですから、今その事で解雇したとなつても、貴方は決して信用なさらないと斯う思ひ付きましたので、これは何んでも生きた證據を見せるに限ると、斯う思ひ直して、實は態と承諾をした風を裝ひ、今夜二時頃に裏庭の松の木の下で逢ひませうと約束をして置いたんです。ですから多分今頃は、彼處へ行つて待つてる事でせう。それを御覧になつて頂けば、始めて彼はどんな人物であるかをお悟りになる事が出來ませう。一つ實地検聞旁々、妾に成り變つてお出掛けなすつて下さいな。無論その儘の姿では駄目です。相手の方で一見るや用心をして了ひますから。それでね貴方、妾の姿に成り代つて行つて遣りなされば、成功すると思ひますわ。譯も御座いませんよ。妾の下着をお召しなすつて、ヴェールを頭から懸けていらつしやれば、屹度彼の男は欺されますよ。』

夫のエガノも今は、彼女の言葉を信じ切つて了ひました。

『フム怪しからん奴ぢや。よし、これから行つてイヤといふ程打ちのめしてやらう。』と、プリ〳〵云ひ乍ら、灯の消えた暗い寢室で、妻の云つたやうに手探りで變裝し、裏庭へ出てアニキノの來るのを待ち受けました。

夫が部屋を出て行くと、直ぐ其の足で彼女も、起き上つて戸を閉めに出ました。それは兎に角、全く此の數分間はアニキノにとつて一生一代の恐怖すべき事件だつたのです。彼は幾度かベアトリチエを呪ひ、且つ彼女の甘い言葉に乘せられた自分自身を、幾度呪ひ續けてゐたか解らないのです。併し最後の段になつて、彼女の言葉が裏庭の松の木の處に來た時、始めて彼女の自分に對する氣持を了解し、ああ吾れ誤まれりと絶大の感激に浸らざるを得なくなつたのです。扨ては夫を此の部屋から追ひ出す爲めの、手段であり方法であつたのかと、今は歡喜の絶頂に達したのです。

斯くて佛蘭西に居た以來夢にも忘れなかつた本望は此處に始めて成立し、所謂世界第一の美人を得る事が出來たのであります。併し彼女は、さう斯うして居る内に、早や時間も案外に經過して居る事を氣付き、これは大變だと、こゝに又次ぎの様な計略を案出したので御座います。

『ねえアニキノさん、あんまり此處に長くいらしては、お互ひに困ると思ひますわ。ですから今夜の處は此の邊で切上げなすつて下さいな。そして貴方は今直ぐに裏庭にお出になつて下さい。但し棒切れを一本是非持つて行つて下さいね。そして庭へお出になつたら、昨日私に淫らな事を云ひ懸けたのは、無論あれは心を試す狂言で、どれ程操が堅いか、だらしないかを見るに過ぎなかつたといふ風に夫に飲込ませて下さいな。それで夫が私の風をして庭へ行つて居りますから、それを見付け次第、棒切れを振廻して散々毒づき、場合に依つてはビシ／＼擲つて遣つて下さい。どこ迄も夫は私であるといふ氣持で、一つ大いに奮闘して下さいまし。』

『ハイよう御座います。』と、アニキノは部屋を抜け出で、丸太ン棒を握り裏庭の松の木に行きますと、先刻以來待ち草臥れて居たヱガノは早くも其の姿を見付けて、態と嬉しげに嬌態を作つて私の側へ進み寄りました。すると意外も意外、三太夫は、夫人に化けた夫を睨まえて『これは怪しからん事です。私の言葉を眞に受けて、よくも此處へ姿をお見せになりましたね。奥樣、いや姦婦！　お前は、いや貴女は、それで人間だと思ひますか？　このアニキノを見間違ひになつては迷惑します。其の淫らな事が此の私に出來ると思ひますか？　それ程腐つた魂の女だとは、今の今迄思つては居なかつたいや思つては居ませんでした。私は主人の爲、又は主家の名譽の爲に貴女に制裁を加へます。やい姦婦！　下劣な根性を叩き直して遣るから、其處へ直つて覺悟に及べ！　主人は主人でも、家の爲には代へられない。』と丸太ン棒を振廻して、びし／＼擲り付けました。

　夫のヱガノは餘りの不意打ちに面喰ひ、お負けに反對も反對、逆に死ぬ程打ちのめされましたのでウンともスンとも云はずに一目散に逃げ歸りました。併し三太夫は、尚も此處ぞと許りに追跡し、

『己れ逃げ失せたな、毒婦奴！　明朝は主人に殘らず告げて遣るからさう思へ。』と聲を大にして罵りました。

　ヱガノは可愛相に頭といはず手といはず體中に瘤を頂戴して、命から／＼自分の部屋に逃げ歸りました。すると夫人ベアトリチエは、さも心配氣に『そんなに泡を食つてどうなすつたんです、アニキノは居ましたか？』と白々しく尋ねたんです。

『どうも斯うも無いぢやないか、居たよ居たよ、大いに居たよ、擲られたよ、打たれたよ、瘤が出來たよ、あゝ何にが何んだか痛くて譯が分らねえ。困るぢやないか、酷いよ、彼奴は試したんだよ、痛かつたよ、偉いよ彼奴は、あゝ瘤で、頭がボカ〳〵意氣り出す……』

するとベアトリチエは、「まあ何んてお誂へ向きに出來た瘤なんでせう。」と肚の中で、散々噴き出し乍ら、併し表面では何處までも殊勝氣に、「神樣感謝致します。」と呟いて再び夫に向ひ。

『同情致しますわ。眞逆命には關はりますまいが、でも瘤なんて痛いものでせうね。本當にお察し致しますわ。併し貴方、これも皆もとはと云へば御主人思ひの忠義な心から出た事ですから、そのお積りで今後一層よく待遇して遣らうぢやありませんか。全く家の柱ですわ。だけれど瘤も痛いですわね。』

『忠義は偉いよ、無論だよ。だが瘤は痛いよ、無論だよ。』と人の好いエガノは涙を呑み込んで力味返つて見せました。

瘤の傷は二週間も經つと、ケロリと跡方もなく癒りましたが、併し彼の心に刻み付けられた或ものだけは、永久に消え失せなかつたので御座います。その或るものとは、彼が刻んだ斯ういふ考へなんです。

——世界廣しと雖ども、俺位貞淑な妻を持ち、また俺位忠義な下僕を持つて居る者は、何處の國を探し廻つたつて、決して有りつこはない。いや實に俺は幸運兒だ——

後日、夫人とアニキノは、當夜の事を時折り話に持ち出しては唯一の笑ひ草に致しました。

『赤く脹れ上つた瘤の頭が割れて、其處から膿が出て居たのを見ました時は、惡い事をしたと思ひましてね……』とアニキノは夫人に云ふと、彼女は

『あれ位の事は仕方がありませんよ。だけどね、あの瘤の配列といひ、油汗の滲み出て居た所は、流石に可愛相でしたわね。』

扨て皆樣、其後も面白い事が起りましたが、餘り長くなりますから、今日は此の話だけで、妾の勤めを終りにして頂き

度いと思ひます。

第八話（髪を切られた女）

シスモンダの夫アリグチヨは大の嫉妬屋なりしため、シスモンダは其の裏をかき、足の指に一筋の絲を結へ、此の暗號によりて己が寢室に忍び來るの可不可を情夫に通知し、巧みに樂しみ居たるに偶々或る夜、情夫が外に來たり、今しも彼女の合圖遲しと待ち居たる時、彼女の夫アリグチヨは偶然な事より此の絲を發見し、その情夫を捕へんと追跡せしに、彼女は其の隙を利用して、女中を身代りに立て、己が寢床に入れ置きしに、それとも知らぬ夫は情夫を捕へ得ずブリ〳〵怒つて歸宅するや激怒の餘り妻を打たんと其の實を知らずして女中を打擲し、あまつさへ髮の毛まで切り落して、妻の實家の宅を叩き、事の由を罵りて、尙その證據を見せんと今しも吾が家に連れ來たりしに、妻に些細の負傷もなければ、餘りの不思議に打ち驚きたるも、實家の兄弟達は承知せず、一齊に激昂して彼に有ゆる惡罵を浴せかけたる話。

ベアトリチエがアニキノに命を含ませて、夫を苛酷に取り扱つたのは、少し意地が惡る過ぎたと紳士淑女一同は思つたが、併しベアトリチエがアニキノの片腕を引ツ掴んだ儘夫のエガノに話し掛けた時、アニキノの恐怖は尤も至極だと肯定したのであつた。それは兎に角、王はフイロメナの語り終りたるを見、次ぎをネイフイレに命じ『如何です！　遣つて頂きませうか？』と一應尤もらしく尋ねたので彼女はニッコリ微笑み、直ちに物語に這入つた――

只今、妾に王陛下樣から、重大な命令が下され、その責任として、今日の話題に適するお話を何か申さねばなりませんが、兎に角全力を盡して見ますから、お聞きなすつて下さいませ。

先づ此の物語を始めるに際して、是非皆樣に知つて置いて頂きたい事は、本篇の主人公は昔、妾達のフロレンスに居た人間で、名をアリグチョ・ベルリンギリといふ金持の商人なんで御座いまして、彼は愚かにも貴族中より妻を娶つて自分の家柄を高めやうと考へたのです。尤も斯うした例は當時商人の間に流行して居たので御座いますが、彼は此の見解から娶つた妻は名をシスモンダと云ひまして、彼には全然最初から不向きな女だつたので御座います。何しろ彼は根が商人の事で御座いますから。如何に妻の傍に許りへたばり付いて居たいと思ひましても、商用が許しません。それで時偶外出したので御座います。妻のシスモンダにあつては最初から彼と萬事に付けて思想が合ひませんから、勢ひ彼を輕蔑するやうになり、果ては其の留守の間を利用して、ルベルトといふ若い紳士といゝ仲になつたのです。併し斯ういふ內證事といふものは互ひに氣を付けた上にも注意をするのが普通で御座いますのに、肝腎のシスモンダにあつては、其れを少々怱がせにしたので、夫に薄々感付かれたのです。さあ斯うなると夫のアリグチョは默視しては居られません。何んとかして現場を發見せにやならんといふ心から、遂ひに世界一の嫉妬屋さんに成つたので御座います。それで肝腎の商賣は一切そつち除けにして、彼女に對する監視を一日の仕事にするといふ有樣になつたんです。ですから無論この事は、彼女にとつては非常な苦痛であつて晝夜の別なくのべつ幕なしに監視を受けねばなりませんから、幾ら逢ひ度いと思つても戀する青年紳士に逢ふ機會が御座いません。その上にルベルトからは、人の心も知らないで、何んとか都合付けて逢ふ樣にして吳れと絕えず五月蠅く云つて來ますから、シスモンダは愈々氣が氣で御座いません。心を千々に碎いて考へ詰めた結果、漸く一策を案じましたので、この上は乘るか外るか、それを一つ實行して見ようと決心するやうになつたので御座います。

元來彼女の部屋は往來に直面して居ますのと、それに夫は非常に寢相の惡い時があるので、其麼時に決まつて、一旦寢て了へば仲々眼を醒さないといふ人ですから、彼女は此の二點を利用して、夫が前後不覺になつて寢て居る時を窺ひ、眞夜中に紛れて情夫を引き入れようと決心したので御座います。併し眞夜中と申した所で、一體何時頃忍んで來ればよいか、また他に誰かの爲に發見されはすまいか、何しろ自分は床の中に潛り込んで居ては、譯が分りませんから、それで考へ詰めた擧句、一筋の糸を窓の外に垂れて、地面に着く位延ばし、今一つの端は床の上を匍はせて寢臺の蒲團の中に入れ、寢

床に這入る時その端を足の親指に結び付けて置く事にしたのです。そして此の謀計を青年ルベルトに告げ、

『若し貴方が家の前へいらつしやつた時、先づ窓から糸が下つて居るかどうかを見付けて下さい。そして其れが見付かつたらグングン引ツ張つて頂き度いんです。若し其の場合夫が眠つて居れば、妾は糸を放して貴方の方へ寄越しますから、が併し、若し眠らずに居た時だつたら、糸は依然と確かり持つた儘居ますから、その時は無駄足を喰らつたと諦めなすつて歸つて下さいな、濟みませんね。』

『何アに結構ですよ。糸に便りが無い時は、日が惡いのだと諦めます。』と青年ルベルトは返事を寄せたのです。

それからといふものは、彼は草木も眠る深更のみを見計ひ、日毎にアリグチョの家の前に立ちました。斯ういふ譯ですから首尾よくシスモンダの情愛を受ける日もあれば、またフイになる時も無論多かつたので御座います。

斯うして二人は一筋の糸を頼りに、斯うした計略を續けて居りました時、大變な事が持ち上りました。それといふのは此の事が一切露顯したので御座いまして、その次第を申しますなら、或る夜の事シスモンダが眠つてゐてアリグチョが眼を醒して居た時の事で御座います。何氣なしに床の中で足を延しますと、何やら糸の様なものが觸りましたので、これは變だと許りに早速其處へ手を遣つて見ますと、案の條一筋の糸があり、それが妻の足の親指に結び付けてあります。それで無くてさへ世界一の嫉妬屋さんの事ですから、この仕掛けを見ては默つて居られません。

『畜生！　斯ういふ仕掛けをして居やがる。』と思ひますと益々頭が冴へて來ます。そこでムンヅと跳ね起き、その糸を頼りに探し始めると、果して糸の片端が窓の外に長く垂れて居りますから、愈々怪しいと斷定を下して了ひました。叩き起して大騒ぎを演じて遣らうと思ひましたが、待て〳〵、と何か心に期する所が在つてか、再び床の中に這入り、唸る腕を壓へ乍ら、怒りに狂つた、腹立しげな表情で幾度か妻の寢顔を睨み付け、「太い女だ。」と心で憤り、また祕密の糸を見ては、あれ程嚴重に監視した自分の粗漏さを責めたりして、くた〳〵する儘に暫くは時を過しましたが、剛腹でどうしても寢付かれません。況してや世界一の嫉妬屋さんに於てをやです。そこで今度は一計を案じ「糸を親指の所へ結へて居るなんて、

そこに何か仕掛が無ければならん。」と感付いたので、その糸を靜かに解いて、自分の親指に付け更へたのです。そしてどういふ成行きになるかを待つ事にしたのです。

　程なく此の家の前に現はれたのは青年ルベルトで御座います。此時鈍栗眼を開いて自分の來るのを今や遲しと待ち受けて居る者があらうとは夢にも知りませんから、例に依つて長く垂れ下つて居る糸をグイと引きましたから、さア堪りません。「はゝア是れだな。飛んだ椋鳥が引ツ掛つたぞ。」と獨り喜び始めます内に、素々指の糸を堅く結んで居なかつたが爲に引手のルベルトの力が勝つたものか、此時糸は窓から滑り落ちてルベルトの手の中に這入つて來ました。

　豫ねて約束をして置いた、夫が寢て居れば糸を放しますからといふ條件がありますので、彼は此時、今夜フィにならずに占めたぞと許り、思はず小踊りして戸口に立ち、彼女の迎ひに來るのを待ち受けたのです。素より糸が切れたとは知りませんから、シスモンダが放したものと許り思ひ込んで居ります。これが抑々の問題の起りなんで御座います。

　此方は夫のアリグチヨです、已れいけふざけた奴！　逃げようたつて逃がすものかいと、ムツクリ床を拔けて、手早く一刀を腰に付け、何者なるや、面(つら)を一度拜顔に及んだ上で、妻を盜まれた無念を晴さうと戸口に近付いたのです。彼は職業こそ商人であつたが、元來身體は巖丈な方で武士にも引けを取らない位の立派な體格の所有者だつたので御座います。彼は今入口の戸の側に來て居乍ら、直ぐには戸を開けなかつたので御座いました。斯ういふ心使ひは得て嫉妬屋に有り勝ちで御座いまして、これが反つて失敗を重ねるやうな事に往々なるので御座います。

　此方は戸口に待つて居る青年ルベルトの方です。糸がぶら下つて來たので今夜の樣子を知り、彼女を待つて居ると戸口の處に早や近付いて來るようですから、今夜はどういふ挨拶をしようかと、其麼事を色々考へて居りましたが、足音が戸口の處に來た時ピタリと止まりましたので、これは變だと思つたのです、何故(なぜ)かならば、彼女は毎時も入口に來るなり、直ぐ樣戸を開けるのが習慣だつたからです。蟲が知らせるといふ事は、全く斯ういふ場合を指すので御座いませうか、彼は戸の開かない理由を疑ひ始めたのです。殊に直覺力の秀でた彼の事ですから、これは屹度、何か知ら變事が起つて居るのに違ひないと考へ付きましたので、此奴は不可ないと、急に身體をかはして尻に帆懸けて逃げ出したんです。果して此の物音に夫のアリグチョは膽(きも)を潰し、「野郎逃げやがつたな。」と周章(あわて)出したんですが、最早相手は可成遠くに迄逃げ延びて居ますのに氣付き「いやこれは馬鹿を見た」と急に周章出し『曲者待て！』と、すたこら後を追つ掛けたのです。ルベルトの方では可成距離が隔たつて居りますので、走りつ歩みつ悠々と逃げ延びたんですが、併し死物狂ひになつたアリグチヨは、何處迄も追つ掛けて來ますから、流石の彼も根氣のいゝのに驚きました。その內に彼は、急速力を出したものと見え、今は五六間といふ短い間隔に迄漕ぎ付けたのです。そして腰の一刀をば拔き放つて、『やあ／＼其處に逃げ行く曲者待て。家內を盜んだ曲者待て！　今殺して遣るから覺悟をしろ。』と斬り込んで來ましたから。此奴は手剛いぜと、ルベルトも開き直つて『何時、俺が汝の嬶を盜んだか？　名譽を毀損する奴は返り討ちだ。』いでや我輩のお手並を見ろと云はぬ許りに、チヤン／＼バラ／＼斬り合ひを始めました。

話變つて此方はシスモンダです。今しも夫が寢室の戸を開けて出て行つた音に眼が醒めたので御座います。肝腎の親指に結び付けた糸は、何處へ行つたやら、影も形も見えませんから、ハツと顏色を眞蒼にして、南無三これは仕損じたりと齒を食ひ縛り、今は居ても立つても、寢ても起きても心の平均がとれません、而も戸口に出て見れば、夫がルベルトを追跡したようで御座いますから、これは尙更騷がずには居られません。そこで彼女は窮餘の一策を案じ、豫ねてルベルトの內證事に大いに與かつて力ある參與官たる女中殿を呼び、

『本統に濟まない無理なお願ひだけれど、助けると思つて、妾の云ふ事を聞いて吳れるでせうか。今といふ今は如何に妾がお前の主人であつても、これ許りは命令的に賴む事が出來ない事なんです。妾は本當にお願ひします。宅に露見されない內に此の床に潛り込んで居て妾の身代りになつて頂戴な？　濟まないねえ。本當に濟まないけどさあ。そして主人は外から歸つて來たら、屹度妾だと思つて散々打擲するでせうよ。が併し、默つて打たれてお吳れね。その代り御恩は屹度報ひますよ。「殺される樣な目に逢つたけれど、奥樣から此麽に御褒美を頂いたから、これで諦めも付きますわ、」と屹度お前

がさう思ふやうに必ずして上げるから、何卒姿が可愛相だと思つたら助けると思つて身代りになつてお呉れな?』と自分が痛い目に、逢ふのが厭さに、女中も時の氏神と、褒美を餌にして、額を床にこすりつけ、兩手の掌から、あはや火花が出ん許りに拜み倒したのであります。斯ういふ風にあらゆる責道具を揃へて口説かれては、何を申せ朝な夕なに仕へて居る御主人の歎願ですから打たれるのは痛いと思ひ乍らも、痩我慢で『よろしゆう御座います』と此の厄介極まる參與官女中殿は返答しなければならなくなつたのです。するとシスモンダは、これで擲られずに濟むと安心が付きましたので、尙もペコ〳〵頭を下げて、寢室の灯を消したる後、自分は家の隅つこに隱れて、これから什麼騷動が起るであらうかと、それを只管に待ち始めました。

扨て話は再び以前に戻ります。アリグチョとルベルトは孰れ劣らず、互ひに斬り合ひを續けて居ますと、軈て、その大きな掛聲や、刄の咬み合ふ音に、近所の人達が眼を醒し、大勢ぞろ〳〵と往來に出て參りました。そして二人に向ひ、どえらい劍突くを喰はせたので御座います。

『何をしてやがるんだ、瓢簞に南瓜奴。夜夜中俺達の町內へ轉がり込んで來やがつて、斬り合ひをおツ初めるなんて、巫山戲た眞似をしやがると二つ共フライに上げて食つちまうぞ。足許の明るい內に立去ればよし、さもなけりあ捻り潰すからさう思へ、四の五の拔かさずトツとと消えて失せやがれ。』

思はぬ所に、斯ういふ大勢の邪魔物が這入りましたのでアリグチョは今こゝで顏を見られ名を知られるのが厭さに、無念の涙を吞んで早々此の場を引き上げる事にし『死んでも死に切れねえ。』と啖呵を切つたものゝ、人々に睨め付けられたので俄かに氣勢を削がれ、悄氣切つて家路に就きました。往來に飛び出た風來坊の爲、相手の男は何者であるかも見究められず、それに相手に擦り傷一つ負せる事が出來なかつたといふ、彼は此麼馬鹿な事が世界中何處にあらうと心中頗る穩やかでありません。

そして韋駄天のやうに荒れ狂うて寢室の戶を開けると、中は眞暗ですから、『畜生! 灯を消しやがつたな。灯を消したつて、貴樣の居所位見えねへ俺ぢやない。賣女奴！』と怒號しつゝ寢室の側らに詰め寄り、有らゆる惡罵を浴せ乍らシスモンダの身代りになつて居る若き參與官を、打ち蹴り擲り、終ひの果てには自分もヘト〱になつた位ですが、忿怒は愈々嵩じて尚も手で引つ騷き足で蹴り、可愛相に女中の顏を滅茶苦茶に傷付けて、濱に捨てられた鰯が足踏みにされた樣にグチヤ〱にして了つたんです。併し其れ程酷い目に逢せても、激怒は未だ治まらぬと見え、情容赦も有らばこそ、未だお嫁にも行かぬ彼女の艶々しげな金髮までも、ヅブリと斷ち切つて了つたんです。

女中は、口惜しさ痛さに堪へ兼ねて泣き出しましたが、今此處で身代りになつた一件が曝露してはといふ意識が始終働いて居ますので、餘計な悲鳴を上げる譯には行きません。只殺し兼ねまじき權幕に恐れて時々『許して下さい許して下さいまし！』と嘆願するだけに止めたのです。併し其の聲は餘りの椿事のため變つて居ますし、且又アリグチヨは無暗に激怒して居りますから、誰を今打擲して居るか、見分けが付かないのです。彼は無論妻だと許り信じ切つて居りますから力の續く限り打ちのめして、金髮まで切り落して了ひますと、流石に疲れが出たものと見え、息をはずませて斯う宣告を下しました。

『やい、このすべた女奴！　覺いて居ろ。これから貴樣の實家へ行つて、この體たらくを殘らず告げるからさう思へ。貴樣の兄弟達は金が無くともなまじつか貴族といふ肩書きの手前、屹度世間の信用を怖れるだらう。この穀潰し賣女奴！何れ兄弟達は貴樣を引き取りに來るだらうから覺悟をして居れ。今夜限り貴樣は此の家から放逐してやるんだ。』

シスモンダは此時部屋の隅ツこに身體を秘そめて、彼が亂暴狼藉を働いた事の次第を見て居りましたが、今しも彼が、斯う捨臺詞を殘して立去るのを見るなり、再び寢室に來て灯を付けました。

見れば女中は憐れにも總身傷だらけになつて泣き咽んで居ります。そこでシスモンダは此の怖ろしい目に逢つて彼女を有らん限りの言葉を盡して慰め、部屋に運び入れて横臥させ、周章てゝ傷の應急手當をなし、夫の貯へた金の中より、身代り金として莫大の金貨を與へ、彼女の滿足するのを見てから、再び寢室にとつて返へし、散亂して居る道具をきちんと片付け、今夜は未だ夫婦共寢室に這入つて眠らなかつた樣に更めて床を取り直し、ラムプの點火も明るけに寢衣(ねまき)姿も普段着に着代へて仕事を取り出し、階段の上り詰めた處に陣取つて縫物を始めたので御座います。

一方夫のアリグチョは足を宙に飛んで妻の實家に到着し、盲滅法(めくらめつぽう)腹立ちまぎれにドン〳〵雨戸を打ち續け、見る間に扉を叩き破つて了ひました。この大椿事に家の中では大騒ぎを演じ、何事が起つたのかと一同玄關に出て見ると、アリグチョが怒りに哮り狂ふて居ります。そこで一寸皆樣にお斷りして置かねばならないのですが、シスモンダの實家は彼女の母と兄弟三人の暮しだつたので御座います。扨て其れは兎に角として、アリグチョは、顏色を變へて立腹して居ますから、シスモンダの兄は早速その理由を尋ねたのです。

すると彼は尋ねられなくとも、此方から今引導を渡して遣ると、まで怒鳴り付け、親指に結び付けられた糸の一件から說き起し、それで今踏んで蹴つて擲り髮の毛迄も斷ち切つて了つた事を物語り、尙その證據として事實斷ち切つた髮の毛を一同に示してから『ヘン貴族の娘が聞いて呆れらあ。名譽が大切だと思つたらあの畜生を引き取つて、どうなりと勝手にしやがれ。俺は此の上あの賣女(はいた)の面倒を見る譯には行かねえから。』と忌々しげに宣告を下したのでありました。

思ひ掛けなくも斯うした聞くに堪えない話を聞かされたので、母親始め兄弟達は何れもシスモンダの不品行を責めたのです。そして直ぐ樣下僕に命じて松明を灯させ、アリグチョの家に同行したのです。何しろ貴族の家柄にとつては捨て置けぬ一大事ですから、道々三人の兄弟達は妹の不行跡に對する怒りで一杯です。併し母親は、何んと云つても其處は女です。氣も轉倒せん許りに心配し、息子達の後に付いて道を歩み、アリグチョに聞へぬ樣に、息子達を省り見つゝ、餘り怒りの儘に手荒い事をして吳れるなと、娘の身を庇ひ、また言葉を和らげて息子達の氣を靜め、こつそり內證で囁いたのです。

『お前達は決して早やまつた事をしては不可ません。娘に限つて其麼事は萬々有るまいと妾が思ひます。小さい時から娘の性質を知り拔いて居るだけに、妾は娘の潔白を保證します。どうも妾には合點が行かなくて仕方がない。ねえお前、若しかしたら屹度聟殿の何かの感違ひで、でなけりあ娘と何か他の事で云ひ争ひをして、その言ひ譯をしたさに妾の處にお尻を持ち込んだのかも知れませんよ。あの狂氣じみた顔付といひ、手荒な仕打ちといひ、若しかしたら氣が狂つたのぢやあるまいだらうか。どうも娘の事といひ、髪の毛のことゝいひ、本當に不思議で堪らない。』

母親は種々な事を口籠り乍ら、出來るだけ穏便に濟ませて呉れよと息子達に頼んだのでありました。

その内に家の前に着きましたので、アリグチョは急いで階段を登らうとすると、この時、問題のシスモンダが上から聲を懸け『今頃、誰方です？』と尋ねたのです。

するとアリグチョが何か呶鳴らうとする口を遮切り、兄弟達の一人が、俺が引き受けて遣ると云はぬ許りに、『やい！シスモンダ、今頃誰方だつて？　この毒婦奴！　怖ろしい毒婦奴！』と罵つたのです。

併しシスモンダは此時、如何にも怪訝に堪へぬといふ目を見張つて、『まあ呆れた、何を失禮な事を仰有るんです。』と呆れ返つて『一體誰方に毒婦だと仰有るんです？　今頃人の家を叩いて、毒婦もあつたものぢや御座いませんよ。』と詰問し乍ら、椅子を離れて階段を降り掛けると、ズカ〳〵上つて來た兄弟達にぶつかりました。

『おやッ？　兄さんぢやないの。三人もお揃ひで？　まあお母様も！　だが一體今頃、どうなすつたんです？　何か事でも起つたので御座いますか？』と驚き顔に下りかけた階段を上り、急いで仕立物を片付けましたので、兄弟達も妹の餘りな落付き方に驚いて、尙もよく彼女の顔を見守りましたが、傷が一向に御座いませんから、折角毒突いて遣らうと思つて居た怒りが、自然和らいで來ました。併し兄弟達は此の儘問題に附さない譯にも行きませんから『おいシスモンダ。隱したつて駄目だぞ！　さあ兄貴達に包まず白狀せよ。』と先づ釘を一本打ち込んで、それからアリグチョの云ふた事件を確かめたのです。

併しシスモンダは一向に驚きません。話の途切れ〳〵に、さも迷惑さに堪へぬと云つた顔色を見せ、話が一通り終ると急に亢奮し出し色めき乍ら『兄さん！　一體貴方は妾に何を白狀せよと仰有るんです？　何が何んだかチットも譯が分らないじゃありませんか。妾は何時宅と喧嘩をしました？　第一理由が無いぢやありませんか。夜る夜中、而かも大勢揃ひも揃つて、餘りに寢呆けないで下さいまし。』

最前より夫のアリグチヨも、あれ程擲つた妻の顏に、一つも傷が御座いませんから、として見ると此れは一體夢だつたのかな。たつた今の今、打つて〳〵打ちのめしたのに、そして俺の手も痛くなつて居るのにこれは變だ――と愚かにも怪訝に堪へ兼ねて妻の顏を穴の開く程うち眺めて居ります。

兄弟達も今は何が何んだか返答に苦しみ始めました。すると彼女は、その隙に乘じて屹度夫を睨まへ、『まあ貴方驚いた。貴方は何を仰有つたんです。貴方は妾を何の遺恨があつて侮辱なさるんです？　妾は其れから答へて頂きませう、妾は何時貴方に打たれました？　今日は未だ私達は寢ないぢやありませんか？　何を貴方は夢のやうな事を仰有るんです。』

斯うなると、アリグチヨは妻の母や兄弟達の手前もあり、それに自分の立場も空ッきし無くなりますので、嚇ッと怒りを表に現はし、逆襲を試みた妻に肉迫し『何が何んだと！　夢だつて？　この女郎め下手に出ればつけ上り、それで此の事件を片付けて了うなんて、やいッ！』と思はず手を振り上げて激昂したんです。併しシスモンダは落着いたもので彼の肉迫に對し、更に自分から肉迫し『何の事件を、どう片付けると仰有るんです？　自分の不品行を棚に上げて、さうです、妾は何も彼も皆さんの前で打ち撒けますよ。大概の事なら我慢もしませうが、餘りです。嫉妬屋の嘘つき！……

斯う彼女に反駁されましたのでもうアリグチヨの癇癪玉が治りません。『ウーム、此奴が此奴が……嘘つきだとほざきやがつたな？　やい、こん畜生！　二人で一緒に寢床に這入つたのを忘れたのか？　それに俺は貴樣の情夫を追ッ掛けてつて斬り合迄おッ始めたが、世間の奴等に騷がれたんで家に戻つたのを何んと思ふのだ？　盗人猛け〴〵しいと云ふ事があるけれど、やい賣女！　貴樣は貴樣は、何處迄も根性の腐つた奴だらう。そして貴樣を散々打擲した其の擧句、髮の毛まで斬り落して遣つたのが何よりの證據だぞ！

シスモンダは、併し愈々嘲弄的に出て彼と應戰し出したので御座います。

『いゝえ、貴方の仰有る事はまるで嘘です。何時妾は貴方と一緒に休みました？　第二に何時貴方が妾を打擲して髮を斬り落しになりました？　さツ何處に證據があります？　妾の顏の何處に傷があります。また妾の髮の毛の何處が斷ち斬られて居るか、それを檢べて貰ひませう、假んば擲られて、髮の毛を斬られたのが妾であるとしましたら、第一貴方よりも妾の方が先立つて、お母様の家に注進して行きます。また注進に行かない迄も、貴方に噛み付いて屹度復讐した事でせう。餘り血迷はないで下さい。本當に何處まで人を馬鹿にして居るでせう。さア顏と髮を見て貰ひませう』と云つて即座にヴエールを外し、髮の毛を人々に見せたのです。無論人違ひに切つた髮ですから彼女の髮の毛はキチンとした儘一毛も亂れて居りません。

さあ事が急轉直下すると、母親を始め彼女の兄弟達は俄かに氣色ばんで、ぢり／＼アリグチョに詰め寄りました。

『一體貴方は夜る夜中、人の家の戸を叩き破つて、何を報告に來たんです。一體貴方は正氣ですか、夢ですか？　餘り冗談も度を超させないで下さい。貧乏だが貴族だから世間の信用が怖ろしいだらうなんて、何の證據があつて、どうしてそんな白々しいことが申されるんです。さア其れを證明して頂きませう。』

今やアリグチョは返答に行き詰り、見るも噴飯に堪へぬ程狼狽を致し、この儘口を噤む譯にも行かず、と云つて自分の罵つた事件とは、餘りに甚だしい相違を見せて居りますので、どうにも引ツ込みが付かなくなつて仕舞ひました。シスモンダは此の様を早くも見て取つて兄に云ひました。

『ねえ兄さん、これ以上詰問なすつたつて無駄ですよ。可愛想だから勘忍して遣らうじやありませんか。アリグチョは返答に行き詰つて居るんです。併し彼麼に目を尖らし、口から泡を出して云つて居るのですから、滿更女を擲つたと云ふ事だけは嘘ではないのでせうよ。屹度例に依つて、この大馬鹿さんは人間違ひをして居るんでせう。夢にしては餘りに明瞭りして居るやうです。さうです、それに違ひありませんよ。それは兎に角として、併し妾は此際ですから、兄さん達に申し上げて置く事があります。此麼嫉妬屋の無鐵砲な分らず屋さんに妾をお嫁に遣つたのは、一體誰方で御座いませう？　兄さんぢやありませんか。妾は今更乍ら、此の事が恨まれてなりません。本當に兄さん達は酷いお方です。少しも妾に同情が無いんですもの。併し今はそれも責めますまい。この愚かなアリグチョは、妾と思想的に釣り合ひがとれないんです。趣味が下劣で、無茶で、亂暴で、おまけに大の道樂者と來て居りますから、妾が此處へ片付いて以來、心で泣かない日は只の一日だつて無いので御座います。商人程世の中に偉い者はないと、始終この馬鹿さんは鼻に懸けて居るんです。商人なら商人らしく乙女の樣に內氣で居れば、事も起らずに濟むのに、このお馬鹿さんは丸で反對なんで御座います。自分が商人であるといふ事、そして小金迄貯へて居るといふ事、それだけでもう有頂天になり、王樣よりも偉いと自惚れ出し、女をさも動物の樣にあしらつて、今日は此の酒屋明日は向ふの酒屋へと飲み歩き、醉うて歸らぬ晩は只の一度も無いので御座いますよ。呆れて物が云へないじやありませんか。その上、妾といふものが居るのに、まあ兄さん聞いて下さいな。遊ぶにも事を缺いて、お女郎を迄買うので御座います。それも一人で滿足するなら未だしも、彼れや此れやと每夜の如く漁つて步くんですから呆れた男ぢやありませんか。ちッとは妾の氣持にもなつて貰ひ度いものだと、始終其麼體たらくを見せられる每に兄さん、妾は一人で泣いて居るんです。そして眠むいのも我慢してこれ此の通り今夜もそれです。椅子に腰掛けた儘お仕事を出して待つ事にして居るんですが、大抵は夜の二時を過ぎないと、でなければ朝迄待ち續けるといふ夜もあるんです。現に今夜も恐ろしく泥醉して、この人が感違ひをした通り、大方誰れか淫賣かお女郎の親指にでも糸が結へてあつたのを見て、醉つたまぎれに早合點をし、誰かを追ッ掛けて、それで刀を拔いて斬り合ひをしたんで御座いませう。そして歸つて見るとお女郎がラムプを消して居りましたので、それで蹴るやら打つやら髮の毛まで斷ち切つたんでせうよ。御覽なさい御當人は未だ醉ひが醒めてゐないぢやありませんか。この調子ですもの、相手を取り違へて其れでゐて、妾に其麼亂暴を働いたと許り思つて居るのに無理ありませんよ。この通りの醉ッ拂ひ屋さんですから、これ以上掛り合ひになる方が馬鹿を見る譯です。大人氣ないからもう此の事は許して遣りませうよ。』

併し母親は老の一徹から、娘可愛さに、何んで默つて居りませう。淚を拂ひのけて腹立たしげに嗄れ聲を振り絞り、アリグチヨを頭から怒鳴り付けました。

『可愛いゝシスモンダや、お前は何を云はつしやる。餘り詰めいゝ事を云ふものぢやありません。私は是から、名譽の爲に、此麼嘘吐きな獸は、お上にお願ひして制裁を加へて遣らねば治まりません。本當に私達の身分を無視し馬鹿にしきつて居るんです。お前も今仰有つた通り、もと／＼此の聟はお前とは、義經と向ふ脛程の違ひがあるんです。だから私は不釣ひ合だと、あれ程口八釜しく反對したのに、それをも聞かずに伜達は、片付けて了つたんです。今時の若い者は、何かすると年寄りの云ふことを反對するから其れで嫌ひです。あの時ギト伯爵樣の「持參金などは只の一錢も持つて來なくていゝから、是非シスモンダ樣を私に下さい」との言葉をも撥ね付けて、それで息子達は此奴を見立てゝ、お前をお嫁に遣つて了つたんです。今更事荒立て度くは決してないが、先方が先方なら、此方も云はなくちやなりませんからね。私は生れて以來お前の性質を見拔いて居るんだから、最初先方が呶鳴り込んで來た時、あの時すでに保證を下してあるのです。それにも拘はらず、人の娘を賣女とか畜生とかと、まるで、それこそお女郎扱ひにして名譽を傷付けるのです。この樣な男に對しては、屹度お前の兄さんは、私を何處までも母親だと尊んで、私の命令に服して呉れる事でせう。左樣、定めし此の男を散々に打擲して、目腐れ鰯のやうにして呉れる事でせう。』と娘のシスモンダを慰め、今度は三人の伜達に向つて、

『だからお前達私が云はない事ぢやないよ。シスモンダに限つて決して其麼事がないとあれ程保證して置いたではありませぬか。お前方の立派な兄弟である此呑んだくれが、お前方の妹に什麼待遇を與へて居るか、すでにお聞になつた通りです。實に呆れた人物では御座いませんか、私が若しお前方であつて、此奴がシスモンダに云つた事、また擲つた事等の一切を聞けば、私は決して此儘生かしては置かないでせうよ。さあお前方に兄弟の愛と同情があつたら、此奴を思ふ存分辱かしめて遣りなさい。この醉ひどれの氣違ひは、決して自分では惡いとも思はず、また恥と云ふ事も少しも知らないで居るのですからね。この際、世の中つていふものは斯ういふものであるといふ事を、大いに知らせて置く必要があると思ひ

ます。』

そこで兄弟達は何れも皆母親の說に贊成し、有りと有らゆる惡口を吐いて罵倒し、最後に、『野郎！ 今夜は醉つて居るから、そこで助けて置くんだぞ。今後若し斯麼出鱈目を云つて來たらその時こそ承知しないぞ、いゝか分つたか？』と警めて一同は此の家を引上げたのであります。

散々に罵られ、難詰されたので、今といふ今アリグチョは殆んど知覺も失なう許りに眼暈ひを催したのです。そして先刻から現在迄の事件が、果して事實であるか、それとも夢であるか全く分らなくなつて了つたんです。ですが此の事に全く懲り切つて了つた事だけは充分に意識に止どまつたので、それ以來といふもの決して妻を打擲しないやうになりました。

これと云ふのも、全くシスモンダの計略が巧みであつたからで御座います。

第九話（巫山の夢）

ニコストラトスの妻レデイアは、夫の下僕に懸想せしに、下僕は三箇條の難問を彼女に提出し、若し其れを完全に實行せし場合に限り要求に應ずべしと答へしかば、彼女は死物狂ひで其の難題を物の見事に突破し、而かも夫の目前にて彼と戯れ、それを夫の幻覺なりと無茶にも夫自身に信ぜしめたる話。

ネヰフィレの談話は聽衆一同を惱殺せしめたと見へ、王の數回に亘る制止をも聞かばこそ、或は笑ひ、或は勝手にしやべり合ふて話を打切らぬ爲、次ぎの番に當つたパンフィロは暫しの程口を開く事も出來なかつたが、軈ての程に以下の如き談話を試みたのであつた――

淑女諸君。凡そ戀愛に夢中になつて居る人なら、什麼危險な事でも、また其れが什麼困難な事でも平氣で遣つて除けます。この事實は既に、今朝程來皆さんのお話に依つてお聞きなすつた通りで御座いますが、私も其の事に關して、某貴婦人の一話を附加へて置きたいと思ひます。

希臘のアカイヤに昔から在るアルゴスといふ市は、以前にあつては非常に繁華な土地であつたと云ふ事よりも、屢々名君を出したが爲に有名となつたのですが、此のアルゴスの市にニコストラトスといふ貴族がありまして、最早老衰し、棺桶の中に片足を入れて居乍ら、それで居て細君を探して居ると、運命の女神は如何なる目論見を持たれたものか、その老耄れた彼に妙齡の美人をお授けになつたのです。彼女の名をレディアと申し、單なる美人ではなく、非常に高貴な、德を兼ね備へ居る女だつたので御座います。元來貴族のニコストラトスは大地主でしたので、數多の下女下男をも抱へて居りますし、獵が此の上も無き唯一の趣味でありましたから、鷹と犬とを矢鱈に多く飼つて置きました。

彼が抱へて居る多くの下男の仲にピルロスと云ふ青年が居ました。この男は一體に上品で高尙に出來て居る所から、一番よく認められ、拔擢されて、主人の信任を篤うして居たので御座います。所が問題は此處から起るので御座いますが。若夫人のレディヤは新婚早々にも拘らず、どうした魔がさしてか、このピルロスに眼を付け出し、戀風を日一日と強く彼に吹き送つたので御座いますが、肝腎のピルロスの方では見た所少しも氣付かずに居るらしいのです。それで夫人は非常に焦りを覺えたのですが、焦れば焦る程彼の方で落着いて見へます。そこで此の上は、乘るか外るか思ひの程を彼に通じて見ようと、豫ねて氣に入りの女中を祕かに呼んだのです。

『ルスカや、これは本當に內證だよ。當人の外一切誰にも洩さぬ樣に賴みますよ。全く斯ういふ事を、開けすけお前に打開けて賴んでは、主人の威嚴にも關はるか知れないけれど、お前も知つての通り、主人と妾との年齡はお月樣と鼈のやうな不釣合で、妾は本當に詰らないで居るのさ、だからほんの氣休めに內證で誰か一人拵へて見たいと思つて居るんです。無論これに對しては、無理からぬ事だとお前もお思ひだらうが、實は妾斯ういふ理由から家に居るピルロスに目を付けたんです。だからお前は妾に共鳴をする氣なら、妾の爲だと思つて、最善の手段を講じ、妾の心の中をあの人に通じた上で、どうか一度妾の部屋へ來て吳れるやうにと、斯う願つて見てお吳れな。』

『什麽面倒な事だらうと思つてましたが、奧樣、その事なら譯も御座いません。屹度立派に引受けて見せますから、御安心なすつていらつしやいませ。』と即座にルスカは受け合うて、夫人の前を引き下り、間もなくビルロスと出逢うた時に、

『一寸此方にいらしやいよ。』と彼の袖を傍に引いてレディヤの言傳(ことづて)を傳へたのです。


ビルロスは、夫人に斯ういふ心があらうとは今迄夢にも知りませんでしたから、これを聞いて非常に驚き此上もなき自分自身の幸福を喜ばずには居られなかつたのですが、併し、餘り話がよすぎるので忽ち疑念を湧し、「そんな馬鹿な事があるものか。これは屹度何かの計略に違ひない。ルスカの奴、俺を引ッ掛ける氣だな。此奴(こいつ)は危ぶねえ。氣を付けなきあ飛んだ馬鹿を見るぞ。」と氣付きましたので、態と言葉を荒々しげに、斷然刎付けたのです。

『おいルスカ冗談いふなよ。どう考へたつて奧樣が其麽怪しからん事をお前に言付けたりなんかされて堪るものかえ。その本人といふのはお前ぢやないか？　それを奧樣の仰せだなど丶出鱈目なことを云つて、俺を欺す積りなんだらう。假(よし)んば實際奧樣のお言葉だとしても、其れなら尙更それで、お前の胸にだけ祕めて置いて、其麽淫らな事は口外しない樣に努めるのが當然ぢやないか。だが其れも差支へ無いとしても、お前は其れでよからうが、俺は旦那樣にお仕へ申して隨分と御贔屓になつて居る身體ぢや。だから萬一の過ちがあつては旦那樣にどう顏向けが出來ると思ふのか。俺は厭だ。其麽汚らはしい事は眞平だ。もう二度と聞く耳は持たないから其麽話は止してお吳れよ。』


併しルスカは、斯う拒絶されてもビクともしません。

『ビルロスさん、何んとでも勝手に仰有いよ。幾ら仰有つたて貴方の口で仰有るんですから、それは貴方の勝手で御座いませうが、併し妾は、そうかと云つて、此儘退却致しませんよ。貴方が御立腹なさらうとなさるまいと、其れは妾の知つた事ではありませんから、今日はこれでお了ひにするとしても、今後貴方と出會はす每に、只今の奧樣のお賴みをお耳に入れますから豫め覺悟してらつしやいよ。』

そして彼女はプリ〳〵怒り乍ら夫人の部屋に來て、事の由を、不平がましく訴へる樣に告げたのです。するとレディヤは失望の餘り、悄氣切つて、暫らくは死なうと迄思ひ詰めたのですが、ルスカの言葉に慰められ、漸く死のみは取り止めたので御座いますが、達せられない戀の無念が今度は胸の中に渦卷き出して、自分でどうする事も出來なくなつた程悶へさせられたのでした。

それから數日後の事です。夫人は再びルスカを使ひに賴まうと決心しました。

『ルスカや。只の一度では太い麻繩は斷れるもので無いといふ事を御存じだらうね。それが分つたら何卒も一遍ピルロスに會つて、『お前が旦那樣許りに忠義立てをして、妾の云ふ事を聞かないのなら、聞かないでもいゝ。旦那樣が主人なら妾も主人ですよ。その事が分りませんか。』と難詰して、妾の思ひがピルロスの胸にピンと這入るように、そこを巧く說き付けてお吳れな。實際の話が、あの人が妾を焦らせれば焦らす程妾の壽命が縮まつて行くんだからね。』

『奧樣其麼にお氣の弱い事ではどうなさいます。もつとテキパキなすつていらしやいませよ。』とルスカは夫人を勵まして扨てピルロスの部屋に行つて見ますと、幸ひにも今日は御機嫌の體ですから、此處ぞと許りに舌に撚りを掛け、雄辯を振つて說得に取り掛りました。

『ピルロスさん、貴方は奧樣の昨今を御存じないのですか。實はあの事以來、御心配なすつて、今日貴方の返事次第では死んで了はうと迄に云つて居られるんです。ピルロスさん、隨分貴方も罪な人だわ。御主人の命を斷つても、それで平氣で居られると云ふんですか。貴方は世界一の恩知らずです。而も辛い思ひをするとか、痛い目に逢はされるとか云ふ主人の命令なら兎も角も、大家の奧樣に戀ひ慕はれるといふ願つたり叶つたりのお賴みじやありませんか。この事を置いて何處にこれ以上の幸福が御座いませう。それを受けないなんて貴方は全く正氣の沙汰じや御座いませんよ。ですからさ、口數を費ひやさせずに、早く世界一果報者になるといふ理性の扉をお開きなすつて、妾の云ふ通りになさいな。そして此れは貴方に忠告迄に申して置くんですが、若し此事をお拒みになるやうだつたら、それこそ貴方は生涯大變な目に逢はされるんです。と云ふのは詰り、運命の神様が貴方の生涯に只つた一度だけ好感を寄せられて、エプロンに溢れる程の恵みを入れて、貴方をお訪れ下すつたんです。ですから若し今、それを誤つて神樣に背を向けなすつたが最後、貴方は屹度今後は死ぬ迄貧しく、そして悲慘の內に終はられる事となるでせう。貴方は名譽だとか仰有いますが、其麼決り文句の云ひ拔けは、本當の話お友達かなんぞの間でなさる事で、少くとも斯うした場合に望んでは、第一貴方は妾も同樣、雇人の身分じや御座いませんか。如何に命令が無理だとお思ひになつた所で、御主人の云ひ付けとあつて見れば、絕對に服從せねばなりません。また御主人だつて無茶なお方では無いのですから、御主人の行ひに倣つたつて一向に差支ないので御座います。此れはほんの此處だけの例ひに過ぎませんが、若し貴方に奧さんか、娘さんか、姉さんがいらして、家の旦那樣が其の方をお想ひになつたと致しますれば、貴方は一體どういふ態度をおとりになられます。幾ら親だ親類だと云つた處で、果して其の義理を通せ切らされるものでせうか。旦那樣は口說いて見て、その效が無ければ今度無理な事をなさいますでせう。ですから忠義とか名譽とかいふものは宜敷く封じ切つて了ひ、御主人が貴方になさるだけの事を、貴方は御主人になされば其れで事濟みなんで御座います。折角運命の女神が貴方の爲を思つて、親切にも莫大な寶をお授けになつたのですから、それを利用なさらないなんて、常識で判斷が出來ませんよ。その調子で居たら今度貴方は、あの時仰せに從へばよかつたと、この先き一生涯、絕えず後悔なさるであらう事は受け合つて置きます。』

このやうに現在の利益と未來の幸福とを以て、彼女は大雄辯を振ひ、出來るだけ誘惑する事に最善を盡したので御座いますが、併し其れ程迄にせずともよかつたので御座います。彼は先日の言ひ付けに依つて、幾度か考慮を重ね反省した結果、「本當に俺は少し頑固だつたわい、あの際何んとか今少し色を付けて置けばよかつたに。惜しい事をしたもんだ。が併し、云つて了つた事だ、後の祭りは最う歸らないさ。だがよ、今度若しルスカに會つて何んとか云はれたら、今度こそは違つた返事をしてやらう。」と了見を變へて居た矢先きですから、今彼女の長つたらしい口上を聞かされた時、肚の中では、成程その通りだと點頭きつゝ、それでも表面では、笑顏一つ見せず、依賴の事柄そのものにも反對をせず、どう答へたならば、最も妥當な返事になるであらうかと考へたのです。何故かなれば餘りに話が巧過ぎますから、未だ何處かに疑心が抱かれてならなかつたからです。それで此の事實を今一度、眞劍に探りを入れて見たいと決心したのでした。

『ルスカよ、お前の云ふ事は一々理窟だよ。それは俺も充分に認めるが。御主人様は非常にお悧巧だし、その上にお前も知つてる通りあの様に要心深いお方でいらしつて、御自分に係はる用向きは一切合財俺にお任せになつていらつしやるんだから、これは事に依ると奥様は、俺が果して旦那様の御信頼に堪へ得る人物であるか否かを、お試しになる爲に、お前に其麼いゝ加減な事を云ひ含めて、お寄越しなすつたのでなからうかと、疑へば疑ふ氣にもなるからね。それとも奥様は、本當に是程迄に俺をお思ひ下すつて、そのように仰有るのなら、確かに其れに違ひないといふ確實な證據を俺にお見せになつて、成程と俺を納得させて頂きさへすれば、俺は喜こんで奥様の、什麼命令にでも從ふ積りで居るから、兎に角眞心から出た愛の證據として、俺は奥様に三つの事をお願ひしたいんだ。三つといふのは他でもないが、先づ第一は旦那様の眼前で、旦那様が御寵愛になつてらつしやる鷹を見事に殺して見せて下さる事第二は、少々で結構で御座いますから旦那様のお鬚をお抜きなすつて、それを奥様が俺に下さる事、最後の條件としては、一番立派で、一番お丈夫さうな旦那様の齒を一本抜いて矢張俺に下さる事、この三つを、奥様にお願ひし度いのだ。』

ルスカは、大變な條件を持ち出したと、飛び上つて驚きました。持ち出すにも事を缺いて、斯麼難題は何處にあらう。屹度奥様は、此上も無く當惑なさるに違ひなからう。と彼女は思ひました、が併し皆さん、こゝに、戀愛なるものゝ力强さをお考へになつて下さいまし。斯うした場合に、戀愛は毎時も唯一の相談相手となり、そして當人を限り無く慰藉して呉れる無二の後援者となるもので御座いますから、今この様な難題に逢ひましても、レディヤは此の愛の力に激勵されて、

『よろしい、妾は屹度誓つて此の三つの條件を果して見せます。』と、堅い決心をしたのであります。

そこで亦彼女は、ルスカを使者に立てゝ、次ぎの如き言付けをピルロスに傳へさせたのです。

『お申越になられた三つの條件は承知致しました。必ず立派に果して見せます。この事は尤も妾の誤解計りでは無からう

と思ひますが、貴方の御意見に依りますと、主人のニコストラトスは大變智慧のある賢い男のやうにお思召していらつしやるやうですが、それは大分お考へ違ひじやなからうかと存じます故、事の序に妾は貴方に本當の主人をお目に懸けたいと思ひます。』

斯うした明解な返答を得たピルロスは、そんなら奥様は什麼手段を取るであらうか、そのお手並を拜見することに致したいので御座います。

主人のニコストラトスは金の有るのに任せて折々盛大な宴會を催し、多數の名士を招くので御座いますが、夫人とピルロスとの間に斯うした約束を交した數日後、例の如く盛宴を催したのであります。御馳走の用意もなり、今や食卓の布を取つて、來賓一同は之れから舌皷を打たうとした時、彼女は孔雀の如く盛装して廣間に現はれ、戀人のピルロスを始め數多紳士淑女の見て居る前で、靜々と鷹の前に進み寄つたのです。そして先づ留り木に結んであつた紐を解き、その紐を堅く摑んで、壁に向ひ鷹の腦天を强かに打ち付けましたので、流石の猛鳥も一溜りもなく往生を遂げて了ひました。

ニコストラトスは餘りの事に驚き、氣も狂はん許りに、『可愛相じやないか！　レデイヤ、お前は何をするんだ！』と思はず詰り寄つたのです。

併しレデイヤは、些かの躊躇も見せず賓客一同に向つて鷹を殺した理由を述べました。

『皆様、何卒お聞きなすつて下さいまし。假令其れが王様で御座いませうとも妾に害を與へなすつた場合には、妾は當然その仕返へしをせずには居られません、況してや取るも足らぬ鷹一羽です、復讐するに雜作もない事で御座います。妾は今迄長い間、この鷹に虐げられて居たのです。さうです、妾は當然主人から受ける筈の快樂を、この鷹の爲に悉く奪はれて居たので御座います。だつて皆様、主人は夜明け方に眼を醒すと直ぐ馬にお乘りになつて、好きな道樂をなさるのですが、その間妾は獨りぼつち置いてきぼりを喰はされて、全く問題にされずに居るので御座います。ですから妾は、この鷹に何時かは復讐をして遣らうと人知れず決して居たので御座いますが、今迄その適當な機會が無かつたので御座いました。

處が偶々今日の樣な酒宴(さかもり)が開かれました故、この時を利用すべく決心付けられたので御座います。それは此處にお集り下さいました澤山の皆樣の前で、詰り公平な判斷を下して頂く方々の前で、この復讐を決行しようと、考へてた迄に外なりません。』

お客達は彼女に深い謀みがあるとは知りませんから此の言葉を聞いて何れも彼女の說に共鳴し、それは偏へに夫を熱愛するものゝ餘りに出たものと斷定付け、互ひに肚で笑ひ乍ら、今しも不快な曇り顏を見せて居る。主人を皆塵で慰め、『奥樣が鷹に復讐をなすつたのが尤もな事ですよ、さゝ、ニコストラトス殿・早く御機嫌をお癒し下され。』と云ひ、その他色々な例を引いて出來得るだけ慰めましたので、これに釣られて彼の怒りは忽ち消へ失せ、何の爲に怒つたのか、自分でも解らなくなつて、カラ〳〵笑ひ出したので御座います。

この有樣を見て居たピルロスは祕かに肚の中で思ひました。

『奥樣はすでに約束の第一步をお蹈みなすつた、おゝ天に在ます吾等の父よ、何卒レディヤ樣がおめず臆せず邁進遊ばすようにお願ひ致します！』

レディヤは斯うして容易に鷹を殺す事が出來たので御座います。所が更に數日の後、ニコストラトスと二人で部屋の中に居た時、彼女は面白半分に夫に冗談を云つてウンと揶揄(からか)うたのです。すると夫もまた彼女を揶揄う積りで、ちよいと輕くレデイヤの髮の毛を引つ張つて戯れ出したのです。かう云ふ風に何の目論見も考へもなしに行なうた、此の夫の惡戯が、計らずピルロスの第二の條件を果す機會を與へたのです。それでレディヤは狡猾にも、左も可笑しくて堪らないと云ふ風にゲラ〳〵と笑つて見せ乍ら、隙を覗つて素早く夫の鬚を一筋確かり指に挾み、冗談でせうと、尚もゲラ付き乍ら、不意に力任せにグイと引つ張りましたから、一溜りも無く拔けて了ひました。これには流石のニコストラトスも、無茶苦茶をするなと拔りに、嚇ッと怒り、あなやレディヤを打ち据へやうとしたのです。するとどつこい、レディヤは直ちに申し開きをしました。

『だつて貴方、鬚を一本位拔いたつて構はないぢやありませんか。貴方だつて今、妾の髮の毛を引つ張つてお拔きなすつたぢやありませんか。痛いのは御同樣ですよ。』

斯ういふ樣な事を云つて、冗談に紛らし、夫を玩具扱ひにしながら、一筋の鬚を大切に始末し、その日の內に戀人の許に贈りました。

斯うして見事に、第一第二の條件は成功しましたが、未だ一番面倒な第三の條件が殘つて居ますので、夫人のレデイヤは更に更に頭を惱まさずには居られなかつたのです。併し元來物事を計畫するに、天才的な閃きを持つて居る女ですから、此の場合に於きましても、遂行する手段を遂々考へ出したので御座います。尤もこれはレデイヤ自身の發明的才能が案出したといふよりも、戀愛が力を借しましたので、その方法を發見する事が出來得たといふ方が妥當でありませう。それでは一體、どういふ方法を取つたものかと云ひますれば、實に奇拔な妙案で御座いまして、先づ其れには二人の少年が囮に使はれたので御座いました。この二少年は名門の家風を見習ふ爲に、豫ねて彼の父親の依賴に依り、その父親も矢張り紳士では御座いましたが。兎に角斯ういふ事情の許に當家に寄寓して居たので御座います。それで現在の所は主人のニコストラトスが食事をする際に、その側らに侍りつゝ、一人は肉を切り、他の一人は盃に注ぐ役目をして居たので御座います。

處が或る時、夫人のレデイヤは、この二少年に向つて、『どうも貴方がたの息は馬鹿に臭いやうぢやありませんか。其麼に臭い口を御主人の方に向けては失禮ですから、是から給仕をなさる間は、始終顏を反向けていらつしやいな。假令什麼事が起つても、決して人に物を云ひ掛けては不可ません。』と誡めましたので、二人の少年は、今迄チツとも氣が付かなかつたが、そんなら自分達の口が其麼に臭いのかな？　困つちまうなあ。と嘆息を洩し、それからといふものは夫人の命令通りにビク〳〵し乍ら顏を側に向け、主人のテーブルに侍るように致しました。

それから或日の事、夫人は何喰はぬ顏をして、夫に斯麼事を聞き糺したのです。

『ねえ貴方、あの子供達はお食事の時什麼姿勢をして居ますか、それが貴方にお氣付にならないのですか？』

『無論氣付かない事はないさ。一體どういふ譯で俺が食事を終る迄、始終他許り向ひて居るのか分らないんだよ。だから其の譯を糺さうと毎時ゝ思ひ乍ら、それなりになつて了うのだ』

『さうで御座いましたか、それぢや貴方も最早知り拔いていらつしやるんですね。それだつたら何も態々其麼事をお聞きにならなくつたつていゝですよ。妾はあの無禮な姿勢をすつかり知つて居ますから、お聞かせして上げませうか。妾も實は貴方が若し御立腹なさりはしまいかと懸念致しまして、今日迄貴方に申上げなかつたんですが、彼麼歳の行かぬ者でさへ其の原因を知つてか、主人の前をも憚らずああした失禮な態度を取つて居りますから、妾は最早貴方のお耳に入れずに居る事が出來なくなつたんです。實は貴方の吐きなさる息が非常に臭いものですから、二人はあゝして横を向ひて居るのです。以前は決して其麼ぢやありませんでしたのに、どうして今頃臭くなつたのか、その原因は妾にも解りませんが、併し其れがため妾の一番心配するのは、貴方が大勢のお客樣と御一緒にいらつしやる時です。本當に什麼にか皆樣は不快な思ひをなすつてらつしやる事であらうと思ふと、迚も堪らないんです。何んとかして其の臭味を癒す方法をお講じになつては如何です。』

主人は非常に不審の頸を傾けて『フムこれは初耳ぢや。其麼に臭いかしら？　一體何のせいだらう？　蟲齒でも出來た譯かな？』

レディヤは待つて居ましたと云はん許りに『さうですよ、皆麼蟲齒のせいですよ。どれ一寸口を見て上げませう。』と云つて夫を窓際に連れ行き、口を開かせて、仔細に檢査するやうに見せ掛け、フィに頓狂な聲を出し『まあ貴方、大變ぢや御座いませんか。長い間どうして斯麼腐れ齒を拔かずにいらつしやつたんです？　ほら、この齒ですよ、これ、斯麼に腐つて小さく減つてるぢやありませんか。此上拔かずに置きなすつたら、この並びの齒はぐるり一本も殘らず腐つて了うに決つてます。貴方、手遲れなすつちや駄目ですよ。本當に妾心配だわ。

『成程。さうか？　それは困つたね。ぢや是れから早速齒醫者を呼びに遣つて、齒を拔いて了はう。』

『齒醫者ですつて？　冗談ぢや御座いませんよ。何も其麼に仰々しく齒醫者なんか賴まなくたつて、貴方の蟲齒は素人にだつて充分拔ける所に在るぢやありませんか。それに近頃の齒醫者と來たら、皆麼どれもこれも實に手術が亂暴で、妾が屹度貴方の治療を側に見て居たら、ハラ〳〵して氣絕をして了うに決まつて居ります。譯も無いぢやありませんか。妾が拔いて上げますよ。そして萬一餘り痛むやうでしたら少し休んで、そして又拔きますよ。齒醫者連中と來たら、それはそれは無茶ですから、決して中途やなんぞで止すもんですか。』

そして彼女は今、齒を拔く爲に器械を手に持ち、例の女中ルスカだけを此の部屋に止どめ、其他を悉く部屋から追つ拂つて了つたんです。そこで彼女は椅子に掛けたニコストラトスを、ルスカに命じて、一生懸命上の方から抑へ付けさせ、さあ其うい ふ調子ですから痛いのなんのつてお話ぢや御座いません。額に油汗を滲ませて、ウン〳〵と唸り乍ら我慢をして居ります。彼女は遂ひにグイと渾身の力を振り絞つて漸く引つこ拔きました。そして拔き取るより早く其の齒を隱して、そして自分はピルロスの第三條件に適うような最も立派で最も丈夫な齒を器械に挾み、グイ〳〵引つ張り付けたんです。豫て手の中に握つて居た腐つた齒を、夫の前に出して見せたのです。併しニコストラトスは餘りの痛さに堪へ兼ねて、今や殆んど死に懸つて居ります。

『ちよいと貴方御覽なさいよ。この齒ですよ。』

ニコストラトスは、何しろ痛くつて、暫くの間は見る所の騷ぎぢや御座いませんでしたが漸く少し治まり懸けたので、その拔いたといふ齒を一見し、『こん畜生？　この齒だな。おゝ痛い！　だがこれで口の臭氣は無くなつたんだ。』と泣き笑ひをし乍ら、痛い個所に、痛み止めの藥を注して貰ひ、軈て其の痛みも淡くなつたので、彼女の部屋を出て行きました。

レディヤは拔き取つた丈夫な齒をば直ちにピルロスに贈りますと、彼も之れで初めて安心し、夫人の戀の如何に熱誠なるかを知り、今は躊躇する迄もなく直ちに其の命に服する事にしました。

併しレディヤに於きましては、此上更にピルロスに愛の保證を與へて遣らうと思ひました。それに又二人が互ひに打合ふ時間が廸も堪へ切れぬ程長くて遣り切れないので、そこで復又一計を案じ、戀人のピルロスと相談の上、今度は先づ彼女自身が大病人に化け、夫を欺す事に着手したのであります。

扨て彼女は大病人となつて臥して居た或る日の事、ニコストラトスが今しも食事を濟ませて、『容體は如何ぢや。少しは快いか？』と病室を訪れた時、幸其處にはピルロスが一人限り附いて居りましたから、『ねえ貴方、ピルロスと二人で、妾を裏庭の中へ運び出して下さいな、そしたら屹度病氣は快くなるかも知れないと思ふんです。』と甘へるやうに、柔かい視線を夫に投げたのです。

すると夫のニコストラストは、『ウムよし〳〵。』と許りに、早速ピルロスを促し、寢臺の尖を二人で持つて裏庭へ運び、梨の木の下の芝生の上に置きました。

もとより夫人は計略の手筈をピルロスに豫め知らせてありますから、此の時、「ピルロスや、お前濟まないけれど、梨が欲しくつて仕樣がないから、お前木登りをして二つ三つ取つてお呉れな。』と夫の前で云ひ付けたのです。

ピルロスは早速木に攀じ登り、梨を取つて下に落し乍ら、豫定の行動たる奇妙奇手列な叫びを上げました。

『あゝこれは堪らん、旦那樣に奥樣、堪忍して下さいな、餘り其處で見せ付けないで下さい。これは驚いた。私に見えないと思つて其麼事をなすつていらつしやるんですか？　どうも當てられますね。私にだつて完全な二つの眼がありますよ見えなくつてどうしませう！　あ、あれだ、厭になつちまう、これは助からない。いよう御兩人これは〳〵。いや奥樣、その調子で元氣が出て行けば御病氣の全快は直ぐですよ。ハヽヽ、直き癒りますよ。冗談じやない、これは遣り切れない其麼御馳走はもう澤山です。どうか私の見えない處へ行つて精々うんと巫山戲て下さいな。あゝゝ獨り者は堪らない？』

夫人は非常に驚愕に堪へぬと云つた面持ちで、『ね貴方、ピルロスは何か云つてるじやありませんか？屹度夢でも見て居るのじやないでせう？』かと夫を顧したんです。するとニコストラトスも驚異の眼を見張つて、

『夢かも知れぬ。オイ！　ピルロス。譫言を云つてもよいが、木の上じやないか？　落ちれば危險だといふ事が解らない

のか？』と木の上に向つて聲を掛けたんです。

するとピルロスは直ちにこれに答へて、『譫言ですつて？　冗、冗、冗談でせう！　譫言じやあるもんですか。現にお二人で、巫山戯切つていらつしやる癖に。私に眼が無いのなら兎も角も、お白らばくれになつちや困ります。散々人の前でお樂しみになつていらつしやり乍ら……どうも御挨拶ですな。』

夫人のレデイヤは、すると口を挾んでねえ、一體どうしたつてんでせう？　妾病氣でさへなければこれから木に登つて行つて、ピルロスの云ふのが本當か嘘か、氣が狂つたのか、また譫言であるか見屆けて遣りたいんですけれど。』

木の上のピルロスは主人夫婦がさも〳〵猥褻な行爲を依然と演じて居るやうに、色々に喚いたり、囃したり彌次り飛しますので主人のニコストラストは、彼に木から降りさせ、一體什麼事が見えたのかと尋ねたのです。

『どうも斯うもありませんよ。貴方方は百も二百も御承知じやありませんか？　鳩じや御座いますまいし、旦那樣と奥樣のあの睦しさ、隨分猛烈な處を色々お見せになつたじやありませんか？　御夫婦でなさることですから、差支へ無いやうなものの、併し人の前だけ位はお堪へになつても差支へ無からうかと存じます……へイ。』

ニコストラトスは驚いて、『フム此奴は確かに氣が狂つてやがる。俺もレデイヤも先刻來、此處にジツとして居るじやないか、何が怪しいのだ？　何が巫山戯て居るのだ？』

『旦那の御挨拶には一本參りました。氣違ひでも何んでも御座いませんよ。現に此の眼で確かに見えたんですからなア。』

ニコストラトスは、益々驚き乍らも次第に彼の言葉に引き付けられて、『……とすると、如何にも不思議じや、若しかしたら、この梨の木に、魔法使ひでも乘り移つて居るのじやあるまいか。でなけりや全く變じやから喃。物は試しじや、今度は俺が登つて見て遣らう。

『旦那、冗談もんで……空呆けなすつては……？』

『未だあんな事を云つてやがる、揶揄うと承知しないぞ。』と云ひ乍らニコストラトスが木に登り始めたんです。すると夫人は、ピルロスと兼ねて相談し合つた如く、夫人と彼は本當に猛烈ないちやいちや付きを開始したんです。主人のニコストラトスは、木の上から此の體たらくを見せられたので、氣が氣で御座いません。矢庭に大聲を發して喚き立てました。

『お、姦婦奴！　何んといふ醜體を演ずるのじや。貴様は俺の目の前でよくも俺の名譽に泥を塗つたな。それから……やいツピルロス、ウーン、貴様も〳〵、この極惡人奴！　貴様は俺の信賴を裏切つた。そうして今、家內と怪しからん事を而も俺の面前でするとは……えいッ、あのこゝな人非人奴が！』

そして大急ぎで木から降りて來ましたので、夫人とピルロスは逸早く互ひの距離を遠ざけて、聲を揃へて云ひました。

『何を仰有るんです！　旦那様が木に登つてらつしやる間、私達は最前より互ひに此處にジッとして居るじやありませんか？』

如何に辯解をしても、ニコストラトスの憤怒は尙も激しいもので、二人を割れ鐘のように怒鳴り散らしたのです。そこで二人も成り行きに任せて居たんですが、稍靜まりかけて來たので、ピルロスは先づ口を利きました。

『旦那様、まあ落着いて下さいまし。漸く原因が判明したので御座います。詰り私も旦那様も幻覺に迷はされたのです。隨分と疑ひ深い事を仰有りましたが、それが幻覺に支配された證據じやないかと思ひます。奥様は無論の事、卑しい下僕の私とても、何んで旦那様のお顏を潰し、御名譽を傷付けるような事が出來ませう。物の道理をお考へ遊ばしてもお分りになる事と存じますが、奥様は貞淑な點にかけて又はお愼しみ深い點にかけては、他の有ゆる婦人の模範になつてらつしやるじやありませんか。その奥様が場所も有らうに旦那様の目の前で私を捕へ、其麼猥褻な事をなさる道理がないじやありませんか。又私にしましても、其麼御無道な考へを決行する位なら、寧ろ其の以前に私を一寸試しにして欲しかつたと存じます。況して旦那様の目の前じやありませんか。お怒りなさる前に、今少し常識をお働かせになつて頂き度いので御座います。』

ニコストラトスも今は全く疑ひが溶けて『成程そう云へばお前の云ふ通りだ。それでは矢つ張りあの梨の木の故じや魔法の故で、有りもせぬ事を判然り見せるのじやいや。其れに違ひない。それを感付かずに周章て怒つた俺を根に持たないでお呉れ。全くあの有様を世間の誰彼に見せたら屹度それを事實だと思はせるからであらうから喃。俺が眞赤になつて怒つたのも強ち無理でないと思ふて呉れ。お前が俺の先きに、木に登つた時、俺と家内とが確かに淫らな眞似をしたとお前が云つたらこそ、それで今度愈々、それが幻覺の作用であるに違ひない事が分つたのじや、でなければ誰が見たからつて確かにお前達二人で巫山戯て居たとしか見えんから喃。』

夫人のレデイヤは此の言葉を聞くなり、躍起となつて夫に詰り始めました。

『フン、大概にして置きなさいな。貴方の眼の前で其麼悪戯をする馬鹿者だとお思ひになるんですか？それ程妾が不爲鱈な無貞操な女だとお思ひになるんですか？ 憚り乍らボン／＼乍ら其麼心が若し萬が一、妾の心に微塵程でも有るとすれば、遠うの昔に其れを實行して不義の快樂に浸る機會は幾らでもあつたんです。それを妾の心も知らないで、斯麼に愼み深い良夫大事の妾を捕まへ、今の失禮なお言葉は一體何事で御座います？』

ニコストラトスは、斯う妻と下僕から說き付けられましたので、それを信ずるより仕方が無くなつたのです。それで少し機嫌を直して『扨ても不思議な事があるものぢや。』と肚の中では未だ、その謎が解決出來ずに居たのです。

所が夫人の方では、今、夫から有らぬ嫌疑を受けたのを、一途に氣に掛けるような様子で『妾は無論ですが、他の婦人方も今後再び名譽を失なう事があつては困ります。假んば妾が我慢するに致しましても、他のお方に御迷惑を懸けるような事があつては氣の毒ですから、ピルロスや、お前手斧を持つて來て、第一妾とお前との潔白の爲に此の木を伐り倒してお呉れ。』そしてニコストラトスを省り見『これで始めて妾の怒りは解けます。こうして妾の名譽に敵對する奴を滅してやります。』と厭味を並べたのです。

主人も今は彼女に對し、誠に濟まなかつた、許して貰ひたいと詫びましたので、もとよりレデイヤも怒る筈が御座いません。斯う云はれて見れば忽ち機嫌を直した風を粧ひ、

『今後決して、妾に疑ひなど懸けて頂いては困りますよ。妾は、妾自身の命より以上に、貴方を愛して居るんですから。』と輕く窘めて見せたのです。

可愛相にニコストラトスはすつかり欺されて、妻を寢臺に乘せた儘ピルロスと共に運んで裏庭から家の中に這入りました。斯うしてピルロスと夫人は、その後主人の眼を樣々に掠め、或る欲望を思ふが儘に遂げたのです。無論それに對して邪魔をする障害物が一つも無くなつたからであります。

第拾話（亡者の懺悔）

ジエナに住居せる親密な仲の二靑年が、或る時、一婦人を見出し互に懸想し始めたるに、そのうち一人が、不圖せし病氣より死を招き冥途へ旅立ちたるも、生前二人が交した約束を守り、死して三日目の夜、生き殘れる彼を訪れ、婦人と關係を結びても決して地獄に落ちぬと、冥界の事情を報告したる話。

今や今日の談話の殘れるは王ヂオネオ一人のみとなつたので、聽衆一同に靜肅を命じたる後、自ら次の如く語り始めた――

紳士淑女諸君、假令如何なる君主であらうとも、若し己が治下の世界に公平を保たんとする以上は、假令自分の制定したる法律であつたとしても、自分自らも其の拘束を受けるのが當然であつて、萬一、法律に叛く行爲があれば、私人と何等異なる所なく其の條項に照して宜敷く罪相當の罰を受くるのが理の當然で御座います。それは私も十二分に承知で居ります。所が誠に遺憾な事では御座いますが、斯くお話する私自身が萬止むを得ない事情の許に、その掟を今破らうとして居るので御座います。その譯を申しますなら、昨日私が、今日の話題を諸君に提供したのですが、あの時は私の特權、詰り私だけが題目以外の內容に亘る談話を述べても差支へないといふ、あの特權を今日は殊更に、利用しよう等とは夢にも思つて居なかつたので御座いました。何處迄も善良な諸君の殿りを勤める人間にならうと、決心して居たので御座います。所が豈圖らんや、今日既にお話になつた方の中に、無論それは先番たる以上有り勝な事で御座いますが、私が諸君の清聽を願はうと思つて居た話を、最早お奪ひになりましたので、それで一寸、今日の話題に適するやうな誂向きの話の種が無くなつた譯で御座います。尤も考へて見ますに、諸君等九名のお話は、色々な事件を含み、非常に豊富な内容を藏し、而も非常に多方面に亙つて居りましたし、且つお話上手な方々許りでしたから、もう是以上、結果の同じくなる談話に就いては、私如き不味い者が喋べらなくとも關まはないじやないかと思ひます。旨い料理を食べた後で、最後に不味い品を出されると、折角前の御馳走が全部死んで了ひます。斯ういふ考への許に、折角私の制定しました法律では御座いますが、今その掟を破らねばならぬ事になつたので御座います。ですから無論私は、諸君が如何なる罰を私に宣告なさいましても、私は甘んじて其れに服するだけの覺悟は持つて居るので御座います。それで私は短い一話を試み、前日以來の特權に縋りたいと思ふのです。このお話は到底信じられそうにも無い程の、奇怪と不自然さを持つて居りますが、併し其れが爲にこれをお聞きになる諸君の不快を買うやうな事は絶對にあるまいと信じます。

「昔私達の國シエナに二人の青年がありました。一人をチエンゴツチヨ・ミニーと云ひ、他の一人をメヴツチヨ・デ・ツラと云ひます。彼等は共に太陽門の側に住んで居て、非常に親しい間柄ですから、寺に參詣するにも別々には行かないで常に一緒に行き、未來の喜びや苦しみに就いて、隨分と色々な事を聞きましたが、只それだけでは未だ喰ひ足らず、更に正確に知りたいと思ひまして、互ひに或る約束を交しました。その約束と云ふのは、二人の內どちらか先きに死んだ者が、若し出來得るものなら生き殘つて友の側へ寄つて來て、冥途の報告をしようといふ約束だつたので御座います。所が此の二人は以前から共にアムブルラヂオ・アセルミニといふ人の細君に橫戀慕をして居て、その交際こそ今も申上げました通り非常に密やかなものでありましたが、併し此の夫人の事に關してだけは、互ひに双方が隱し合ふて居たので御座います
その理由を申しますなら、チエンゴツチヨは兼ねて夫人の或る子供に對して、彼が名付け親となつて居ますので、幾分で

も斯のやうな內證事を深く恥じて、それで友達に隱して居たのでありますし、またメヴッチヨの方ではチエンゴッチヨが自分と同じやうな熱度を以て夫人を慕つて居る事を知つて、それで祕密にして居たので御座いました。而もチエンゴッチヨはメヴッチヨよりも彼女に接する機會が多かつたので、遂に彼よりも早く夫人を物にする事が出來たのです。それを知つたメヴッチヨの懊惱と煩悶は餘りに甚大を極めました。併し惱んで居た所で仕方がないので、軈て氣を取り直し、何んとか其の內に機會を覗つて、彼から夫人を奪ひ取つて遣らうと、斯うした一縷の望みを繋いで其の日を送る事にしたのでります。併し自分の計畫を若しかするとチエンゴッチヨに感付かれ、それがために妨害せられぬとも限らないと思ひましたので、二人の情事に就いては一切知らぬ顏をして居りました。所が其後幾日も經たずして、どうしたはづみか、チエンゴッチヨは病死して了つたんです。そして三日目の夜にメヴッチヨの部屋に現はれて、大きな聲で起しました。

メヴッチヨは今しも前後不覺になつて眠むつて居たのに起されましたので、フイと眼醒し『貴樣は一體何奴だ？』と思はず怒鳴り立てたのです。

すると彼は答へて『僕は君と仲好しのチエンゴッチヨですよ。僕は生前の約束を守つて冥途の報告を齎す爲、わざ〳〵此處へ來たのじやないか。』

メヴッチヨは是を聞いて非常に怖れを抱きましたが、遂ひに勇氣を鼓舞して『よく來て吳れましたね。』と先づ口を切りそれでも何んだか未だ信じられなかつたので更に『君は本當に死んだ筈でしたね？』と聞いたんです。

するとチエンゴッチヨは『これは變な事を尋ねますね。確かも確かで無いも、死んだ者は死んだ者ですよ。』

『いやさういふ意味で尋ねたんじやないですよ。』とメヴッチヨは云ひ譯を致しました。

『僕が尋ねたのは、君が何方に行つたのかを聞いたんですよ。地獄へか其れとも天國へかと？』

『ウヽン、其の事なら幸ひ地獄に墮ちなかつたが、亦し犯した罪の爲に今僕は迚も云ひ知れぬ苦痛を感じて居るんだ。』とチエンゴッチヨは頸を振り乍ら點頭いて見せたのです。

『そうですか、それは氣の毒だね。』と彼の罪に同情を寄せ乍ら、此の罪の罰はどの位の程度なもので、亦あの罪の罰は？と云ふ風に尋ね出したんです。すると幽靈のチエンゴツチヨは一々其れに對して、判然り説明して遣つたのです。するとメヴツチヨは、非常に喜び、今度は更に調子付いて、『何か僕の力で君の爲になるやうな事があるなら遠慮はいらない、何んでもするよ。』と云ひ出しましたので、チエンゴツチヨも笑顔を作つて答へました。『出來る所じやありませんよ。祈りや彌撒を唱へたり、喜捨をして貰う事が出來れば、それに越した事はないんです、そうすれあ僕あ今、冥途へ來て居てどの位助かるか知れないのだ。」頼むよ、君。』

『よし分つた。今後君の爲に出來るだけ盡さう。』と彼は約束したのです。

その內に時間が切迫して來ましたので、今しも幽靈は暇を乞ふとしますと、メヴツチヨは急いで跳ね起きて尋ねました。

『ね君、僕はもう一つ聞きたい事があるんだ。君は例の夫人と關係して居た事を僕は知つて居るんだが、あの方の罪は、どれ位の罰に相當するのか、それを聞かして呉れないか、君。』

『さア其れがですよ、君。僕は冥途に到着すると間も無く一人の盲者に逢つたんだ。その盲者は僕の有ゆる罪を知り拔いて居ると云つた調子で、僕に彼方の方へ行けと云ひ付けて、或る變な場所を敎へたんです。その場所といふのは、罪を懺悔する所であつて、同類弧の亡者共が雲霞の如くに集つて居たのです。それで僕もこれ等の仲間に交じつて居ると、君が今僕に質問したあの罪が自ら心に浮んで來るのだ。僕は什麼嚴罰に處せられるであらうかと、嚇々と火が四邊に燃えて居ても身體中がガタ〳〵慄へ出すのだ。すると僕の脇に居た一人の亡者が、僕に斯う云つて尋ねるのです。

『君は此の樣に熱い場所に居て、其麼に身慄ひをする所を見ると、他の人達より餘計に惡い事を爲て居ると見えるね？』

『全くそうかも知れないんです。僕は或る子の名付け親になりましたが、無論その子の母親とは關係があつた事は云ふ迄もありません。』

『何アんだ、たつた其れ位の事か？　君は馬鹿だね。罪になんてなるものか！』と頭から冷かしました。斯ういふ譯で僕は漸く安心する事が出來たのだ。』

夜は白らじみ、暁が報じかけたので、チエンゴッチョは『それじゃ失禮、これ以上此處に居られないからね。成るべく居たいんだが。』と云つて、部屋からスーッと煙の如く消え失せて了ひました。

斯ういふ譯でメヴッチョは大膽になつたのです。斯麼事位は死後の罰に何等影響がないと知つたので、それ以來は、誰彼に拘らず、相手選ばずで、前よりも一層猛烈に實行し出したので御座います。

今しも空に西風が起り、陽は地平線の彼方に傾きかけた時、王ヂオネオは以上の談話を終へて起立し、月桂冠を脫いで淑女ラウレッタの頭上に戴せた。

『ラウレッタさん、貴方に月桂冠を載せました、そして明日は吾等の女王陛下として崇める事に致しましたから、吾等を喜ばすに最善のお指圖を採つて下さいまし。』

そこでラウレッタは新女王となつたので、例に依つて家宰を呼び、但し常の時刻よりは早めに彼の美しき『女谷』に食卓を連ねるやうに命じた。それは想ふに『女谷』より此の館に歸り來る道を急がせぬ爲であつた、ラウレッタは尙此上ともに爲すべき事の數々を命じたる後、席に歸つて次ぎの如く紳士淑女達に告げた。

『昨日ヂオネオ樣は、妻が夫に對して用ゐた計略に就いての談話をお命じになりましたが、若し妾の明日課する話題は、それとは反對に夫が妻を欺むいた事でありましても、無論皆樣の內に異論は起るまいと考へます。何故つて妾は女で御座いますから、ヂオネオ樣の話題に復讐したのだ、即ち一種の惡意を抱いて、妻を善いものにして夫を惡人にしたのだと、賢明な皆様の事ですから、よもや其の様にはお考へになるまいと思ふので御座います。扨て、其麼事はどうでもよいとして、明日の話題に就いて豫め皆様の考慮を煩し置いて頂きたいのは、婦人が男子に對し、また男子が婦人に對し、或は男子が男子同志に對して、日々行ひつゝある計略の樣々に就いてお話して頂きたいので御座います。この事は妾が更めて斷はる迄もなく、必ず今日と同じ様に談話の面白い内容を提供するに違ひ御座いません。』

斯う告げてから女王は、晩餐までに各自に自由行動をとる許可を與へた。そこで一同は座を離れ、或ものは漫た打つ水の透き通る中に足を入れ、また或ものは枝葉の擴がる樹の下の、綠の芝生に散歩を試みるものもあり、殊にヂオネオとフランメッタは共に腰を据へて『パラモンとアルシット』の歌を高らかに口吟さんだ。斯樣にして紳士淑女達とは晩餐の時間が來る迄愉快に樂しんで居たが、軈て例の噴水池の側に食卓が並んだので、彼等一同は千鳥の音を聞き乍ら席に就き、周圍の峰氣を瀰らして吹き來る微風に絕へず溢られたが爲、今は心氣爽快を覺え、無限の樂しみと滿足とを以て晩餐を喫したのであつた。そして食事が終へた後、彼等は谷の周圍を一巡して、昨日今日の談話中の事柄を話題に語續け、陽の沈み切らぬ内に館に歸つた。

館に引上げた一同は、それから酒を飮み砂糖菓子を肴に散歩の疲れを癒し、軈て噴水の脇に行きて更に舞踏を始めた。而も此の舞踏に變化あらしめるが爲、下僕チンダルスを呼び、彼の革笛に革を合せ、その他樣々の樂器を取り寄せて此の空氣を愈賑やかな世界に導いた時、女王は淑女フィロメナを指し招き、唄を命じたので、彼女は即座に快諾し、次ぎの如き戀歌を口吟したのであつた。

唄

（一）

吾が戀人に　　逢はうとて

夢中になつて　飛んだのに
なぜに貴方は　不實にも
長く忘れて　居なすつた
語れよ早く　その譯を
妾に告げて　頂戴な

（二）

貴方と語る　その都度に
心に泌みる　悦びは
筆や言葉の　力では
迚も現はし　られませぬ
貴方の聲に　微笑みに
無限の靈が　あるが爲

（三）

妾の命は　貴方です
何時また何處で　逢へるやら
妾に其日が　待たれます
おゝ早く來い　其時よ

今度捕へた　その節は
命にかけて　放しやせぬ

（四）

何んで妾は　離されやう？
斯麼悪みの　運命を
捕へ居ながら　この儘に
何んでむざ／＼　逃がされやう？
貴方よ早く　飛んで來て
妾を抱いて　頂戴な

この唄を聞いた一同は、當のフィロメナが小さな愛の神に服從して、唄の中に在る一青年の歸り來るのを待つて居るものと推察した。が併し其れは兎に角、唄の終つた時、女王は翌日、斷日の必要あるを思ひ出し、一同に次ぎの如く告げた。

『紳士淑女様。こゝに皆様の是非とも御承知を願ひ度い事が御座います。それは明日に金曜日であると云ふ事で御座いまして、私達は此の日だけは必ず神聖を守らねばならないのです。なぜと申しますに、ネヰフィレ様が女王陛下でいらつしやいました時、私達に二日間の談話を休止になつた事は、すでに皆様の御記憶にも殘つて居る所であらうと思ひます。これは賞讃に價すべき先例で御座いますから、妾も此の例に倣ひまして、都合二日間を信心に捧げたいと思ひます。』

一同は此の提議に何れも多大なる贊同を博した。今や夜も可成に更け渡り、長き今日の一日の大部分も暮し終へたので女王は速かに退散の旨を告げた。すると紳士淑女達は各自の寢室に急ぐのであつた。

九日目第三話（男が姙娠したる話）

シモン博士は、ブルウノとブツフアルマツコ及びネロ等三名の教唆に依り、カランドリノに姙娠したと信ぜしめ、御馳走や金銭の報酬を得て藥を與へ、出産の苦しみを經驗させずして全快せしめたる話。

エリザの話が濟むと、一同は運よくも同輩の嫉妬より脫れた若き尼僧のために「神よ。彼女のために幸あれ。」と祈りを捧げた。そして女王は次をフイロストラトに命じたので、彼は直ちに談話に移つた――

淑女諸君、昨日は思ひがけなくも妙な判事の話になつて了ひまして、折角カランドリノに就いて話さうと思つてゐた材料を奪はれて了ひましたが、全く彼に關する話はどれ此れの差別なく、皆な皆、滑稽で面白く、現に彼を巡る談話に就いては過日以來皆さんのうちにも幾度かお話があつた位です。それで私も引續きカランドリノに關するお話をして、昨日もつてゐた材料を只今こそ打ち開けて了ひたいと思ひます。

カランドリノが什麽な人間であるかと云ふことに就いては、旣に皆樣も御存じの皆ですから、餘計な前置きは拔きにしまして、彼が偶然にも伯母さんに死なれて、それがため二百圓と云ふ遺産が手に這入つた事に就いて、お饒舌したいと思ひます。それで彼は、その金で早速土地を買はうと考へて、先づフロレンス中の仲買人に當つて見ました。その又、意氣込みが例に依つて滑稽で御座いまして、俺は一萬圓の現なまを握つてゐるんだぞ、と云はんばかりの恐ろしい險幕なんです。何しろ斯う云ふ狂態に近い意氣込みですから、どの仲買人も皆、最初の程は乘氣になつて、あれや是れやと色んな土地を豐富に持ち出したのですが、何しろ其の實三百圓ぽつちの金しか持つてゐないんですから、直段の所へ行くと餘りにけたが違つて、一つも纏らなかつたのです。ところが早くも之れを聞き知つたのが例のブルウノとブツフアルマツコです。此奴アうまい事を聞いた、久しぶりで一杯呑めるぜ、と互に肚では小踊りしながら、早速二人で出掛けて行つて、『なんだか、其麼猫のひたい程の土地を買ふよか、あつさり一つ呑んだ方がどうだい？』『さうしたまへ、餘程おつ﹅﹅で氣が利いてるぜ』と、熾んに幾度も勸めたんです。併しカランドリノにあつては、土地買收熱に浮かされてゐる矢先きですから、頭からてんで取り合ひません。そして折角幾度訪ねて來ても、一度も御馳走さへしてやらなかつたのです。そこで或日のこと、此の二人が今一人の相棒で矢張り繪畫きをやつてゐる一人と落合つた時、『どうだい皆んな？ 何んとか方法をめぐらして、カランドリノを瞞してやらうぢやないか？ 奴の金を踏んだくつて呑んぢまをうぢやないか？』

『よからう。賛成だ。』

玆に相談が一決して、三人は翌朝しめし合せて、彼の外出を待受けることにしました。

斯うした災難が今、吾が身に振りかゝりつゝあらうとは神ならぬ愚鈍のカランドリノ、もとより知る由もありません。今日も土地を探さうと、今しもふらりと外出して、物の二三歩も家の前から足を踏み出すと、ひよつこりネロに出逢つたのです。

『いや何うしたカランドリの君？』

ネロは彼に挨拶をしましたので、彼も丁寧に挨拶を交はし、時候見舞などを陳べたんです。そして暫くの間、尚も雜談を交してゐたんですが其のうちにネロが急に様子を變へ、凝つと自分の顔を見詰め始めましたから、何事が自分に起つたのかと氣になり出して來ました。

『どうかしましたか？ え君？ どうして僕を其んなに一生懸命見詰めるんです？』

するとネロは落着いて『君は昨夜どうかしませんか？ 大變顔色も悪いし、それに第一顔の格好がまるで變つてゐるぢやないですか？』

此の意外な言葉にカランドリノは吃驚しました。

『えツ、僕の顔が變ですつて？　一體どんな顔になつたんです？』

『さア？　どんなッて云はれても一寸云ひ憎いけれど、兎に角變つてゐますよ。以前の顔ぢやないですね。』

ネロは斯う云つて、此れで自分の役目は濟んだとばかりに『まあ大事にしなさい。』と其儘、彼と別れて行きました。

　カランドリノは迚も鬱ぎ込んで了ひました。が、さうかと云つて、別に何處と自分では具合の悪い所も見つかりませんでしたので、其儘眞直に街へ出かけたんです。すると今度は、其處から幾らも離れてゐない處に待つてゐたブッファルマッコは、何氣なく其處で偶然にもぱつたり彼と出逢つたやうに見せかけ、

『やア何うしたい？　何處が悪いんだ？』と突如けに尋ねましたので、愈々自分でも變に思つて、心配になり出し、それがね、どうも僕には解らないんだ。今もネロ君に別れた處なんだが、先生も僕を見て顔色が悪いし、それに顔の格好が變つたぢやないかと、今さう云つて行つた處なんだ。どうも變だと思ふんだけれど、矢ッ張り何うかしてゐるのかなあ？』カランドリノは眉をしかめ乍ら答へたんです。

『何うかしてゐるかもないよ。その顔を見給へ、その顔を。まるで生きた人間の顔ぢやないぜ。確つかりしないと大變な事になるぞ。』ブッファルマッコも顔を顰めて、忠告らしく彼を促したのです。

　さあカランドリノにあつては、愈々容易ならぬ事件になつたと、本當に顔色を眞ッ青にして了ひました。そして必つと自分は今恐ろしい熱病に浮かされてゐるのに違ひないと思ひ込んだのです。ところがおまけに其處へやつて來たブルゥノまでが、突然（いきなり）彼の顔を見るなり『おや！　カランドリノ君、一體何うしたんだね？　今にも死にさうな顔をして？　何處が悪いんだ？』と、迚も驚いた口調で尋ねましたから、愈々神經が興奮して、自分は確かに重病に違ひないと思ひ込み、泣き聲になつて『何うしたらいゝだらう？』と相談を持ちかけたんです。するとブルゥノは眞顔になつて、

『どうも斯うもないよ、直ぐに家へ歸つて蒲團を引ッ被つて寢なくちや危險だ。そして家へ歸つたら尿を取つて、シモン博士の所へ大急ぎで持たしてやつて呉れ。あとは僕が引受けるよ。博士は僕の親友だから、必つと責任をもつて癒して呉

れるだらう。それに何か僕達の手で手傳へることがあるなら、遠慮せずに命じて構はんよ。」

至つて正直なカランドリノの事です。蒼くなつて其儘家へ引上げました。

そこで二人の惡戯青年は、ネロをも加へて、三人で連れ立ち乍ら、彼の家に出かけました。すると氣の弱い彼はもう半死半生の體になつて、寢床に潛り乍ら肩で息をして居ります。そして尿水を今しがた取りましたので、それを女中に持たしてシモン博士の所へ行かせたところだつたのです。それで此奴ア少し準備が早過ぎたと肚で感づいたので、ブルウノは仲間に向つて、「いゝか、君達は此處に居て呉れよ。僕は此れから博士の所へ行つて、何んの病氣か聞いて來るから、そして場合に依つちや構まう事アない博士を此處へ引つ張つて來るからね。」

すると當のカランドリノが寢床から、病み疲れて彼を見詰め、

「どうかさうして呉れませんか。そして出來るだけ早く僕に知らせて下さい。どうも身體が大分變だから。」と、言葉も丁寧に頼み込んだのです。

ブルウノは、尿を持つて出かけた女中の先きまはりをして、博士の家へ行き、手早く事情を打ち明けたんです。すると博士もいゝ氣なもので「ウンよし解つた」と、萬事呑み込んで、女中が來るや直ぐ尿を取つて檢査し、先づ斯う云つて女中を先きに返しました。

「歸つたらね、御主人に溫かくしてゐるやうに云つて下さいよ。尿の樣子では大分變だから。兎に角私が直ぐ行つて診察てあげるからつて。」

女中は其の通り主人に報告しました。續いて博士もブルウノと一緒に參りました。そして博士は先づ病人の側へ行つて、脈を診り、心配して細君も此の席へ出て來て居りましたが、その前で、斯う診斷を下したのです。

「どうも困つた事になりましたね。まア親友の間柄と見て、隱さずに申しますならばですね、確かに此れは姙娠ですよ。」

餘りのことに、カランドリノは吃驚して、其場にわい／＼泣き出したのです。

『あゝ、あゝ！ テッサ、だから云はないことぢやない。何んと云ふ事をして吳れたんだ？ 豚だと云ふにお前は上にならなきや承知しなかつたから這麼ことになつたんだ。法則が違ふと彼麼に注意したのに……あゝ！お前は俺に姙娠させた。』

　哀れなテッサは、極めて內氣な女でありましたから、夫の此の言葉を聞くと、忽ち眞赧になつて、席に居た堪らなくなり、返事もせずして部屋から逃げ出しました。併しカランドリノにあつては、餘程下にされたのが口惜しいと思つて、猶もぶつ／＼泣き事を續けたのです。

『あゝ、何うしたらいゝんだ？ 何うしたら子供が生めるんだ？ 一體何處から出るんだ？ あゝ、家內が惡いために俺は生命を取られるんだ。彼奴に思ふ存分神罰が當つて吳れりやよい！ 畜生め！ 覺えて居やがれよ！ 死んだら化けて出てやる。又運よく癒つたら、その時こそ死ぬ程どやしつけてやるから覺悟をして居ろッ。一體また何うして俺が、下になぞなつたのか？ 今度この災難から脫れたら、もう／＼決してあんな眞似はさせないから。畜生！』

　ブルゥノを初めブッファルマッコ、ネロの三人は此れを聞いて、思はず吹き出し想になりましたが、こゝが大事な一刹那とばかりに無理矢理ぐいと堪へましたので、危なく息詰になり掛りました。併し、それに引き代へシモン先生はだが斯腹を抱へて笑ひ出し、餘りの笑可しさに齒を一本も殘らず引つこ拔くことが出來る程の大口を開いて笑ひ續けたのです。うなりますとカランドリノは益々默つちや居られません。一生懸命になつてシモン博士に救ひを求めましたので、博士はやつと笑ひ止んで斯う云ひました。

『いや安心なさるがいゝ。幸ひに病氣が判つてるのぢやから、多少は苦しいか知れぬけど、なァに直きに癒くしてあげよう。だが少々金がかゝるが、それを承知してゐて貰はんきやァ……』

『なんの金に替へられるものですか？ 先生、御生です。どうか元の體軀に治して下さいまし。實は地所を少し賣はうと思つて二百圓ほど用意して居たのですが、それだけで濟むことなら、どうかお產の苦しみをさせないで下さい。私には迚も我慢が出來ません、女がお產をする時に大騷ぎをやるのを見たことがあります。全く子供の出る所場があつてさへ彼麼に苦しむんですから、若し私が其の二の舞ひを演ずるとすれば、赤ん坊なんか出來ない前に死んで了ふに決つてゐます。』

『いや、其の心配なら大丈夫ぢやて。きつと三日間で治してあげる。飲み易い藥を調合してあげるから、それを三朝つゞけて飲みなさるがいゝ。そしたら大概死なずに濟むと思ふ。それにしても今後は氣をつけて、そんな馬鹿な眞似は二度と繰返しなさるな。處で、その藥と云ふのが大の問題もんで、先づ上等の去勢鷄つまりきんきりの鷄が三つがひも要るし、それに此處にゐなさるお友達に五兩づゝもお渡しになつて、別に入用な品物を夫々賴みなすつて、わしの宅へ寄越して貰ひたいのぢや。さうすりや明朝にでも藥はちやんと調合して置くから取りに來なさるがいゝ。女中さんにでも使ひを寄越されて、それを兎に角、毎朝大きなコップで一杯づゝ飲んで貰はう。』

『有難たう御座います。何方ともに宜敷しくお願ひ致します』。カランドリノは涙を流して喜んだのです。そして早速ブルウノに買物をする五圓と、きんきり鷄の代金とを渡して、『どうか然るべく賴む』と、涙顔を輝かして賴み込んだのです。

　シモン博士は、家へ歸ると香料酒を少し拵へて、それを姙娠患者の許へ送り屆けました。又一方ブルウノにあつては、酒代五圓と、きんきり鷄の數十圓とで、料理の材料をうんと仕入れて、三人で鱈腹呑んだり喰つたりしたのです。そして馬鹿な奴もあればあつたものだと、互に彼を笑ひ罵り、愉快な酒宴の一夜を過ごしました。

　カランドリノは三日間、香酒料を毎朝飲んでゐましたが、四日目に博士が他の仲間を一人連れて診察にやつて參りました。カランドリノは喜んで手を指しのべると、博士は重々しく脈を取り始め乍ら、斯う口を切りました。

『うん、これは案外早く片附いた。いやカランドリノ君、喜べ／＼大成功ぢや。君の病氣は悉然り全快したぞ！　もう寢てゐる必要はない。用事があつたら外出しても差支ない。だが、さうかと云つて無理をしちや不可けど、此れだけは呉々も云つて置きますぞ。』

　カランドリノは大喜びで起ち上りました。そして直ぐに外出の準備をして、遇ふ人毎にシモン先生の偉大なる手腕を吹聽し、『先生は神様のやうた。男の姙娠と云ふ大病を只つた三日で舊通りに治し、おまけに少しも苦痛を與へないんですからね。」と、熾んに賞めちぎつたのです。又それに引替へ悪戯好きな三人にあつては、強慾なカランドリノを瞞して金を捲き上げたことに此上もなき快哉を叫んだのです。尤も細君のテッサは此の計略を觀破して、非常に騒ぎたて、それが爲に一夫婦喧嘩までオツぱじめたと云ふことですが……。

九日目第六話（寝臺騒動）

二名の青年が或る手狭な旅館に泊り寝臺の間誤ひより一人は其の旅館の娘を手に入れ、他の一人は其の家の女將を物にしたるが、聽て娘を手に入れたる紳士の一人が己れの寝臺に歸らんとせしに、暗闇なため間違へて宿の主人公の寝床にもぐり込み、そを友人と思つて一伍四什を語りしため、大騒ぎとなりたるが、これを見て取つた女將は素早く娘の床にもぐり込み、奇智を働かして萬事を巧みに取り結びたる話

カランドリノの話は既に度々聽衆一同を喜ばせたのであつたが、今の話を聽くや一同は再びドツと笑ひ崩れ、殊に淑女達はカランドリノの行動や態度等に就いて限り無き興味を感じた。が併し女王は透かさずパンフイロに次きを命じたので彼は直ちに物語りに這入つた――

親愛なる淑女諸君。吾が愛すべき愚人カランドリノ君があらぬ想ひを寄せたフヰリツポの妾のニツコロザと云ふ名を聽いて、私はいま一人のニツコロザと云ふ娘の話を思出しました。それで私は其の話を此れから致さうと思ひますが、屹度皆さんは此の話に依つて、或る悧巧な女將の奇智に依つて今にも爆發しやうとした大事件を巧みに防ぐ事が出來得たお手際をお知りになる事と思ひます。

大分昔の事で御座いますが、ムニユウネの平原に一人の正直な男が旅館業を營んで居りました。旅館などゝ申しました

處で、根が貧乏で資本などは元より有りませんから、謂はば木賃宿と申した方が適當であるかも知れないのです。併し其處へ泊る人々の内に、他に宿屋の無い故か、卑しい貧乏人許りでは無く、時に依つては隨分と身分のある方々もあつたので御座います。

扨て此の宿屋の主人には、少し出來過ぎた勿體ないやうな細君と二人の子供があつたのです。一人の子供は娘でもう十六歳にも成つてゐたのですが、未だ此れと云つて良緣も無かつたので、自家に居たので御座います。またいま一人の子供と云ふのは、生れて未だ一年程しか經たない男の子で、寸時も母親の處を離れる事の出來ない乳呑兒だつたので御座います。

處がフロレンスの一青年ピヌツチョと云ふ若紳士が、この家の娘に目を付け、何んだ彼んだと理窟を付け乍ら足繁く此の宿へ來て泊る內に、愈々益々その娘に身心もとらはれて了つたのです。すると娘の方でも、早くも其の事に感付き、彼の態度と云ひ、風采と云ひ一點の非難も打ち難い青年紳士でしたから、勿論彼女は喜こんで彼の戀を受入れようと決心し出したのです。斯う云ふ譯で二人は期せずして、心がピタリと合致しましたので、日増しに其の戀は熱烈の度を增し、終ひには一緒になりたくつて仕樣が無くなりましたので、先づピヌツチョは彼女の家に泊る工風を密かに廻らしたので御座います、と云ふのは彼女の家の樣子を知り拔いて居りますから、泊りさへすれば誰にも知れないやうに彼女と一緒に寢ることが出來ると考へ及んだからです。全く彼は此の外に名案は無いと思ひましたので、直ぐ其の計劃に取り掛る事にしたのです。

それで彼はアドリアノと云ふ親友に事情を打開けて、この戀を援助して貰ふ事に話を決め先づ二頭の馬を傭ひ、それに各々カバンを縛り付けてフロレンスを出立し、態々廻り道をして、日が暮れてから、ムニユウネの平原に差しかゝる手筈を付けたのです。そして自分達はいま、ローマニヤから歸つて來た許りの處だと云ふ風に逆の道を廻つて來て、この宿屋の戶を叩いたのでした。宿屋の主人公は何氣なく戶を開けて見ますと、豫ねて知つてゐる青年紳士達ですから、驚いて何處からのお歸りですかと問ふたのです。するとビヌッチョは長途の道中にさも疲れ切つたと云ふやうな顔をして、「ローマニャから歸つて來たんですが、御覧の通り日が暮れたし、それに第一疲れ切つて居るから、今夜此處へ泊めて貰ひますよ。この道を歩いて來たらフロレンスへ行けるものとのみ思つて來たのが間違ひで、どうも飛んでもない處へ着いて了ひましたよ。」

　この言葉に主人公は、一寸間誤付いたのです。何故なら部屋が全部塞がつてゐて、迚も彼等を泊めるだけの餘地がなかつたからです。それで彼は云ひ憎くさうに頭を掻き乍ら斯う答へました。

「どうも困りましたね、ビヌッチョ様、手前どもは見られた通り手狹で、それに生憎と部屋も塞かつて居りますし、貴方がたのやうな立派なお方をお泊め申す事は迚も出來ません。と申しても斯う夜になつて了ひましたし、今更他へ行つて下されと申す譯にもゆきませんし……かうツと、何かいゝ方法が無いものかなア……どうも困りましたね、別に方法も御座いませんし、ぢや一つ私どもも出來るだけの心配を致しますから、その代り眼をつぶつて我慢して下さいまし。」

　其處で二人の青年は馬から降りて宿屋へ這入り、主人公等と一緒に晩餐を認めました。

　扨て今も申しました通り部屋が一つも空いて居りませんから、主人公は自分達の寢室を開放して、其處で共に寢て貰ふ事に頼み込んだのです。そして此の部屋へ納屋から二個の寢臺を取出して來て、都合彼等の寢臺と四臺並べた譯ですから窮窟さと云つたらありません。最初部屋の一方に二臺の寢臺を並べ、いま二臺を反對の側に据ゑて、前の二臺と頭を向ひ合せるやうにしたのですが、何しろ狹い部屋ですからさうすると兩方の間がキッチリ詰つて、通る事もどうする事も出來なくなつたのです。どうも困つたと思ひ乍らも主人公は、この四つの寢臺の内、比較的上等な分を二つ、お客さんのにしようと決めたのですが、それにしても餘り粗末なものでしたので、内心冷汗が出たのです。

　二人の青年は寢床に這入りましたが狸寢入りをして、機會を覗つてゐたのです、處が暫くすると迚くてやり切れないものですから、主人公は娘の寢臺だけを別の小さい部屋に移して、娘に其處へ行つて寢るやうに命じたのです。すると娘はピヌッチョの側にゐたい一念がありましたから、二つ返辭ではどうしても云ふ事を聞きません。愚圖々々してゐますから到頭癇癪玉を募らして、娘を呶鳴り付けましたので、彼女は仕方なく澁々この部屋から出て行き、寢臺の運ばれた部屋へ行つて寢る事にしたのです。娘が出て行くと主人公は、片隅に置いた自分達の寢臺を横に引いて、その中へ夫婦が潜ぐり込み、その側へ赤ん坊を寢かした小さな搖籠を置いたのです。

斯う云ふ風に配置を變へたのをピヌッチョは知つたのです。そして娘が此の部屋から立ち去つたのに此上も無き喜びを感じたのです。それで彼は都合もよしと許りに、一同が寢靜まつた頃を見計つて、こつそり床から起上り靜かに此の部屋を出て娘の寢てゐる部屋へ忍び込みました。娘にあつては此の夜半に、誰であらうかとその部屋の戸が開いた刹那、非常に恐怖を覺えたのですが、ピヌッチョでと云ふ事が解りましたので、俄かに恐怖が歡喜に代つたのです。

斯うして彼が娘の部屋に行つてゐた時、裏の臺所の方で猫が何かに突き當つたものか、突然けたゝましい音を發しましたので、先づ女將が目を醒し、これは聞き捨てに濟されぬと許りに床から潜ぐり拔け、手狹な此の部屋の闇を衝いて、音のした臺所の方へ行つて見たのです。處が一方アドリアノも此時床から拔け出たのです。それは別に物音に驚いた爲ではなく、便所へ行かうと思つたからに過ぎないのです。そして同じく其の部屋から外へ出ようとしましたが、例の子供の搖籠が其處にあつて通れないので、彼れは其れを靜かに持上げ、自分が今まで寢てゐた所に置いたのです。そして便所へ行つて歸つて來ましたが、搖籠を元の所へ置き代へておかねばならないのを悉かり忘れて寢床に這入つて了つたのです。處が女將にあつては、音のした邊を檢べて、別に大した事でもなかつたので其の儘、眠い眼をこすりながら手灯もつけずに部屋へ歸つて來て、夫の寢てゐる寢臺の方へ手探りで這つて來ました。そして寢床へ這入らうとしたのですが、其處に搖籠が置いてなかつたので「おやツ！　これは大變、もう少しでお客樣に失禮して了ふ處だつた。」と、冷りとしながら、また二三歩其處らを手探りで歩いて行きますと、其處に搖籠を發見しましたから「此處だ、此處だ」と獨言をして、その實アドリアノのゐる寢臺の中へ這入り込んだのでした。

處がアドリアノにあつては未だ眠りに這入つてはゐませんでしたので、いや此れは何の氣まぐれか、女將が這入つて來たと喜んで、無言の儘自分の側へ引寄せ、一度ならず二度迄も主人公の代理で義務を果し、彼女を非常に喜こばせたのです

扨て話代り、娘の部屋へ忍び込んだピヌッチョにありましては、この儘こゝで寢込んで了つては大變だと思ひましたので名殘り惜しくも娘の部屋を去つて自分の寢臺へ歸つて來たのです。處が今、自分の寢臺の側へ遣つて來ますと其處に搖籠が在りましたので『おつとどつ來い！　これは危い處だつた。主人公の寢床ぢやないか。』と心に呟き、尙も暗がりで探し始めますと、今度はアドリアノの寢臺だと思ひ違ひ、どうも暗がりでは困ると小言を云ひ乍ら、その實アドリアノにあらずして主人公の寢臺の中へ這入り込んだのです。そして相手の男を搖り起し乍ら。

『おいアドリアノ君、有難う。ニツコロザを物にして來たよ。見れば見る程迚もいゝ女だ。俺は何だかまるで十二三哩も驅けて來たやうに草臥れちやつた。』と小聲で囁きましたので、アドリアノでない主人公、驚くまい事かびつくり仰天し、『な、ななにをぬかすんだ、やいッ靑二才！』とカン〳〵となつて怒つたのです。そして彼を引摑み乍ら益々激怒に驅られて、『やいピヌッチョ！　貴樣はよくも怪しからん事をして吳れたな！　而も其れをこの私に話すなんて、圖々しいのに大概呆れ返つた。やい此の豆泥！　覺えてゐやがれ！』と吸鳴り返したのです。

元來ピヌッチョは頓智に懸けては小學生ですから、自分がいま寢床を間違へた事に氣が付いたが、その失言を胡麻化し打消すだけの方法を知らなかつたのです。そして幾ら奇計を廻らさうと焦つても出て來ないので差當り何でも云つてやれと云ふ氣になつて『ちえッ糞。何を覺えてゐろと云ふんだ？　この僕をどう仕樣と云ふんだい？滅多な事はさせないぞ！』と空威張りに力んで見たのです。

ところが皆さん、この時主人公と一緖に寢てゐるものだとのみ信じ切つてゐた女將は今その聲を聞いて驚いたが、早速奇智を働かしてアドリアノに囁きました、『貴方よ、ちよいと貴方よ。お客樣が喧嘩してゐらつしやるぢやありませんか？』先づ斯う云つたのです。

するとアドリアノは笑ひ乍ら、『何に構ふものか、うつちやつて置け、大方昨晩飲み過ぎたのだらうさ。』と主人公氣取りで云ひましたので、始めて其の聲に依り、それはアドリアノであると云ふ事を慥めましたので、愈々第二の頓智に移らうと思ひ、突然寢床から立上つて搖籠を持ち四邊の闇を巧みに利用して、この部屋よりこつそり抜け出し、搖籠をば娘の寢臺の側に置いて、自分は娘の床の中に潜ぐり込んで了つたのです。そして今、夫の呶鳴り聲で始めて眼が醒めたやうな風を裝ひ、その部屋から聲を掛けて、』『ピヌツチヨさんがどうしたと仰有るんです？　この夜中に騷々しいぢや御座いませんか？』と尋ねたんです。

『おやッ？　お前何處に居るのだ？　此奴が今し方ニッコロザを手に入れたなんて私に云つた事をお前聞いてゐなかつたのか。フン餘りぼや〳〵するなよ。』

『何をとぼけて居るんです。確かりしなさいよ、本當に。よる夜中冗談ぢや御座いませんよ。娘と寢て居るのは妾ぢやありませんか。夜つぴて少しも眠れないで居るんですから、誰が何と云つた處で娘の身體は妾が證明します。昨晩餘りお酒を召上つたから、また例の寢とぼけが始まつたんぢやないの。だから餘りお酒は毒ですと注意したんぢやありませんか。唸るやら寢返りを打ちなさるやら、迚も騷々しくつて眠られないから、それで妾は娘の處へ來たんです。やつと樂になつたと思つたら、今度は眼が冴へて眠られないと云ふ始末です。本當に貴方は夢見を本當にしてピヌツチヨさんに喰つて掛るなんてお客樣に失禮ぢやありませんか。本當に少し氣を付けなくちや駄目ですよ。』

するとアドリアノは女將の言葉を聞いて、『畜生、巧くやつて退けやがるな。自分と娘の恥を、即座にちよいと胡麻化すなんて、ちよッ女將、要領がいゝぞ。』と肚で點頭き乍ら、彼もまた女將に負けじと早速あり合せの智惠を絞つて斯う云ひました。

『おいピヌツチヨ。一體どうしたんだ？　だから僕が云はんこつちやない。何度も寢臺から落つこちては不可いと注意したぢやないか？　寢とぼけるにも事を缺いて、お多福や瓢簞の眼をしたり、ぐる〳〵廻つて座つて見たり、全く正氣の沙汰ぢやないぜ。其麼夢に見た途方も無い事をつべこべ饒舌つて歩いて居ると、終ひには飛んだ目に逢はされるぞ。其處で何をしてゐるんだ、早く歸つて來ないか！　馬鹿な奴だねえ、君は。』

主人公は妻とアドリアノの云つてゐた事を聞いて、適切りピヌッチョは夢を見て居るのだと思ひ込みました。そこで彼はピヌッチョの肩を摑んで搖すぶり乍ら、耳許へ口を當て大聲で叫びました。

『ピヌッチョ樣。夢を見てゐらしては困ります。早く眼を醒して寢床へ歸つて下さい。』

するとピヌッチョは透さず、今が今まで奇怪な夢を見續けてゐたかのやうに、そして始めて今眼が醒めたやうな風を裝ひ、態と呆氣けきつて見せましたので、主人公は噴き出して了ひました。

『駄目ですよ、駄目ですつたら……』と、尙も主人公は手荒くピヌッチョを搖ぶり起しましたので、ピヌッチョの方でも今度は大丈夫だらうと、すつくと寢床から立上り、アドリアノに斯う申しました。

『もう朝なんですか？　これは驚いた。あゝ眠むかつた。』

するとアドリノアは答へました。

『ウン、何でもよいから此方へ來い。』

ピヌッチョは未だ眠りから醒めないやうな振りをして、よろめき乍ら漸つとの事で自分の床へ歸りました。

軈て太陽の輝く朝となりました。そこで主人公はにこ〳〵笑ひ乍ら、ピヌッチョが演じた昨夜の夢物語を語り出しました。これに對してピヌッチョは矢張り呆けて居るより他に方法が無かつたのです。

朝餉を濟すとピヌッチョにアドリアノは馬に跨つてフロレンスへ歸りました。二人は歸る途々、娘や女將を手に入れたよりもあの最後の結末がハラ〳〵して面白かつたね、と笑ひ合つたのでした。

其後ピヌッチョはまたもや娘のニッコロザに會ひましたが、その節彼女は彼に、實は妾もあの時夢を見てゐたんですよと、笑ひ乍ら云ひましたので、思はず二人は苦笑を洩さずには居られませんでした。また一方女將は、あの夜アドリアノに抱擁されたのを幾度も思出して、實際に寢ずに眼を醒して居たのは只自分だけであると獨り悦に入つてゐたと云ふ事です。

九日目第拾話（牝馬になる妻）

ジョヷン師はピエトロの依賴に依つて魔法を使ひ、ピエトロの妻を牝馬にせんものと尾を付けんとせしに、この時ピエトロは其の必要まではあるまいと云ひし爲、俄かに一切が破壞されたる話。

女王の談話に對しては淑女達の間に多少の不平があつたが、紳士達は何れも手を拍いて快哉を叫んだ。併し聽て其れも濟んだので、例に依つてヂオネオは自ら次のやうに語り始めた。――

可愛らしき淑女樣、一體多くの白鳩の中に一羽の烏が交じつてゐても、それが爲に鳩の美觀を毀すやうな事は萬々あるまいと信じます。反つて其の鳩を恰かも白鳥の如くに、麗はしく見させると思ひます。これと同じく賢明なる皆樣の間に一人の無禮者がゐたとしましても、それが爲に皆樣の人格を傷付けるやうな事は絕對にあるまいと信じます。反つて其れが爲皆さんの價値と光輝とを益し、此の上も無く皆樣を愉快にするものだと思ひます。この意味に於て皆樣は私の無禮を許して貰はねばなりません。

扨て私はお話に移りたいと思ひます。が豫めお斷りをして置かねばならないのは、これから話す物語りの結果に就いてゞあります。と申しますのは魔術者の要求する形式と云ふものは、必ず其れを守らねばならぬと云ふ事で御座いまして假りにも其の形式を少しでも破るに於ては、魔術者の苦心した折角の細工も悉く水泡に歸すると云ふ事を、皆樣に豫め知つて頂きたい事なんです。

その事件があつたのは、今から彼れ此れ一年程前にもなりませうか、バアレツタと云ふ處にジョヴンニ・デ・バロロと云ふ和尚が住んで居りました。お寺は至つて貧乏でしたので、彼は牝馬の脊に品物を色々乘せてビユウリアの市場まで出掛けて行つては生活の足しにしてゐたのです。斯うして市場へ往つたり來たりしてゐる内にピエトロ・デ・ツレサンチと云ふ驢馬に乘つて同じ商賣をして居る男と親しくなつたのです。ビユウリアの町の習慣に從つて、和尚は彼に親しみを示す徴として、この男を輕はずみのピエトロと呼んでゐたのですが、この男がバアレツタに來る時には、和尚は毎時も自分の家に泊めて出來るだけの歡待をし彼を喜ばせたのです。斯う云ふ譯ですから、ピエトロの方でも同樣に貧乏でこそあれそして家と云つても自分がやつと雨露が凌げるに過ぎない程の破屋ではありましたが、それでも和尚を出來るだけ歡待したので御座います。實際和尚がツレサンチの家の前を通る度毎に、ツレサンチは自分の若い器量よしの妻君と二人で、和尚を無理に引留め家の中へ入れて、自分がバアレツタで接待を受けた通りに、出來るだけ彼をも御馳走したのであります。ところが或夜の事で御座います。何時も泊つた事のない和尚が何かの用事で是非この町に一夜を明さねばならなくなりましたので、別に知合とて一軒も無い彼の事ですから、輕はずみのピエトロの家へやつて來て、庭の隅で結構だから、今夜泊めて呉れろと頼んだのです。輕はずみ屋のピエトロにあつては自分と細君とが寢る小さい古びた一臺の寢臺しか持つてゐなかつたので、殘念乍ら和尚の望むやうに泊める事が出來なかつたのですが、一計を案じて頭を掻き掻き『何しろ見られた通りの破屋ですから、お泊めしたいのは山々ですけど場所が無いんで困りました。だか若し廐舍でもよかつたら、ウンと藁束を敷いて上げますから其處へ寢て下さいまし。反つて廐舍の方が斯麼煤けた破れ小屋よかいゝ位ですよ。』と、恐縮して和尚に云つたんです。そして和尚の牝馬を驢馬の側に縛つたのです。併しピエトロの細君が、夫がバアレツタへ行く毎に和尚から色々親切な歡待を受けるのを知つて居りますから、和尚の爲に自分は近所に居るツイタ・カアルブツサ・デヂユウデチレオと云ふ人の處へ泊りに行かうと、幾度も夫に云ひ出したのです。無論さうすれば和尚は夫と一緒の寢臺に寢られる譯ですから細君は和尙にも自分の意のある處を告げたのです。が和尙は、それには及びませぬと、頭を振つて細君の泊りに行く事を引留めたのでした。

『私がお泊りするからつて、一々他さんへ泊りに行かれては、次ぎから氣の毒で、貴方の家に御厄介になれないぢやありませぬか。私は厩舍で私の牝馬と寢た方が、何より心配が無うて氣樂ぢやて。』斯う細君に云つて、彼女を引留め、また夫のピエトロに向つては『喃、輕はずみ屋のピエトロどん、今も私が貴方の主婦さんに云つた通りぢやて。私が泊つたからとて、その度每に、主婦さんに他へ行かれちや、それあ何かに付けて物足らぬに違ひなからう。ぢやから私は氣の毒で泊れん事になるから喃。若いもんの處へ年寄りが這入つて來て邪魔をするとは、ようく世間に有る奴。さァそこぢやて、私の一番心配する處は。』

つべこべ饒舌つて居る內に、愈々この和尙口が滑つて、輕はずみ屋の輕口が染つたのでもあるまいに、斯麼事まで饒舌り出したのです。

『――さァ、そこで主婦さんも聞かつしやれ。輕はづみ屋のピエトロどんや、其麼に心配さつしやるな。と云ふのは他でも無いがな。私は自分の都合に依つて、何時なんどきでも此の牝馬を可愛い人間娘に變化させて一緒に寢る事が出來るのぢや。そして娘に飽いたらまた元の牝馬に戾す事が出來るのぢやからなあ。まあ斯う云ふ譯で、到底私は此の馬とは離られぬ腐れ緣があるのぢやて。』

若い細君はびつくりして了ひました。そして其の言葉を鵜呑みに信じ切つて了ひましたから、夫に向つて『ねェ貴方、和尙さんに賴んで其の魔法を敎へて貰ひなさいよ、日頃の誼みでさ。そしてもし妾が牝馬に替る事が出來るとすりや、貴方は馬と驢馬とで二倍の仕事が出來るぢやないの？　晝間散々働かして置いて、そして歸つて來たらまた妾を人間にすればいゝぢやないの。』

輕はずみ屋のピエトロも、何方かと云へば足らない方に之を半分掛けたやうな男ですから、成程妻は巧い事を云つたと手を拍つて感心し、チョヴンニの和尙に其の方法を是が非でも敎へて吳れろとせがみ込んだのです。すると和尙にあつては根が口から滑つての出鱈目な事を云つたのですから、方法まで聞かれては迷惑至極迚も遣り切れないと思ひましたので、其麽莫迦げた考へを起すものぢやないと極力諫めたのですが、どうしても彼は承知しないので、全く返答に詰つて了ひ、どう云つて此場を胡麻化してやらうかと、頻りに考へ續けたのですが、その時ひよつと第二の胡麻化しが浮んだので、それ程迄に御所望とたら敎へて上げませうか、と斯う申したんです。

『どうも熱心なのにはほと〳〵愚僧閉口奉りましたわい。ぢや兎も角明日の朝每時もの通り日の出前に起きて其の魔術をお目に掛けて進ぜませう。その時まづ解る事ぢやが一番むづかしい事は尻尾を付ける事ぢやて、それをちよいと此處で斷はつて置く。』

斯う云ひましたので輕はずみ屋のピエトロも細君のヂエミナタも一晩中まんじりともせず、そのことばかりを考へて、夜が明けるのを今や遲しと待ちこがれ、まだ碌すつぽ夜も明けない內に飛び起きて和尙を敲き起しました。すると和尙はシャツ一貫で厩舍より飛び出して來て、二人に向つて斯う云ひました。

『私はお前さん方より他には誰にだつて斯麽祕法は敎へた事がないのぢや。本當に勿體を付ける譯ぢやないが、餘りお前さん方が是非にとせがみなさるので、それで仕樣事なしに敎へて上げるのぢや。だが魔術を掛けてゐる間は一番肝腎なのぢやから、假令什麽事があつても、一切口を利いてはならず、それに私の命ずる通りにしなくつちやならないのだ。これは豫め是非守つて貰ひたいのぢや。さァ其れが解つたら、どれ一つ、魔術に取り掛らうかい。』

夫婦は寢ずに待つてゐた程ですから無論それを承知しました。そこでチョヴンニの和尙は蠟燭をとり、それをピエトロに持たせて、

『それ、魔術に取り掛りますぞ。よく見てゐなされ』だが今一度斷はつて置くが魔術が終らない內に、一寸でも饒舌り出したら全く水の泡になつて了ふのぢやから、よいかな、殊に一番面倒な尻尾がうまく付くやうに、貴方は神樣にお祈りを

してゐて下され。」

輕口屋のピエトロは蠟燭を手にし乍ら、必ず命令通りに從ひませうと誓ひを立てたのです。そこでヂョヴンニの和尙はピエトロの妻ジエミナタを眞つ裸にして、牝馬のやうに四ツ這ひにさせ、假令什麼事をしても口を利いては不可いと、堅く注意をし乍ら、まず彼女の顏と頭の方を撫でゝ、

「よし〳〵、これが上等の牝馬の頭に成り給へ。」と云ひました。そして其れが濟むと兩腕に觸つて、

「よし〳〵、これが立派な牝馬の足に成り給へ。」と云つたのです。併し今度は胸の處へ來ますと、豐滿な肉付に乳房がふつくらとしてゐましたので、和尙は俄かに、心に或る騷がしいときめきを感じました。が、それでも、

「よし〳〵、これが結構な牝馬の胸に成り給へ。」と申しました。斯う云ふ風に背中と下腹とを過ぎて、最後に殘つたのは尻尾を付ける個所だけであつたのです。和尙は此處まで漸く漕ぎ付けましたが、扨て愈々この最後の一段となるに及んで和尙は俄かにシャツをまくり上げ、人間の種を植えつける鍬に非ろ穴堀り道具を手にし、

「よし〳〵、これが見事な牝馬の尻尾に成り給へ。」と云つて、愈々それを目的の場所へ突き入れました、ところが此處まで默つて凝視めてゐた輕はずみ屋のピエトロは、此の奇妙奇手烈な仕業を見て迚も驚き、餘りの不愉快さに思はず口が滑つて斯う云ひました。

「もし〳〵和尙さんや。僕、尾なんか要りませんよ――本統です、尾だけは要りませんよ。」

併し此時既に、和尙の方では充分に乘氣になつてゐた際ですから、拘はず尻尾を付けて遣らうと焦つたのですが、盛にピエトロが止めますから、澁々道具を元の場所へ收め、突然怒氣を含み、聲を張り上げました。

「あゝ驚いた、ピエトロどん、何をなさるのぢや？　だから豫め私が云はんこつちやない。例へ什麼事があらうとも口を差出しては不可ぬと注意をしたのは、それ此處の事ぢや。もう既での事に立派な牝馬に成りかゝつて居るのに、貴方が口を利いた許りで悉かり無駄になつて了つたのぢや。本統に呆れた人ぢや。もう懲々だ、二度と遣り直さぬから、その積り

でゐて貰ひたい。本當に莫迦々々しい骨折りぢやつた。」

するといはずみ屋のピエトロは答へて申しました、

「結構で御座んすとも。尻尾などは要りはしませんよ。だが和尚樣、なぜ此の俺に此處ん所丈けはお前に遺つて貰はうと、仰有つて下さらなかつたんです？　その上和尚さんの据へ方と來たら餘り深過ぎるもんですから。」

「何が深いのぢや？　そしてまた素人のお前さんに、どうして此處が任されやう？　一番むづかしいのぢやから喃。」

斯う云ふやうな事を二人が言ひ爭つてゐた時、それを聞いた細君は突然すつくと立上つて夫に向ひ、劍突を喰らはせました。

「だから貴方は解らない人だと云ふんです、折角出來上りかけたものを、いま一息と云ふ處で打毀して了ふなんて？　貴方の馬鹿には呆れました。尻尾の無い馬と云ふものがありますか？　だから貴方は貧乏許りして居るんです。折角金儲けの蔓を見付けたと思つたら早や此の始末です。そんな事では一生涯この貧乏から到底浮び上られませんよ。フン、何だと思つて居るんだらう！」

散々泣事を繰返しましたが、もう魔術が破れて牝馬にして貰ふ譯には行かなくなりましたので、細君は不平だら〳〵、恨めしさうに夫を呪み乍ら澁々着物を付けました。

夫のピエトロに於きましても、いまになつて莫迦な事をしたものだと氣付きましたが、妻に謝るのも癪でしたので、この事に關しては一切口を緘して、またまた以前通りに驢馬を連れ、仕事に勵み乍ら、併し坊樣とは矢張り元の仲好しになつて、彼と一緒にビュウリャの市場に出掛けましたが、牝馬の一件に就いて、は二度と再び頼みませんでした。

耳を欹て聽いてゐた紳士淑女達は思はず此の話に笑ひ崩れ、殊に淑女達に至つてはヂォネオが豫期したよりも遙かに此の話の意味を了解したのだつた。併し今日の物語りも一通り終ると、陽も早や西山に傾きかけてゐたので、女王は最早王位を退くべき時と思ひ、頭上の冠を取りて。それを最後に殘つたパンフイロに載せ微笑を湛へ乍ら云つた。『さあパンフイロ様、今度は貴方に大役が授かつたんですよ。貴方は最終の王様で御座いますから、妾より以前の皆様に缺けてゐた處を賢明な貴方のお働きに依つて、穴埋めを全部引受けて下さいまし。神様、妾の上にお惠みを垂れて下さいましたやうに、何卒パンフイロ様にも同様なお惠みを垂れ示して下さいませ。』

　パンフイロは喜ばしげに此の名譽を受け乍ら『貴女のお手柄や他の皆様の徳に依つて、多分私にも皆様のやうに立派に任務を果す事が出來るであらうと思ひます。』そして彼は從來の主權者の例に倣つて明日に必要な事どもを家宰や僕婢等に其れぞれ命じ、次ぎに一同を顧みて、再び彼は云つた。

『皆さん，昨日私達の親愛なる女王陛下であらせられたエミリヤ様は、私達に休息を與へる爲に、各自隨意の話題を擇ばせなさいました。そこで今、その休息も終りましたから、私はまた以前の束縛に戻らうと思ひます。どうか皆様、明日は寛大で鷹揚な心から戀や又は其他の事に就いてよい行ひをした人々の話をして下さいませ。この話題に就いて皆さんは、平凡だとお思ひになるか知れませんが、私の考へに依れば、斯う云ふ事を話合へば、自然と私達の心にも、同様な行ひをして見たいやうな氣持が湧いて來るからで御座います。亡び易い肉體にとつては、この短期間に過ぎない所の一生と云ふものも、その生かし方に依つては偉大なる名聲を博し、その名を不朽に傳へるものであります。實際、この名聲なるものは只徒に食慾を充す事をのみ考へて居る動物以外にとつては誰でも熱望して止まないものだからであります。』人々はこの話題に多大の賛同を博した。そこで女王は例に依つて晩餐まで自由行動を許したので、一同は其の席より離れて各自思ひ〳〵の場所へ行き其處で遊び戯れた。軈て夕飯の時が來たので一同は立派に規律よく整へられた食卓に着き、愉快に笑ひ興じ乍ら御馳走に舌鼓を打つた。それから一同は例に依つて踊りや歌を始め文句の奇拔な俗謡を百出させて、この一座に限りなき興を添へた。併し此時、王はネヰフイレに、何か自分自身に關する歌を唄つて呉れと正式に命じたので、彼女は次ぎのやうに唄ひ出した。(唄略す)

ペルシア・デカメロン

道出茂好

(一) 警戒

夕方のことでした。アーツメーの泉の處に坐つて居りますと、まだ若い娘の子が二人で話して居るのが聞えて來ます。

「ね、一寸、あたいんとこのお母さんね、初終、あたいに、何でもお前顔覗くやうな男があつたら側へ寄つちや不可いよつて斯う言ふのよ。什うしてもあたい解らないんだけど、何故其麽怖いんだかあんた知つてゝ？」

と一人が申しますと、も一人のが答へます。

「左うよ。あたいのお母さんも同じやうな事を言ふのよ。たゞそれが反對なの。顔見ない男を避けなさいつて。……理由はあたいにも矢つ張り解らないわ。」

で私は、ひとつからかつてやらうと思ひまして徐ろ々々身を起しますと、

「其譯を話して上げやうかい。僕はね、斷然側へ寄るまいと決心は爲て居るんだが、……でも矢つ張りも少し近くへ行か

なけや……蝶々だつて花と好い話をする時には體ごと薔薇ん中へもぐるんだからね。」

「聞えてよ！　其處でも……」

と言ひますと二人は聲立てゝ笑ひます。

一人の娘の方は小さな、むつくりした乳房が馬鹿に可愛く出來てますが、も一人の脚の太いのには些か興醒めの貌(かたち)でした。段々夜になります。一人が聖浴に取かゝりましたので、私は可愛いゝのを膝の上に抱き上げまして、

「ね、側へ寄る勿とお母さんから言ひ付かつたのは顔を覗く男でせう？……何故警戒を要するつて說明を爲やうとなると中々是れや一寸やそつとでは濟まんわ。賢者中の賢者が簡單至極に話したところでお友達が泉から出て來る迄に話しきれるもんぢや無い。が、君の顔の見えないつて事は異論が無いんだから如何？　僕と斯うしたつてお母さんの命令には背かない譯だらう？……」

「本當だわ。」

と其娘(そのこ)が言ひました。

それからは甘あい沈黙です。只靜かな夜の空氣に「はあ……！はあ……！」といふ娘の子の溜息が微かに洩れるばかりです……。

やがて私の腕を離れると彼女はお友達に言ひました。

「あんたお母さんから顔見ない男を避けるやうに言ひつかつたつて、お氣の毒だわね。今晩は暗くて見えないし、朝に成つちやザーディは最う泉の近所には居ないだらうし……」

(二) 勝利

致す事を知らない話は日本にも間々御座いますが、何處の國にも有るものと見えまして是も其一つで御座います。

或男がお嫁さんを貰ひました。非常な美人で御座いましたが何分にもまだ致す事を御承知無い。男は元より其麼事とは氣が付きませんから新婚の御當夜熱し切つて呼吸を荒らげ愈々實行に取掛らうとなさいますと、――不可ません。お嫁さんは顔色を變へて驚き怖れ、御亭主を突き退けるなりお隣のお庭迄遁げ込んでしまひました。

只ならぬ叫び聲を聞いたお隣りの學者がひよこ〳〵出て參りまして訊ねます。

「什う爲さいました！」

聲に應じて娘さんは、旦那さんが恐ろしい熱に取り付かれて彼女を抑へ付けやうと成された次第を息もつかずに語ります。

「噫、何といふ私不幸でせう！」

と言つて彼女は吻と溜息を泄しました。

「今迄に這麼侮蔑を受けた事つて、一度だつて御座いませんわ。……私が、……女でこそあれ私が……什麼勇士を出した名譽の家柄に生れたかといふ事は先から御存知の筈ですのに、愛に狂つて彼の人は、すつかり忘れて、人を組敷かうなどゝ……本當に……」

此處で一と言、這の學者先生夙うから此娘さんに眼を着けて居た事を申し添へて置かねばなりません。で彼は此機を逸せず、競爭に負けて求婚の失敗を取戻してやらうと考へました。

「それや實に！　それや酷い！　遁げて好い事を爲さいました。戰敗の屈辱を受けるよりはお遁げになつた方が増しですからね。……それやあね、貴女の御家柄が卑賤だとでも云ふんなら何も、私だつて御主人に背けとは言ひませんよ。潔く戰場に引返して屈從に甘んじなさいと忠告しますとも。でも貴女、令名赫々たる家柄であつて見れば貴女の敗戰は畢竟御話の大戰士の耻辱ですからね。」

話して居ます間に相手に遁げられて一件の興奮が收つた御亭主は、大立腹で此方を指して參りますものですから、學者はこそ々々逃げ込みました。

又の日、凡そ吾が庭と名のつくものを所有する程の者は出でゝ樹蔭に寝そべり度くなるといふ結構な甘い氣分の起る時分でした。お隣りの若い妻君は、ぐつたり疲れて芝草の上に長まつて居ります。

御亭主の居ない所を見澄しますと、例の學者は茂みから首を突き出して訊ねました。

「で其一體、御家柄の勇士に對する報告の件は如何成りましたな？…………負けですかな？」

「勝利ですわ！」

と彼女はやつきになつて叫び出す。

「ですけれどあの時貴方も御注意下すつても好かつたらうにと思ひましてよ。うちの人は最初つから私を上にするつもりでしたつて。夫が道だつて言ふぢや御座いません……？」

「え。そ、そ、それです。丁度私も夫を言ひかゝつた所でしたよ。さうして、其際貴女が什ういふ風に爲すべきだか型を示さうと……」

「ほんとに有りが度う！」

と若妻君が答へます。

「神樣が屹度貴方を護りますわ。」

什う成る事かと先刻から覘つて居た御亭主がいきなり飛び出して這の親切な學者を滅茶々々に撲り付けました。

(三) 扈從の夢

さる王樣の所に一人のお姫樣がありまして、洵に絶世の美人で御座いました。何不足無い御身分では御座いますが、大奥の生活は何分にも御退屈で仕方がありません。お年頃ではあり、可哀さうにお姫樣は父君王樣のお扈從を見染めまして夫からと申しますものは一人くよ〳〵朝から晩迄溜息ばかり、什麼に深く思ひ込みましたもので御座いますか、召食り物も飲みものも碌々喉を通らず、夜もおつ〳〵お寢みに成らないものですから、お顏色もお姫樣らしくない、眞蒼になつて終ひました。心配したのは乳母で御座います。耐らなくなつて或日直接にお訊ね致しました。

「お姫樣、如何遊ばしたので御座りまする。御病氣にましまさば典醫も控えて居りまする……それとも又何やら心の御惱みでも。……何なりと這の乳母迄御申し聞け下さらば惡くは計らひませぬ程に、さ、さ、ちやと打明けて、」……

まあ這麼具合でも御座いませう。兎に角旨く賺して訊いて見ますとお姫樣は羞かしがつて眞紅になりながらお扈從を見染めてからの片戀を告白……ですなあ、つまり喋つちまつたので御座います。乳人は笑ひ出して終ひました。で打明ける事も得爲ず縮んでゐた小さい姫の頭を撫でながら、

「おや、何の、それしきの事で御座いますか。なぜ又さつさと被仰いませんの？——（雜にやつつけます）——其麼事なら、早くに左う被仰つて下されば這んな詰らない御苦しみなどせずともの事、澤山お樂しみが出來ましたのに！」

と恐しく分つた乳母やさんです。即刻お姫樣の一室を戀の巣に模樣替致しまして、正午には扈從の住居に出掛けて參りました。行つて見ますと先生好い氣持さうに寢椅子に横になつて眠つて居ります。乳母はすかさず此機を利用致しまして、寢てゐる鼻に魔醉劑を嗅がせますと、其儘昏睡した彼を秘密廊下傳ひに姫の部屋へと運びます。さうして徐つと褥の上に寢かして置いて强烈な酸を鼻の下んとこへ持つて行きました。お小姓が、勢ひ失を吸ひ込んで魔醉が醒め、意識が判然して來た頃には策士は最う其處には居りません。きよろ〳〵四邊を見廻しますと、什うでせう、見た事も無い華やかな御部屋で贅澤な絹の褥に寢てゐるのです。而かも一層驚いた事には君家の姫君と瓜二つな女が側に居るでは御座いませんか。…

何が何だか解らないながら、第一に彼は此若い女の人にぼうつと戀心を起して終ひました。が未だ幾分きよとんとして彼は言ひます。

「是れや最う死んで天國の樂園の中に居るのかな？」

「何處の園だか訊かいでも、お前は其處に實を結ぶ甘あい戀の果物だけ、味つて居たが好いわいな」

と幻の女は摺り寄ります。でもお小姓は未だ躊躇して居るので御座いましたが、若い血を咬るやうな思ひ入つた愛撫に何時の間にやらもう彼は溶けるやうに溺れ込んでしまひました。さうして夜となり又朝となります。二人並んで寢入りました姿は全く罪の無い樣で御座いました。

併し、實際家の乳母は這の寢姿に心動かしは致しません。時間を見計らつて又新しくお屬従に藥を嗅がせますと、例の匿し廊下を通りまして昨日寢んで居りましたまゝの姿に寢かして歸ります。軈て彼は目が醒めて見ますと何のこと矢つ張り元の儘の自分の部屋で自分の枕に寢て居ります。彼麼部屋飾りも無ければ姫君も居ません。眼を擦りながら彼は言ひました。

「おゝ、矢つ張り夢を見居つたのだな。」――

只お姫樣だけは御自分の經驗が夢で無かつた事を確かに御承知でゐらつしやいます。御不快もけろりと癒り、御體には張り切つた甘あい御力を感ぜられたので御座いますから、…………。

(四) 壺

ザイダは御亭主が嫌ひでした。一人好い仲の男が御座いまして、滿心の愛を彼に捧げて居たので御座います。が、這の惚れた同志は長い事離れ〳〵に成つて居ります。而かもそれは只彼等の戀仲が界隈一般に知れ渡つて餘り噂が高い爲ばかりで御座いました。

思ふ心に變りは御座いません。男の方でも此別離が耐えがたい苦痛で、殆んど病ふ程焦れ拔いて居ります。で或日、遂う〳〵彼は其麼にも世間を憚つて家の中にばかり引つ込んで居耐らなくなつて親しい友達の所に驅けつけました。

「君！　助けて吳れ、僕はもう到底も抑へ切れないザイダの顏ばかり眼の前にちらつきあがつて、全で氣が狂ひさうなんだ。……止せやい、勉強なんぞ！　拜む！　僕と一つ所にザイダの所迄行つて、旨く手を貸して呉れ給へよ。」

　友達も大きに同情しまして、宜し！　夫れでは一つ所に行つて遣らう、さうして此件に就いては什麼役目でも引受けやうといふ事に成りました。

　翌早朝二人は馬に乘りまして、二日旅の道を急いで、やつとこさザイダの住んで居る町に着します。若い戀男は鞍から飛び下りまして、

「何を措いても先づ君、宿だ。此附近に一軒寢泊りの出來る家を捜して呉れ給へ。無論僕等の計畫は言ひつこ無しさ。……で、夫が濟んだら何か道を講じてザイダん所の女中に遭つて、僕が會ひに來たから是非來て欲しいと言傳を頼むんだ。好いか、確かり頼むよ。」

と彼は其女中の顏立や樣子を細かく說明致します、友達も一生懸命で御座います。旨い具合に其女中を捜し當てまして一切の事情を打開けますと、女中も分つた奴で御座いまして萬事了解んで女主人に通じて呉れます。

　欣んだのはザイダです。いきなり女中をキツス致しまして、

「ではね、お前急いで其御ことづけして下すつた方に御目にかゝつて、明日と言はず今晩會ひ度う御座いますからと申上げてお呉れなね」

　と、それから、是々の樹の側で何時頃と媾曳の手筈を囁きます。女中から友達、友達から戀男にそれが傳つた事は申す迄も御座いません。

　定めの時刻に友達二人は、其樹の所に行つて居ります。待つ間もあらせずザイダはヴエーで顏を匿して、やつて參りました。――ザイダがビールで顏を匿したのでは御座いません。――戀男は彼女の挨拶する溶けるやうな甘い囁きを聞きますと最う々々耐りません。耐え々々た久方振りの逢瀨に思ひのたけを爆發させまして兩腕に彼女を抱きすくめた儘、矢鱈にキツスばかり致して居ります。

「ザイダ！　ザイダ！　お前無しには僕はとても！……今夜は一と晩中言ふことを聽かすんだから！……だが、感付かれ

ないやうに、什う亭主を言ひくろめやう?」

「お友達の方さへ爲て下されば手段が無い譯でも無いけれど」

「言つて!僕等は何だつて遣つてのけるよ」

「貴方のためなら厭はないといふ御親切が有つて、それに氣轉が利いてゐらつしやれば大丈夫私方法が有るわ」

「僕同様信じて好い奴なんだよ。それに、其麼容易にまごつくやうな男ぢや無い。それや大丈夫だ!」

斯う申しますとザイダは先づ何も言はずにさつさと物蔭に行つて素早い手付で着物を脱いで愛人の友達に渡すので御座います。理由も分らずに二人はすつかり服装を取換へてしまひました。で、友達がまんまと女の姿に化けましてから初めて彼女は斯う指示を與へるのです。

「ではね、貴方は、私の家に參りまして、其處の私の寢床に臥んで下さるの。さうしますと、彼是夜も三分一位過ぎました頃主人が參りまして駱駝の乳を搾る壺を遣せと被仰るに相違御座いませんから、其時は早速夫を渡しちまはないやうに、宜御座んすか、引つたくるやうに持つてゐらつしやる迄貴方の手に持つてますの。それから御主人は一旦出て參りまして間も無く一杯乳を入れて歸つて參りますから其時も、それ壺!と被仰つたつて、二度程繰返へされる迄受取らないのよ。彼の人は其壺を下に置くのにも手を貸して、愈々置いてから室を出て行きます。で、出て行つて終ひましたら三分一程夫を飲んで又元の所に置くのです。」

友達は這の順序を心に煞んで心掛けました。成る程其通り、判で捺したやうで御座います。萬事とん々と筋書通りに運んで參りました。が愈々壺を受取る段になりまして、例の、それ壺を二度程申しました時に這の假裝女房は壺を手に取るには取りましたが、うつかり夫を緬めたので御座います。勿論這の度も御法通り手を貸すものと丁と當て込んでの事でした。處がどうした間違か御主人も其儘手を引つ込めたものですから不可ません。がしやんと落ちますと壺は粉微塵で御座います。御手前の女房とばかり思ひ込んで居る御亭主、いや憤つたの憤らないの、ぶる〳〵顫へる大聲で、

「何處に魂を附けて居るんだ！」

と吸鳴りました。筋書の順序はもう滅茶々々で御座います。かん／＼に腹立てました御亭主は棒切れの折れる迄遣のあはれな友達を撲つて置いて、まだ撲り足らないか新しい棒切れでものゝ五十も叩き續けましたらうか、背中の肉もぶか／＼に成つて終ひました。默つて居りましたら未だ／＼止めさうもありませんでしたが、御亭主の叫び聲を聞いてザイダの母と妹とが驅けつけて參りまして狂氣のやうに暴れ散らす男の手から彼女――として置きませう、此犧牲者を奪ひ取つて別室の寢心地の好い寢床に連れて行きました。先づやれ／＼とは思ひましたものゝ一難去つて又一難です。此母親が又長々とベッドの端に掛け込んで、慰めるつもりで御座いませう、根掘り葉掘り話し込むのには遉の彼も默つては居られず、大聲揚げて泣き出し度くなりました。

「何でももう神樣にお任かせして、尠しだつて御主人に逆はないやうに何處迄も唯々と從ふのですぞ。彼麼に腹立つたんだから最う大丈夫來やしませんよ。……ではの、今妹を慰めに寄來すから。………」

と慰めて置いて母は部屋から出て行きました。代り合つて妹が本當にやつて參ります。來るなり寢床の中にもぐずり込んで泣いたり慰めたり、誰の側に寢て居るのだか勿論氣の附く筈も御座いません。で彼は徐ろ々々と用心しい／＼體を摺り寄せてよく見ますと、是が又非常な美人、月も羞らうといふ尤物で御座います。そこで先づ彼女の話を止めさせやうと、震へる手で可愛いゝ口元に蓋をしてから耳に口を着けまして彼は極めて々々靜かに私語きました。

「驚いちや不可ませんよ。……僕はね、貴女の考へてる姉さんぢや無いの。姉さんは情人のところに行つてます。で僕は姉さんの代りになつて此危險を引受けたんです。ですから、什うぞね、僕を被護つて下さいよね。貴女が騷ぎ立てると姉さんの耻曝しになるばかりですから。僕は決心してますから構やしませんが、結局みんな貴女の不幸ですよ。」

未だ若いねんねはぞく／＼つと身顫して、全で惡い夢でも見てゐるやうな心地がしました。姉さんの演じた此幕が什麼結果になる事だらうと思ひますと、怖ぢけ切つた彼女の心は心配で々々々耐らないので御座います。が、一つ時致しますと延びて行く心は何時迄も畏縮てばかり居りません。忽ち子供つぽい氣隨さを回復致しましてきやつきやと欣び騷ぐやうに成ります。段々〳〵自家のため這麼犧牲に迄成つて呉れる俠氣な友達に身を任せることになつてしまひました。それから後は夜中キツスをしたり抱きついたり神聖な御樂しみを繰り返したり、……幸福な這の友達は追々と撲られた痛みも忘れ、夜の白む迄抱擁や甘い戀を樂しみました。

朝になつて彼は伴れに會はうと急いで參ります。そこでザイダが、「致へた通り萬事旨く行きましたか」と訊ねますと友達の答には、

「貴女は中々悧巧な、解つた妹さんを御持ちですね。妹さんに訊いて御覧なさい。僕等は全部似たやうな一夜を過したと被仰るに相違ありませんから。他に言ひやうが有りませんもの……つまりね、僕等二人も貴女と僕の友人とが爲たやうにして一と晩明し、御同樣笆棒に迅く夜が明けたもんだと思つたといふ事ですよ。」

と斯うありました。さうして着物を取替へて男の姿に返つてから初めて彼は昨晩のいきさつを細々と話してザイダを驚かしたので御座います。

(五) 致し死に

ギアツフアー王と申します方は洵に名君で御座いまして、戰に勝つては豐饒な各地を併呑なさる、富强幸運な王樣の典型と仰がれた御方で御座います。斯うした殿樣方といふものは得て狩の御好きなもので御座いますが、此王樣も矢つ張り御多分に洩れませず、俗に飯よりも好きだと申します、御狩鞍と來ましたら最う夢中で御座いました。或時又もや此狩で森の中を驅けさせて居りますと、不圖馴鹿が二疋で交尾つて……交尾ふのは大抵二疋と相場が極つてゐるやうですが、……與疋に高調に達してゐるのを見受けました。馴鹿だつて彼の際は夢中で御座います。節穴から窺かれても解りません、眼に物が見えなかつたでせう。斯ういふのを仕留めるのは罪深う御座いますから止せば好いのに其處は思ひ上つた殿樣で御座

いますから忽ち弓に箭を番へると覘ひました。きり〳〵つと引絞つた絃を離れた矢は誤たず、致して居ります胴中をぶすり！ どうと倒れますと、ひく々々痙攣して事切れてしまひました。

それだけなら、なに、可哀さうな事を爲たでも濟みませうが、ギアツフアー王の射當てましたのは實はパリーと申します一つの靈で御座いまして、這の靈が馴鹿の姿に宿つて樂しんでゐたのですから不可ません。パリーは喉を喘々いはせて苦しい息の下から、今更啞然として驚いて居る王樣を呪ひます。

「思ひ知れ、ギアツフアー……能くも、能くも、吾、わが樂しみに身を任かせ居る折からに、思ひ上つて射殺したな……此恨み……妃と抱擁の最中に汝の命を斷つて見せう………」

いや大變な事になりました。うつかり「致す」わけに參りません。

王樣の寵妃の中に瘦せぎすなチルと申します方と、無患子のやうな黑い眼をなされたアフと被仰る方とが御座いましたが王樣は此御二方を殊の外御寵愛で御座いました。チルといふと矢といふ意味アフは夜の事ださうでして、日本で申しましたら先づ吳羽の前、嫋竹御前といふ所でせう。

が、這のパリの呪咀以來といふもの王樣は何やら薄氣味惡く心を押へられますやうでぴつたりと御婦人をお斷ちになりました。空閨を喞たれたのはチルにアフの御二方で御座います。殿樣の御心變りが洵に哀しく、何故女人に遠ざかられるのやら一向に合點が參りません。で或時王樣が寵妃達と御歡談の御つもりで女殿——局でせうな、大奥に成らせられました時に、嫋竹御前のチルが、何とかして王樣に甘へて禁慾の秘密を聞き出し度いものだと思ひまして、曾つては部屋のたゞずまひ調度迄王樣の御氣に入りで御座いました奥の間へと御案內申しました。

見るにつけ思ひ出しますのは以前のお娛しみで御座います。それに持つて來て、氣に入りの御婦人が長らく御馳走を召食がらない十分お色けを含んだお取り做しに王樣は、一時にむら〳〵として參りまして、呪咀を信じた怖ろしさなどは、影も無くけし飛んでしまひまして、充ち〳〵た全身の力を籠めて心ゆく迄抱擁の樂しさを味はうと武者ぶりつくやうに焦りました。

王様の心機一轉を見ますと思ひ設けぬ歡びにチルの心臓も一時にどき〳〵と躍ります。すつかり前を擴げて抱きつくなり、溜り溜つた熱いキッスを夢中で王様の唇に押しつけます。――がギァッフアー王は、…………

段々重くなつて參りますのも、長らく遠ざかつた後の熱狂で尠し氣が遠くなるだけだと思ひましたものですから彼女は暫くは死骸を抱き締めて夢中で摺りつけて居りました。――併しそれつきりです。パリの呪ひが忘れた瞬間に王様を捉へたので御座います。

(六) 烏

チヤーヒスと申しまして、至つて醜男ではありますが、頗る狡智に長けた若者が御座いました。それが親父さんの妻女――つまり母分で御座いますが澤山有つたものと見えまして其一人に當る、美人では御座いますが大分腦味噌の足らない女に思召が有りましたものですから、什うにかして手に入れやうと一計を案出致しました。頭が働かないだけに其處は又馬鹿固う御座いまして、正面から向つたんでは中々息子分のチヤーヒスの言ふ事を容いて與れさうも無かつたので御座います。で彼は親父の手蹟で手紙を一本認めました。過日來病氣で命正に旦夕に迫つて居る。(なに病氣でも何でも御座いませんぴんしやん致して居ります)。――息ある內に是非最う一度顏が見度いから直ぐに出向いて來て與れろ、と斯ういふ迎へ狀を持つて彼女を訪ねて參りました。直ぐ行きせう、では私が道中の護衛に當りませうといふ申出、御拒絶を食ふ譯は御座いません。彼女が荷拵らへを致します間に息子さん急いで驅け戾りまして通る道々其處此處に食料品を埋めまして何食はぬ顏を致して居ります。翌朝愈々旅立つ事に成りました。馬に乘りまして暑い日に照られて參りますとおかみさんすつかり喉を渴かしまして何か飮み物が欲しいと被仰る。チヤーヒスはひた謝りに謝罪りまして、什うも氣が付きませんで遂ひ失念致しました。何卒次の村迄我慢して下さい、……と言つて居りますと、頭の上を烏が鳴いて通ります。

「何だと？　貴樣、大嘘吐き！」

　とチヤーヒスは大きな聲で吸鳴ります。

「何を叱つて居るのさお前、誰が嘘吐きなの？」

　と妻君が聞きたがります。

「彼處を飛んで行く鳥の畜生ですよ。彼のほら高い、彼の樹の下に麵麭と魚肉と清涼飲料と埋つてるなんて、人、知らないかと思つて出鱈目言やがるものですから……」

「ま！　什うして鳥の詞が解るの？」

「鳥位譯ありませんよ。私や年齢は未だ若いけれど是で隨分學問が有りますからね。古い書籍の中から偶然鳥語辭典、鳥の詞の字引ですよ、其辭典と鳥語文法を發見したんで、夫で覺えたんです。」

　が、頻りに空腹を覺えた妻君は、ひよつとしたら鳥が本當の事を敎へてゐるのかも知れないと考へたものですから、馬を停めて其樹の下を掘つて見ろと此鳥語通に迫るので御座います。

　掘つて見ますと、案の定麵麭と魚肉と清涼飲料とが丁と出て來ましたぢや御座いませんか。妻君は此腹違ひの伜は大學者だと感心して終ひました。

　暫く參りますと、又しても鳥が鳴いて通ります。

「えゝ？ 這の出鱈目屋！」

　とチヤーヒスは忌々しげに舌打して顧みやうとも致しません。

「だが御前左う誹すもんぢや無いよ」

　とお目出度い妻君は最う窘め顏で御座います。

「鳥人種は正直なんですもの嘘だ抔と言つては濟みますまいよ。何と言つて鳴いてるのさ、お前。」

「だつてお母さん、彼奴の言ふ事が本當なら彼の檞の樹の下に炙肉とそれから肉の這入つたお菓子が有るんだつてますもの、其麼事が有つて堪るものですか。」

併し妻君は承知致しません。馬から下りて捜して見て呉れと言ひ張つてきかないのです。ヂャーヒスが如何にも不承不精に行つて見ますと成る程鳥の申しました通りで御座います。彼女は最早旦那様の息子は弘法様見たいなもんだと思ひ込み、敬服し切つて手に吻けを致します。斯うして食べ物は整ひましたが飲むものが御座いません。而かもそれは、喉が渇いて死にさうに覺えた折で御座います。如何しやうと思ひ餘つて居りますと、間も無くがあ々々鳴きながら此方を指して飛んで來る鳥が御座います。

「這の碌で無し！」

と、ヂャーヒスが空に向つて叫びました。

「これ、これ、又！　滅多な惡口をいふもんぢやありません。烏といふものは本當の事を告げる御使者だと思ひますよ。何と言ふの？」

「あの樹の下には高價な葡萄酒と清涼飲料の瓶詰があると主張して止まんのです。」

また的確に當りました。彼等は結構な葡萄酒をいたゞきまして、高く茂つた草の蔭に暫く憩つて居りますと、第四の烏が頭の上で八釜しく鳴きます。

「畜生！　畜生！　出來損ひの……噓つ八の……馬鹿！馬鹿！耻知らず！」

とヂャーヒスはぷり々々憤つて一段と聲高に罵ります。

妻君は心配して制止します。

「あゝ、又、又！　善良な烏を其麼お前！　烏の言葉は聖典よりも確かですよ。正しい、本當の事ばかり言ふぢやありませんか。……今度は一體何ですつて？」

「おゝ！　私は口にするさへ耻かしい！　什麼不幸が起つたつて、是ばかりは斷然私は！」

長い間彼は言ふのを拒みました。さうして耻かしさ悲しさに泣き出しさうな顔をするので御座います。が、匿せば匿す程聞き度いのは人情です。散々彼女に願はせて置いて、吃りながらヂヤーヒスはやつとこさ是だけ言ふのでした。

「烏の畜生！　噓ですよ、お母さん！　……信じちや不可ませんよ、あの……お母さんが、あの、……私と一つ所に……烏が言ふんです。……今直ぐにも、左う爲なけや、さういふ仲になつて私を愛しなけや貴女のお父さんも子供も……立所に命が無いつて、其麼事、烏が、……」

什う爲ることが出來ませう？　烏の信ずべき事は絶對的で御座います。決して疑ひを許しません。ヂヤーヒスに於きましては斷然其麼事が出來ないと言明致しましたが、さうすれば爲る程、彼女は增々熱烈に父と子の命を救つて下さる事を嘆願して止みません。其手にキツスし、其足にキツスし、遂々彼が彼女の乞ひを容れて抱き締める迄は絡みついて承知致しませんでした。

（七）　鼻

ダナフアルダンと申します町に一人の商人が住んで居りまして、其娘といふのが、是が又非常な美人で御座いました。隣の町の是も矢つ張り商人が不圖這の娘を見ますと、一と目でもうぞつこん惚れ込んで早速結婚を申込む、異存が無いといふ事で目出度く女房に貰ひ受けました。至極圓滿な御話で、――所が、兎角業務を持つて居りますと、其處はいくら惚れても商賣第一で御座います。止むを得ない用件が出來致しまして引き越しの翌日、御婚禮が濟む早々御亭主が御自分のお父さんにお嫁さんの監督を賴んで暫く旅行しなければなりませんでした。

罪な話です。一度味を占めました若い妻君はむづ〳〵して堪りません。行き當りばつたり機會を摑んでブラーマーネンといふ一人の男と夫の留守中宜しく樂しむ事になりました。

驪で商用も片つきまして夫の方が歸つて參ります。結構なお土産を澤山に持ちまして、それで以て、新婚の當夜、やつと開始したばかりの睦ごとの愉快を中絶させた留守中の淋しさを慰撫じやうといふので御座います。若夫人は表面大悦びで其贈物を受けますし、御亭主たるものも夫なり怠りました夜のいとなみを繰り返し〳〵致しました事は申上げる迄も御座いません。遂う〳〵彼は根が盡きてぐつすり寢込んでしまいました。が妻君の方は中々左樣は參りません。そつと起き上りますと忍び足で脫け出し、忠義者の乳母を呼んで密男のブラーマーネンに走らせます。

乳母は使命通りブラーマーネンを連れて參りまして豫て打合はせした裏塀の處に男を待たせ女主人公に事の次第を通じます。

所が惡い事は出來ません。丁度其あとに町の夜警が廻つて來て、通りがゝりに他の裏門を窺つて居る變な野郎を見つけました。深夜の事ではあり其動作といひ、てつきり是は泥棒に相違無いと思つたものですから、覘ひを定めて箭を一本御見舞ひしたので御座います。其箭がブラーマーネンに中ると同時で御座いました。妻君は自宅の角を曲つて情夫に走り寄るなり鼻聲で甘つたれたものです。が男が眞直に塀に寄り掛つた儘身動き一つせず默りこくつて居るものですから「腹立つて居るんだよ此人は」と思ひまして、

「よう、貴方よう！　なぜ默つてんのさ！　憎くらしい！」

と御機嫌を取り結ばうといふつもり、首つ玉に噛りついて顏中キッスの雨でべろ〳〵と嘗め廻します。唇に猛襲を加へました事は勿論で、夢中になつて推しつけるものですから遂と〳〵彼女の鼻が男の齒の間迄滑り込んでしまひました。——其時で御座います。ブラーマーネンは、死際の苦しみで痙攣するやうに「うゝん」と齒を喰締つたものですから、耐りません斷末魔の喉をごろ〳〵いはすのと、きやつといふ叫び聲とが一つ所くたに成つて、妻君の鼻の頭は情夫の口の中に殘つてしまひました。全くの話で御座います。

(八) 鸚鵡

又商人の御話で御座いますが、波斯の或所に一人の商人が居りまして大層美しい妻君を持つて居りました。兎角その澁皮が剝けて居りますと虫が着き易う御座います。此妻君にも矢つ張り若い情夫が御座いまして夫の目褄を盜んでは密着き合つて居りました。此御宅に鸚鵡が一羽飼つて御座いまして能く人語を解する、……鸚鵡の口眞似は珍しくもありませんやうで、とんでもない眞晝間「今晩は、お榮さん！」などと、やらかす事は皆さん御承知でゐらつしやいますが、此商人のは左うぢや無い。自發的に辻褄の合つた事をぺら〳〵行る、怠屈な折は此奴と御饒舌して暇を潰すことが出來ますので御主人は殊の外可愛がつて居るのでした。扨或日の事で御座います。夫の方は商用が有りまして一と晩家を空ける事になりました。で、此機逸すべからずと考へたのは妻君で御座います。早速情人を引入れまして同衾の具合が殊の外結構に參り、ちゆう〳〵喃々——ちゆう〳〵はキッスで御座います。——御娯しみは鳥の聲々が夜明を告げましてもまだ盡きないと云ふ始末です。でもまあ時間を見計らつて情夫は歸る。御主人の商人は、御商賣が旨く運んだものですから好い御機嫌で御歸宅になります。……と這の鸚鵡です。

「昨夕他の男がおかみさんと寢たよ。何時も旦那の行る通りの事爲たよ。」

と、斯うです。是を聞きますと旦那なる者元より非常に興奮しまして女房を糺明致しましたが、何分にも證人は鳥、妻君は泣いて訴へます。

「什うせう〳〵、鸚鵡の嘘つ吐き！　有りもしない事、ひとを濡衣着せるなんて！」

搦みついたり捻つたり、——什うも御婦人の泪と這の術に會つては敵ひやせん。「貴方、私よりも鸚鵡の方を信用して？」か何かで、とう〳〵彼女の無罪といふ事に了解を得て終ひました。詰らない目に遭つたのは鸚鵡で御座います。厚顏しい嘘吐きといふ事にすつかり信用を落して妻君から睨まれるやうになりました。

それから間も無く再び此商人が外泊せねばならない事となりましたが、又しても妻君は此前の樂しかつた飽滿を忘れかねて情夫を呼込んでいちやつく事例の如しです。話の次手に彼女は男に前回の鸚鵡の素破抜きを聞かせたものですから、さあ情夫は青く成りました。是が知れて姦通罪の辱しめを受けたらとぐにやりとなつて心配しますと、女は洒蛙々々したもので、

「確りなさいよ。大丈夫よ。什麼話が旨くつたつて高が鸚鵡なんか、一遍に封じちまふから見てゐらつしやい」

と、其處で彼女は女奴隷に命じまして、水箭と素焼の壺と、牛の皮とそれから水を少し許り持つて來させました。で牛の皮を鳥籠に掛けまして時々夫を鞭でばた／＼叩かせるのです。壺は如何するかと見て居りますと、油を入れて火を點じまして、籠の覆ひを開けてちよい／＼前に持つてつては復た引つ込める、も一人の下婢は之と同時に水箭の小穴から鸚鵡に水をぶつ掛ける役目に廻りました。是だけ遣つて置きますと、妻君は何憚る所も無く夜通し朝迄巫山戯たり、致したり致すのです。

好い時間に男は歸り、間も無く御亭主が歸宅致しますと、又ちや鸚鵡の報告で御座います。

「昨晩もおかみさん、朝迄若い男と寢たよ。……でも昨晩はあの荒れだらう。雷鳴に稲妻に大雨だからね。羽の下に首を突つ込んぢやつたから、細かい觀察は出來なかつたよ。」

妻は占めたと許り御亭主の方を振返りました。

「什う？　是で鸚鵡の嘘も御解りでせう？　昨夕雷雨なもんですか。星が降るやうで御座いましたわ。」

御亭主も信じない譯には參りません。

「隨分嘘つ吐きの鸚鵡ねい、貴方。」

這の姦計で妻君はすつかり晴天白日の身となりましたが、爲に主人の信用を失墜した事を深く慨き悲んだのは鸚鵡です。爾後も如何に這のけしからん妻君が御亭主の眼を眩してゐるかを見聞せねばなりませんでしたが以來沈默を守る事に決め

ました何故ならば彼もまた婦人の姦計にはとても勝たれないことを洞察したからで御座います。

（九）小咄三題

鸚鵡に匙を投げられた御婦人で御座います。御婦人方の圖々しい小話を二つ三つ申上げて御免蒙る事に致しませう。

○買ひ當てる

或お金持の商人が御商用で暫く外國に參つて居りましたが、奧さんといふのが又頗る御好きでゐらつしやいまして、ダンス場には入り浸り、穴へ這入りは爲さる、變つた種が御座いますと、さる御婦人を介しまして知らない方の枕席にも侍り、お伽させるつもりで喚んだ殿方を反對にぐにやぐにやになる迄揉みしやぶるといふ御發展で御座いました。

奧さんが奧さんなら旦那樣も旦那樣、久し振りで御歸國になりましたが、晩遲く自宅には歸れないといふ口實を見付け出しまして御宅の直ぐ御近所に宿を御取りになると、「あれの好きなのを呼べ」との仰せ、丁度宜からうといふので、參りましたのが御自分の女房、着飾つて出て來ました奧さんもぎよつと致しましたが其處がそれ智慧で御座います。

「宿の御方、聞いて下さい。耻を申さねば解りませんが、此人がまあ、五年も六年も私に留守をさせて置いた揚句、此處迄來ながら自宅にも歸らず他の女を呼ぶなんて、餘り、餘り、酷う御座んすわ。知らせて呉れる方が有りましたから、如何はしい女に化けて、來て見ましたが口惜しう御座んす。夫でも妾を疑ひますなら、訴へ出て、離緣して……」

是位で留めて置きませんと段々尻尾が出て參ります。

○我慢

或晩或所に泥棒が這入りましたが、夫婦者に牝牛が一疋居りますつきり何一つ盗る物が御座いません。そこで泥的が車座になつて相談の結果只歸るのも馬鹿な話だから亭主野郎を叩つ殺して牛肉を鱈腹食つた上で散々女房を弄まうぢや無いか、朝迄飛んだお正月が出來る、と斯ういふ事になりました。

默つて眠た振りをして居りました御亭主がガタ／＼慄へ出しながら小さな聲で女房に言ひます。

「おい、……聞いたか」

「聞いたわ。困つたね。……だけど今更遁げやうたつて道は無し、呢つと我慢するより仕方が無いわねい……」

「な、何が我慢だ！　牛は殺され、俺がも命を取られてよ、女房に好い事されるのを我慢しろとお前言ふのか？」

聞いて居た泥棒も、腹抱へて笑ひながら手を下さずに行つて終ひました。

女房に這麼「我慢」が出來るやうになつた所を見ますと、結婚して大凡そ幾年經つてゐるか見當が付かうといふものです。

○阿呆の徳

情夫との仲が什うやら御亭主に感付かれたらしいので妻君一計を案出しました。

「貴方好いから明日市場に行つて痴呆の眞似を爲てゐらつしやいよ。……女と見たら抱き付くのよ！」

翌日になると妻君御亭主を誘ひます。

「貴方市場に連れてつてよ。私見た事が無いんだからさ。」

行きますと例の瘋狂人がいきなり飛び出して彼女に抱き付き往來に寢かせます。妻君は、きやつと叫んで漸く其手を拂ひ退け、亭主の傍に遁げ歸りまして、

「貴方酷いわ！　男の人が私を抱くのに何故默つて見て居るのさ？……」

「彼れやお前白痴だもの、」

其日は夫で濟みました。が段々日が經つに從ひまして妻君の樣子が增々怪しい。時々變な事が御座います。

或日の事です。御亭主が御用が有りまして泊りがけのつもりでお出掛けに成つたのですが、案外用件も早く片つきましたものですから宵の口といふのに御宅に歸つて參りますと、夫とは知らない妻君、今日こそ鬼の留守に洗濯とばかり情夫を引つ張り込みまして今がお娯しみの眞最中、搦みついてはあ〳〵言つてます所にがたりと戸が開きます。

「貴方、……あ、……死ぬ、……援けて！　白痴が私を……」

まだはあはあ言つて居ります。――女といふものは斯うしたしれもので御座います。

おろしや。夜話（ロシア・デカメロン）

酒井潔

（一）

ある怠け者の百姓が、これは又働き手の女と結婚致しました。亭主は毎日爐の上で寢て暮し、女房は畑へ出て働きました。

或る日のこと例の如く女房は野良へ出て、亭主は家で食事の仕度をし、雛達に餌をやる筈でしたが、案の定何もせずにごろ〳〵して居りました。

すると一羽の鳥が飛んで來て雛を皆さらつて行きました。其れを見た牝鷄は絶望の聲をもつて家中を一杯にしましたが、百姓は泰然として雛達の母親の聲をからさせるのみでした。

女房が野良から歸つて來て、

――お前さん、雛はどうしたんだい？

と聞きますと、

――阿母あや、俺が眠つてる間に烏がさらつて行つたよ。

――エツ、この犬ころ奴！　そんなら卵は自分で始末するんだよ！

翌朝女房が相變らず畑へ出ますと、亭主は卵の一杯入いつた籠を物置に入れて、自分のズボンを脫ぎ、それを籠の上へ着せて置きました。所で此の女房は大變奇智に富んで居たので、一計を案じ、昔の兵士のマントーと帽子をつけて家へ歸ると、出來る丈太い聲で叫びました。

――主人はどこに居るッ？

百姓は吃驚して物置から飛び出す拍子に澤山卵を床へ落して仕舞ました。

――これや、貴樣は何をしとるかッ？

――へイ、旦那。家の番をして居るので御座います。

――フフン、ヂャお前は女房がないのかネ？

――イエ、女房は野良へ出て居ります。

――デ、お前は內で何をしとるんぢや？

――卵の世話を致します。

――アツ、貴樣は本當に犬ころだツ！

笞の雨が怠け者の百姓の上に降りました。

――內に居るなんて何事だッ！　卵の世話なんかする事はない。野良へ出て働くんだッ！

――旦那！　働きます〳〵

――惡者！　嘘だらう……？

女房は猶も亭主を毆り付けて置いてから、自分の胯倉を擴げて亭主に見せました。

——どうだ。わしなんかは戰爭に出てこんなに傷をしたのぢや。何んと此の傷は癒ると思ふかい？

百姓は女房の隱し所をつく〴〵と調べて、

——旦那、これはもう癒えて居りますよ。

——お前さんどうしたんだよ？

女房は其のまゝ外へ出て、變裝道具をとつて歸つて來ますと、亭主がしきりに呻つて居るので、

——兵隊が來て無茶に引つ叩いて行きあがつた。

——何故さ？

——俺に働けと云ふんだ。

——お前さんはとつくに毆られて居るのが當然だよ。本當に留守で殘念だつたよ。わたしが居たら、もつと毆つて貰つたのに…………

——だがそれや駄目さ。あいつ大變弱つて居たからね。

——どうして？

——何、あいつ戰爭で胯倉へ傷を受けたんだ、それで癒るかどうか俺に見てくれと云つたから俺は癒つて居ると云つてやつたが、實際は傷口が眞赤で、其の上周圍に一杯毛が生えてたから、あの傷は癒るまいよ。

然し此の時から亭主は野良で働き、女房は內で仕事する樣になつたと云ふ事です。

（二）

或る日女房が食事の用意をして居ると、亭主がいきなり女房を毆り付けて叫びました。

――尻を洗へ！　尻を洗へ！

其處で女房はすぐ尻を洗つて、砂でゴシ〳〵こすつた上、血のにじむ程布で拭いてから、扨て食事の支度にかゝりますと亭主は又女房を毆り付けて、

――尻を洗へ！　尻を洗へ！

と怒鳴ります。

女房は叔母の所へ泣き込んで、

――お叔母さん〳〵。わしには解らねーよ御飯の仕度しとると亭主野郞め「尻を洗へ、尻を洗へ」と云つて、わしをぶつんだよ。それでわしが砂でこすつて血の出る程拭いたのに、まだ「尻を洗へ、尻を洗へ」とこくだ。

――われは馬鹿だネ。茶碗の尻を洗へと云ふのだわ。

（三）

或る日娘が父親の百姓に向つて云ひました。

――お父さん、ヴンカがわしに云ふ事を聞けと云つたよ。

――エイ、此の馬鹿阿魔奴！　誰が他人の云ふ事を聞けと云つた？

百姓は大變怒つて一本の釘を鍋で眞赤に燒いてそれを娘の大事な場所へ押し込みました。それで可愛想に娘は三月の間小便も出來ぬ樣なヒドイ目に會ひました。

其後ヴンカが又娘の袖を引いて、

――オイ、やらせろよ。

――ヴンカの惡魔？　お前の爲にわたしやお父さんからこんなヒドイ目にあつたよ三月も小用が出來なんだよ。

——心配しなさんな、馬鹿だな！　俺の物は冷いんだぜ。

——噓だよ。ヴンカの悪魔。よこして御らん、觸つて見やう。

オイショ、觸つて見ろ。

娘はヴンカの一物を握ると叫びました。

——マア、何んてお前は惡者だらう！　熱いぢやないか、水の中へ入れなよ。

其處でヴンカは娘の云ふ事を聞いて、一物を水へ入れると、其の途端に、腹具合が變になつて、續け樣にブツ〳〵と屁をたれました。

——オヤ〳〵、こんなにヂユー〳〵云ふわ。お前さんのものが燒けてる證據ぢやないか。又わしをヒドイ目に會すつもりだネ。ロクデナシ奴！

かくしてヴンカの求愛の試は不成功に終りました。

（四）

或る百姓夫婦の間に一人の娘と二人の小さい男の子がありました。或る日母親は子供達を連れて水浴に出掛けましたが其の傳手に水槽の前に跪んで穢れだ衣を洗つて居ました。子供達は母親の見せて居るものを笑ひながら見て居ましたが、突然一人の子が叫びました。

——アンドリオシカ、一寸々々御らんよ。阿母の穴は二ツだぜ。

——何云つてやあがるんだい？　一ッの穴が二つに分れたんだい。

これを聞いた母親は
——マア、惡い鼻ツ垂らし共だよ。

と呟きながら家へ歸つて、上の娘と爐の上で一緒に寢て色々と話し合ひました。

――ネ、娘や。お前ももう婚禮の年だよ。お嫁に行けばお婿さんと二人で暮すのだよ。

――そんなら、わたしお嫁になんか行き度くないわ。

――馬鹿だネ。何が怖いのだよ。婚禮して御らん。とてもいゝものだよ。

――何故いゝの？

――何故つて、お前。一晩お婿さんと一緒に過して御らん、お前は親の所を離れた事なんか何んともなくなるよ。本當に蜜や砂糖の樣によくなるよ。

――お婿さんの何がそんなにイヽのよ。阿母さん？

――マア、お前はどこまでねんねだネ？　ソラ、お前がまだ小さい時分、お父さんと湯へ行つた事があるだらう。

――アヽ。

――お父さんの腹の下にぶら下つて居るものを見たらうネ。

――見たよ、阿母さん。

――あれがとてもイヽものさ。

――あれを五ッに切つたら、猶イヽ栓が出來るわ。

父親は娘の言葉を聞いて吃驚して呟きました。

――馬鹿なッ！　何を云つてるんだよ。子供の玩具にこれを切られてたまるものかい……

然し娘は其の間に此のとてもイヽものに關して、しきりに熟考を始めました。

「男のものと云ふものは一ッでは不足だし、二ッ別々では這入らぬし、すると一緒に縛つて二ッ一度に入れるのがイヽに違ひない。」

（五）

三人の兄弟がありました。兄二人は遺産を相續して裕福に暮して居ましたが、一番末の弟は貧乏で年中ピイ／＼云つて居りました。或る日三人が外を歩いて居る時弟が兄達に向つて云ふには、

──兄さん達はイ、なあ。金はあるし、イ、女房は持つし、それに引きかへ俺は何んにもないよ。只膝まである悴がある丈だ。

すると丁度三人兄弟の側を通りかけた商人の娘が此の話を聞きつけて、思はず獨語を云ひました。

『マア、わたしが良人を持つなら、あの若者だわ。あの人は膝まであるお道具を持つてるそうだ』

娘には降る程縁談がありましたが、どれもこれも拒絶して、只々あの若者と一緒になり度いと云つて居るので父親も苦々しく思つて、嚴しい意見を加へました。

──コレ、馬鹿娘、氣を確に持ちなよ。あんな貧乏百姓と一緒になれると思ふかッ？

──だつて、あんた達が一緒に住むんでないからイ、ぢやありませんか。

遂に娘は我慢が出來なくなり、取持ち婆に賴んで若い百姓の所へ行つて貰ひました。婆は早速百姓の所へ行つて、

──マ、一寸お聞きよ。お前さんは何をぐづ／＼してるのかな、出かけて行つて娘さんをお嫁に呉れと云つて御らんよあの娘はとつくの昔お前さんに惚れてるのだよ。

此の言葉を聞くと、若者は新しいルバシカに新しい帽子を冠つて商人の家へ行つて結婚を申込みました。そしてどうやらこうやら話を纒めてとう／＼結婚式と云ふ所までこぎつけました。

所が愈々婚禮の式が終つてから、花嫁は若者のお道具が指一本の長さよりないのを確めたので、怒、心頭に發すと云つた案配で怒鳴りつけました。

——惡者！　お前は膝まであるなんて大嘘ついたな。一體それをどうしたんだい？

——ァ、奥さん。お前さんもわしの貧乏なのは知つてるだらう。わしは文なしでどうにもならんから、一物を質に入れて婚禮の費用にしたゞよ。

——いくらで入れたんだネ？。

——その大……大金だよ。五……五十ルーブルだよ。

——ヂヤ、いゝわ。わたしがお金をあげるから、翌朝すぐに受け出して御出で。もしそれも嘘だつたら二度と敷居は跨がせないよ。

花嫁はすぐ母親の所へ行つて無心をしました。

——お母さん。五十ルーブル下さいな。大至急よ。

——どうしてそんなに入るのだい？

——實はネ、あの人は膝まである物を持つてるのよ。所があの人貧乏でしよ。それで婚禮の費用の爲に、それを質に入れたんですつて。だから今あの人のものは指きりしかないのよ。

母親は娘の無心を聞きとゞけて五十ルーブルの金をやりました。其處で花嫁は良人に其の金を渡しながら、

——サァ、たつた今　大急ぎでお前さんの物を取り返してお出ッ！

若者は金を貰つて外へ出たには出たが、どうしてイヽのかさつぱり解りません。ノロ〳〵歩いて行く内にパッタリ一人の老婆に出會ひました。

——お婆さん、今日ちは。

——今日ちは、若い衆。そんなにして何處へ行きなさるな？

——お婆さん、聞いとくれよ。俺は困つてるんだよ。どこへ行つてイヽか解らない……

――ドレ〳〵、イヽ子だから其の心配をわしに話して御らん。

――エヽ、まゝよ。實はネお婆さん。俺の悴が膝まであると串談を云つたら、或る商人の娘が本當にして、とう〳〵結婚したんだよ。所が其の肝腎の物が指位しかないのが解つて嫁さんが怒つたよ。それで俺が質に入れたと云ふとお金を具れて受け出して來いと云ふのだ。俺は一體どうしたらイヽのだらうな――

――フン〳〵、そんならお金をわしに寄越しなよ。お前さんの不幸はわしがよくしてあげるから。

若者はすぐ五十ルーブルの金を渡しますと、婆さんは其の代りに一ッの指環を具れて云ひました。

――イヽかい。此の指環は爪の所へ嵌めて居るのだよ。

若者が其の通りにしますと、彼の一物が肱程も長くなりました。で婆さんは、

――どうだネ、その位で充分ぢやろがな。

――だがお婆さん。まだ膝までは屆かないよ。

――もつと深く嵌めればいくらでも長くなるよ。

若者は指の半程まで指環をさし込みました。すると、彼の物は不意にグン〳〵延びて行つて七ベルスト(一ベルスト――一・〇六七基米)になつたので吃驚して、

――婆さん〳〵。これぢやどうもならん。どうしたらイヽのだい〳〵。

――指環を爪の所まで拔けばイヽよ。丁度肱位の長さが適當だから、指環を使ふ時はよく氣を付けて爪より奥へ嵌めては駄目だよ。

若者は百萬遍も御禮を云つて婆さんに別れて家へ歸る途次、一寸道端で休んで居る内に疲れが出て其のまゝ眠つて仕舞ひました。そして不注意にも指環をポケットに入れる事を忘れて、胸の上へ乘せたまゝでありました。

丁度其處へ一人の貴族が馬車を驅つて通りかゝりましたが、フト若者の胸の上に、光つて居る指環に目をとめて、從者

に云ひつけて、ソツトそれを取り上げさして、其のまゝ走り過ぎましたが、貴族は指環が非常に美しいのでそれを傍の夫人に示したりして弄んで居る内にフト指の中程迄嵌めますと、スルく／＼と胯倉のものが伸び初めて、御者臺を越へて遙か七ベルストの長さになつたので、夫人は膽をつぶして、すぐ様元の場所へ返る様に御者へ命じました。

こちらの若者は、目が醒めると大事な指環が紛失して居るので青くなつて探し廻つて居る所へ馬車が戻つて來て種々詫を入れて此の厄介物を元通りにしてくれる様頼みますので、若者は早速云ひました。

――旦那、いくらくださるネ？

――ソラ、百ルーブル上げやう。

――二百ルーブル。なら助けて上げませう。

貴族は仕方なく二百ルーブル若者に與へ、若者は貴族の指から指環を抜き取りました。それから馬車は元來た道へ走り去り若者は家へ歸つて來ました。

窓から若者の歸るのを見張つて居た嫁は、彼の姿を見るがいなや叫びました。

――お前さん、受け出して來たの？

――アヽ。

――ヂヤ、お見せよ！

――マア／＼内へ這入つてから見せるよ。いくらなんでも路端ぢや出せぬさ。

若者は指環を爪の所まで嵌めてから股引をとつて肱程もある道具を妻の前へつきつけて云ひました。

――サア、とつくと見てくれよ。

嫁御はこを見て思はずそれを愛撫致しました。

――ネ、お前さん。こんな寶物は他人の所へ預けて置くより、内に置いた方がどんなにイヽか知れないでしよ。そうぢやないかい？　サア、御飯をすまして寝てから、それを試して見ませうねェ。

二人は食事をすましますと、すぐ寢室へ行つて床につきました。扨て良人の一物が素晴しい逸物である事を確めた嫁御はそれから二三日の間は自分の下胯の下に始終それな感じて居る樣に思へました。或る日若者が庭の木蔭で眠つて居る間に娘は母親の所へやつて來ました。すると母親が心配して聞きましたから、娘はすつかり今迄の事を話して聞かせました。此の話を聞いた母親は大變不思議に思つて自分で其の奇蹟的な道具を驗して見たくなり娘が隣りへ行つた隙を覗つて、ソツと婿の家へ來て見ますと、若者は相變らず庭の木蔭で眠つて居ました。丁度其の時は指環が爪の所にあつたので、彼の御道具は具合よく肱位になつて居たので、それを見た母親は、

『わたし自身でやつて見やう』

と云ひながら、實行にかゝつた時、不幸にも指環が爪の所から指の中程まで、辷り落ちたので一物は見る〳〵延び切つて姑を七ベルスト上へ差し上げて仕舞ました。

所で娘は母親の姿が見えぬので、自分の家へ歸つて來ましたが、家の中には人氣もなし、それで庭へ出て見ますと、一體どんな事が目に寫つたでしやう？　良人はまだ眠つて居るのに、彼の一物は空中高く突出して、其の尖端には母親が、まるで風車の樣にぐる〳〵廻つて居りました。

『マア、どうしやう？　どうしてお母さんはあんな高い所へ昇つたんだらう？』

と云つてる所へ野次馬がドヤ〳〵集つて來て、母親を助け下ろす相談を初めました。一人が云ふには、

――仕方がないから斧で此の得手物を叩き切るんだネ。

と一人が、

――馬鹿云へ。そんな事したら二人とも死んぢまうは。これを切つて見ろ、上のお袋はぶち落ちて手足も粉な粉なになつて仕舞ふぞ。仕方がないから神樣にお祈りして奇蹟を授けて貰ふが一番イヽ、方法ぢや。

此の騒の最中に若者は目を醒しました。そして其の原因がすつかり解つたので、指環を極めて靜かに抜き初めますと、それにつれて一物も縮んで來て、母親は無事に自分の腹の上へ下りましたから、

――おつ母あ、一體どうしてあんな高い所へ行つたんだい？

と聞きますと、

――御免よ婿さん、これからはもうあんな事は決して仕ないからネ……

（六）

或る所に金持ちの百姓があつてイヴンと云ふ息子と一緒に暮して居りました。一日父が息子に云ふのには、

――悴、どうしてそんなにお前はノラクラしてるのだい？

すると息子が答へて、

――お父ッさん。そんな急く事はないさ。マァ俺に百ルーブルくれて、俺のやり方を褒めてくんなよ。

父親は悴に要求された丈のお金を渡しました。イヴンは其の金を持つて町の方へ出掛けてお大名の館の前を通る時、庭の中に素敵もない美人の居るのを見付けて、柵越しに一生懸命眺めて居りました。

――マア、あなたは其處で何をしてるの？

と婦人は咎めました。

――奥さん。あなた様があんまりお美しいので私はボーとしましたよ。本當にあなたが踝の所まで足を見せて下さつたら百ルーブル差し上げますよ。

――アラ、あなたに見せないつて事があるものですか。サア御らんなさい。

と云ひながら少し衣類の裾をまくりますと、若者は百ルーブルを與へて家へ歸りました。

――イヨウ、悴。どんな商買をして來た？ 百ルーブルは何に使つたかい？

と父親はすぐ問ひかけます。

――店を建てるので、土地と森を買つたよ。それからもう二百ルーブルお呉れよ。大工に拂ふんだから。

父親から二百ルーブル貰ふとイヴンは又先程の柵の所へ來ました。婦人は彼を見て、

――オヤ、どうして又來たの？

――ネ、奥さん。わたしを庭の中へ入れて下さいな。それから膝まで見せてくれたら二百ルーブル出しますよ。

婦人はその通りにして金を受け取り、若者は會釋して又家へ歸つて行きました。

――悴うまく行つたかい？

と父親が尋ねます。

――アヽ、お父ッさん。品物を買ふんだから三百ルーブルお呉れよ。

悴が出て行つた後で、父親は考へました。

『野郎どんな事をしてるか見てやらねば……』

それからイヴンの後をつけて、少し離れた所から柵の中の様子を見て居りました。

――どうしてまたあなたは來たの？

と婦人はイヴンを見て云ひました。

――怒つちや駄目ですよ。奥さん。もし私の物であなたのもの丶周圍を撫でさしてくれたら三百ルーブル出しますよ。

――い丶ですとも。

婦人はイヴンから金を受け取つてから、草の上に寢ころびました。イヴンは股引をとつて自分の一物で靜かに婦人の大事な所を擦り初めますと、婦人はだん〳〵昂奮して來て叫びました。

――入れて頂戴！　すつかり。御願だから……

然し若者は此の申出を拒絶しました。

――私は只周圍を散歩すると云ふ丈の約束でしたからネ。

――お金を皆返して上げるからさ……

――入りませんよ。

――あんたから六百ルーブル貰つたでしよ千二百ルーブル上げますから、眞中へグツト入れて頂戴ツ！

此の有様を柵の後で見て居た父親は我慢がし切れなくなつて叫んで仕舞ひました。

――悴や、貰つて置けよ。チヨロ〳〵水が大河になるぞツ！

此の聲を聞くと婦人は吃驚して飛起き、其のまゝ逃げて仕舞つたので跡に殘された一文なしのイヴンは思はず父親を怒鳴り付けました。

――何んと思つてこんな所へ怒鳴りに來たのだツ！　老ボレ奴！

（七）

馬鹿な悴が父親の百姓に云ひました。

――父ッさん。嫁さを貰つてくんろよ。

此の馬鹿息子は女と寢る事許り考へて居たのでした。

――マダ早いよ。もう少し待ちな、お前のものが尻まで來る樣になつたら嫁を貰つてやる。

息子は自分のものを握つて見て獨語するには、『なる程な。嫁を貰ふにはまだ小さいわい。もう二年も待つだかな……』

それから月日がたつて遂に彼の一物は尻を通り過ぎる程大きくなりました。其處で悴は父親の前へ行つて、此度こそは嫁

を貰つてくれと云ひますと、父親は
――ヨシ〱悴や。なる程お前の物は尻までとゞく様になつた。だから嫁なんか貰ふ事はいらぬよ。お前のもので、自分の尻をやつて居れやィ、じやないか

此の物語はこれで終り。

（八）

或る村に二人も立派な娘を持ちながら甚だ好者の百姓が居りました。娘達には澤山な友達があるので毎晩皆で遊んで遲くなれば友達の娘等は泊つて行くのですが、皆が寢靜まると、爺さんそろ〱手探りで這つて行つて、どれか一人の娘の着物をまくり上げィ、事をするのでした。然しされた娘達は其の事を決して云はなかつたので、これが習慣の様になつて居りました。

順々に斯うして居る内に驚く勿れ此の老爺さん、自分の娘を除けて村中の娘は皆初物を頂戴して仕舞つたのです。

或る夜例の通り澤山の娘が集まつて夜更しして居ましたが、其の内に追々歸つて行きました。それは翌朝早く働かねばならぬ娘や、母親が泊るのを許さぬ娘や、父親が病氣の娘などがあつたからであります。

所が夕食後、物置でぐつすり寢込んだ老爺は其の晩も亦いつもの通り手探りで女達の寢て居る所へ忍んで來て、一人の娘を勇敢に愛撫して仕舞ひました。

翌朝目を醒した老爺は女房に聞きました。

――オィ、婆さん。夕べ泊つた娘達は何時頃歸つたかい？

――夕べ泊つたつて？　娘達は夕べは皆歸つたよ。

（九）

妻君が非常に美しいのを始終氣にして居た年寄りの百姓が或る時旅行せねばならなくなつたので、誰が何んと云つても「否」と返事をするのだぞと嚴しく云ひ付けて置て、出發しました。所が其の翌日妻君が庭に居ますと、通りがゝりの一人の騎馬の紳士が、妻君の美しいのを見て、側へ寄つて來て、言葉をかけました。

――お上さん、此の村は何んと云ふのかネ？

――否。

――お上さん、僕は馬から降りて、馬を此の柵へ繋ぎ度いがいけないかい？

――否。

變だなと紳士は考へました。それから色々聞いて見ましたが、皆「否」と答へるので、一計を案じた紳士は、

――僕は庭へ這入り度いが駄目かね？

――否。

――僕はお前さんと散歩がしたいがいけない？

――否。

――腕が組み度いが、あんたは振り離すだらうネ？

――否。

――僕はあんたをキヲスク（小亭）へ案内し度いが嫌かネ？

――否。

――僕は一緒に寢たいが、あんたは拒絶するだらうネ？

——否。

——あんたの下袴を取つたら怒るだらうネ？

——否。

——接吻したいが、あんたは不愉快ぢやあるまいか？

——否。

其處で紳士は思ふ存分イヽ事をしてから聞きました。

——もう充分だらうネ？

——否。

オヤ！　まだ不足なら、も一度始めやう。

紳士は又イヽ事をしてから聞きました。

——此度こそは、滿足したらうネ？

——否。

此度は流石の紳士も

「否」

と云つて立ち上りました。

（十）

或る城下に一人の紳士が住んで居て、其の紳士にはとても美しい令孃がありました。一日令孃は下男を連れて散歩に出ましたが、後からお伴して行く下男は令孃の後姿をつくづく眺めて思はず呟きました。

「アヽ、何んて素晴しい娘だらう？　たつた一度でもイヽ、あんな娘を抱けたらなあ………俺は犬の様にでも、あの人の側へ行き度いよ」

この獨語がフト令嬢の耳に這入つて仕舞ひました。令嬢は夜になると早速下男を呼び出して、

――も一度云つて御らん。惡者奴！　あたしが散歩してた時、お前は何んと云つたか、も一度お云ひッ！

――お嬢樣、御免なさい。

――イヽワ、お前が望んでるのだから、其の通りにして上げやう。犬の眞似をするんだよ。嫌だと云ふなら、皆んな御父樣に申し上げるよ。

斯う云つてから令孃は着物を脱ぎ棄てゝ、部屋の眞中へ四ッ這ひになつて、

――サア、犬の通りに嘗めたり嗅いだりなさい。

下男は命令に從いました。

――此度は舌で嘗めるのだよ。犬の様に。

下男は三度嘗めました。

――次にはあたしの周圍をぐる〳〵廻んなさい！

下男は十度令孃の周圍を廻りました。

――ヂヤ、今日はこれで許してあげる。寢ておしまい！　明日の晩は又來るのだよ。

翌晩になると、令孃はすぐ下男を呼び出して自分は着物を脱いで裸になり、部屋の眞中へ四ッ這になりました。それから又前夜通りの遊が繰り返されました。然し其の内には令孃もだん〳〵下男が氣の毒になつて、來て遂に極く短い一度の接觸を許してやりました。それで下男は、

『なる程、俺は犬の樣にあの娘を嘗めた。然しそれがどうしたと云ふんだ。俺は望んだ通りの事を得たではないか』

と獨語しました。

日本でかめろん（古代篇）

伊藤竹酔

此の説話は今昔物語の中より比較的グロテスクのものとエロテックのものとを選り出して見た。興味中心にするため原書の味が失せたのは止むを得ないことだ。

蛇に見込まれた女

むかし／＼、近衛の大路を西の方へ女の童をつれた上﨟があつた。小一條へ出るとその角に宗像の社がある。その北側まで行つたとき上﨟は頻りに小便を催して我慢が出來なくなつた。仕方がないので恥も外聞も忘れて女の童を待たせて築垣の蔭でシヤー／＼とやつたものだ。

女の童はもう濟むか／＼と暫らく待つて居たが女は屈んだまゝ動かない。どうしたことかと氣が氣でないがまさかぶしつけに傍に行くわけにもゆかないので痺れを切らしてとう／＼一時程も待つてゐたがちつとも動かない。不思議に思つて畏る／＼そばへ寄つて見ると主人の女は顔色青ざめて屈んだまゝ氣を失なつてゐる。あまりのことに女の童はびつくりして何としたらよいやら顚倒して泣き出してしまつた。助けを呼ぶにも生憎通行人もない。

暫らくするとトツ／＼と馬を飛ばして走つて來た侍があつた。不圖路の傍を見ると小女が泣いて居る。そばには市女笠を冠つた女が蹲まつてゐるので不審に思ひ馬を降りて樣子を聞くと斯く〳〵の次第と訴へた。

侍は上﨟の顏を見るとまるで死人のやうに青ざめてゐる。

「これは大變だ。何か急病が起つたにちがひない」

女を助け起そうとして不圖前を見ると築垣の中程に穴があつて、その中からかなり大きな青大將が鎌首をもたげて女の局部の邊りをヂツと魅いつてゐる。

「ハヽーこれだな。」

侍が早速の氣轉で刀を拔いて刄を向ふにその穴の口へ立てゝ、それから女を抱き起した。すると蛇は頭の先に刄があるとも知らず勢ひするどく穴を飛び出したので鼻面から胴體まで眞ツ二つに切り裂かれて死んで仕舞つた。

女は近處の醫師へ連れて行つて介抱したのでやつと蘇生したといふ話だ。だから女人は道端で小便なぞするものでないと古人からよく戒められてある。

戀の香り

むかし〳〵兵衛の佐、平の定文、字を平中といふ人品賤しからざる人があつた。今の言葉でいふと不良モダンボーイであつて人妻、娘、宮仕への女でこの男の手にかゝらぬ者はないといふ程評判な色魔であつた。

當時本院の大臣の家に侍從の君といふ手弱女があつた。平中はこの侍從の君の美しい噂を聞いて矢も盾もたまらず何とかものにしようと度々艶書を送つたが、彼の君からはさつばり返事が來ない。

平中は色男のほこりを傷けられたやうな氣がして不快でならなかつた。

『あまりつれないお仕打ち心憎う存じます、せめて此の手紙見たといふだけでもお返事を下さいませ」

との意味を書いて最後の通牒を使の者に持たせてやつた。すると意外にもなつかしき侍從の君の返事を齎らして返つて來たので飛び立つ心を押ししづめて取る手遲しと開封して見ると、皮肉にも自分の書いた手紙の文句の中から見たといふ二字を切り抜いてそれをちり紙の眞中にペタリと貼つてあつた。

平中は女にすつかり愚弄されて口惜しくてたまらない。「よし此の上は直接行動だ！」と、或る闇の夜に本院の局に侍従の君を訪れて、

「侍従様にぜひお目通りが願ひ度い。」

と女の童に取次を頼んだ。

やがて女の童が戻つて來て、

「只今御前にあがつておいでになります、それにまだ人も起きてますから暫らくお待ち下さいっ」

と、どうやら見込みのある樣子に平中は胸をドキ〳〵させて待つて居た。一時ばかり待つと人々は寐靜まつたと見えて内から人の氣配がして遣戸の懸金がそつと外された。遣戸を引くとやす〳〵と開いたので夢ではないかと靜かに這入つて行くとえならぬ薫がプンと鼻をうつ。平中は臥床(よしど)とをぼじき所へさぐり寄ると、衣を一重ね着て侍従の君が寢て居た。手探りでさわると細い首筋から冷たい髮に手が觸れた。ハツと思つて平中は夢中になつて侍従の君を抱き締めた。すると

「大變なことを忘れました。隔ての障子に懸金をかけるのを忘れました。もし人にでも知れると困りますから一寸掛けてまゐります」

成ほどと思つたので平中が手をゆるめると女はスラリと拔けて障子に懸金をかけるふりをしてそのまゝ出て行つてしまつた。

平中は地團太踏んで口惜しがつたがまさか吹鳴る分けにもゆかず、甚だ器量の惡るい思いしてすご〳〵引き上げた。

このことあつて以來、とても叶はぬ戀とあきらめやうとしたが如何なるものか此の侍従の君だけはあきらめかねた。そこで思案の末此の女の一番不潔なものを見たなら百年の戀も一朝にして醒めるだらうと考へた。

そして或る朝侍從の家の附近をうろついてゐると女の童が香染めの薄物の包みを赤い色紙に繪を書いた扇で差し隱しながら出て來た。それは侍從の君の便器を小川へ洗ひに來たのであつた。

と見た平中はツと女の童により添つていきなりその包みを奪つて逃げ出した。平中はそれを自宅に持ち歸りをもむろに包みを開いて見ると立派な塗り物の便器であつた。恐る〳〵蓋を取つてみると丁子の香りがプンと鼻をうつ。これはと驚ろいてよく見ると欝金色の水の中に拇指大の黃黑いものが長さ二三寸ばかりで三切れほど浮いてゐる。

「これは人間のものではない。女神々々。」

と心に叫んでむさぼるように鼻を押しつけて香りを嗅いだ。平中は狂氣のようになつてその水を飲んだ。何といふ美味い味だらう。今度はその黃黑いものをつまんで食べた。珍味々々。これが本當の肥の味だ！

頭のすぐれた侍從の君はことごとく平中の謀りごとのうらをかいた。この尿とみせたのは丁子を煮た汁で、黃黑いものは色を似せた羊羹であつた。

北山の庵の主

むかし〳〵、京に住める或る男が北山へ行つた處、路をとり違へて山中へ迷ひ込み歸ることが出來なかつた。そのうち日はとつぷり暮れて宿る家さへなくどうしたものかと思案に暮れてゐると遙かの谷間にポツリ灯りが見えた。やれ嬉しやとその灯りを便りに訪ねて見ると小さな月もる荒家であつた。

「もしお願でムいます。路に迷つて難澁の者ですがどうぞ一夜の宿りをおゆるし下さい。」

庵の內よりは二十歲ばかりの美しい女が出て來た。

「それはさぞお困りでせう。しかし生憎主人も留守ですし、もし戻つて來て知らぬお方をお泊め申した事が知れますときつと密し夫と思つて怒るに相違ありません。もし御迷惑がかゝりますとお氣の毒ですが……。」

『そのときは何とかよい分別をして下さいませんか……これから歸るにも路は分らず、どうぞお慈悲ですから一夜だけお願致します。』

男から切りに賴まれたので氣の毒でたまらず、

『では斯うしませう。あなたを私の兄さんとして常から逢ひ度いと思つてたのを今日はからずも廻りあつた……といふことにしますから貴方もそのお積りでゐて下さい。それから京へお歸りになりましても斯ういふ處にこんな女が居た、といふことは必ず云つて下さるな』

『難有うムいます、又こうして御恩になつたものを、御迷惑とあらば何んで人々につげませう、それは御安心下さい。』

男の言葉を信じて女は家の中へ入れた、そして一間に筵を敷いて男を座らせた。

『實を申せば私も京の某の娘でしたが、お恥かしい次第ですが思ひもよらぬ怪しい者に見込まれまして、斯うしてこゝに一緒に暮らして居ります、これも前世の因緣とあきらめて居ります。今にも夫が戻つて來ますが、御覽になつても決して愕ろいてはいけませんよ』

男のそばへ寄りそうようにして女はさめ〴〵と泣いた。女のこうした懺悔話を聞いて男もホロリとさせられた。怪しい者とは鬼か蛇か何にしても氣の毒な女の身の上だわい、と同情の涙をそゝいだのであつた。

暫らくすると外の方に恐ろしい唸り聲がした。女は心得顏につとたつて戸を開けると、ノソリと這入つて來たのは一匹の白い猛犬であつた。さては怪しい者とは犬であつたか? この犬がこの女の夫なのか?

犬は男の姿を見ると、牙を剝いてあはや飛びかゝらうとした。女はあわてゝ犬を制した。

『この方はわたしの兄さんです。常から逢ひ度い〳〵と思つて居た處、今日圖らず道に迷つて此處へ來たのですから今夜一晚お泊め申上げ度いのです。どうか怒らないで下さいね。』

犬は女の言葉を了解したものか、自分の臥戸へ這入て寐た。女は男をそこらに寐せて夫の部屋へと寐に行つた。

さて夜が開けると女は朝飯を男の處へ持つて來た。そして耳打をして。

『京へ歸つてもどうぞこのことは人にしやべらないで下さい。屹度ですよ。』

と念を押した。

斯くて女に厚く禮を述べ路順を敎はつて京の町へ戻つた男は、女から堅く口止めをされて居るのに不係、あまりに珍らしい事件なので遂一人に話し二人にしやべりした。

さあこうなるとそれからそれと話に尾鰭がついて京の町中へひろまつてしまつた。

『サアこれから北山の庵へ行つて犬を射殺し女を救ひ出そう。』

と一人が云ひ出すと吾も〳〵と贊成して今でいふ在鄕軍人のやうな同勢、凡そ二百人斗りが手に手に弓箭を持つて北山さして押し出した。勿論彼の男が山案内として先へ立つた。山又山を奥深く登つて行くと果して谷間の向ふに庵があつた。

ソレとばかりに遠巻きに庵を目がけて喊聲を擧げた。それを聞きつけた犬はものすごい形相をして女を先き立てゝ護りながら山深く逃げ込んだ。同勢は「それ逃がすな」、「女に傷をつけるな」と口々に叫びながら弓に箭をつがへて打ち立てた。けれども不思議なことにはいくら射立てゝも箭は少しも當たらなかつた。

若者たちはそれを見ると、こは只者でないと言つて恐れをなし、初めの勇氣どこへやら、何れもすご〳〵引き上げてしまつた。

彼の男はそれから間もなく猛狗の夢ばかり見て發熱し二三日して狂ひ死にに死んでしまつた。

淫蛇呑閈

むかし〳〵、止むごとなき僧に仕へる若き僧があつた。或る日主のお供して三井寺へ參り廣き一と間に供待ちをしてゐるたが夏の日のものうさに遂とろ〳〵と晝寢をして仕舞つた。

暫らくして「もし〳〵」となまめいた聲がするので不圖見ると、眼も輝くばかりあでやかな姫御寮が、たつた一人で枕元にすわつて居た。

僧は身分を忘れて此の姫を掻き抱き、吉々く婚ぎて思ふ存分に淫を行うと、にわかに襟元から冷水をあびせられるように感じた。

吾にかへつてあたりを見れば添寢した筈の姫はなく、傍らに大蛇が口より淫液を吐いて死んでゐた。姫と婚いだと見たのは一睡の夢であつた。

僧は身の毛もよだつ思ひして己が閈をよく見るに淫を行ひたるさまにて濕ひてあつた。

僧が晝寢のとき、その閈が屹と立つたのを蛇が來て呑んだ。それを僧は姫と淫してると夢見て射精したのである。

その後僧は氣病みをしたが命には別條なかつたそうだ。これによつて蛇が人間の淫液を呑むとその毒によりて死ぬことが證據立てられた。

女犯阿闍梨

むかし〳〵、慈覺大師の弟子に湛慶阿闍梨といふ僧があつた。眞言の奥儀を極め、佛法の行法を修行して諸病を治することに妙を得てゐた。忠仁公の御病氣の折も召し出だされてお祈りを修した。その驗があざやかに現はれて間もなく公の病氣は全治した。

それがため公のお氣に入り、今暫らく滯在せよとの仰せであつた。

湛慶は面目を施こし、公の館の内に泊つてゐた。

湛慶の身の廻りを世話するために、若い美しい侍女を一人、公の命令であてがはれた。

どういふものか、この侍女の姿が朝に晩に湛慶の眼の前にちらついて、その頭を惑亂した。

湛慶ほどの道徳堅固な知識でも、この煩惱を拂ひ切ることが出來ないで、とう〳〵彼の女と出來てしまつた。

湛慶は、戀のたやすく成し遂げられたことを喜ぶと同時に自分の身がそら恐ろしくなつた。

『吁々、折角これまで築き上げた己の仕事もこの女犯によつて根柢からくづれてしまつた。何といふ意氣地のないことだ。』

湛慶は眼があつくなるように涙がにじんだ。と同時に頭にうかんだのは昔の不動尊のお告げであつた。昔の罪であつた。

『己はこうして人々から尊ばれるやうな人間ではない。死んでもたらぬほどの罪を背負つてゐる。僞善者だ！』

湛慶は不動尊の信者であつた。昔、夢に不動尊のお告をあり〳〵ときいた。

『お前は俺を信じてくれる。だから常にお前の身を護つてゐる。が、お前は前世の約束によつて、女のために身を苦しめるであらう。』

斯ういふて不動尊はその女の住む處と家と名を敎へた。湛慶は驚いた。「己はその災の種を絶やさねばならぬ。」

恐ろしい決心をした湛慶は、不動尊に敎へられた通りの國へ行つて、その家をたづねたすると果してその家があつた。

『この家に娘があるに相違ない』と思つて垣の外から様子を伺つてゐると、十歳ばかりの美しい少女が、庭で無心に遊んでゐた。

『あの可愛らしい女の兒はこちらの娘さんですか。』

何喰はぬ顏をしてその家の下女に聞くと、下女は即座に答へた。

『えゝ、こちらのたつたお一人のお孃さんです。』

湛慶はこれをきくと何事かうなづいてそのまゝ歸つた。翌日、又その家の垣の外へ行つて様子をうかゞつてゐると、昨日と同じように、娘は庭で遊んでゐた。他にだれもゐなかつた。

湛慶は犬のように這ひよつて彼の少女の油斷を見すまし、いきなり一刀を引き拔いて少女の首筋へ切りつけた。少女はアツと叫んで血に染まつてのけざまに倒れた。湛慶は一散に逃げ出した。

　女犯を恐れて罪もない少女を殺した湛慶がとう〳〵忠仁公からあてがはれた侍女を犯して仕舞つた。

　お白粉に隠された侍女の首筋に古傷があつた。湛慶はと胸を突いた。

『そなたの疵はどうしたのか？』

『私が小供の折に、庭で遊んでゐますと、見知らぬ人が來て斬られたのです。とても助からぬ筈が不思議に癒りました。私を斬つた人はどうしても知れませんでした。』

　湛慶の顔は青醒めてしまつた。恐ろしい因縁だ。

『勘忍して呉れ。そなたを斬つたのはこの己だ。罪の上に罪を重ねたこの己を存分にして呉れ、己は外道だ、惡魔だ。』

　湛慶は愛する女の膝に身を投げ出して懺悔した。

　彼女は初めて自分に刄を加へた男を知つた。しかもその男は自分の靈も肉も捧げた愛人であつた。彼女は男を憎めなかつた。

『こうなるのもよく〳〵の因縁です。何であなたを怨みませう。』

　湛慶は女が一層いとほしくなつた。そして固い二世の約束まですませた。

　女犯の一件はいつか忠仁公の耳には入つた。僧侶の身としてあるまじいことであるから、そのまゝに濟ますわけには行かぬ。さりとて佛法の奥儀を極めた博識の湛慶を、有耶無耶には出來なかつた。それでいろ〳〵考へた末湛慶を還俗させ五品に叙して名を高向公輔と改めさせた。俗人になつた湛慶は、夫婦仲むつまじく暮らしたそうだ。

むかし〳〵右少辨藤の師家といふ人があつた。又この人と互にゆるし合つてゐる女があつた。至つて心だてのやさしい女であつたからいやなことがあつても決して顏に出さない質であつた。右少辨としても無情（つれな）いと思はれぬよう氣をつけて居ても、職務がら入りびたりといふわけにもゆかず、男の働きで他の女の許に泊るようなこともあつたりして自然と足の遠くなることもあつた。そういふことに慣れない正直律義の彼の女は、たまに男が來ても浮き〳〵としなかつた。それやこれやで段々初めの戀が醒めていつとはなしに熱情も薄らいで行つた。そんなふうで互の心が離れていつて、遂に二人の仲は絶えてしまつた。

それから半年ほど經つた或日、右少辨は、偶然女の家の前を通ると、それと見た家の者が『只今辨殿が前をお通りになりました。繁々お通ひになつてゐた時の事を考へますと悲しいような氣がいたします。』と彼の女に告げた。

『早くお呼び申して下さい。』

彼女は家の者にそう云ひ付けて一と間へ這入つた。

右少辨は呼び止められて、なるほどこゝは女の家だなと思ひ、馬より下りて中へ這入つた。自分の女ではあつたが、久しく行き通ひが絶えてみると何となく氣はづかしかつた。

彼女はと見ると、なよやかな衣に綺麗な生（すずし）の袴の新らしいのを着け、經箱に向つて一心に經を讀んでゐる。その姿は何とも云はれぬ美しさである。右少辨は初めて逢ふような氣がした。こんな美人をなんで己は見捨てる心になつたんだらうと思ふと殘念でたまらなかつた。

つと寄り添つて見たが彼女は見向きもせずに經文を讀みふけつてゐる。いきなり抱き付かうかと思つたが讀經のさまたげをするのも如何かと差しひかへた。

右少辨は女の顏をあかずながめながらいろ〳〵の事を考へた。「よし早速此の女の機嫌をとり直して今日からもとのような仲にならう。これからどんなことがあつても別れまい。こんな美人が二度と手に入るものではない。」と思ふと讀經の濟むのを待つて居るのがつらかつた。

とう〳〵女は七の卷の藥王品を繰り返し〳〵三度も讀んだ。

『早く讀んでしまひなさい。積る話があるから。』

辛棒しきれなくなつて右少辨が斯ういふと女はそれに答ヘないで經文の中の
於此命終即往安樂世界阿彌陀大菩薩衆圍遶住所青蓮花中寶座之上
といふ處まで讀んで行くと兩眼よりハラ〳〵と淚を澪した。

女がすぐにも飛び付いてくるものと思つて居たのが案に相違しての讀經三昧が男の氣に入らう筈がなかつた。それのみならず、男がいくらものを云つてもそれには答へず、泣き入つてしまつた。

『いやだなあ、折角人を呼び込んで置いて、しかも尼さんのようにお經ばかり讀んでさ、もうよしてその美しい脣を…。』

と云ひ度げに男は女の肩へ手を掛けた。女は睫に露を宿した眼を男に向けた。男の眼とピツタリ合ふと男もたまらなくなつて共に泣いた。あゝこれほど美しい女を捨てたので、その無情を怨んで眼で訴へてゐるのだなと思ふとなほ可憐思ひじ胸が一ぱいになつた。

『今はの際にたつた一と目逢ひ度いと願つた甲斐があつてお目にかゝれました。もうこれがお別れです。』

「なぜそんな哀しいことを言ふのだ。もうこれから決して貴女を捨てはしない。さあ機嫌を直してお吳れ。』

女は經文を閉ぢてから沈の念珠を押し揉むでゐたが、だん〳〵顏色が青ざめてきた。斯くて間もなく右少辨の腕に抱かれたまゝ彼女は死んだ。

それから幾日か過してのち、右少辨も床についたが、これも敢えなく女の後を追つたといふことだ。

僧化して馬となる

むかし〳〵或る僧が三人連れで、四國の邊地を歩いて行くと、飛んでもない山路へ迷ひ込んだ。どうかして濱邊へ出たいとあせりながら益々山深く踏入つてしまつた。あちらこちらと荊棘を分けて行くと平地へ出た。と見ると垣を圍らした人家が見當つたのでやれ嬉しやとその家の前へ行つて聲をかけた。

『もし、お頼み申します。』

『誰だ』

『修行をいたす僧侶でありますが、路に迷つて困つてゐます。濱邊へ出ます路をお敎へ下さい。』

『まあ這入らつしやい。』

やがて內より出て來たのは六十あまりの見るかに恐ろしい老人であつた。

三人の僧はこの老人の言葉にしたがひ板敷の上に上がると、甘そうな食物を持て來て薦めたりしてもてなした。三人は喜んでそれを喰べた。すると忽ち老人の顏が險惡になつて、大きな聲で人を呼んだ。これはと思ふ間もなくそこへ現はれたのは物すごい顏をした法師であつた。

『いつもの物を取つて來い。』

老人が斯う命令すると、法師は馬の轡と笞とを持つて來た。老人が眼くばせすると、法師は怖れ戰いてる三人の僧のうち、矢庭に手近かの僧のえり首をつかんで板敷より引きずり降して、笞で五十度打つた。彼の僧は聲を限りに助けを呼ぶけれど人跡絕えたこの山中で助けるすべもない。法師は僧の衣を剝いで膚を五十度打ちすえた。可愛そうにトウ〳〵僧は悶絕してしまつた。

『引き起せ。』

氣絕した僧を引き起すとその僧は馬になつて身ぶるいして立ち上がつた。法師はこれに轡をはまして裏へ曳いて行つた。

この始終を見せられた二人の僧は齒の根も合はず、板敷の隅にうづくまつて今度は吾が身が馬になるのかと生きた心地は更になく口に彌陀の本尊を念ずるのみで他にせんすべがなかつた。

斯くてまた一人の僧も前のように馬にされて曳づつて行かれた。

殘るのは只一人であつた。

『此奴はそのまゝにして置け。』

老人は最後の僧の首筋をつかんだ法師を止めさせた。

『貴樣には少し用があるから、そこにぢつとして居れ。』

老人は斯う云ふと奥の一間へ出て行つた。そのうちに日は暮れて來た。

その時僧は考へた。此處に斯うしてゐれば何時かは馬にされる。逃げて見よう、逃げられるだけ逃げてもし捕まれば百年目だ。と自問自答して機會を覗つてゐた。すると老人の僧を呼ぶ聲がする。「ハイ」と答へると、

『裏の田に水があるか見て來い。』

と云ひつけた。僧は怖々見にゆくと水があつたからその旨を答えたが、これも自分をどうかする手段かと思ふと無氣味でならなかつた。そのうち老人は寝てしまつたから、逃げるなら今のうちと足にまかせてひた走りに駈け出した。凡そ路の五六町も逃げたとみると、行手に一軒の家がある。この家も自分を呑もうとしてゐる鬼の棲家のように思れたので見られぬように通り過ぎると、

『もし〳〵』

と呼び止める聲がする。南無三と振り返つて見るとこの山中に珍らしい艶やかな女であつた。かうなると默つて行き過ぎるわけにもゆかず、一伍一什の話をすると、

『そうですか、それはお氣の毒です、私はその老人の娘です。長年こんな厭やなことを見て居ますのでどうかして止めさせ度いと祈つてゐるのですが、か弱い女の力ではどうにもならないのです。然し貴方は助けて上げます。こゝから少し降

りて行きますと私の妹がゐます。今手紙を書きますからそれを持つてお出なさい。

女は親切にも手紙を書いて僧に渡した。僧は手を合せて女を拜み、涙ながらに禮を云つた。そして敎へられた方へ二十町も行くと山を背にした家があつた。取次ぎのものに手紙を渡して斯く〳〵の次第と申し入れると『お這入りなさい。』と云つて奧の間へ僧を迎へ入れた。見ると先刻の女の妹らしい女が居た。

『この手紙でよく分りました。さぞお驚きになつたでせう。なにしろこの邊りは怖ろしい處です。暫らくこゝに隱れてお出なさい。』と女は僧を押入れの中へ隱した。

『音をさせてはいけませんよ。もうそろ〳〵怖い時になりますから。』

僧は、これから何事が起るのか、と思ふとゾッとした、息を殺して靜としてゐると、何者かゞ來た樣子でヅシリ、ミシリと床を踏む音がした。と同時にプンと生臭い匂ひがした。さては鬼の棲家であつたか？　と思ふと今にも一トロに呑まれるような氣がした。言葉は分らないが何か女と話しながら二人は寢てしまつた樣子だ。

朝になると女が來て押入を開けてくれた。怖る〳〵出てみると女一人で他に何者も居ないのでホッと安心した。

『貴方は命冥加のあるお方じや、もう安心ですから、お歸りなさい。』

斯ういつて女は濱邊へ出る道順を敎へてくれた。三人の僧のうちたつた一人命を助かつて無事に里へ歸つた僧はこの事を人々に語り傳へて、決して彼の山へ行くのでないと戒めた。

道連れの男

むかし〳〵京に住む男、妻の故鄕丹波の國へと夫婦連れ立つて旅をした。妻を馬に乘せ夫は竹箙（たけえびら）に箭を十本さしたのを背負ひ、弓を持つて馬の後ろについた。

大江山の麓まで來たとき、何時からともなく一癖ありげな壯漢がこの夫婦と道連れになつた。男も幸ひ旅の氣散じによい友達が出來たと許りに、四方山の話をしながら歩いてゐた。

『この太刀は陸奥の國より傳はつた得難い太刀だ。これを見なさい。』

道連れの男は斯ういつて佩いてゐた太刀を外して見せた。なるほど立派な太刀だ。男はそれを見ると欲しくてならなかつた、それと見た彼の男は、

『この太刀がお氣に入つたら、貴方の弓箭と取換へてもよい。』

これを聞いて男は、自分の持つ弓はさまで上等なものではない。こんな弓とこの立派な太刀と取換へるなら大變な得だと思つたので早速取換へた。

軈て晝時になつたので辨當を喰べよう、といつて馬より妻を下そうとしたすると彼の男は、

『もつと向ふの杉林の中がいゝでせう。丁度景色もよし、格好な場所だ。』

と云つて道端れの奥の方へと案内した。其處は晝なほ暗き杉木立の只中であつた。

男が、妻をいたはりながら馬より下してゐると、

「おのれ、動くと射殺すぞ！」

と呼ばはりながら、連れの男は、さつき取換へたばかりの弓に箭をつがへて男の胸元へ突きつけた。男はハッと驚ろいたが動くことが出來ない。あの箭が弓弦を離れたら最後だ。あぶないことだ。

『さあその太刀と貴様の刀を出せ！　よし、ぢつとして居れ。』

彼の男は弓を置いていきなり男に飛び付き嚴重に繩をかけて傍の杉の木立へ縛しめてしまつた。今度はその女の方へよつて來て戰いてゐる女の顏をしげ〳〵と眺めた。二十歲ばかりの愛くるしい女であつた。

『美い女だな、俺の云ふ通りにならぬと二人共命はないぞ。』

と云つて矢庭に女をそこへ押し轉ばして獸慾を滿たした。それを見せられた男の心持ちはどんなであつたらう。

彼の男は、女を自由にすると、太刀だけ持つて後をも見ずに逃げてしまつた。女は泣く〳〵起き上がつて夫の繩をほどいた。夫は不機嫌であつたがそれにも増して妻は怒つた。

『貴方は何といふ意氣地なしでせう、あなたが弱いばつかりに私がこんな目に逢はされたのです。』

と怨みごとを云つた。もつとも衣類、持ちものを奪られなかつたのがせめてもの幸ひである。

えぷためろん

ナバル女王作
梅原北明譯

皇子と代言人の妻（三日目第五話）

或國の皇子が、狡猾な手段を用ひて巴里の代言人の妻と醜行を續けたる話

嘗て巴里の代言人仲間に、並ぶ者のない秀れた一人の代言人がございました。その男は非常に頭が明晰でありましたので、人々は我も我もと競ふてこの代言人に事件を賴み、お蔭で彼は代言人仲間での大金持となりました。彼の妻は子供が出來なかつたので、彼は二度の妻を娶つて子供を儲けようと思ひ、再婚を決心しました。と云ふのは、彼は年こそ老ひて居りましたが、心や望みはまだ若々しく、凡てに自信をもつてゐたからでありまして、彼は遂に花恥かしい二八の巴里美

人と結婚いたしました。その婦人は、顏や氣質の人並すぐれた佳人であつたことは申すまでもなく、同時に花を欺くやうな艶麗な容姿の持主で、何處と云つて一點非の打ち所のない、謂はゞ絶世の美人でございました。ですからこの代言人は妻を非常に可愛がり、力の及ぶ限り妻を劬つたのでありますが、どうしたことか先妻と同樣矢張子供が出來なかつたので御座ます。そしてこのことは妻の心をも甚だしく焦立たせました。しかし、若い者が長い間、苦しみに堪へてゐることの出來ないのは何時の時代でも變りはありませぬ。年若い妻は何時しか自分の家に引込んでゐる事を厭がるやうになりアチコチの舞踊會やら晩餐會などに出て家を開けることが多くなりました。けれ共、勿論、何處へ行くにしても必ず夫と同伴でありまして舞踊の相手も滿腔の信用を置ける者のみをえらんだのは、もとよりのことでした。

或る時、彼女は或る結婚式の席場で、非常に高貴に亘らせらるゝ一人の皇子と同席しました。（實は私のこのお話は、皇子樣御自身の御口から伺つたものでありますが、その時皇子樣が、決して自分の名は出して呉れるなとの御言葉でしたから玆には申上げぬことゝ致しますが、私などとは比較にならぬ高貴なかたであると云ふこと丈を申上げさして頂きませう。）

皇子は彼女の艶麗な姿を一と目御覽になられると、もうすつかり彼女が御氣に入つたので、彼女に向つて、御自分の熱情を卒直に打ちあけられました。彼女とても、そのやうな高貴の方から、愛されたと云ふことは、この上もない名譽ですから、すつかりいゝ氣持になつて、皇子が御打ち開けになるずつと以前から、自分も皇子をお慕ひしてゐたことを申上げたのでございました。皇子は恁うしては何等の骨折もせずに彼女の愛情を捕へることが出來ました。

それから二人の愛情は益々緊密となり、もうすつかり結びつけられてしまつたので、二人は時折、時間と場所とを牒し合せて密會しましたが、皇子は婦人の名譽を重んじて、常に變裝されてゐましたけれども、夜の街頭には惡漢が出沒して二人の首尾が妨げられるやうなことがありましたので、彼は或る夜自分の腹心の家臣を數名つれられて、彼女の住居近くに至り、家臣の申すには『二十五分以内に物音が聞えなかつたら家へ歸つてよろしい。然し三時か四時頃になつたら屹度迎ひに來るやうに』家來共は物音が聞えなかつたので歸りました。若い皇子は代言人の家の前へ眞直ぐ行きますと、表の扉は約束通り開けつ放しになつてをります。占めたッと斗り、どん〳〵梯子を上がりかけた瞬間に皇子は呀ッと驚きました。愛人の亭主が手に燭臺を持つて、下りて來るのにパッタリ逢つたからであります。

然し乍ら、戀は曲者と申しまして、皇子も愛情ゆえに早速の機轉を働かせることが出來ました。さあらぬ態で、彼はずか〳〵と梯子を上つて代言人の傍にゆき、代言人の肩を叩き乍ら話しかけました。

『やあ、君、僕や僕の一家の君を信頼すること丶云つたら、丸で滅茶苦茶だからね。本統にもう何でもかんでも君で無くては納まらんものと心得てゐるのだからね。だが君、今夜はね。お仕事をお願ひしに上がつつたんではないんだ、實は君の家の前を通りかゝつた時に、非常に咽喉が渇いたんで、何か飲み物の無心に上がつたんだが、いやもうどうも、こんな眞夜中にチト無作法過ぎたがね。しかしなこれから一寸行かねばならぬ所があつて、僕だと解つちや一寸具合が悪いんだから、今夜僕がやつて來たことは、ひとつ秘密にして貰ひたいんだが――』

皇子閣下が、眞夜中に、而もお微行で自分の家に訪ねて來たと聞かされた時に、善良な代言人はもうすつかり光榮に咽び返り手を引くやうにして皇子を自分の居間に通し、美味しい果物と肉とをどつさり持つて來るやうにと、妻に命じました。妻は喜んで夫の命令通りの御馳走を用意しましたが、妻が喜ぶわけが別にあつたことは御承知の通りであります。

妻は薄い寢着物一つでしたが、それが又皇子には溜らなく挑發的に見えたのであります。しかし皇子は何處までもシラを切つて、妻の方を見ぬ振りをして、つとめて代言人の方に向つて、いつも頼みつけてゐる外國の訴訟事件などを話題にし始めました。其間妻はいともつゝましやかに皇子に冷肉などをすゝめ、畏つてをりました。夫が酒を持つて來る爲に臺所へ立つた時に、妻は皇子に今夜歸りがけに廊下へ出たら、直ぐ右手の押入の中にお隠れになつて下さい。さうすると直ぐ私がお迎ひに參りますからとこつそり手筈を打ち合せたのです。

彼は、お酒を飲むと間もなく、代言人のもてなしを感謝して暇を告げ、代言人が送つて出ようとするのを無理に辭り、今度は妻に向つて言ひました。

『私はあなたの御亭主を何より力にしてゐるのだが、今夜は連れ出しませんから、よつく可愛がつてお上げなさい。本統に立派な男ですよ。こんな立派な夫を持つたあなたは其れこそ、二人とない果報者ですよ。神樣によく感謝をなさるがよい。夫の云ふことは何でもよくお聞きなさい。こんな立派な夫の言ひつけを背くやうなことがあつたら、それこそ罰が當りますよ。』

彼は恁う言つて、廊下に出たときに、思ひ切り強くバタンと戸を閉めました。夫が階段の方まで送つて來るのを恐れたからであります。彼はそれから小さな押入に這入つて暫くの間ぢつとしてゐました。すると聽て、夫が寢込んでしまつた頃合を見計つて、妻は彼を迎ひに來て、彼を自分の立派な閨房に案内しました。そして彼等は着物を着込んだまゝだつたかも知れませぬが、彼等の約束を充分に果したことは疑ふまでもありませぬ。

家臣共に約束した午前三時が來た時に、皇子は妻に別れを告げて戸外に出て、待ち合はしてゐた家臣達を引きつれて無事に歸邸したのでありました。

其後、彼等の密通はかなり長い間續きましたが、そのうちに皇子は女の家に忍び入る捷路を發見したのであります。それはこの代言人の家の直ぐ隣りがお寺で而もこの寺の住持は自分が常々恩願をかけてゐた坊さんであつたので、夜廻の門番に門を開けさせて先づ寺に這入り、寺から代言人の裏口に抜けて這入りこむと云ふ仕掛でした。隨つて表通りの五月蠅い人目を氣に懸ける必要がなくなつたのでした。

さて、この若い皇子はそれから後も不義の快樂を續けてゐましたが、神を愛し神を忘れると云け感情は無くなつたわけではありません。彼は相變らず代言人の妻の下に忍んで行くことは止めなかつたのですが、歸りには屹度お寺の禮拜堂に立ち寄つて長い間祈りを捧げることを忘れなかつたのであります。そこで毎時も午前四時と云ふ早い時刻の朝の禱に額づいてゐる彼の姿を見せられる住持は、彼皇子を近頃めづらしい信心家であるとして深く尊敬を拂つたのでした。

所で、この皇子に一人の妹君がございましたが、この方は大の兄思ひの方で、且つは又非常に信心の深い方でもありましたから、常にこの寺院に通つては信仰の厚い人々と交はり、どうかして兄皇子をも、この信仰の仲間に入れたいものと考へてをりましたので、或日そのことを住持に話されたのでありました。ところが、住持はこれは意外と云ふやうな顔をして妹君に答へました。

『まあ皇女様は誰方に信心をお勸めになるとおつしやるのです？　皇女様は御存じないかも知れませぬが御兄様はそれはそれは見上げた信心家でゐらせられますよ。若し皇子様を神聖な正しい方でないとしましたなら、凡そ世に正しい人が一人だつて無いと言つてよいでせう。』

そして彼は聖書の中から、

『惡を爲し能ふ者にして此れを爲さざるものは福（さいはい）なるかな――』

の文句を引用して、皇子と云ふ何でも好き勝手の出來る地位にゐながら、兄が眞面目な信仰家であることを大變に褒めちぎつたのです。妹は住持がどうして兄が信心家であるかを知つたかを尋ねますと住持は、これは兄皇子の御言ひつけによつて絕對に秘密であるから決して他言をしないやうにと誓ひ乍ら言ひました。

『普通の貴族方でしたなら世の名利を追つて信仰などは顧られぬのが此の頃の世の姿です。然し乍らお皇子はそれはよく朝まだきの御禱りに出られるのです。而も普通でありましたなら、自分の信心ぶりを世間に見せびらかしたがるのでありますが、お皇子に限つて、そのやうなことは絕對にないのです。普通の僧侶と同じ様にまだ眞暗いうちに私共の禮拜堂の一つに見えられまして、熱心に御禱りなさいます。そうした御信心を見る度に私共は常に恥ぢ入る次第でありますが、皇子様に比べたら我々が神に使へる僧侶だなどゝ口はゞつたいことを云ふ資格が全然ないとすら時折思ふのであります。

住持のこの言葉を聞いた時に妹君はどう考へてよいのか一寸迷はされました。と云ふのは、成程兄皇子は俗情もたつぷりお持ちにはなるが、又相當の信心家で、神を敬ひ神を愛し、立派な良心と立派な信仰とをもつてゐられる。併し、まさかに午前四時と云ふやうな早い時刻にお寺へ詣るなどと云ふことは、夢にだも考へおよばなかつたからでありました。そこで妹君は、皇子の許へ行かれて、僧侶たちが兄皇子を非常に讃めてゐることを細かに話しました。すると皇子は此れを聞かれて腹を抱へて大笑ひされましたので兄の氣質をよく飲みこんで居られた妹君は、兄のこの上べばかりの信心の裏にはきつと何か事情がひそんでゐるに違ひないと睨み、それからと云ふものは五月蠅く皇子につき纏つて辯明を求め遂に今申上げたやうな事情を兄皇子に白狀させたのでございました。

皆樣、代言人や僧侶はよく人を誑すと云ふことを申しますが、この代言人も坊さんもそんなに狡猾であるとは思はれませぬ、たゞ『愛情』と云ふものは、必要に應じてこの誑し屋さん達までを巧く誑しこむものだと云ふのがこのお話の眼目でございます。』（エプタメロン三日目第五話）

馬丁に化けたる皇子の話（三日目第六話）

貞操堅き一婦人の、姉としての愛情と、其の忠告によつて、王子ダヴアンヌが、パムペルナの愛人と營みゐたる愛より脫することを得たる話。

ルイ十二世陛下の御代に、エム・ダヴアンヌと呼ばれる若い貴公子が居りましたが、この方は後でナヴアルのジヨン王となられた方の弟君に當られる王子で、その當時、ナヴアルの領主の許に起臥されてをりました。この若い王子が滿十五歲となられた時には、まるで凡ての人々から愛され崇められる爲に極樂に生れて來たかと思はれる程に、それはそれは美貌な、みやびやかな王子樣となられたのでありました。ですからこの王子を見たものは、何人たるを問はず、皆が皆まで王子を愛さうと云ふ心を抱かぬ者は無かつたのでありましたが、分けてナヴアルのパムペルナの或る物持と戀に落ち何不自由のない榮華の生活を送つてゐた一婦人は、悉皆王子に惚れこんでしまつたのでした。その婦人はまだ漸く二十三歲でありましたが、愛人たる物持は既に五十の坂を上ぼりかけてゐる年配だつたので彼女は何時でも地味な身裝をして、戀人と云ふよりは寧ろ寡婦さんに見えるやうな老けたお粧りをしてゐました。結婚式や園遊會に出る時でも、決して花の盛りのやうに飾り立てることはなく、地味で上品な奥様のやうになり濟まして彼と同伴で出掛けるのでありました。彼女が、若く美くしい青年紳士達の降るやうな結婚申込を悉く跳ねつけて、此年老ひた物持と戀仲になつたのは、彼の徳望と善良さとに、凡ゆる信頼を懸け、尊敬を拂ふことが出來たからでありまして、この選ばれた愛人も亦彼女の無口と賢明さが、殊の外氣に入つたので、家事の一切を擧げて彼女の手に委ねて居たのであります。

或日のことです。此物持の夫婦が、彼れの親戚に當る者の結婚式に參列いたしました。するとその席上へ王子ダヴアンヌも恰度來合はせてをつたのです。王子は今や漸く色氣のついて來る盛りでありましたしから、小鳥のやうに美くしい女性の手を採つてダンスをして見たくて溜りません。然し何しろまだ年齒もゆかない子供ですから、恰好な相手を見つけることが出來ませんのでいらいらして居ました。早くも王子の容子を目敏く見拔いた物持の彼れは、食事が終はつて今や舞踏會が始まりかけた時に、恭々しく王子の前に出て畏り乍ら次のやうに、話しかけたのです。

『殿下、この席上に、手前の戀人よりも若くて美しい娘が見えてをりますれば、その娘を殿下のダンスのお相手に差上げるので御座いますが、今日は生憎若い娘子が一人も見えて居りませんので寔に御不滿でも御座いませうが、手前の家内をお相手にお踊りを願ひませんでせうか。若し御聞屆下さいますならば、本統に有難い仕合せで御座います。

これを聞いた王子は、開いた口に牡丹餅と云ふうまい話ですから、殊の外喜ばれて、早速彼の妻の手をとつて、ダンスを始めたのです。何しろ始めて女の手を握つたのですから、女の美くしい魅力などを見定めると云ふやうな餘裕がありません。只もう匂やかな女性の感觸に醉ひ乍ら、輕やかなダンスをしてゐると云ふことが、何よりも嬉しくて愉快でなりませんでした。けれどもお相手してゐる彼女の方はダンスそのものは問題でなく、若い王子の人並優れた美貌と優雅な善良さとが犇々と胸の奥底まで喰ひ込むやうで、王子に對する愛情が油然と湧き起つて來たのです。しかし、彼女は根が貞淑な女でありましたから、じつとこの溢れかゝる愛情を押へて、さあらぬ態で、最後まで踊り續けたのでありました。

晩餐の時刻となつた時に王子は一同に別れを告げて宮城に歸られましたので例の物持は驟馬に乘つて、王子を御見送り申上げ、その途すがら王子に話しかけました。

『殿下、殿下は本日手前や親戚の者一同に、非常な光榮を賜はられました。乃で手前は力の及ぶ限り最上の御恩返しを致れねば、何とも報恩の途がないと考へたのであります。殿下、貴方のやうなお若い王子樣で、お父樣の御嚴しくゐらつしやる方々は、我々下々の者よりも金錢に不自由なさると云ふことを承つてをります。それは何故かと申せば、下々の者は一心に金を貯めることのみを考へ些かな生活をしてをりますが、尊い御方では、そのやうなことがないからでありませうそれはさうとして手前は、妻としては、理想通りの女を娶ることが出來たと思つてをりましたが、悲しい哉、私の地上の幸福は、子供の出來ないと云ふことによつて完全なものとならないのであります。もとより手前のやうな微賤な者が、貴方のやうな高貴のお方を養子に迎へることは出來ないのであります。でせめて、貴方の賤しき下僕として、手前に御相談を下さいますならば此の上もなき光榮でありまして十萬クラウン迄は何時でも喜んで御用立致したいと存じてをります。

この申出をお聞きになつて、王子は非常に喜ばれ、彼を『約束上の父』と呼ばれました。それは王子の父君が、恰度彼の言つたやうな、嚴格なしまつた方であつたからであります。

物持は、間もなく若い王子が非常に好きになつたものですから、暇さへあれば御殿に參り、何か御言付けになる御仕事がございませんかと、王子の機嫌を伺ふのでした。彼は又、王子に對する友情を彼女にも腹藏なく語つて聞かせましたが元より彼女も一方ならず之を喜んだのです。

この頃から王子は、自分の凡ゆる望みを滿足させるやうになり、彼の家へ屢々行つて食を共にしましたが、主人の留守の時には、彼女が代つて子を充分に待遇し、王子の欲しいと云ふものは何でも整へました。彼女は、常に王子に對して、優さしい口調ながら、人間と云ふものは、いつでも操を正しく保たねばならぬものだと戒めてをりましたので、王子は彼女を、世界中で最も好きな、そして最も恐い婦人であると思ふてゐたのであります。彼女は神を恐れ、自分の名譽を重んじましたから、王子と逢つても話しをする丈で滿足して、それ以上は深入をせず、姉としての愛、及びクリスチヤンとしての愛を彼に注ぐ外は、彼王子を激しく想つてゐることなどは口にも出さなかつたのでした。

斯の樣な交際が續いてる間に、ダヴアンヌの服裝は、年老ひた金持の友人の助けによつて、いつの間にか素晴しい立派なものとなり、十七の歳を迎へた時には、今迄よりも一層繁く婦人達の社交界に出入するやうになりました。けれ共彼は依然世間のどんな美くしい女よりも、かの賢明なる女を最も愛してゐたのでありました。が、若しも卒直に自分の愛を彼女に打開けたならば、屹度彼女は友情を斷絶させてしまふに違ひないと云ふ懸念があつたので、ダヴアンヌは、口を緘して何事も語らず、快樂の相手を他に求めたのでありました。その相手と云ふのはパムペルナの近くの町に一戸を構へてゐた派出好きな女性で、その夫と云ふのは、馬、犬、鳥類の世話をする外は餘り構はないと云ふ風變りな人間で、彼女に對する愛情から、彼は常に種々の競技會、競走、相撲、假裝舞踏會、その他の饗宴會を催しては彼女を慰め、彼女も亦喜んで、これらの催しには一つも缺さず出席するのでした。けれども、彼女の愛の性格が一風變つてゐたのと、彼女の兩親が眼もさめる許りに美くしく裝つた自分たちの娘を何となく妬ましく思つてゐたので、容易にダヴアンヌの近づく機會が惠まれず、僅か二三語を交はして別れるのが關の山でありました。とは云へ、二人の愛情は何時の間にか程よく醱酵して今は互ひの幸福を完成させる爲に、機會と場所とを選ぶと云ふ所迄進みました。

そこでダヴアンヌは兄なる領主の許に行つて、自分は此頃モントセルのノートルダムに行きたいと思つてゐるが、唯一人で行きたいかち、從者は悉く兄上の御殿に御引取願ひたいと申上げた處が、兄王も喜んで之に贊成されました。唯かの賢こい物持の戀人は、王子が年頃になつて幻のやうな『愛情』を追ひ廻してゐるのを承知してをりましたから、彼が旅に出ると云ふことを疑はしく思つて次のやうに注意いたしました。

『貴方の信仰なすつてゐらつしやるノートルダムと云ふのは、屹度、この町の城壁の內だと思ひますから、何よりもお身體を大切に遊ばされるがいゝでせう。

ダヴァンヌは此の女を且つ恐れ且つ愛してをりましたから、彼女に恁う言はれた時には思はず、ボーッと赧くなつてしまひ、一言の懺悔をしなくても、悉く彼女に看破されてしまひました。しかしかの賢明な女は、唯笑顔を以て彼を送り出したのであります。

そこで彼は女に暇乞を告げてから、町に出て、美くしい馬を二頭買ひ購め、自分は誰にも、分らぬやうに巧みに馬丁に變裝致しました。

扨て、何物よりも馬を好きなパムペルナ近くの派出好きな女の愛人は、其後間もなく彼の立派な男を見て、二頭共買ひとることになりましたが、馬丁の馬の扱ひ方が如何にも巧みで氣に入つたので彼は馬丁に扮したダヴァンヌに、自分に使はれては呉れぬかと交渉しました。ダヴァンヌにして見れば、元より思ふ壺でありますから、二つ返事で喜んで承諾し、『何しろ貧弱な馬丁ですから、馬以外の獸類の扱ひ方は何も知りません。けれども馬の扱ひ方なら自分でも些か得意な心算ですから、屹度主人の滿足を戴くやうに致します』と何喰はぬ顔で言つて退けました。これを聞いた主人は大喜びで彼の持馬全部の世話を彼に言ひつけ、家へ歸つてからは、彼女に、自分が田舍の家へ行つた時には、いつでも新らし馬丁と馬とをよく注意して呉れるやうに頼みました。

女は、一つには彼を喜ばす爲に、又一つには何もすることがなかつたので、彼の命令通り厩舎を見廻つてゐましたが、新らしく雇つた馬丁頭を見た時に、何と風采の立派な男であらうと思つたのです。しかしダヴァンヌであるとは少しも氣付きません。この有樣を見た王子は、西班牙風の禮式で彼女に敬意を表し軈て彼女の手を執つて、接吻をしましたが、その接吻をする時に彼は彼女とダンスをする時に、いつでもするやうに、彼の唇をぢつと強く壓しつけたので、女は直ぐにその馬丁がダヴァンヌであることを識つたのでありました。

その瞬間から、女はどうして彼と二人きりで話しをしたらいゝかと云ふことの外は何も考へませんでした。そして直ぐその晩から、彼女は實行に移つたのですが、恰もその晩、或る宴會があつて、主人が彼女を伴つて行かうと誘つた時に、彼女は些し加減が悪いから今晩は家にをります、と彼に告げたのです。彼は若しも自分も行かなかつたなら友人達が失望するだらうと思つたので、彼女に言ひました。

『ねエお前、今夜家にゐるんだつたら、馬と犬とを一寸見てやつて呉れない？　お腹を空かさしでもしたら、可哀さうだからね』

　彼女は留守居するにしては、まあ何とよい報酬だらうと思ひましたが、何喰はぬ顔をして彼に、其麼簡單なことなら、喜んで致しますわ』と告げたのです。

　彼が家を出掛けるや否や、女は厩舍へ飛んで行きましたが、仕事が非常にワヤになつてゐるのを見て馬丁達にあれこれと指圖してよく片付けさせ、それから間もなく馬丁頭と二人限りになつた時に彼女は小聲で、馬丁頭に、庭の中へ這入つて行つて小徑の突き當りの東屋で一寸待つてゐて下さいと告げますと、馬丁頭實は王子は、大急ぎで彼女に返事もせずに庭の方へ飛んで行きました。厩舍の仕事が全部片付いた時に、彼女は今度は狗小屋へ行つて、女主人ではなく、丸で下僕にでもなつたやうに注意深く犬の世話をし、それから自分の部屋へ歸つて、一寸休息して下婢たちを引下がらせてから、日頃信頼してゐた一人の下婢を呼び寄せ、庭の東屋の中にゐる人を此處へ連れて來るやうにと命じました。そこで下婢は庭へ行つて馬丁頭を見付け、彼女の部屋へ伴れて來ますと、彼女は、一寸戸の外に立つて主人の歸りを警戒するやうにと下婢に云ひつけました。

　女と唯二人限となつたと知るや、ダヴアンヌは馬丁服を大急ぎで脱ぎ棄てて纖鼻とつけ鬚とをかなぐり棄てゝ、今迄の馬丁らしい臆病さではなく、如何にも高貴の青年と云ふやうな樣子に立返つて、彼女の許しも乞はずに、大膽にも女の寢床へもぐりこんだのです。閨中の秘密はもとより御想像に委せますが、世にも淫奔なこの女が、王子を宛ら世界一の色男の如くに愛撫歡待、したことは疑もありませぬ。――主人が歸つたと云ふ聲を聞くや、彼はソソクサと再び變裝して、馬丁の姿となり、淫樂のあらん限りを盡した女の部屋を抜け出たのであります。

主人は内庭に這入つて來た時に彼女より非常に熱心に自分の賴み事を果して呉れたと聞き、彼女に感謝すると彼は答へました。

『いゝえ私は唯々私の義務を盡した斗りでございますの、だつて、あの怠け者共に一々仕事を言ひつけてやりませんと、犬は疥癬蟲の餌食になつてしまふし、馬だつてどうかなつてしまひますわ。私は幸ひ、馬丁共が怠け者であるのを知つてゐましたから、唯貴方の御希望通りのことをやつて退けた斗りなんですの、今日は本統に愉快でしたわ。』

男は自分の雇つた馬丁頭が此上もない仕事の出來る人間だと考へてゐたので、お前は什う思ふ？ と彼女に尋ねました彼女は速座に、仰せの通りあの男は仕事は中々よくやるし自分でもそれを自覺してゐるらしいが、どうも今迄に見たことのない眠むがり屋の朝寢坊である點が見逃し難い缺點でせう、と答へたのです。扨て、夫れから暫くの間、二人は近頃にない親密さを覺えたので、喃々喋々と甘つたるい話をし合つたのですが從來宴會や舞踏會や社交などに注がれてゐた彼女の眼が、急に家庭の事に轉じられて、家事萬般を自分の手で處理しようとする心掛けが又となく男を喜ばせたものですから、男の心の中にそれとなく萠してゐたあてどのない嫉妬の心も自然と消えてしまつたのです。のみならず今迄は毎日四時間づゝも御化粧をする爲に肌脱ぎをした襦袢の上に、今は唯一枚の上つ被を着て、それで滿足してゐるやうになつたのですから男の喜ぶのも無理がありません。恁うして、彼女が途方もない惡蟲を喰はへ込んでゐるとは夢にも知らない男や家人共は、唯、彼女の熱心な主婦振りを賞讃するのに日もなほ足りないと云ふ有樣だつたのです。乃で彼女が慢心するのは當然のことです。僞善屋の彼女は、男の迂濶をいいことにして、恰もけ高い生活をしてゐる如くに裝ひ乍ら、理性も、良心も神の命令も、節度も何もかも無い、荒馬のやうに放埓に身を持ち崩して、王子の馬丁と荒淫の日を送つてをりました。けれ共こちらは若くて優形の王子ダヴァンヌのことですから、さうさう何時までも、油の乘り切つた成熟女の、絶倫な精力に拮抗して行けたものではありません。遂に彼は女の精力に敗けて、いつか顏色も蒼白となり、身體も目に見えて痩せ細つて來、軈て、變裝などせずとも元の彼れ王子であるとは思へない程の、あはれな姿と變はり果てたのです。けれ共戀は盲目とでも申しませうか、女の爲に此麼慘めな目に遭ひ乍らも、彼の狂つた心の駒は何時迄も止まることを知らずヘトヘトになり乍らも、ヘルクレスに立勝るやうな全勢力を振ひ興して、底無しの地獄へ突貫してゐたのです。

ダヴァンヌの不健康をすら顧みる暇のない程、淫欲に燃えてゐた彼女も、今や彼が役に立たなくなつたのを見て、暇を取つて親戚へでも行つて休養するやうにと勸めたので、彼もその氣になりましたが、之を聞いた主人は非常に彼を惜しがり、病氣が治つたら屹度又又來て呉れるやうにと賴みました。

ダヴァンヌは『約束上の父』の家へ志し、僅か二三町の所でしたから歩いて歸りました。そしてその家へ行つて見ると彼女ばかり居りましたが、彼女の高潔な愛は依然として失はれてゐなかつたのです。瘦せ細つて蒼白となつた王子の姿を見た時に、彼女は次のやうに言はずにゐられなかつたのでした。

『まあ殿下、貴方は今度聖地巡歴を爲されて、心の方はどうなつたか知りませんが、お身體は大變惡くなつてゐらつしやいますね。それも私の考へでは、貴方は晝間の御旅行より夜の御旅行でスツカリ御疲れ遊ばしたやうに思はれますわ。でも、若し貴方が、お歩きになつてエルサレムへ御出でになつたのなら、そんなに蒼白く瘦せないで、却て達者になつて歸られる筈ですわね。今度の旅によつく懲りて、次からはもう二度と再びこんな死者を助けずに生者を殺すやうな偶像の信仰はお止しなさるがよう御座いますよ。私はもつと申上げたいことがドツサリあるのですが、貴方が若しも罪を犯されたとしても、貴方のお身體がそんなにひどい罰を受けてゐられるのですから、私はもう此上貴方を苦しめませんわ。』

親切な彼女の當てこすりを聞いた時に、若いダヴァンヌは恥ぢ入ることよりも寧ろ尠からぬ怒りを感じたので、彼女に答へました。

『小母さん、私は以前に、後悔はいつでも罪に附隨して起るものと聞いてをりましたが、今や私が自分で經驗してみて、それがよく解つたのです。然しそれと云ふのも要するに私が餘りに若かつたからの間違ひですから、私を餘り責めては貰ひ度ありません。』

彼女はニコニコし乍ら話題を轉じ、軈て王子を立派な床に寢かしつけたのでありました。

其後王子は二週間の間此家に厄介になつてゐましたが、その間、一意專心、健康の回復に努力し、此家の二人も日夜の別なく交代に彼に附添うて、熱心に看護したのであります。王子が、今まで申し上げたやうな不品行な眞似をし、立派なお心掛の彼女の意志や忠告を悉く裏切つたのですが、彼女の彼に對する愛は飽く迄も變らず、彼が若氣の不品行から悉皆卒業してしまふと、今度は立派に心を持ち直して、神聖な愛情を理解するやうになるだらうと云ふことを堅く信じ、軈て其時になれば完全に自分のものとなる、と獨り慰めてゐたのであります。そして彼の滯在してゐる二週間、暇を見ては彼に有德な愛の話を細々と云ひ聞かせたのですが、その効あつて彼はいつしか自分の過去の不品行を厭はしいものと思ふやうになり、彼女に近づくに從つて、前の不身持な女よりもこの女の美くしいことが眼について來、彼女の貞潔と數へ切れない美質とが益々解つて來たので、彼は今や凡ての恐れを忘れて、終に或日の陽も暮れかゝつた時に、次のやうに彼女へ言はずに居られなくなつたのです。

『小母さん、私は貴女が私に望んでゐるやうに善良な人間になるには、貴女の敎へて下さつた有德な愛より外には、絕對に他の方法がないと云ふことが、漸く解つて來ました。で、その爲には、貴女は私に屹度力を貸して下さるでせうか、どうでせう?』

ダヴァンヌのこの言葉を聞いた時の彼女の喜びをお察し下さい。彼女は、德を愛することは彼のやうに高貴な地位に在る者にとつて最も相應はしいことであると言ひ聞かせ、彼がその愛を得る爲に努力するなら、彼女は、神が彼女に與へ給ふた全ての力を籠めて、熱心に助力したい心算だと、彼に告げたのでした。

『小母さん』と彼は答へました。『屹度、只今の約束を忘れずに下さい。そしてクリスチヤンが僅かに信仰丈で知ることの出來る神は、罪人の持つてゐるのと同じ肉體を我々一般の人間にも御與へになつてゐることを考へて下さい。神の神聖な愛が我々の靈魂を嘉し給ふと同時に、神の人情味豐かな愛は我々の肉體をも嘉し給ふのです。信仰によつて得られる眼に見えない事柄を愛する爲には、我々は眼に見える方法をとることも神から許されてゐるのです。小母さん、貴女の美しい御心掛と貞節な肉體とは、世にも稀な立派なものだと思はれます、今後私は、凡ての汚れた愛を捨てゝ、終生貴女の德を讃へ貴女のお役に立ちたいと思ふのです。』

王子の言葉を聞いた時、彼は驚く所ではなく非常に喜びを感じ、答へました。

『殿下、私は貴方の御述べになつた人生觀に就ては失禮乍ら御答へ致しますまい。乍併、私は善を信じるよりも、惡を恐れることの好きな性質の者ですから、どうぞ、善を信じ立派な行ひ斗りしてゐる人達に話しかけるやうな言葉で私に呼びかけないやうにして下さいまし、私は決してそんな立派な人間だとは自分自身考へてはゐないのでありますから。私は、左樣です。他の人間と同樣、缺點だらけの人間です。それから德なぞと云ふものは、何も目に見える方法で世間へ吹聽せずとも、神樣の御思召に適ひさへすれば、いつとなく世間に知れるものと思ひます、けれども、只今も申上げた通り私は缺點の多い女ですから世間の女並に神を恐れ、自分の名譽を傷けぬ範圍に於て、極力貴方を義しい愛で抱擁したく思ひます。併しこの愛も、貴方が眞に義しい愛に生きる決心がついて、始めて意義あると云ふものです。私の愛などよりは、貴方御自身の義しい愛の生活こそ、尊いものであり私の望む所のものなのですから。』

ダヴァンヌは滿眼に涙を湛えて喜び、彼女の誓約の印として、接吻して呉れるやうにと女に願ひました。併し女はそれを堅く拒み、此國の良習を破るやうなことは、彼の爲にしたくないと告げたのでした。二人が話し込んでゐる處へ男が這入つて來ましたので、王子は、今度は彼に話を向けました『小父さん、私は小父さんと小母さんにどんなに御世話になつたことでせう。どうぞ今後も私をあなた方の本統の子供として可愛がつて下さい。』

男は勿論大喜びで彼の言つたことを承諾しました。其時王子は再び口を切つたのです。

『では、私のあなた方に對する愛の證據として、私の接吻を受けて下さいますか。』

彼は男の額に接吻した後で三度彼に言ひました。

『若しそれが悪いことで無かつたならば私のお母さんである小母さんに接吻さして戴けないでせうか。』男は女に、王子と接吻することを命じますと彼女は、喜びもせず怒りもしない全く無表情な顔をして王子と接吻しましたしかしダヴアンヌに於ては、ホンの今し方、熱烈に女に要求して慘酷に跳ねつけられた接吻を、今は公然とやつて退けることが出來たのですから、胸の火が一時に燃え上がり怪やしいときめきを禁じ得なかつたのでありました。

ダヴアンヌはそれから自分の兄である領主の居城に歸つて、自分の長い、モントセラへの信仰の旅の話を出鱈目に而も勿體らしく物語りました。すると國王は自分も近々オリーからタファールの方へかけて旅をする豫定だと告げましたのでダヴアンヌの心は又急に曇り始めたのであります。それは領主の旅へは自分も同行せねばならず、且つその旅行が長い日數を要する爲、母と呼んで愛してゐるかの婦人とも長い間別れなければならぬと思つたからでありました。乃で彼は色々と考へた揚句、旅へ出る前に、彼女が自分の持ちかけてゐる愛情を手堅く拒んでゐるのが本統であるか、或は又唯何かの都合で貞操を裝ふてゐるのであるか、未だに胸に引つ掛つてゐる疑の雲を拂ひ除けようと決心したのであります。乃で彼は彼女の住んでゐると同じ町內の或る老婦人の家を借りて、其處に假の住居を爲し、或日の眞夜中頃となつた時にその家に火を放つたのであります。

火の手が揚がると町中の人々は皆跳び起きました、かの金持の男も逸早く床から出て窓を開け『火事は何處だ』と道ゆく人に尋ねましたが、それがダヴアンヌ王子の假住居であると聞かされて吃驚し大急ぎで家內中の雇人全部を引きつれて現場へかけつけました。すると王子はシャツ一枚となつた儘で、道路に突立つてゐました。この態を見た男は、とるものもとりあえず、王子を犇々と抱き寄せて自分の着物で彼の身體を覆ひ乍ら、急いで家へ歸つたのです。家へ這入つた時に彼はまだ寢床の中にゐた女に呼びかけました。

『ねえお前や、この可愛い捕虜を、暫くお前に預けて置くから、俺と同樣に可愛がつて上げて呉れ。』男が立ち去ると唯もう男と同樣に可愛がられたさ一念に燃えてゐた王子は、この機會を逃がしたなら、女の貞操正しい心を氣變はりさせることが出來ないと思つたので、矢庭に彼女の床に跳び上がり、彼女の傍に添臥しましたが、その瞬間彼女は、彼が上がり込んだのと反對の側へ飛び下りて仕舞つたので、王子は又復大失望をしなければなりませんでした。

彼女は直ちに上衣を着て彼の傍へ來て詰問しました。

「貴方はこんな機會を覘つて、私の正しい生活を脅かさうと未だに思つてゐらつしやるのですか。貴方は黄金が熱火の中で試されるやうに、貞淑な心は如何なる誘惑の中に曝されてもビクともせず、益々光りを放つものだと云ふことを知らないのですか。私がこの前お誓ひした以外の考へを、少しでも持つてゐたとしたなら、私は今のやうな機會に限らず、いつでも貴方のその邪な愛を受け入れることが出來たのですけれ共そんな考へは毛頭ないのですから今迄嚴重にお斷はりして來たではありませんか。で、本統にお願ひですから、そんな欲望や考へはサラリと打ち棄てゝきつと義しい愛に立ち戻つて下さいまし。貴方が無理矢理に爲さらうたつて、私の心は決して變るやうなことは無いんですから。」

折柄女中が這入つて來たので、女は、美味しいお菓子をドツサリ御馳走して呉れるやうにと告げましたが、王子はお腹も空いてゐないし咽喉も渇いてゐません、それ所ではなく、今や自分の醜い欲望をスツカリさらけ出して仕舞つて見事に失敗に終つたのですから、最早この美くしい女から見棄てられてしまふのではないかと尠からず悲觀してしまつたのであります。

一方、火事場へ引返して火の消える迄見物して來た男は、それから間もなく歸宅し、是非今夜は自分の家に泊まるやうにと王子にすゝめたので、王子も否み難く泊つたのです。けれども王子はその夜は一睡もせず唯々泣き明かしたのでありました。で、夜の引き明けと同時に床を離れて、まだ寢てゐた二人へ別辭を告げ、彼女へ別れの接吻をしましたが、その時、彼は、女が自分の過失を怒るよりも、寧ろ自分の切ない心事を憐れんで呉れてゐることが出來、彼の戀火は彌が上にも油を注がれたのでありました。

其日の晝食後、後は國王と共にタツフアールに向け出發しました。併し出發前に王子は二度も親切な父とその女の許を訪れで別れを惜み、女は男の命によつて飽く迄も親切な母としての愛を注ぎ、尠しも疚しい所が無かつたのであります。けれ共貞節と云ふものは、耳目や其他の欲求から慘酷に隔離されゝばされる程、益々堪え難いものとなるのは皆様御承知の通りでありまして、この女も御多分に洩れず、今や王子を愛したいと云ふ內心の欲求と貞操との鬪ひに堪えてゐることが出來なくなつて、今まで隱れてゐた憂鬱の情が俄かに恐ろしい熱病となつて彼女を襲ひ、胸の中は煮え返るやうな情熱で火のやうになつてゐ乍らも、あはれ四肢は氷のやうに冷たくなつてわな〳〵と慄ひ續けたのであります。彼女を診察した多くの婦人科醫達は、軈て、彼女の心の底に憂欝の根本を爲す心配事が蟠つてゐることを發見し、到底醫藥を以てしては治療し難いことに意見が一致したので、男に女の心を神に向け、一切の心配事を除いてやるがよいと勸めました。大の女思ひであつた男は、女に心配事のあると云ふのを聞いて非常に悲しみ、直ちにダヴアンヌの許へ手紙を送り、女が病床に在ることを認め、是非來て慰めて吳れるやうにと懇願してやりました。

手紙を受け取るや否やダヴアンヌは、直ちに驟馬を飛ばしてタツファールから親切な父の許へと馳けつけて參りましたが、家に這入ると間もなく彼は、家中の雇人が男も女も皆、異樣に打ちしほれて悲しみに閉ざされてゐるのを見て、若しやと思ひ氣が遠くなるやうな氣がしたのであります、軈て奧から出て來た男は、一語も發することが出來ず、唯々涙を拭き乍ら彼を抱くやうにして招じ入れ、戀人の病室へと連れて行きました。

部屋へ這入ると病床の女は、氣力の失せた眼を擧げて、ジツと彼を凝視めてをりましたが、軈て、瘦せ細つた手を彼の方へ差出し、弱り切つた腕に滿身の力を込めて彼を自分の方へ引き寄せてしつかりと抱きしめ乍ら、靜かに語り出しました。

「殿下、もはや凡ての偽りの終となる時が參りました。私は今迄非常な苦心をして、秘して來た眞實の處を今は貴方に白狀しなければなりませぬ、成程私は、貴方の愛情に對して隨分辛く當つて來たに相違ありませぬ、けれども私の苦痛は貴方の苦痛よりも、遙かに大きなものでありました。何故なら私は貴方と違つて、自分の愛情を隱さなければならなかつたからです。自分の心と欲求とに逆つて、愛情を隱さなければならなかつたからです。殿下、貴方も御存知の通り、神樣と自分の良心とが、私の愛を貴方に打開けることを許さなかつたのです。若しも私が思ひ切つて貴方に打ち開けたらどうだつたでせう？ 貴方の愛は消える所か、益々猛烈に燃え上つたに相違ありませぬ。私は唯々それが恐ろしかつたのであります。けれども殿下、どうぞお聞き下さいませ。私が屢々貴方を失望させ、又益々私の苦痛の種となつた、私の頑固な拒絶が、今や私の死病の基となりました。けれども、私は決して自分の死を口惜しく思ひません。神の思召に從つて私は滿足して死にませう。私の良心も私の名譽も決して粗暴な愛によつて汚されずに濟みました。（私よりももつと大きな信仰のある方が、一寸したことでつまづくのが世の常でございますのにねエ）

　私はまだ生きてゐる裡に、貴方にお目にかゝることが出來、そして私の愛が貴方の愛に劣らぬ強いものであつたことを貴方に申上げることの出來たのは、まあ何と云ふ仕合せなことでございませう。自分の愛を今迄打開けることの出來なかつたのは、唯一の遺憾ではありますが、これとても、男の名譽と女の名譽とが違ふこの世では、所詮仕方のないことでございますわねエ。

　それから、之は私のお願ひでございますが、貴方は今後より以上立派な德の高い御婦人方と御交際なさいませ、そして義しい愛をしつかりとお掴みなさいませ。さうすれば貴方は屹度御成功遊ばすでせう。どうぞ私の守つて來た操のことをお忘れなく、決して慘酷な目に遭つたなどゝは御考へなさいますな。將來そのやうなことがありましたなら、それは女の名譽と良心との爲と思召せ。女にとつては名譽や良心や操は、それこそ生命よりも大切なものでございますものね。

　殿下、それではおさらばでございます。私は只今申上げました事實の有りの儘を、どうぞあなたの善良な父、即ち私の愛人に話して下さいませ。さうすれば彼れは、私がどんなに神と彼とを愛したかと云ふことをよつく諒解して呉れるでせう。ではもうこれ限りでお顏を見せて下さいますな。私は息を引きとる迄の暫くの間、天地創造の以前から神が我々に爲された約束事を、靜かに考へさして戴きたいと思ひますから。」

彼女は恁ふ言ひ終つた時に、ダヴァンヌに熱い接吻をし、痩せ衰へたいた〳〵しい腕で、彼をしつかりと抱きしめました。

女の悲しみと苦痛の告白を聞いた王子は、俄かに暗い窖（あなぐら）の中に突き落されたやうな言ひ樣も無い淋しさ口惜しさに打たれ、軈て死人の如くに、彼女に一語の答を爲す力もなく、室の中にあつた一つの空に寢臺にガクリと倒れ、幾度か幾度か氣が遠くなるのを覺えたのでした。女は暫くして夫を呼び入れ、彼にダヴアンヌを委ねてから、彼女が、男に次いで、世界中で最もダヴァンヌを愛してゐたことを告げ、そして、男に接吻して別れを告げました。この時、絵壇の聖體は彼女の胸に移され、次で塗膏しましたが、彼女は、救を保證された者の如くに喜んでそれを受け、軈て、視力が弱はり生命の消えてゆくのを覺つた時に、彼女は聲高く「神よ御許に」の祈りを捧げ始めました、ダヴァンヌは自分の横はつてゐた床から彼女を見上げ、今や彼女が、嘗つて神から貰つた靈魂を、男々しくも神の御手に委ねてゐるのを、シツトリと涙ぐんで見てたのであります。

彼女が全く息が絶えた時、彼は、彼女の生前はいつでも恐れを抱き乍ら近づいてゐた、その骸（なきがら）に、しづ〳〵と近寄つて彼女を抱き、長い間接吻して、骸から離れようともしませんでした。王子がいつ迄も女の傍を離れぬので、妻がこんなに自分の戀人を愛してゐたとは思ひも寄らなかつた男は、今更乍ら驚いて

「殿下、それは餘りの御仕打ではありませんか」と王子に注意したので、王子は漸く彼女の傍を離れたのでありました。

彼等二人は長い間、思ひ思ひの悲み――一人は妻を亡くした悲しみ、一人は愛戀惜かざりし婦人に亡かれた哀しさ――を抱き乍ら彼女の骸を見とれてをりましたが、軈てダヴァンヌは過ぎにし自分の愛戀の叱てを彼に打明け、彼の妻がその臨終に至るまで、飽く迄清淨なる貞操を持ち通したこと、その爲に自分の愛戀の情が益々加はつたこと、並びに彼女の死が此上もなく、いたましくも悲しい犧牲であつたことを、事細かに語りました。男はその後終生ダヴァンヌに、心易く仕へたのでありました。

ダヴアンヌは其時丁度十八歳でありましたが、朝廷へ歸つてもそれから數年間と云ふもの、婦人には一切見向きもせず二年の間は亡き婦人を忘れ難く喪服をつけてゐたと云ふことであります。

（エプタメロン　三日目第六話）

世にも奇怪なる不倫譚（三日目第十話）

貞淑を通さんとせし一婦人が却つて邪路より邪路へ沈淪し行く人間の薄志弱行をまざ〳〵と示せる世にも稀らし不倫譚

アムボアス家の一族から出たルイ十二世が御治世の頃、ラングィドーの町に年額四千ヅカ以上の收入のある或る婦人が住んでをりました。(この一家の名譽の爲にその婦人の名を擧げることだけは差控へませう）彼女はまだ青春の血汐のたぎつてゐる若い頃に、一人の男の子を生むと間もなく愛する夫に先立たれて、若寡婦となりました。で、一つは亡き夫に對する追慕の念から、又一つには唯一人の愛兒に對する情愛から、決して再婚すまいと心に誓ひました。乃で彼女は、再婚の機會から逃れる爲に、社交界からは全然足を拔き、唯、信心の篤い人達とのみ交際して僅かに再生の喜びを味つてゐました。彼女の逃避心は益々堅く、神への信仰は益々深くなつてゆきましたので、もはや俗界との交渉は殆ど絕えてしまふ斗りで、教會で結婚式に參列することや、オルガンの音を聞くさへ厭はしく感ぜられるやうになりました。

息子が七歳に達した時に、彼女は、非常に信心の篤い一人の男を家庭教師として雇ひ入れ、慈悲と信仰とに關する一切のことを息子に敎へ込ませたのです。

併し、玆に皮肉なのは自然であります。息子が十五六歳位になつた頃、隱れたる良敎師であるところの「自然」は家庭敎師の熱心に敎へ込んだこと以外のことを、最も強い力で、この深窓に樂々と育ち上がつた息子に敎へたのであります。換言すれば、息子はいつとなく世の美くしいものに對する憧れと熱望とを抱くやうになりまして、その結果は、當時母に可愛がられて母の寢室に寢泊りしてゐた若い娘に目を着けるやうになりました。然し何人も、息子がまだ子供であるし、而も家庭では神と諸々の神聖な事柄のみ教へられてゐることを承知してゐたので、息子の胸の裡に萌してゐる情緒を知る者がありませんでした。

併し、息子の憧憬はいつしか戀を語る欲望となつて現はれ、娘にもそれと感じられましたので、娘は、息子がいけない素振りをすることを、卒直に告げたのです。けれ共、もとより母親はこれを信ずべくもありません。娘がテツキリ息子を侮辱しようとしてゐるのだと思ひましたので、娘の不心得を叱りつけましたが、娘は自分の言つたことに誤りがないと主張していつかな聞き入れません。乃で母親は、調べて見た上で、息子に間違があつたら叱りつけるし、又娘が嘘を言つたのであつたら唯ではをかない。嚴罰にするがいいか、と尋ねましたが、娘は二つ返事で、この約束に同意しました。

乃て、息子の行跡を判定することになりました。どんな方法がいいかと云ふことになつて、娘は「そんなに私を疑ぐるなら、叔母樣御自身が夜中にこつそりと、私の寢室にいらしつて、私の寢床にお寢つていらつしやるといいわ、あの方が屹度わるさをしにゐらつしやるから……」

乃で、母親は娘の意見を用ゐることにしました。そしてその夜、母親は娘の寢床に這入つて、ひとり考へることには「若しも娘の云ふことが本統で、恥知らずの息子がこの部屋を襲つて來たなら、もう二度と婦人にいたづらすることのないやうに、コツピドク叱りつけてやらう」と内心怒氣を含んで夜着の襟を嚙みしめ乍ら夜の更けるのを待つてゐました。

ところが、どうでせう。しん〳〵と更け亘る丑滿の刻限になると、息子は本統に忍んで來たではありませんか。母親は怒り心頭に發しましたが、じつと堪えて、息子が何か指先の合圖でもしたら飛び起きて叱りつけてやらうと氣構へてゐました。いくら何でも、息子が、恐ろしい犯罪的欲望はまさか持つてゐまいと思つたからです。（この邊が親莫迦と云ふやつですね。）

所が、所が什うでせう。人間の心理なんてものは、何て氣まぐれな意志の弱いものでせう！　母親がじつと息を殺して待つてゐるうちに、煮え返るやうな怒りの感情が、恐ろしい歡喜の情と變じたのです。彼女はもう母であることなんか忘れて一人の女性となり切つてゐたのです。今までの數年間、堅固に堰き止められて來た呪ひの水は、今や堤防を破ぶつて彼女を押し流すのです。斯うしてあはれな母親は、彼女の凡ての誇りを不倫の淵に沈め、肉欲の奴隷となつてしまひました。

貞節から、一歩踏み外づしたと知つた時には、彼女はもう奈落の底に落ちこんでゐたのです。そしてその一夜の快樂によつて、彼女は、人もあらうに、神のやうに義しく育て上げようと思ひ、又育て上げたとも信じてゐた。己れの大事の々々の息子の胤を宿してしまつたのです。

罪惡の瞬間が濟むと良心の呵責が頭を擡げて來ました。そして、彼女は、相手が娘だと斗り思ひ込んで寢てゐる息子の床から抜け出すと、ずか〳〵と居間に這入りましたが、よき解決もがな、と思ひ惱むそばから、罪業の深さが犇々と身を責めて來て、彼女は終夜、涕涙と歔欷とで夜を明かしたのであります。

が併、母親は、深い考慮の後に、所詮、人間の肉體は脆すぎる程脆いもので、唯、只管に神の加護を祈る外はないと云ふことに思ひ到つたので、將來は益々信仰を深め、その信仰によつて贖罪しようと意を決したのであります。

乃で、（翌朝と云つてももう午時でしたが）、母親は家庭教師を呼び寄せて云ひました。

「息子はもう急に大人になりかけてゐますから、私の手許から離してもよい時機だ　思ひます。で、アルプスの向ふの伊太利の、シャウモンの大主様の處に、私の親戚がゐるから、其處へ息子を連れて行つて軍人にして下さい。屹度よく面倒を見て呉れる筈ですから。會ふと又、別れを辛らがるでせうから、此處へはもう連れて來ずに、そつと連れ出して下さい。

そして旅に入用な金を彼に渡してやり、息子と家庭教師とはその日の中に出發しました。息子はかの娘子を思ひの儘自由にした（と信じてゐたのです）喜びから、最早この土地には思ひ殘すこともないので、いそ〳〵と旅立ちをしました。

あとに殘された母親は、深い悲しみに閉された憂欝の裡に悶々の月日を送つてをりましたが、若し神罰の恐怖さへなかつたならば、彼女のお腹に宿つてゐた呪はしい生命の塊りを壓し殺し自分の過失を隱す爲に、病氣と稱して閉ぢ籠らうなど丶果しない空想に耽つてゐたのであります。

分娩の時機が近づいた時に、彼女は、この世で最も信賴してゐた、そして尠からぬ金を貸してゐる腹異の弟を迎へて、自分の不始末を告げ、世間の物笑ひにならぬやう、どうか何分の世話をして呉れと賴みました（尤も子供の親が自分の息子たと云ふこと丈は何處までも秘してをりました）、弟は委細承知したから安心して呉れる樣にと語り、出產は自分の家へ來てする方がよからうと告げました。

乃で母は、十二三の小さな婢の子を唯一人連れて弟の家へ行き、其處で安々と女の子を生み落しましたが、產婆には弟の家內の出產である如く告げ、生れた可愛い女の子も弟の子供として乳母に育てさせることゝし、出產後一ヶ月目に、母親は唯一人自分の家に歸りました。そして以前にも增した嚴肅な信仰生活にいそしんだのでした。

話代つてこちらは息子です。母への土產に伊太利の戰地で武勳を樹てんものと思つてゐましたが、生憎、十數年と云ふもの、戰らしい戰がありません。其處で彼は歸宅を許して呉れるやうにと母へ書き送りましたが、母親は同じ不倫の罪を繰り返すことを惧れてこれを許しません。しかし多年異鄉に在つて、歸心が矢のやうになつてゐる息子は、母が歸鄉を拒むことの謂れのないのを責めて、竟に母の同意を得ました。

けれ共母は、歸鄉の條件として、彼の好いた妻を見付けて結婚してつれて來ること、妻の素性は金がなくてもよいから貴族出の子女であることなどを申し送つたのであります。

又話替つて異兄弟のことでありますが、彼は姉から與つた子が、スラリと背の高い世にも麗はしい娘子に育ち上がつたのを見て、何所か遠方の然るべき貴族の御邸に上げる方が、彼女の將來の爲だと思つたので、姉とも相談の上でナヴアルの女王の許に送ることゝなつたのであります。

カテリンと呼ばれたこの娘は、當時十三歲になつてゐましたが、非常に美くしく且つ躾けもよかつたので、殊更、女王樣の御氣に入り、女王樣は、相當の婿がねを探して娶はせたいと考へられた程であります。併し、カテリンは貧乏であつた爲、群がり來る戀人は山程あつたにも拘らず、彼女を妻とするものは一人もなかつたのでした。

斯る處へ、或日、伊太利からの歸途にあつた息子（カテリンの未知の父）が、ナヴアルの女王の朝廷に敬意を表する爲に訪ねて來ました。

運命の惡戯は小說よりも奇で、遙かに人智を凌駕しでをります。

女王に謁見してゐる間に、呪はれた息子はチラリとカテリンを見た斗りで、もう彼女を戀し始めました。神ならぬ身の悲しさは、自分の娘であると云ふことは露知らなかつたのであります。

其處で、息子は、母が好いた女があつたなら結婚しろと云つたことを思ひ出し、早速、母の許に手紙を出して許しを乞ふた處が母も贊成であつたので、直ちに女王に願ひ出ました。女王は、息子が非常な金持で躾のよい貴族の出であることを承知してをられましたから、共々に喜ばれて一も二もなく、息子の妻として、カテリンを下だされたのです。

結婚の儀式が芽出度終つたので、息子は、早速母に便りしました。

「お母樣、私はお言葉通りの妻を探し當てゝ、すつかり結婚の手續きを終りましたから、お母樣は私が歸國することをもうお拒みすることが出來ませぬ……」

母は折り返し花嫁の誰であるかを息子に問ひ合はせました。そしてその結果、嫁が、自分たちの不倫の子であることを知つたときには、消え入る斗りに吃驚仰天してしまつたのです。

最早、母親は爲す術を知らなかつたので、即刻、アヴィノンの大守を訪れて、自らの恐ろしい罪を何もかも曝け出して懺悔し、自分の今後爲すべきことについて敎へを乞ふたのであります。

（譯者註。アヴィノンの大守は羅馬法王の使節で、政敎の兩權を握つてゐたのである）。

大守は母親を憐れに思ひ、何とかして救つてやらうそして何とかして救つてやらうと思ひましてとりあえず神事を掌る長老達に當人の名を擧げずに、事件のあらましを話して相談した結果、「母は過去の事件に關して子供等に一言も洩らしてはならない。又母自身は、子供等に其れと氣取られぬやうに、一生贖罪の生活を送るべきである」と云ふ判決を下しました。

不幸な女は、一切を懺悔したと云ふ僅かの慰めをもつて家に歸りましたが、間もなく其處へ、あらん限りの夫婦の愛情を示し乍ら、息子夫婦が歸りつきました。妻は夫の娘で、妹で、そして妻であり、夫は又、妻の父で、兄で、その上に夫であると云ふ、世にも呪はしい奇緣の夫婦でありませんか。

彼等は終生、互ひに愛し合つて、何の破綻もなく一生を送りましたが、不幸な母親は愈々悔悟の念に追ひ立てられて呪はれの一生を終はる迄、涙の乾く遑とてなかつたのであります。

淑女様（みなさま）、この物語りは、「愛」「自然」其他神様のお與へ下された種々の能力を自分の力と、篤行とを以て征服しようと試み、見事に失敗に終つた一女性の事實譚であります。皆様、私は考へます。人間と云ふものが如何に弱い、脆い者であるかと云ふことを覺つたならば、徒らに自分の身を危地に曝して寡婦生活をするよりも、信頼するに足る然るべき友を探し求めて同棲し、然る後に「おゝ神様弱い私を御導き下さい」と祈るのが、本統ぢやないでせうか。」

「私はこんな不思議な話を聞いたことは嘗つてありません。」とオアジイル夫人が、蒼ざめた顔を悚はせ乍ら溜息をついた「此處においでの皆様。皆様は神の恐ろしさに頭を垂れなければなりませぬ。善行を、善行をと願つた未亡人の信心が、まあ、何と云ふ呪はしい實を結んだことでありませう！」

「全くでございますわ。」とパルラマント夫人も相槌を打つた「主人の語つたことが事實であるとしましたら、誰だつて立ち所に神への信仰心を失つてしまひますわ。」

「最大の敵は神でも佛でもない、この自分であると云ふことを知らなければならない。そして、よしんば、自分が信仰篤く、充分、神の加護を受けてゐると信じてゐればゐる程、なほ更、自分を見張りすることを怠つてはならないのです。」

これはグブロンの哲學めいた獨白(ひとりごと)であつた。この時まで沈默してゐた寡婦のロンガリーヌ夫人は

「何が危險だと申して、女が男と同じ床の中に寢る位危險なことはないと存じます。たとへ兄妹であらうが、親子であらうが、激情を挑發されるのは、男と女と相方なんですものね」

と、云ひたいことを言つて退けたと云ふ樣な滿足さを見せて、ボツト顏を赧らめた、年若のエマルシユエツトも、これに續いて

「どんなに信心が深くたつて、自分丈は決して誘惑されないなどゝ考へるのは、そもそもの間違ひですわ、怜悧であればあるほど、自分の至らなさを知るのが當然のことですもの。と意見を述べて滿足した、自分の信心を誇つてゐるオアジイユ夫人は、色香の褪せた顏を一そう險惡にして

「こんな迦莫々々しい話を信ずる方があるとはとても信じられません。」

と、さも輕蔑するやうに言ひ放つた。

「いゝえ、もつとひどいことがあります。」と寡婦のロンガリーヌ夫人は膝を乘り出した。「修道士は自分の修業を試めす爲にわざ〲同じやうなことをするのです。先づ自分の最も愛する女又は最も美くしい女を連れて來て、接吻をしたり女に觸れて見たりするのです。そして自分の俗慾が消滅してゐるか否かを試します。若し、接吻したり、抱きしめたりして劣情が起るやうであれば、女から離れて、再び斷食や笞刑などの難行苦行を續けるさうです。斯うしてその人たちが、自分の肉體をすつかり殺してしまつて、接吻や抱擁などではもう肉慾がビクともしないと云ふ所迄修業が積むと、今度は自分からつとめて、誘惑に身を曝らすさうです。例へば、今のお話のやうに、一つ床に入つて、しつかり抱き合つて寢たりするのですが、而も劣情などは少しも起らないと云ふのです。しかしこの域まで達する者は殆どないと云ふことで、この特異な修業方法を採つてゐるミランの僧院の大僧正でさへも、男僧と尼僧との寢所は嚴に別にして、その修道士が永年の修養の功を一度に虧くことを戒めてゐると云ふことでございます。」

「これも亦莫迦々々しい話ですな。自分には性感がないなどゝ考へて、求めて罪惡の機會を作るなんて、どうも愚の骨頂としか考へられません。」とグブロンは、矢張自個一流の哲學の一端を披瀝した。

「しかし又、今迄の御話と丸で反對のことをしてゐる人達もあります。」サツフルダンが答へた。

「出來る丈、誘惑を避けようと、逃げるやうに斗りしてゐる人達があるのですが、ありあまる色慾が何處までもその人達を追ひかけるのです。あの信仰深かつた聖ジエロームでさへも、殘虐な笞打の苦行を積み、人烟の絶えた砂漠の中に身を隱した時ですらも。なほ且つ、肉體の本髓に炎々と燃え上がる、火熱のやうな劣情から逃れることが出來なかつたことを懺悔してをります。乃で、人事の盡しうる唯一つのことは、凡てを神の御手に御委せすると云ふことです。神の全智全能を以てしてなほ我々をしつかりとお抑へ下さることをなさらなかつたならば、我々の墮落もその先は神樣の御責任と云ふものではありません。」

「がいろ〳〵と御意見もあるやうですが、先づこの邊で打切りたいと思ひます、二三の僧侶たちが晩禱の鐘の音もそつちのけで籬の外に忍んで私どもの話を聽いてゐましたが、神の話に移ると行つてしまひました。あゝ、恰度夕べの祈の二度目の鐘が鳴り出しました」

と最後の話手のヒルカンが、結末をつけた。

彼等は皆立ち上がつて敎會に行つた、そして夕闇の空をふるはして流れる敬虔な夕べの禱を、心地よく聞いた。晩餐の席では、今日きいた話を話題として賑かに談笑し、どの話がいちばん面白かつたか、又ためになる話であつたかと云ふことを銘々語り合ひ、又記憶に殘したのであつた。彼等は宵の一と時を非常に愉快に過ごしてから、みんな床に就いた。明日の日は又愉快に語り合ふことの出來るやうにと、神に祈り乍ら……。

斯くて三日目は平和に暮れた。（エプタメロン三日目第十話）

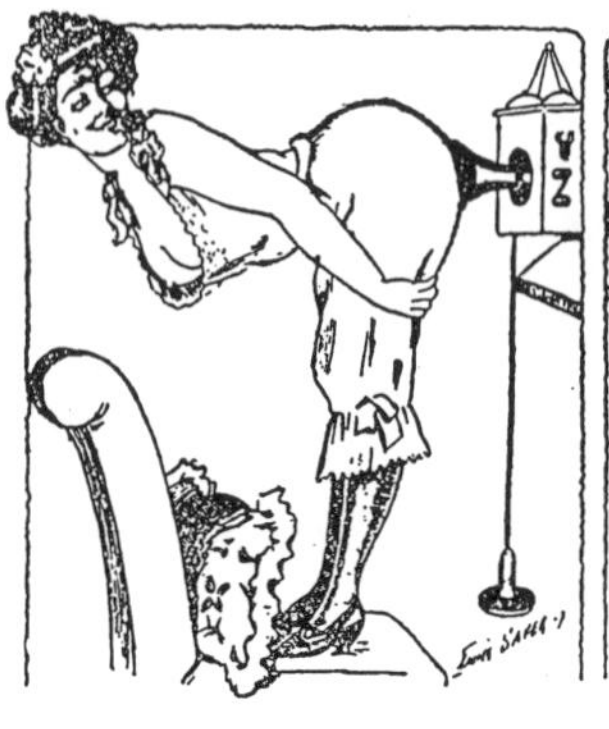

蚤十夜物語（英吉利）

佐藤紅霞

內氣の讀者は驚きの眼を見張り
彼の——兩掌を緊と握り〆め
その顏面に紅の色を秘に漲らすであらう。

彼の瞳は怪しく輝き
脣は開かれ、その血管には炎の如き血潮が逆流し
如何に蚤が彼の若き血を燃さしめ得るかを示すであらう。

いと荒き鼻息は、鼻孔を衝いて、嵐の如く
彼（蚤）は好いた女を探し求めて、その家に這入り
色に迷つて、忽ち其場でかう言つた——

私は此世に生を受けたものである、――然しどうして、いつ、どこで生れたのか申上げることが出來ない。何れその事はひとりでに知れることだらうと、皆さんの御推量にまかせることにする。

だが慥に、私が單なる微生物から生れたものではないと言ふことだけは、この自叙傳そのものが充分に眞實を物語るに違ひない。

若しも、鋭敏なる本書の研究者諸君が怪しんで、私がどういふ經路を踏んで來た者であるか――まあ、言葉をかへて云つて見れば、一跳――即ち、私の一生に就て思を廻し　私がこれから述べやうとする、想像だもつかないあらゆる不思議な事柄によつて、私の經歷を考へ、その行動に注意を與へ、眞相を摑まふとした時、私は其人に向つて、そこには、科學の力を以てしても看出すことの出來ぬ、自然の法則に悖つた、凡庸の考へも及ばぬ事が、多々あるといふことに氣付かねばならないと云ふことを、申上げなければならないのである。

曾つて、私は或る處で、私の職分は血を啜つて此世を渡るものだといふ事を聞いたことがある。けれど、私は四海の同胞より劣つたものであるといふ事は、どうしても信じられないのである、だから、堂々と私が接觸する人々の體で、自分の身を養ひ、危つかしいながらも其日を暮して居るのだ。尤も私は永い間の經驗から、或る場合を除く外は、普通豫告をしながら仕事をして居る。

も一つ斷つて置かねばならないことは、私は常に思慮のないことに與つて、其身を扶助する事を能事として居るものではない、その外にまだ〳〵高尙な目的を持つて居ると云ふ事です。

私は自分の持つて居る缺點がどんなものであるかと云ふ事も充分に目覺して居る、それ故、私は凡庸なる天性を持つた吾々種族に反し、精神的にも超越して、未だ曾て昆蟲界に與へられたことのない、自分の持てる知的見解と學識を以て、出來る丈けの程度まで自由に跳躍して見るつもりである。

こんな譯で、私の會得して居る學識が、たえず私の心を喚起して、私の目擊したことの一切を、ありのまゝに描出するやうに勸める、――然も、第三者の立場にある自分にもかゝはらず。

私は何故人間的靈智と觀察力を賦與されて居るかといふことを説明するに躊躇する者ではない、が、私の夜業で仕上げた結果――つまり、私が何をその間に獲得し、どんな不思議なことに出會したか――に就ては、皆樣の御判斷にお任せする。

かう申上げたら、私が只の蚤でないといふ事にお察がつくであらう、――勿論、生れたてには、得意になつて、仲間達に混り、狎々しく人間を遇することに、苦勞したものだつた、そして、出來るだけ多くの知己を作る機會を求めたものだ、この事については、讀者も多分同意を表し、全く私が尤も驚嘆すべく且つ稱揚するに價す可き昆蟲であるといふことを肯定して吳れることであらう。

私の最近の想出は、私をして、自分の體を敎會の一隅に發見した當時にまで、記憶を呼戻した。

そこには美妙な樂の音につれて、低い一本調子の聖歌が響いて、始めてそんなものを耳にした私をドギマギさせ、驚嘆さしてしまつた。私は敎會の勢力や、參詣人の態度――殊にその外面の樣子よりも、內心の情緒が大抵はあんまりしつかりして居ないといふことを遠の昔に知つて居たのである。

何はともあれ、私は持つて生れた專門的職業に取掛る爲め、先づ第一に若い娘さんの柔かい眞白な脹脛に取附いた、年頃はマア十四五位でしたでせうか、その時吸つた血液の味つたら一生たつたつて忘れられない程甘いものでしたよ、それからその娘さんの薔薇花の香氣、いやもう實に身も世もあらぬうつとりとなるやうなたまらない……ォットットこれあどうも失禮なことを申上げましたわい。

間もなく、私は落附いた、朋友的態度を以て、慇懃に娘さんに接した、若い娘さんによくあり勝な、他の朋輩達と一緒に彼女は立上つて、敎會を辭し去らうとする、私ですか、無論、彼女に隨伴することを忘れませんでしたよァハヽヽヽ。

私は視察に妙を得て居ました、自慢ぢやないが聽聞も御多分に漏れない方です。そこで一人の若い紳士が、敎會の廊下で、郡衆の雜沓する中を縫つて通りすがる、若い娘さんの氣の利いた手袋を嵌めた片掌に、小さくたゝんだ紙片をソツと手渡したのを素速く見て取つて了つた。

私はその娘さんの名が、ベラーさんといふのであることを、私が最初に魂を奪はれた、あでやかな絹ストツキングに綺麗に綴取りしてあるので知りました。そして、今彼女の手にした艶書の面にも同樣の文字がハツキリと認めてあることをみとめました。

彼女は伯母さんと一緒でした――伯母さんといふのは、背の高い、威厳のある婦人でした、私はそんな女に懇意にならうなどゝいふ事は露聊も思つちやあ居りませんよ。

ベラーさんはほんとに美くしい――丁度十四ださうなが――まつたく惚れ〴〵する程だ、そんなに年若にもかゝはらず、彼女の胸には、異性を引附けるに足りる、あるものが充分に芽んで居る。彼女の容貌ではあどけなく愛嬌たつぷりである、その吐く息は奇しき薫を發つアラビヤ製の香料のやうにいとも馥郁として居る。そして彼女の肌はなごやかに、唆か味を帶びたビロードを撫でるやうな快よい感じがする。

ベラーさんは自分が十人並以上に美くしい縹緻の持主であることを明瞭に知つて居たので、ふだん女王樣のやうな誇りとアダツポイ姿で蓮步を運んで居た。

是によつて見たところ、彼女の容姿が、性に飢えて何か物欲しさうな顏をして居る、若い衆の目をチヨイ〳〵引附け、場合によつちや爛熟し切つた淫蕩的な中年男を街中で通りすがりに振り向かせるには、餘り荷が輕るすぎるやうに思はれた。

世間の人達はもつぱらベラーさんの縹緻の美しい噂で持切つて居る、そしてベラーさんの通るたんびにみんな振り返つて見る、これだけ話せば如何にベラーさんが衆人注目の的になつて居るかといふことが、頷づかれるだらうと思ふ――わけても異性からはネ、そして是以上くど〳〵しく言葉を費ひやす必要もありますまい。

彼女の周圍に起る日々の出來事に、滿遍なく注意を拂つて居ると、いつも若い娘さんは、外出先から伯母さんに連れられて、歩みも輕く、敏捷にサツ〳〵と家路に戻つて來て、淸楚な上品な住ひの敷居を跨ぐや否や、アタフタと自分の居室に這入つて行きます。

私はそのあとから附いて行くのぢやないのですよ、私は彼女と共にその居室へ這入つて行くんです、こゝの處をシツカリと間違ひないやうに良く覺えて置いて下さい、賴みますヨ、お解りになりましたか。それから優しい娘さんが、椅子に腰を下し、片一方の美くしい脛を、もう一つの脛の上に、かう十字に組み重ねて、シツクリと身に合つた上着と、優雅な小さい山羊皮の編上靴を脫ぐのを眺めるのを日課として居るのです。

今日も今日とて、彼女はこんな風の姿勢をとつたので、早速彼女の體から、床に敷かれた絨毯の上へ跳び降りて、そろ〳〵觀察に取り掛りました。

左の編上靴が持上つて居ます、だが、いつものやうにほつてりと肥つた脹脛をもと通り戾さうともせず、そのまゝベラーさんは何かに見入つて居るやうです、オヽそれは、あの時彼女の手の內に、若い男がソッと握らした、小さく疊んだ紙片に違ひあるまい、確かにさうだらう。

と、まあかう推測しながら、八方へ目をくばり、チツト油斷なくすべてのことに氣を付けて居ました。

娘さんの漲り切つた太腿は、緊と結ばれた靴下止の上の方まで、ふつくりと肥りかへつて居る、そして其の先のはうは薄黑くなつて居るあたりで消えてゐる、それは、彼女が身を屈めて居るので、その美くしい下腹に、股の附根が密接して居るからでありませう。而して、殆んどあるか無きかと思はれる計りに細い、桃色の――裂目の樣なものが、影のやうにその間から圓みのある唇を覗かせて居ます。

程なくベラーさんは彼女の掌から手紙を取落しました、それは開かれたまんまでしたので、私は遠慮なく拜見することにしました。

（いつもの場所へ、今夜八時頃に、私は行つてお待ちして居ります）

紙の面にはこれだけの文句が書かれてあるに過ぎません、だがまてよ、ベラーさんにとつては、その中に特別な意味が明白に含まれて居ることに極まつてゐる、それもその筈、彼女は瞳を凝して、身動きもせず、ある事に就てチツト思案に耽つてゐる、その様子でも察しられるではあるまいか。

私の好奇心はいやが上にも燃え揚りました、で私は興味ある二人の若い男女の成行を、もつと深く知り、偶然に廻り合はせた、面白い接觸を充分に拜觀する僥倖に浴しやうと、敏速に而も沈着な態度を忘れないで彼女の靴下の中へと再び逆戻りしました。

私がも一度自分の住居から出て來て、事件の進行を見張るのも、もう間もない事なのです。

ベラーさんは細心の注意を拂ひながらその身仕度をしました、それから彼女がもと住んで居た田舍家を垣環らす花園へと出掛けました。

私も彼女と一緒です。

道のりのある薄暮い並木路の端れに到着した時、若い娘さんはそこにある質素なベンチに腰を下ろして、約束の人の來るのを今や遲しと、千秋の思ひで待ち佗びて居ました。

それから一刻もたゝないうちに、今朝、私の美くしい小さな友達と、言葉を交して居た、若い男がやつて參りました。

二人の會話は續けられました、そこで、皆さん、若しも私がそれを竊取り、その或る不必要な部分を除いて、面白い處だけに自らの判斷を加へたならば、お互ひに古今稀なる興味を喚ることが出來はしませんでせうか？

丁度其時は日暮時でありました、そして見渡す空は既に黄昏れて、大氣は�爽快な感じがヒシヒシと身に迫つて參ります、二人の若い男女はベンチの上に體をヒタと絡み合つて座つて居ます、總てのものを忘れ——自分達の合致した幸福にのみ浸つて居る、何んといふ仲の良いことだらう、羨ましいことだ。

「ベラーさん、貴女は、私がどれだけ貴女を愛して居るか、御存じないでせう」

と若者はさゝやきながら、相手の女のすねて尖らした赤い唇に、やさしい接吻の洗禮を施こした。

「いゝエ、存じて居りますわ」

と卒直に娘さんは答へて、

「いつも貴郎は妾にそうおつしやるでせう、そう度々そんなこと聞くと、妾、耳にたこが出來ちまうわよ」

と云ひながら、ベラーさんは、小さな可愛らしい足でイライラと土を蹴りながら、チツト白眼で睨める。

「何時、貴郎がおつしやつた、面白いものといふのを見せて下さいますの、エ、そしていつ頃說明して下さるおつもりなのよう」

と彼女はチラツと男の顏を眺め、直ぐにその瞳を礫を敷詰た街路の上に轉じました。

「サァ」

と若者は口を開いて、

「サァ、それは、ベラーさん、私達が邪魔物から遠ざかつて、無雙の機會を得た時です。ほら、知つてゐるでせう、ベラーさん、私達はもうぢきに子供たちではなくなるつて言ふことを？」

と、語を繼ぎました。

ベラーさんは頭をコクリとやつて、頷いて見せました。

「左樣だ、未だ子供達にやあ解らない事が澤山ある、然もそれあ戀人同志には是非必要なものなのだ、單に知ることばかりでは無く、亦それを實行しなければならないんだがなァ」

「ネ！　もし貴郎」

と娘さんは、眞面目で呼びかける。

「なんです？」

と彼女の相手が受ける、そして

「戀人同志を幸福にするには、或る秘術がある筈だ、それは對手を嬉ばせ、又對手から好かれることだが」

　と言葉を續ける。

「マア」

　と、ベラーさんは叫んで、

「なんていふセンチメンタルに貴郎はなつちやつたんです、チャリーさん！　貴郎は此前、妾に何んと申しました、感情は總て僞心であると云つたぢアありませんか、そのこと覺えてゝ」

　と聞く。

「其當時は、私はそう信じて居たものです、そして貴女が好きになるまでは」

　と若者が答へる。

「オヽ馬鹿らしい、だが、その先はどうなつたのです、チャリーさん、何んなことを約束して下さるんですか話して見てください」

「否、貴女に實演して見せなければ說明が出來兼ねます、智識は經驗にのみ依つて得られるのですからね」

「ぢやアやつて見せて下さい」

　と娘さんは追求しました、その眼は輝き、兩頬はポーツと紅潮を呈して居ります、私は考へましたね、これから娘さんが投けられるといふ教訓が何んなものであるか、すつかり心底まで見拔くことが、キット私に出來ると。

　すると間も無く、彼女の頭の中にあるものが電のやうに閃いて、彼女のもどかしげな氣持をしつかりと捕えた。

　若者は忽ちそれに靡いて、相手の美くしい體を自分の體で覆つた、そして彼女の唇に彼の唇を押付けて、無中になつて接吻しました。

ベラーさんはちつとも嫌がる樣子を見せませんでした、むしろ相手の戀人の思ふがまゝの愛撫に全身をゆだねる風でした。

夕闇は刻々と深くなつて參ります、暗黑の中にスク〳〵と立つた樹々の枝は、高い梢をいやが上にも廣げて、消え去り行く黄昏の光を遮り、闇の中に二人の若い戀人を包んで仕まうとして居ります。

突然チャリーは一方へ身を滑らせました、そして一寸體をひねつて、苦もなく、美くしいベラーさんのペチコートの下から片手を差込みました。

そこに彼は、輝く絹の靴下の中に包まれた、悩ましげな肉體の感覺を見出しましたが、未だそれだけでは滿足が出來ず、尙も手先を奧の方へと進め、そこゝと搔探りました、そのうちに首尾よく、彼の探し求める指頭に、震を帶びた彼女の股間の柔肌がさはりました。

ベラーさんの息遣ひは荒く且つ疾くなつて來ました、それは、彼女が愛嬌處に無作法な攻撃を受け、のつぴきならぬ羽目に陷りながらも、いちや〳〵して、興奮しきつた、性の享樂を味つて居ることを明かに物語つて居ります。

「思ひつ切り觸つて頂戴よ」

とベラーさんは、恥らひながらもかすかな聲でさゝやきます。

チャリーにはもう是以上の手段を要しませんでした、それ故、言はれるがまゝに、ひたすらその指頭を前方へ推しやりました。

美くしい娘さんは、これに應じて、股間を左右に開きました、それと同時に、彼の手は彼女の可愛らしい裂目の間から覗いて居る、デリケートな桃色の下唇に觸りました。

次の瞬間に、兩人は體をぴつたりとくつ附け合ひ、身じろぎもしません、互ひの唇は糊でつけたやうにしつくりと合はさつて居ます、そして彼等のする呼吸のみが、そこに、淫蕩的な氣分で、夢中になつて居る、彼等を威壓するやうに不時ないセンセーションを捲き起して居りました。

チャリーはデリケートな物體にさはりました、それは、敏捷に働いて居る、彼の指の腹に、ネットリとした感じを與へる、未だ彼の曾て體驗したことのない、突起したものなのです。

ベラーさんは眼を閉ぢました、それから彼女の首を後ろの方へ反せて、少しく身を震はせ、同時に身體は元氣なくぐつたりとなり、今にも耐えられないやうに、戀人の腕の中に、彼女の頭を支へやうとあせつて居ります。そして「オヽ、チャリーさん、貴郎は何をなさつて居るのです？なんといふ愉快な心地に妾をして呉れるんです」と途切々々に彼女はつぶやきました。

若者はそうほつとり者でもありませんでした、で、最初のうちは、現場のまゝの狀態で、出來るだけ、あつちこつち探り廻はして居りましたが、やがてかうした行爲に煽動されて、催起した、張つめた情慾を暫し和らげるために、やをら身を起しました。

そして、美くしい相手の手を、彼の大事な場所へ、彼の手で導びいてやらうとしました。そうしたならば、現在彼が自分の指でしたよりも、もつと〳〵大きな滿足を彼女に與へることが出來ると確信したからでした。

嫌ふ樣子もなく、ベラーさんは速刻新たな、うまさうな物を掌に摑みました、そして、好もしさうに又珍らしさうにして、それをひねり廻して居りました。

是れに依つて亦新らしく喚起された彼女の慾望は、何うすることも出來ず、眩暈のするほど、あとから〳〵と、しつきり無しに沸き起つてくるのに、身も世もあらせず、戀人の爲すにうつとりとなつて居りました。

皆樣のうちで誰でも、かういつた立場に遭遇したことのある者は、溫かい手觸りと、始めて出會した、奇妙な物に、ドギマギとする女の態度を、充分に會得することが出來るはづです。

ベラーさんは生れて始めて男性の肢を見ました、そして、其には十分に、豊かな勢力を持つて居ることを知りました、たとへさうでなくとも、――私にはそれが露骨に見え透いて居るのですけれど、――怖ろしいものだとは思つて居ります。然し、赤い帽子を冠つたその生白い莖の先端を、彼女が輕く壓迫すると、柔かい殼がめくれてくるので、どうかして、速くその何であるかを知りたいと、あせり出しました。

チャリーも同樣に心を動かされました、彼の瞳は鄙き、その手先は依然として彼の獲得した、かはゆらしい未熟な寶石の上を徘徊して居ります。

彼是する中に、若者の肢にふれて居りました、小さな白い手は、この特殊な物體の所有者の總てのものを、しやつきりした元氣のあるものに變へることに、効を奏しました。

柔々とした壓迫に、優しい微妙な縮付に、男を狂喜せしめ、若い娘さんは、萎びころ胡桃の褶を無邪氣に背後へ引張りました、すると紅色の盛は面を露はし、そして彼女の欲望はいやが上にも高潮に達したのでした。

尖頭は、チッチャな孔口で終はり、滑らかなお供物を送らうと、今その機會を待つて居る樣子です。若物は貪慾の爲め、增々獸性を帶びて參りました。一方ベラーさんも、新しい奇妙な感覺に浸りながら、旋風のやうに彼女の全身を駈廻る、その情慾的な興奮の爲に、何ともつかず、いつしか、際立つて有頂天な氣分の渦卷の中へ、引摺り込まれてゆきました。

彼女の美しい兩眼は半閉されて居ます、露を含んだその脣は、微かに開かれ、肌は熱し、彼女の全身には、何物をも灼き盡して仕舞ふといふやうな、白熱的の異常な衝動がみなぎつて居ります。

そして、誰れでもあれ、この刹那的機會に、彼女の提供する、若い薔薇の花を、摘取る愉快な犧牲者の出るのを待つやうに、身を横へて居ります。

チャリーは、まだ若年だが、かういふ機會を取逃すやうな愚か者ぢあ有りませんでした、其上に、彼の心中に、今跋扈して居る慾望は、彼の肉慾的な精神を拔目なく指揮し、憎々しいまでに煽動して、折花の斷行を勸めます、然らざれば此場合の處置について誰れか先輩の口授を求めねばならなかつたのでした。

彼女の動氣うつ濕潤し切つた焦點が、彼の指の下におのゝいて居ります。そして魂も奪ふ程な艶めかしい姿躰で横つて居る戀の遊獵者の姿を彼はそこに看出しました。

彼は、やさしい呼吸が、若い娘の乳房を、上下に微動させて居るのを眺めました、そしてその强烈な肉感的エモーションは彼の元氣な相棒を活氣付けて熱情のある姿にさせました。

完全な、柔々とした、肉附のよい娘さんの兩脚は敏感なる彼の視界に露出されて居ります。

おだやかにへだての帷帳を排して、チャリーは更に彼の愛らしいお相手の隱された愛嬌處を開かうとしました。その日はあやしく輝き、顏は火のやうにほてつて參りました、そして、遂にまるまると太つた股と波うつ下腹を望むことが出來ました。

それから彼は燃えるやうな眼で、彼の獸心をいやが上にも引付けるところの的を熱心に眺め入りました、――小さな桃色の裂目は腫れ上つたヴヰナス山の麓に半ば姿をうづめ、柔かな丘はつゝましやかにその頂を顯はして居ります。

彼の貪ぼる物體に加へる操りや、愛撫は、自然の濕潤を溢らせ、相手を興奮させました。そしてベラーさんの桃のやうな裂目は滑らかな潤ひに充されました。

彼はかうした動作とともに優しく彼女の手を彼の肢から放させ――彼女は此際まで確く固く相手の男の肢を握りしめて居つたのである――狂氣の如くになつてそこに横たはつて居る娘さんの上に身を投げ掛けました。

彼の左手は娘さんのやさしい胸を抱きました、その熱した息は彼女の頬に吐きかけられ、彼の唇は彼女の唇に確と接吻られました。やがて彼の左手は、おもむろにすべつて兩人の情慾に燃えて居る活潑な道具を一緒にまとめやうとしました、そして彼の熱心な努力は完全にそれを結合せしめることが出來たのです。

ベラーさんは生れて初めて、彼女の桃色の孔の端に、男の道具の不思議な觸覺を感じました。

チャリーの肢の硬ばつた頭が觸れて温い感じを彼女が知つた時、覺えず彼女は身震ひして、既に豫期して居つた處の肉交の歡喜と、彼女の全身に漲つて居る自然的感受性の前に服從したことを證據立てました。

チャリーは歡喜の爲に狂氣の如くなつて、その享樂を完了せんと一生懸命に骨折りました。

然し、ベラーさんの情慾をこれ程迄に開發した自然の威大なる力も、未だ彼の仕事を仕遂げさせるまでにはいきませんでした、その譯は左様たやすく薔薇の蕾を開かせるには餘りに時機が早すぎたからでありました。

彼女は大層幼なかつた、成熟もして居なかつた、勿論發情期の端緒の印しだといはれて居る月々の經りさへも未だ知らない時代だつたのです。それ故、ベラーさんの一件は、十分完全な新鮮さを保つて居りました、であるから、いくら落着いた勇將でも、快速に闖入して、據壘しやうといふことはむづかしう御座いました。

かういつたわけでチャリーは空しく其處等あたりを衝めくりながら、美くしい娘さんの興奮し切つた肢の微妙な場所を壓迫しやうと努力しました。

桃色の褶と小さな孔は、神秘の洞窟に入込まんとする彼の總襲擊に抵抗しました。可憐なベラーさんは、益々はげしく興奮して、しきりない擽りの爲に今は半ば狂人の如くになつて居ります、そして彼女の若い戀人の大膽なる襲擊に操なされて居ります。

肢は力強く勇敢に反抗して、向ふ見ずに決勝點に達し又は總てのものを突發しやうとして居ります、若者は暫時身を退ぞかせました、それから勇敢に前方へ突込みました、そしてまんまと障害物を突破して、彼の硬ばつた一物の頭と肩を從順な娘さんの下腸に衝き入れました。

隱された愛嬌物に力の籠つた侵入物が觸れた時ベラーさんはアツトかすかに叫び聲を擧げました、だが氣味よい接觸は彼女の度胸を据へさせピリピリとする痛を堪へ忍ぶ姿が際立て見えます。

此間にチャリーはサツサ押せ押せの調子で、彼が既に博した勝利に鼻息をあらくして居ります、それのみならず、衝き入る毎に少しづゝ彼の進路をすゝめて行きました。

諺に「最初の努力は必ず報ひられるものである」といふのがある、然し同時に又「時としては分外の勞費を要するものである」ことは全くあり得べきことだと論證することが出來る、それは前述の事件を通して讀者諸君が私と同樣に推知することが出來ることゝ思ひます。

吾々の戀人同志の何れにもせよ、奇妙なことには、それが免れぬ運命であることを考へて居りませんでした、で、只彼等を支配する處の大なる快樂の爲に占領されて、お互ひに火の如き動搖を以て佳境に精進しやうと切望して居ります。

ベラーさんの方では、またもどかしそうに無我夢中になつて全身を震はして、彼女の眞赤な唇からは極度の滿足を表はす、かすかな意味の深い絶叫が洩され、肉躰の接觸から得る歡喜の爲めにその身も魂もさゝげて居ります。

彼女にまんまと止めを差した武器に對して、彼女は勇壯な壓縮を加へ、かたく結んだ彼女の兩腕は悶ゆる若者をしつかと抱きしめてはなさず、デリケートなしつくりした濕つた手袋のやうな袴衣は、チヤリーを氣狂ひのやうに興奮させました彼の武器が根元まで彼女の躰内に沒したことを感じた時、彼の剛毅な激怒せる勇將の下にキチンとして居る二つの球體は、彼女の眞白な船底の固い脹みを壓しました。彼はもつと身を進ませることが出來ました、そしてそのあらゆる業務を樂しく感じながら――彼の骨折つた豊かな收穫を愉快に刈ることが出來ました。

だが、ベラーさんは、彼女の情慾を十分滿足させるには未だ物足りぬ感じがして居るにもかゝはらず、接觸が程なく終局を告げることを知るや否や、棒のやうな溫い肢に依つて烈しい快感を賞味し、興奮し切つた氣分は何事をも忘れはてさせました。

彼女の狂氣のやうな興奮は、色慾を完了し、再び激しい痙攣を起してきました、そこで彼女は、歡樂の對手である相方の一物に身躰の下部を押付け、情慾で有頂天になつた兩腕を投げだして、戀人の腕の中にその背を沈めました、そして佳境的苦悶の低い呻きと、不意に襲はれた歡喜の狎聲を發し、同時に夥しく第三種水を流出しました、それは彼女の愛嬌處からあふれてチヤリーの球躰を充溢せしめました。

若者は美くしいベラーさんに、授けた快樂が充分に先方に達したことを目撃すると同時に、彼の身躰におびたゞしく洪水を注ぎかけられたことを感じ、彼も亦夢中になつて相手の躰を抱きメめました。

熱情的な欲求は早瀬の如くに彼の血管を廻り、その武器は彼女の腹の底まで塡まりましたが、やがてそれは後へ引かれて、ポツ〳〵と湯氣の立つ肢の殆んど頭のきはまで拔出されました。が再び彼はその前にある總てのものに強い壓迫を加へました。彼は擽つたいやうな、氣も狂ふやうな、觸感や、むづがゆさを感じながら、若い娘さんを固く抱くと同時に、又々相手の口からはげしい狎聲が洩れるのを耳にしました、此時彼もまた相手の胸に喘いで居ることを發見しました、そして青春的活力ある濃厚な悅の噴水が滿足げな谷神に注がれました。

ベラーさんはその躰內に挿入された興奮した武器から精汁が痙攣的に湧出されるのを感じた時、その開いた唇から、性的滿足にみちた低い呻を洩しました。

それと同時にチヤリーも、ハーツと一聲するどひ心魂に徹する程の狎聲を擧げ、狂はしい情慾的流出と共に兩眼を上づらせ、玆に感覺的ドラマの最後の幕を閉ぢました。

この狎聲は停止を知らす相圖で、あまりにも思ひがけない突然的なものでありました。その折も折、花壇の灌木の茂みの間から、黑い人の姿がコツソリ忍び出して若い戀人達の面前に突立ちました。

二人は魂消るやうに驚きました。

チヤリーはツイ其前までおさまつて居ました溫い甘味のある隱居所からコソ〳〵滑り出し、慄く心を押沈めて、シツカリと足踏みメめ、何か恐ろしい蛇でも出現したやうに畏縮して居りました。

一方、ベラーさんは、闖入者の姿を一目見るや、いそいで兩手を以て彼女の顏を覆ひ、彼女の歡樂に對する沈默の證人である腰掛の上に、うつ伏になつて身をちゞめて居りました。そして餘り驚いたので暫しの間言葉も出ず、吹きつける暴風雨に何う所置を取つたらよからうとハラハラしながら考へて居りました。

彼女が躊躇してる間に。

新來の人はズカズカッと歩を進めて罪の男女に近づき、いきなり若者の腕をぐつと掴みました、と同時に嚴然と荒つぽい手まねで、彼に衣服の亂れをつくろうやうに命じました。

「破廉恥な小倅だ」

と彼の人の唇から叱聲が突いて出ました、

「お前は何をして居たのだ？　何んだつてそんなにせか〳〵と狂氣のやうになつて、獸のやうに情慾を遂げやうとするのだ？　お前はどんな顏をして正直なお父さんの怒りを解くつもりだ？　わしはお前がわしの境內でこんな惡いことをしたことを告げてやる。そん時のお父樣の憤つた心をどうして和らげるつもりなのか？」

とかう云ひながら、彼の人はチャリーの手頸を持つたまゝ、づる〳〵と引づつて月光の下まで參りました。月影に照らされたその人の姿を見れば、凡そ四十五位の年恰好の、背の低い、岩疊な、肥滿した男でした。

その男の顏は、一寸小ぎれいで、黑玉のやうな瞳を持つたかゞやいた眼は如何にも人を引付けるやうに思へますが、それは今情慾的憤怒の爲めに燃ゆるやうにするどく光つて居ります。

その男は僧服を身に纏つて居ります、そのくすんだ色と、彼のおちついた淸楚の姿は、より以上に彼の著しく筋力逞しいことをくつきりと容姿に浮べて居ります。

チャリーは全く頭が混亂して失神したやうにそこに棒立ちになつて居ります。そしてどうかして此場から逃れやうと氣ばかりいらだゝせて居りました。

恐ろしい闖入者はそれに容赦なく、若者の歡樂の相手である娘さんの方へと向き直り
「おのしも、ほんとに賤しい小娘だ、わしやほんとに戰慄する程吃驚しましたぢや、そして全く怒りにたへないわい。聖

母教會の教へもすつかり忘れて、自分の名譽もかへりみづに、よくも、こんな氣狂ひじみた青二才に、大切な禁斷の果實を摘ませたものぢや！ 何物がおのしに殘されちよるかおわかりかな？ 朋輩達の輕蔑やそしりを受けたあげくのはてにぢや、おのしは叔父さんの家から追出されてしまふのがその果てぢや、そして野山の獸物達と一所に暮すのぢやよ！ 昔、ネブカドネーザー王樣はな（ネブカドネーザーはバビロニヤの正義賢明なる國王である）大道で賤しいかせぎをして居るおのしのやうな汚れたものを忌み嫌つたと申すことぢや。オヽ、罪の娘！ お前は淫慾のとりことなつたのぢや、サタンに賣られたのぢや、わしやおのしがそれぢやと云ふ――」

拋棄てるやうに未知の人はかうのゝしりました、其時、不幸な娘、ベラーさんは、ツト身を起し、その男の足下にひれ伏して、涙ながらに彼女の若い戀人の罪のゆるしを乞ひました。

「もう云ひなさんな、もう云ひなさんな、懺悔などしてもなんの役にも立ちませんぢや、それはおのしの罪の屈辱を增すばかりぢやからのう。このやうなことを見てわしはの、わしの頭を疑はずには居られませんじや、そこでまあどつちにせうと思案したところ、速刻おのしの保護者の許へ行つての、わしが今目前に見た汚らはしい出來事をお知らせした方がよからうと思ひあたりましたぢや！」

と嚴めしい僧は申します。

「オヽ、何卒、お慈悲を以て妾をおゆるし下さいませ」

とベラーさんはおろ〳〵聲で述べました。彼女の美くしい頰は雨のやうに下る涙の爲にしとゞ濡れて居ります、――つい先程までは情慾の爲に眞紅に輝いて居たにもかゝはらず。

「師父樣どうぞゆるして下さい、どうぞ二人をお許し下さい。その賠償として何でも貴下の申されることに從ひます。吾々の罪のあがなひとして、彌撒を六度に、主の祈を何べんでもとなへます。先日貴下がお話なさいました、聖エンガルフアスの御廟に巡禮もいたしませう、きつと〳〵やりとげて見せます。私は何でも致します、何んな犧牲でもさゝげますから、ベラーさんを許してやつて下さいまし」

とチャリーも熱心にあはれみを乞ひました。

僧侶は手を振つて靜かにせよと制し、如何にも自然の嚴かさと斷固とした態度を保ちながら、慈悲を含んだ音調で、

「もうよい、わしや用事がある。わしや聖女マリヤ樣にお祈りせんけりやなりませんのぢや。マリヤ樣はの、罪といふものを御存知なさらぬのぢや、然も、此世の汚はしい肉體的な接觸もせず、ベスレヘムの秣槽に嬰兒の中の嬰兒をお產みなされたのぢや。

ベラーさんとやら、明日聖器所のわしの處へ尋ねておぢやれ。そこで、わしは神樣に、おのしの破戒の罪を告げましようぞや。午後の二時、きつかりその時刻にわしはおのしをお待ちして居りませうぞ。

これ、不良兒、わしはお前の判決や、いろいろの事を、次の日まで一時あづかつてあげませうぞ、したが、必ずお前も、先程申した時刻に、わしの處へ來るのぢやぞ、しかと申渡したぞよ」

と兩人に宣告しました。

あはれな二人の悔罪者のひつついた喉から數百遍の感謝の言葉がくり返へされました。

そこで師父は二人に別れを告げるやうにうながしました。

夜は深々と更けて、夜露は樹々の梢を渡り、しと〳〵と小雨のやうな音を立てゝ滴つて居ります。

やがて、

「ぢやあ、さようなら、ゆつくりとお休み、おのし達の秘密はしつかりと此わしの胸に疊まれてありますぢや、安心してのう、また明日わしの處へ會におぢやれ」

と僧侶は言ひ殘して何れともなくその姿を消しました。

（蚤十夜物語發端終）

二日二夜物語

酒井潔

コンゴ王國のスルタン、マンゴガルが戀愛の冒險に飽いたので、此の物語が日本國神樂坂の白十字の奥まつた卓子に對座して、アツプル・パイをつゝきながら、フアンシー・クリームから苺を探し出して居る二人の青年の會話と密接な關係を持つたと云ふんだから、世の中は面白いものであります。

「ネ、君。御覽なさい！　あの娘を………あの細つそりした彈力のある白い指、あれはロシアの王女の指ですよ。あの娘がロシアの王女でないと云ふ證據はありませんからね―……所で、ホラ、左の手の藥指に嵌つてゐる指環――銀の指環――あれが、あの娘がロシアの王女である事より大切な指環です」

「君はあの娘を愛しますか？」

二人の青年が白十字の卓子を圍んでの會話はかなり長く續きさうであります。其處で再びコンゴ王國のスルタン、マンゴガルが退屈したと云ふ歷史的逸話を否定する事は出來ませんでした。

扨て、私達は簡單にマンゴガル皇子の半生を一瞥して見やうではありませんか。此のいとも貴きコンゴ王國の皇子マンゴガル殿下の誕生………天には音樂が響き、五彩の花降り、麒麟が首を伸し、鳳凰が羽虫を取る云々………と斯う來ればおあつらへ向ですが、生憎其の當時のコンゴ王國の史官には多量のフアンタスティクな單語知識の缺乏と、これも同じく多量の融通の利かぬリアリスティクな良心の充實とを持ち合せた爲に、當時の宮廷史には、遺憾ながら麒麟が首を伸し、鳳凰が羽虫を取つたと云ふ佛陀出世以來の瑞祥に關して一字の記載もありませんでした。――よろしく斯うした史官は坑にすべき筈であります――とに角不滿足ながら宮廷史の皇子誕生の章を讀みますと、

（コンゴ王國エルグベズド陛下第五十年一月三日午前一時三十分、皇子御誕生）

これ丈で、犬が吠へたとも、猫が鳴いたとも書いてありません。――益々かゝる史官は四ツに切つて烏に喰はす可きであります――

世の中で、一番當てにならぬものは宮廷の歷史ではありますが、假にまあ、それを信用したとしますと、我が偉大な君主マンゴガルも單に「オギア」と泣いて世の中に出現したものと考へる外はありません。甚だ平凡な誕生でお氣の毒でした。

かくて小マンゴガル皇子は總ての皇子達があまやかされる通りにあまやかされ、無理を云ふ通りに無理を云ひ、教育さ

れる通りに教育されました。即ち國内の第一流の偉大なる人物……畫家、哲學者、詩人、音樂家、建築家、舞踊家、數學家、歴史家、擊劍家、何々、何々……が我れ勝ちに皇子の周圍へ。

『オヽ神樣！　一體此の澤山な大人物達がたつた一人の小さな皇子をどうしやうと云ふのでしやう？　まさか分けて煮て喰ふわけではありますまい？　又煮て喰ふにしたつて、足りやうがないじやありませんか？』

とに角マンゴガル皇子は幸運にも、周圍の大人物達に喰べられもせず、十五歳になり、二十歳になつて初めて完全に飲む事、食ふ事、眠る事について自分自身の主人公になりました。

かくして月日に關守りなく――これは少々古典過ぎる言ひ廻しではありますが――誰が何んと云つても月日には關守りなく、エルグベズド陛下も寄る年波に、王冠が荷厄介になつて來ました。其處で當然の歸結として、今や飲む事と、食ふ事と、眠る事との主人公になつたばかりのマンゴガル皇子が遂にコンゴ王國の主人公にまで其の主權を擴張致しました。

時これ正に天地開闢以來一、五〇〇、〇〇〇、〇〇三、二〇〇、〇〇一年。コンゴ王國發祥以來三、九〇〇、〇〇〇、七〇〇、〇〇三年。マンゴガル直系王統の大祖が此處に君臨して以來一、二三四、五〇〇年でありました。

それからスルタン・マンゴガル陛下は十年間の統治に於て偉大なる王の一人と云ふ名譽ある異名を廷臣共からなすり付けられ、ハレムの貴婦人共からは白い肌、黑い肌、黄色い肌、それに伴ふ各種の體臭を、恰も癈兵行商團が其の商品を留守居の細君に賣り付ける如く執拗に押し付けられるのでありました。で、マダム・アリサンの臍には白い毛が四本生へて居るとか、マダム・モニマの化粧法の秘密は綿入りコルサージュにあるとか其の他、其の他……後宮三千の美妃の腋下の毛の數まで精通して、芋の煮へたる事は御存知ない偉大なる王の一人になりました。

所で、……《君は一人で何をお喋りして居る？》と仰有るのですか？　それから《いつマンゴガル陛下が退屈するんだい？》と仰有るんですか？　マア〱、これからボチ〱退屈するんですよ考へても御らんなさい。イヽですか。一晩に一人宛としても一年に三百六十五人。後宮三千の美女に萬遍なく通へば一寸八九年は樂しめるでしやう。そんなにすぐと人生が退屈になつてたまるものですかッ！

スルタン・マンゴガルは玉座に於て偉大であるよりも、ハレムに於て愛嬌たつぷりでありました。國内に充滿して居る麻睡ガスの樣な馬鹿げた風俗を匡正しやうと云ふ心掛けも努力も持ち合せず、後宮の貴婦人達に對しても――鳥には翅を與へ、羊には蹄を與へる如く――自由を與へて、後宮の大門の門の錠の鍵を與へて、空氣の樣に自由であらしめました。

と云ふのは、此の善良なスルタンは優美で愛想がよくて、陽氣で、意氣で、美男で……いくら並べても切りがないから、加減にして置くが、兎に角女好きのする好男子であつた事が女性の解放に對して何等の不安も感じなかつた最大の理由でありました。柔の條空氣の如く自由である可き筈の美姫達は反つて自らヂリ〳〵と壓縮されて液體空氣となり、さて其の猛烈な爆發力を以てスルタン・マンゴガルの愛を獨占せんとしたのだから、さしものスルタン・マンゴガルも閉口して、（女の居ない國へ行き度い）と嘆息しました。かくしてコンゴ王國のスルタン・マンゴガル陛下は戀愛の冒險に退屈されました。

どうだ、解つたかッ？

然し斷つて置くがスルタン・マンゴガルは一人の女性には飽かなかつた。

年は二十二。マダム・ミルゾザ。

筆者はマダム・ミルゾザの超人的な美しさをくだ〳〵並べる事は見合せます。そんな事を書き立てゝ居たら、此の物語はいつまでたつても大團圓にはなりません。とに角物語と云ふものは（終り）を一ツ丈は持つた方が都合がよさゝうですからネ。

或る日スルタンはマダム・ミルゾザの部屋に坐つてぼんやり寵妃の顏を見て居りました。此の瞬間に退屈の虫がスルタンの鼻の孔から這入り込んだと見えます。スルタンは幾度も溜息して云ひました。

「ゼリオツトは天使の樣に歌ふネ…………」

「マア陛下！　どうしてそんなに退屈さうにしていらつしやいますの？」

「否、夫人。お前と一緒に居さへすれや退屈なんて事があるものかネ」

「それや、あなたの御上手よ。だつてあなたは欠伸を遊ばしたじや御座いませんか？　どうなさいましたの？」

「わからんよ」

「嗚呼、あたしには解つてます。あたしは十八の時に御殿に上りました。それから四年間はほんとに勿體ない程愛して戴きました。十八に四を加へて、二十二。あたしはもうお婆さんになつたので御座いませう……」

スルタンは微笑を含みながらこれを聞いて居ました。マダム・ミルゾザは言葉を續けました。

「あたし自身にあなたを樂しませる魅力が無くなつたと仰有るのなら、あたしはあなたのイ、相談相手になりますわ。あなたにはもうどんな遊だつて愉快ではありませんわ。あなたの病氣ですもの……」

「必しもさうとも思はれぬネ。然し多少其の點も認める……何かイ、療法でもないだらうか？　もしもだネ、わしの宮廷の貴婦人達の秘事を知る事が出來たら隨分面白いと思ふがネ、だがそれは無理だらう……よ」

「それはむづかしいわ。でもあたしはキユキユフア仙人の事を思ひ出したのよ。あの仙人ならどんな事でも出來ますわ。」

「〆たツ！、お前は偉い！　さうだ、キユキユフア仙人ならわしの願はなんでも叶へてくれる」

斯う云つてスルタン・マンゴガルはコンゴの習慣通り寵姫の左の眼に接吻してから部屋を出て行きました。

王様の行列は直に用意されて一行は龍馬に乘つたスルタンを中央にして靜々宮城の裏門から出發致しました。一行は數日の旅を續けて或る日の夕方、仙人の住む聖地の谷の入口に迄到着しました。此處でマンゴガル王は馬から降り一人の侍從をつれてキユキユフア仙人の岩窟を訪れました。

仙人は丁度無念無想の三昧境の勤行を修して居るものと見えて、筵の上に短座し兩手を胸に組み合せ、目を閉ぢ、呼吸もしてゐない樣でありました。一匹の梟は聖者の足下に睡り鼠は筵の上を驅け廻り、二十日鼠は聖者の茫々たる頭髮の中に集くつて居りました。これ等の小動物が聖者の變らぬ友達であり、忠實なお弟子でありました。

聖者はパッと目を開いてマンゴガル王の姿を認めました。

「波羅門の祝福を受けよ！」

「アマン」

「息子よ！　何がほしいのぢや？」

「私の願は簡單です。宮廷の婦人達に關係のある何か樂みを與へて下さい」

「ア、、お前は何を云つてるんだ？」

「私は貴婦人達の愛の秘密が知り度い。只それ丈の望です」

「それは不可能ぢや。婦人達に愛の冒險を自白させやうなんて、無理ぢやよ」

「でも、どうしてもそうして下さいな」

キユキユファ仙人は耳を搔き、鬚を撫でて瞑目しました。然し今度の瞑想は非常に短時間であつた。

「息子よ！　わしはお前を愛してゐる。多分お前を滿足さする事が出來るだらう」

仙人は指をパチツと鳴らしました。すると足下に眠て居た梟がパッと飛び立つて、見る間に菩提樹の林をかすめて闇の中へ消え去りました。

仙人の使命を帶びた梟はどこへ行つたんでしやう？

所で扨て、日本國神樂坂の白十字の奥まつた卓子を挾んだ二人の青年は相變らず話し込んで居りました。ロシアの王女がショート・ケーキとプレン・ソーダとを運んで來た所でした。

「實際あれが運命と云ふんですネ。あの晩、(男見る可らず)と云ふシネマを見たのが運命でした。見ねばよかつたんですネ。ちつとも面白くない上に場内が非常に暑いですよ。だから、二の腕を丸出しにして居る女優に會つたんですネ。

それで僕は其の二の腕から本牧の夏の夜を思ひましたよ。停車場からタクを奮發して……何、キヨ・ホテルと云へばすぐ解りますよ。大廣間のダンシング・ホールの片隅にあるスタンドに凭れてカクテルかなんかグイと煽りつけて、扨てこれはと思ふ娘にモーションをかけて御らんなさい。すぐ寄つて來て踊りませう。オーライ。と云つた案配で、なやましき汗を流して、グルリと廻轉する時、チユツとコーナー・キツス。これをキスを盜むと云ひますネ。それが馬鹿に甘いもんですよ。其處で其の夜の僕の相手と云ふのがホラ、………」

話し手はチラリと、丁度其の時屑籠に入れられたベートーベンの所へクリーム・ソーダを持つて行くロシアの王女の心地よき後姿、殊に其の下半身、其の大腿部、其の蹠に愛慕の目を投げて……

「ホラ、あのロシアの王女ですよ。」

「君は眞面目にあれをロシアの王女と信じて居ますかネ?」

「勿論ですよ。で、彼女は僕の側へ來て、

——踊らない?

——踊る? 此處でかい? つまんない。よさうよ。

——ぢや二階の部屋で踊らない? あたしと二人ぎりよ。

——ビヤン!

斯うした會話の後で二人は、僕と王女とですよ、二階へ上つたんです。………………廣間をつきぬけて海の方へ向いたベランダへ出て行くと其處から渡廊を通つて海の中に建てられた小亭へ行く事が出來ます。其處にある籐椅子に身を横へて、陸の方へ目を擧げると、ホテルの建物が星の中へ其の黒い巨體を突き込んで居る。二階の窓からは赤い灯が、本當に赤い灯が、魔法の國のお姫様が戀人に逢ふ夜の化粧の灯に違ひない軟かい赤い灯が、たつた今まであの赤い灯の部屋で、アラビア・ランプの赤い灯に室内のあらゆるものは赤かつた。香の煙りも赤かつた。室中振りかけた香水の飛沫さへも赤かつた。ベツトも赤い、裸體になつた彼女の小さな堅い乳首が一番赤かつた。
ヤ、失敬！　少々センチメンタル患者つて有様ですな……
で、兎に角、窓の赤い灯を見たんですよ。するとネ、骨が解體するのではないかと思はれる程甘い倦怠が全身を包んで頭がボーとしたかと思ふと辛つぽい味が海から……それとも……半裸體の彼女を抱いて居たんですよ。しつかりと、此の僕がネ。此處で折角の僕の幻想は破れて仕舞つたんですが、現實の、切つたら赤い血の出る事疑なしの不良モダンの彼女即ちロシアの王女がとんでもない幻想的な話し振りをするではありませんか！　これでは窓からは赤い灯が、本當に赤い灯が、魔法の國の……」

コンゴ王國の聖者の谷の夜は沈々と深まつて行く。キユキユフア仙人はマンゴガル王の爲に一席の宴を張りました。王は聖者が果して何を與へてくれるのかと考へると、好奇心で身體中がウズ〳〵する程待ち切れなくなつて居る内にパサツと云ふ音がしたかと思ふと、例の神秘の使者梟が仙人の肩に止つて居ました。仙人は梟の口から何か受け取つて、それをスルタンの眼前へさし出しました。

「これは指環ぢや。始終お前の指に嵌めて居るがよい。此の指環の石をこれはと思ふ婦人に向けて廻して見よ。婦人はあらゆる愛の秘事を語るであらう。然し息子よ、其の場合婦人達は決して口で喋るのではないのだ……」

「何んですつて？　口で喋るんじやない？　では何處で喋るんだらう？」

「口で喋るより一層正直に正確に、スカートの下で彼女達の寶石が喋るであらう」

「寶石が！」

スルタンは大陽氣の有頂天の大機嫌でありました。

「彼女達の寶石が自分のアヴンチユールを喋る？　ウアハ……素敵々々……だがそんな事が出來るかしら？」

「そうだよ。わしはお前の偉大な父王の爲にも奇蹟を與へた。わしの言葉には間違ひない。では其の指環の使用を誤らぬ樣に……」

斯う云ひ殘すかと思ふと、キユキユファ仙人は頭巾を深々と耳まで降して、煙の樣に闇の空へ溶け込んで仕舞ひました。

マンゴガル王は此の不思議なキユキユフアの指環を手に入れた瞬間、第一の試驗を寵姫ミルゾザに實行して見やうと決心しました。此の神秘の指環の功徳は、單に婦人の寶石に其の秘事を喋らせると云ふ丈ではなく、これを持つて居れば一瞬の間に好きな所へ飛んで行ける魔力もありました。其處で王が「予はかしこに行く事を欲す」と指環に念じますと、次の瞬間には愛妃ミルゾザの寢室に居る自分を見出す事が出來ました。

ミルゾザは何も知らず眠つてゐる。世界の美を一身に集めてなごやかに眠つてゐる。マンゴガル王は燭をとつてつくづく妃の顏を見ました。

「ヨシ、眠てゐるな。早速やつて見やう。此の美しい女の寶石がどんな秘密を喋るだらう?」

スルタンはミルゾザの上に身をかゞめて、今しも其の指環の石を廻はさうとした時フト氣がついて其の手をとめました。

「だが、此の女はわしにとつて生命だ。そんな事は絕對にないとは思ふが、もしも……もしもこれの寶石が愛の秘事を喋つたら……そんな筈はないが……でも何かの拍子に喋つたら……わしの前途は暗黑になる。これはわしには忠實な筈だが……それでも女の心は解らぬ。……」

マンゴガル王はハムレットの樣に煩悶致しました。其處で(やつて見やうか? やつて見まいか? 云々)と云ふ有名な科白を思はず高聲でやつて仕舞つた爲に、ツイ寵妃ミルゾザの目を醒さしました。

「アラ、王樣! いついらつしたの? 何をぼんやりしてるの? キユキユフア仙人の所はどう? どんなお話があつたの? 何を貰つて來たの?????」

この矢繼早やの質問にはスルタン・マンゴガル返答の仕樣もなかつたが、マヅ〳〵と落ちついて、一部始終を物語ると驚いたのはミルゾザでありました。眞靑になり、ブル〳〵震へて、波羅門と印度、コンゴの諸神に自分の王に對する忠實を誓ひ、そして王様に哀願しました。

「アヽ、王様！　あたしが常に賢くありさひすれば、指環の試みも怖れません。でもあたしは弱い女ですもの、ひよつとあたしの寶石がつまらぬ事を喋つたら、あたしの破滅はもとより、あなたも絶望の淵に沈んでお仕舞になりますわ、あたしはキユキユフア仙人にかけて忠實を誓ひます。それであたしを試す事丈はお許し下さい……」

「さうだ。其の心配はわし自身も持つて居るそれでお前に試みる事を躊躇したんだよ。だがわしの宮廷には此の指環の試驗を受けるにはふさはしい女達は腐る程あるわい……」

必要が發明の母なれば、退屈は其の乳母位に當りませう。スルタン・マンゴガルの退屈が世の中の婦人の私生活を單化さして仕舞ふと云ふ素晴しい發明を完成しました。

話は本牧の海岸のホテルの浮見堂から窓の赤い灯を眺めて、ボーとなつたら、裸の王女をしつかり抱いて居た。この僕がネ　それからロシアの王女が思ひもよらぬ夢幻的な物語を初めたと云ふ所へ返る。

ロシアの王女は喋り初めました。青年はショート・タイム五圓也分丈王女の肉體を抱擁する快にひたりながら謹聽して居ました。

「ホ、あなた聞いて頂戴。あたしは不幸なのよ」

「フフン」

「アラ！」

「何がさ？」

「マア無情よ」

「噫々ゼラブルかい？　ハハ…………」

「知らないツ！」

「エヘン」

「そんな事はどうでもイヽとして、銀座へ連れて行つてくれない?」

「よからう」

かくの如き夢幻的會話の後で二人は、一人希臘風の姫君で一人は印度風の王子である二人は省線の二等に乘りました。すると隣りに先程までキヨ・ホテルの廣間で波蘭の伯爵未亡人と踊つてから、二階の赤い室、香の煙りも赤い、ふり時いた香水の飛沫さへ赤い、ましてベットは猶赤い、彼女の乳首は……此の赤い幻想の氣分を十二分に滿腹した某大使館員の上機嫌な赤ら顔がヒヨイと此ちらを向いて、

「ボン・ソワール。プランセス! どちらへ? お伴しませうか?」

「フフン」

ロシアの王女は印度の王子の手前として、此の猥りがましき紅毛人の申出を冷笑を持つて拒絶致しました。イヽ氣持だッ! 扨て、銀座の夜は夏の一夜であつた。ストローへ桃色のソーダ水がすうと昇つて來て口紅の○、○一瓦を溶解する夏の一夜であつた。心はジャッズを呼び、足はチャールストンを踏む夏の一夜であつた。永久に夏の一夜であつた。これ丈說明したら其の夜が夏の一夜であつた事は御了解なさるでしやう。

かくしてロシアの王女と印度の王子とは華かなる夏の一夜の銀座の、大して歩き心地のよくない舗道の上を腕を組みながら――此の腕を組んだか、否かは記錄に明らかでない――漫步して、しきりに銀座人種の羨望の的になりました。それから彼等はカフエ・シヤ・ノワールの入口を潜つて……なる可き樣になつて結局印度王子がロシアの王女の膝に腰掛けたのが惡かつた。

オヽ、モ・ガ、モ・ボである事の如何に不幸なるかよ! 東京が巴里でない事の如何に不都合なるかよ!

王女のスカートと袖とが三寸短かゝつたのと、王子のズボンの幅が三寸廣かつた事が大日本帝國の首都東京市に存在す

る警視廳の癪の種であつたこそ遺憾至極でありました。で、つまり（一寸來い！）と云ふ聞きなれぬ言葉が手入の惡い鬚の叢の中から飛び出した。

當然貴族である二人の男女は、此の無禮なる言葉に抗議しました。勿論官權に抗議したんではなく、其の無禮な言葉に抗議したんですが、殘念な事には手入れの惡い鬚には此んな簡單な區別を理解する丈の論理的腦細胞が缺乏して居たので、遂に收拾す可らざる活劇となり終つたのであります。早く云へば、『馬鹿！』『何をッ！』『貴樣は誰だッ？』『俺を知らぬかッ？』『無禮者！』『……』『……』

と云つた種類の、非文化的の發音が非音樂的に發聲されて…………

それからどうなつたかは神樣と留置場の帳簿のみが知つて居ります。

留置場にも平和な朝が訪れた。留置場にも第二の平和な朝が訪れた。それから第三の平和な朝が訪れ、第四の平和な朝が訪れ第五の平和な、第六の平和、第七の…………

印度の王子は地獄から天國へせり上つた樣に虚無にして無上の歡喜を第七度目の平和な朝の訪れのすがすがしい空氣の中に感じました。

辛抱強い親愛なる讀者諸君よ！

日本國神樂坂の白十字の奥まつた卓子を挾んで二人の青年が會語を交換したのは、印度王子が七度目の平和な朝の空氣を存分吸つてから數日の後であつたと思つて下さい。一人の方が三皿目のケーキにフォークを突きさしながら質問しました。

「だがね、一體君は何故それ程ロシアの王女なる者の尻を追ひ廻すのかネ？　愛してるのか？　金になるのか？　どつちだい？」

「僕は今それ所ではないんですよ。僕が彼女をつけ廻すのは非常に重大な理由があります。先程指環の事を話たでしよ。つまりあの指環がほしい許りに、彼女の後をつけ廻すのです。僕が印度の王子でも、土耳古のスルタンでも乃至は日本國のモダン・ボーイでも何んでもよろしい。然し僕マホがメタンであり、あの指環を必要とすると云ふ事丈は絶對にして無二の事實です。先づあの指環――一寸見はケチな銀指環に過ぎない――あれがどんな素晴しい物だと云ふ事は想像も出來ますまい。大きな聲では云へないが、あれがキユキユフアの指環なんですよ。驚いたでしやう？　更に驚く可き事はマンゴガル王の指に嵌められたキユキユフアの指環と云ふのみではなく、

其の指環こそ、吾が教祖マホメツトが自ら彫刻した銀の指環で、回教法王の傳統的印璽なんですよ。では、何故そんな大切な寶が紛失して他人の手に渡つたかと云ふと、それは斯うなんです。回教の獅子の云はれた第二世法皇オメルがメツカに最後の巡禮をしてから間もなく、或日メヂナ大禮拜殿で日出時の勤行を終つて丁度歸還しやうとした時、ルルアと云ふペルシヤ人の毒刃に倒れました。勿論ルルアは其場で即座に殺されましたがネ……とに角法皇が不意に崩じたと云ふので一同は途方に暮れたが、やがてオメルの遺言によつて新法皇の選舉が行はれ、遂に教祖マホメツトの秘書であつたオスマンがうま／＼第三世の座を占めました。此のオスマン法皇が優柔不斷で文化上の功績……譬へばコーラン經の完成、カアバ殿の擴張、メヂナ大禮拜殿の修築、ミーナ祭典の開始等……は歿する事の出來ぬものですけれども、其の他の國政に至つては失敗に失敗を重ね、内外の信用をすつかり落した其の上に、傳統の國寶である指環まで、井戸の中へ落して仕舞つたのです。それから代々の法皇が極力指環を捜索したんですが、遂に發見する事が出來ませんでした其の貴重な指環をキユキユフア仙人がマンゴガル王の爲に取り寄せたのですよ。一體波羅門の仙人が回教の秘寶を横取りすると云ふのが第一不都合じやありませんか。猥りに波羅門の神秘力を誇つて回教の深奥を覗ふと云ふ事は彼等が吾々に對する露骨な挑戰でなくして何んでしやう？　吾々マホメタンは敢然と立ち上つた！　其處で僕は衆望を負つて國璽奪還の第一線に立つ名譽を得たのです。僕は全人類を犧牲にしてマンゴガルの指から指環を奪つて見せる！　とメツカの大拜殿で宗祖の靈に誓ひました。それ以來僕の頭には、指環、指環、只指環があるのみでした。所が僕は、不幸なる僕は又一つの背負ひ切れぬ重荷にぶつかつて仕舞ひました。繼でしやうか？　キヨ・ホテル、ダンス・ホール、赤い寢室

賣笑婦の一生
エルセン畫
HOT

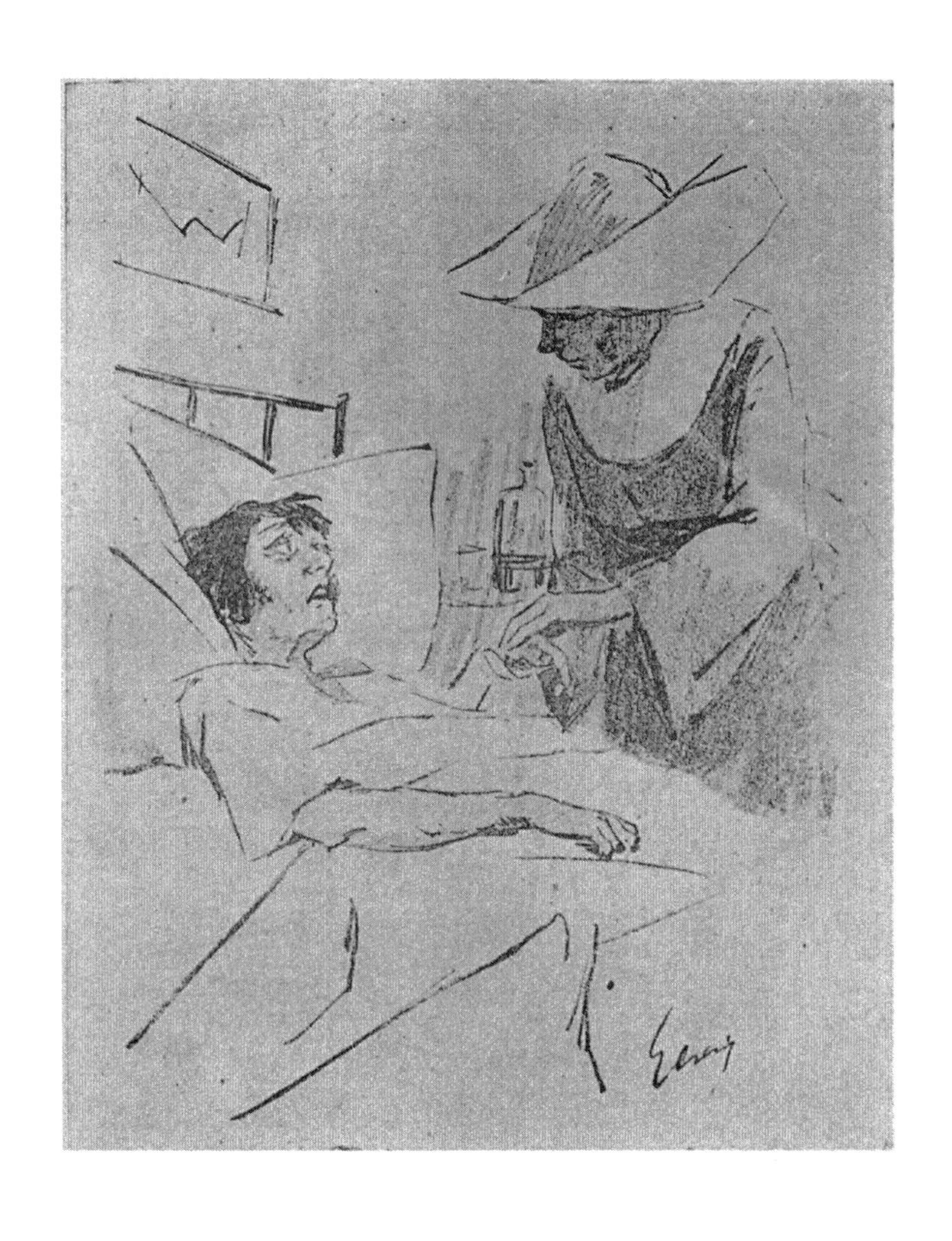

それから王女の指に銀の指環……嗚呼、僕は一體幸福なのか、不幸なのか？」

由來告白と云ふものが退屈である以上は、白十字の卓子を挾んでなされた此の青年の告白も退屈であらねばなりません、だから飽いた方は此ちらへいらつしやい。

こちらは？………

ルウビツチの《陽氣な巴里ツ子》のダンス場が東洋風に衣裝を着換へて、《バグダツドの盜賊》のセツトをウオルシユがも一度使つて「キヤメラツ」と怒鳴つた程左樣にアラビアン・ナイツ式なコンゴ國王マンゴガル陛下生誕二十五年目最初の祝賀舞踏會でありました。

音と云ふ音、色と云ふ色、匂ひと云ふ匂、觸と云ふ觸がノアの洪水で此の一室へ押し流され來たと思ふ程、豐富な騷擾の立體となつて前後左右上下に動搖する中をマンゴガル王は十二分の滿足を持つて歩き廻つて居ました。

王は宮廷で最も貞節の譽の高い貴婦人を物色し初めました。窓際の小卓によつてつゝましく扇に涼を入れて居るNo.1。世界中の貞節の專賣特許ビタミンAと云つた樣なNo.2。以下No.3、No.4……スルタン・マンゴガルは《ヨシ、今に見ろ。スカートの下で貞節な寶石の合奏を聞かしてやるぞツ！》と心に叫んで指環の石をしつかり握りました。

扨て、それから彼女達の貞節は寶石がスカートの下で何を喋つたかと云ふ事は一七四八年に著はれた世界で最も嚴肅な修養書『不謹愼な寶石』の中に委しく出て居ますから此處では省略する事として、ロシアの王女と印度の王子の成行に極く少量の――毒藥の適量程の――注意をはらつて見るのも……無駄は無駄だがネ……

兎に角二人の貴き方々は大日本帝國昭和二年八月二日夜の劇時代的不良狩りの網にかゝつたとか、かゝらぬとか云ふ噂さもあるが、或は松澤村の別莊の二階の鐵格子の窓から悠々たる蒼空を哲學的に凝視してゐる印度王子を見たと云ふ噂さもある。

何？　ロシアの王女？　アヽ、あの娘なら相變らず神樂坂の白十字に居ますよ。何んなら御案内しませう…………

往昔丹波情調

（引用してある盆踊りの唄は多く筆者の生地のもの也）

石角春之助

▽男寝て待つ國

私の古郷は丹波であるが、全く丹波と言ふ國は無味乾そうな、平々坦々たる山國で、これと言ふ特徴も長所も持たない所である。が、しかし、

大江山と、大本教と、丹波栗と、丹波女と、笹山の熊とは、全日本に其の名が轟き渡つてゐる。これが特徴と言へば、特徴であるが、殊に其の中でも丹波女と言へば、可なり有名なもので

丹波よいとこ女のよばい
男寝て待つごしよ樂と。

など唄はれたものである。しかし、今日では残念なことに、そうした喃々喋々たる物語りは、何時の間にか姿を消し世ち辛い世の中に變つてゐる。が、今から十四五年前までは、隨分淫ぽんな國で、十三四になると「丹波よいとこ女の夜ばい」で、そろ〳〵發展し出したものだ。とりわけ十七八になると、一層腕によりをかけ、

思つて通へば千里も一里、
逢はず戻れば又千里。

等と勇氣を奮ひ人里離れた山道を、一里も二里もせつせと通つたものだ「全く臆病な男など、とても通へそうもない險しい峠を平氣で越して、殆ど毎晩通ひ續けるなどは嘘の

ような眞である。

最も丹波と言ふ國は、殿樣方が「よばい」をやつたと言ふ話だから下々の者が、これに習ひ其の旺盛を極めたのも無理からぬ話だ。

福知山出てオサダの野出て、
駒を早めて龜山へ。

これは福知山の城主朽木隱岐守樣が、龜山の姫の所へ馬で「よばい」に行く光景を唄つたものである。が、全く七八十年も昔の丹波は、淫猥極まるものがあつたらしい。

そこで先づ昔の丹波のことを一言して置かう。

▽昔の丹波は女のよばい。

德川幕府の政策上、京都近在に大々名を置かず極く小さな名許りの大名を群立させたことは、諸士も知らるゝ通りであるが、殊に丹波丹後は其の最も甚だしいもので、一萬二萬三萬と言ふ小大名が、四五里隔て併立してゐたのである。現に私が生れた在所では、

山家一萬、綾部が二萬、
田邊三萬五千石。

と言ふ唄があるように、千戸足らずの山家村には、谷播磨守が一萬石を領し一里下つて綾部村には、九鬼大隅守が二萬石を領し、東に五里下ると田邊町（今の舞鶴町）には、牧野山城守が三萬五千石を領し、綾部から西に四里下るとそこには福知山の城下があり。朽木隱岐守が三萬二千石を領し、大阪に向つて約十里の處に從山の城下があり、こゝは丹波屈指の大名、靑山下野守が六萬石、更らに柏原には織田近江守が二萬石、山家村より京都に向ふと、園部の城主小出信濃守が二萬八千石、山城の國境には龜山の城下があり、こゝは松平紀伊守が五萬石を領し、奥丹後には宮津の城主松平伯耆守が七萬石、更らに奥に入ると峯山の城下があり、こゝには京極上總介が一萬千四十二石と言ふはんぱな知行をとつてゐたなど、全く群勇併立の狀態にあつた殊に丹後は丹波と異なり、日本三景の一としての天の橋立があり、

二度と行くまい丹後の宮津、
縞の財布が空になる。

と言ふ腕の凄い女が居たのである。

▽淫猥であつた理由

丹波丹後が殊に淫猥を極めた原因については、固より同一ではないが、其の重なる原因は、比較的都に近かつた關係上、早くから人口が緻密になり、而かも、のんびりした都の氣分が、山又山の間にまで雲なく波及されたが、何に分にも有名な山國であるから、娯樂を求める機關が一つとして備つてゐなかつた爲めに、自然男女關係の上に娯樂を求めたのは、動かすことの出來ない事實である。

　君と寢ようか五千石とろか、
　　何んの五千石君と寢る。

等と隨分思ひ切つた捨て鉢な唄と俱に、捨てばちな戀の亂用が行はれた。殊に丹波丹後の婦人は、一般にあつさりした戀愛の持主が多く、厭なら置けと言つたように、さつぱりと性慾の方面に進んで居たことは事實である。と言ふのは、甲の男に棄てられても左程苦にもしない代り、乙の男へ倉替へすることも平氣だつた。此の風習は明治の末期まで確かに殘つてゐた。

丹波丹後が淫猥であつたのは、要するに節操の觀念がなかつたことである。節操に付いて女が平氣であるように、男も亦平氣だつた。年頃の女で男を知らぬ者は、却つて僻人扱ひにされてゐた。しかし、こんなことを臆面もなく書くと、

　丸い卵子も切りよで四角、
　　言葉（もの）も言ひよで角が立つ。

と憤慨する者があるかも知れないが、事實は事實。憤慨する前に先づ明治初年の情景を見るがよい。

全くそこには男も女も兩親も節操と言ふ文字の前には總てが盲目だつた。殊に私が生れた村などは、山間避地のことゝて、此の道にかけては十二分の發達を示してゐた。

兎に角、これ等は多く節操の觀念の有無より生ずることではあるが、其の半面には、淫蕩的な都に接近してゐたこと、山間避地で娯樂を求める機關がなかつたこと、小大名の併立で其の道の機關が發達してゐたことなどが、大いに力をかしてゐたのである。

▽女がよばいをした理由

丹波女のよばいは殆ど全國的に知られてゐる。が、其の

眞想は多く誤解されてゐる。と言ふのは、關係もない男の寢室へ突然積極的に押しかけて行くもの丶ように解されてゐる。しかし、實際はそうではない。女がよばいをするまでには、それ相當な約束がとりかはされてゐる。幾ら丹波女でも約束もない男の所へ積極的に押しかけて行つたのではない。たゞ一定した男との間に約束が成り立つと、

　待つが辛いか待たれの辛さ、
　　家を忍んで出る辛らさ。

と愚痴をこぼし／＼それでもせつせと通つてゐたのである。つまり男が通ふべき筈のものを女が、それに代つて通つたに過ぎない。ではどうして女から足を運ぶ習慣がついたかと言ふに、無論それは便宜上の理由から出發したものである。

何れの地方でも大抵はそうであらうが、特に丹波は「離れ」若くは『寢所（ねところ）』と言つて年頃の青年は、おも家から少し離れた小舎に寢るのが常で、そこで密會するのは、人眼を忍ぶ上に於て極めて好都合である。最もそうした都合を考へて造つたものであらうが、兎に角女の寢室へ忍び込むよりも遙かに危險がなく便利に出來てゐるので、便宜上女の方から忍ばせるような慣習をつくつたものであらう。

▽約束の時と女の隱語

一年中を通じ一番淫猥に流れ易い時は、何んと言つても盆祭の時である。殊に此の頃に於て、多くの契約が成立し「よばい」の動機をつくるのである。

　盆のお月さんはまん丸こて丸て、
　　丸てまん丸こてまだ丸い。

などと踊つてゐるかと思ふと、一方には薄暗い月影の所に、黒い男女の影がぽんやりと浮んでゐるなどは、決して珍らしいことではなかつた。

ずつと昔のことは暫らく措くとして、今から二十七八年前、私が小學校へ通ひ始めた當時にあつては、往來などでも隨分黒い影を處々に見たものである。

　厭な男と時雨（しぐれ）の雨は、
　　出よた處で難儀をする。

これによつても其の半面の事情を知ることが出來るであらうが、兎に角、年頃の男女が往來などで出會ふと、突然袂を引き手を執る位ひなことは、ありがちのことであつた

　それに今一つ面白いことは、商品に符號をつけるように總ての女に對し一々あざ名を附けたことである。そして、其のあざ名が奇抜で、滑稽で、皮肉で頗る面白いものがあつた。今それ等のことの多くを記憶してゐないが、要するに總てが反語的のもので、白いものは黑いものに通じ小さなものは、大きなものに通ずると言つたような反語に近いものであつた。

▽早熟であつた理由

　昔は一般に早熟であつたが、殊に丹波女は其の中でも最も早熟な方であつた。現に私の祖母などは、十三の歳に既に結婚してゐる。しかし、こんな例は決して珍らしくはない。

　今から百年も昔は、結婚年齢が十三歳乃至十七歳で、平均年齢が十五歳位ひであつたことは、子供時代によく聞かされたことであつた。が、しかし、物心が附いてからは、十三歳で結婚する者は殆どなかつた。

　大抵十七八歳が普通で極く早い者でも十五歳が最低であつた。けれども、所謂私合私通に至つては、矢張り十三歳位ひからそろ／＼開始されてゐた。そして、そうした女を「三年子」などと言つてゐた。多分魚の名をなぢつたものであらう。

　ではどう言ふ譯けでそんなに早熟であつたかと言ふに、それには無論さま＼／＼の理由があるであらうが、其の重なる原因は、第一が節操の觀念が乏しいこと、第二は淫蕩的な周圍の事情が、早熟ならしめたことに歸着するのである

　　鶯でさへ初聲惡い、
　　　色男（さま）と初寢が何よかろ。

などと言ひ譯けしい／＼發展したものであつた。

最もこれは私の生地のことで、丹波全體に通ずることではないが、丹波の一部にかうした淫蕩的な早熟な所があつたのは動かすことの出來ない事實である。

　兎に角「丹波よいとこ女のよばい」と言ふことが、全國的に知られるようになつたのも無理からぬことで、其の半面には全く噺のような奇抜な逸話が幾らも殘つてゐる。殊にまだ肩あげもとれない鼻垂れ娘が、色女氣どりでせつせと通つた處などは、丹波でなくてはとても見ることが出來ない藝當である。

これは私がまだ小學校へも行かない時分に聞いた話であるが、當時私はよく寢小便を垂れるので、何時も母にひどく叱かられてゐた關係上、不思議によく覺えてゐることだが、何んでもKと言ふ十五歲の娘が、年に似ず大の發展家で、男の處へ泊りに行くのは好いが、時々小便をはづすので夜が明けても歸へることが出來ず男に朝飯を運ばせると言ふ珍奇な話であつた。これなどは慥かに丹波女の早熟を皮肉に物語るものと言はねばならない。

▽男よばいは失敗の因

女が「よばい」をすることは、丹波にとつて一つの掟であつたから、それは決して不自然なものでもなく又珍らしいものでもなかつた。だがこれが爲め男の「よばい」を制限した譯けでなかつたから、男も亦大いに發展したのであるがしかし、男の「よばい」は時々失敗したものである。

これはAと言ふ青年の話であるが、其の內容が頗る滑稽で面白いと思ふので、其の二三を紹介することにした。

Aは村でも定評のある發展家で、彼が生れた部落は固より、一里二里と離れた部落にまで發展してゐたのである。

彼の失敗の一つは、或月夜の晩或娘の寢室へ首尾よく忍び込んだまでは好いが、娘と信じ切つて靜かに手を觸れると、突然跳ね起き彼の腕をギユッと握り、而かも、一つ前に引きたぐつた。それは言ふまでもなく彼女とは似てもつかぬ頑丈な娘の父であつた。

『おい（娘の名を呼んで）早く燈火を持つて來い」と一層力強く握りしめたので、Aは懸命に遁れようとしたが、相手が餘りに力があるので、遁れることも出來ずもがいてゐると、娘の父は焦々して。

「どうした早く持つて來んか」と呶鳴り出した。娘は返事をすることはしたが、Aと多少の關係があつたので、非常にとう惑したらしく次の間で、何かつぶやきながら物を探してゐたらしかつた。

「おい、早くせんか」と父は益々興奮し呶鳴り續けたので其の騷ぎに離れに寢てゐた娘の兄がやつて來た。それからAは二人に散々油をしぼられ放免されることは放免されたが、それ切り娘との關係は中絕して了つたと言ふことである。

彼の失敗の二は、或青年と二人で、他の部落に「よばい」

に行つた處、或一軒の家に年頃の娘が二人で、正體もなく口を開けて寢てゐたので、彼等は二人そつと忍び込み、そこにあつた硯をとり寄せ先づ二人の顏に戲らを書いたのであつたが、それでも娘達は、まだ氣がつかず寢返りを打つて、再びすや／＼と深い眠りに入つたので、彼等の戲らは益々向上し、此度は傍にあつた細い紐をとつて、二人の足を縛り其の端を柱にゆわえ附け其の儘表に飛び出そうとしたのはよいが、遂に娘達が目を覺し聲をあげたので、戲らな二人は驚きの餘り小便所に、片足を突き込むやら溝に轉げ込むやら慘膽たる有樣で逃げ歸つたのであつた。

Ａの失敗の三は、或闇夜に乘じ勝手知つた甲の娘の寢室に忍び入り眞つ暗な室內を搔き廻してゐる中に、女の足に手が觸つたので得たりと許り、乘り出し女を抱き込み正にキッスをしようとする時、

「五月蠅いな、誰れぢや」と呼んだのは、娘にあらず七十過ぎの老母であつたので、流石に彼も驚きと、落膽で悉皆り方向を忘れ眞つ暗な室內を自棄にうろついたので、火鉢の中へ足を入れるやら、鐵瓶をひつくりかへすやら、あがり框から(かまち)おつこちるやらで、時ならぬ大騷動をぼつ發させたのであつた。

しかし、こんなことは二十昔以前の丹波では、別に珍らしいことではないが、其の內容が如何にも喜劇的で、皮肉で面白いではないか。

丹波で生れ丹波で育つた私には、かうした滑稽なローマンスなら數限りなく知つてゐる。が、其の內容が殆ど同一なので、男の「よばい」はこれ位ひにして置かう。

▽姫の心盡し

丹波地方では色女のことを「ヒメ」と言ひ、而かも、藝妓や女郎を買ふことを「ヒメ」買ひと言つてゐる。現に今日でもそう言つてゐる地方がある。多分殿方の用ひた言葉が、其の儘民間に用ひられたものであらう。兎に角、丹波女が性欲的であつたと言ふことは、

厭ぢや跳きやがれ世間は廣い、
あいそづかしを待つわいな。

と言つてゐることによつても其の一端を物語るものであるが、又日常の行ひにしてもそれは肯定されることであると言ふのは、思ふ男に見棄てられても左程苦にしない。「厭ぢや置きやがれ」と言つたように、あつさりと思ひ切る。

大抵は出來合つた者同志が夫婦になるようだが、でない場合でも別に大して問題を起さない。厭なら出て行くまでのことである。

かうした思想が、今日よいか惡いかは別問題だが、私としてはこれが當然だと信じてゐる。何も厭な所に辛抱する必要がないではないか。そして又、出來合つて夫婦になると言ふのも決して惡いことではない。却つてそれが眞の結婚法ではあるまいか。

何れにするも丹波女は、一般にあつさりしてゐる。思ひ切りがよい。執着がない。しかし、丹波女も矢張り弱い女である。男からろくすつぽの金も貰はないのに、へそくり金から、枕だの肝付だのをこしらへて男の機嫌をとつたものである。そして、それが丹波では男の「ヒメ」としての務めのように思はれてゐたのである。全く丹波女は詰らぬ立場にあつたものだ。男から通ふべき性質のものを女から通ひ、而かも、臍くり金まで出して男の機嫌をとるなどは馬鹿氣た話である。最もこれは色女として、男も許し女も許した間柄のみに通用したことではあるが、それにしても男は、甚だ有利な地位にあつたものだ。殊に多くの財産を持つた甚六達は、女からチヤホヤされること、恰も業平の如きものがあつた。

▽後家の發展振り

川柳に「赤い信女が又孕み」と言ふ句があるが、全くよく世相を穿つてゐる。殊にそれを昔の丹波の後家に適用すると、ぴつたり當嵌るであらう。少くとも私の產れ古郷の後家さん達には、立派に通用する句である。

殊に甚だしいのは腰が二重になつてゐる後家さんが、二人三人の色男を持ち盛んに浮名を流してゐることである。

これは今から四五年前、名古屋に起つた事件であるが、これによく似た後家さんが丹波にもちよい〳〵見受けられるので、其の例として事件の概略を紹介して置く。

餘り大した事件でもないので、其の詳細なことは記憶に殘つてゐないが、兎に角、名古屋市外に六十四五のSと言ふ婆さんが住んでゐた。そして、彼女は夫もなく子もなく只だ一人ぼつちで相當な生活をしてゐたが、年甲斐もなく若い男を引き寄せ、而かも、それ相當な報酬を拂つてゐた。だから金に困つた青年達は、時折り彼女の家へ忍び込んで多少の報酬を貰つてゐたのであつた。

所が或日のこと近所に强盜が這入つたことから、體裁を造る爲めに「家へも這入つた」と口走つたので、忽ち其の筋の手が廻り遂に裁判ざたになつたのであるが、これに似た後家さんは丹波には幾らもある。たゞ公にならないと言ふだけのことで、其の裏面にはこれ以上の悲喜劇が幾らもある。現に私が知つてゐる後家さんなど、殆ど毎夜の如く好きな男と、飲み歩きとてつもない醜體を演じてゐる。

▽喜劇もどきの姦通

此の話は今から二た昔も以前に聞いたことであるから、其の眞疑の程も慥でないが、兎に角、丹波屈折の都會と言はれてゐる福知山に起つた事件で、而かも、日露戰役中の出來事である。

事件を起すに至つた動機と言ふのは、何んでも夫が出征中であるにも拘らず若い妻は、孤獨の悲哀堪えがたくと言ふ處であらう、日頃戀する男と遂に忍ぶ戀地を物るようになつたのである。

處がそれがだん／＼慢性になつて行くと、忍ぶ戀地など面倒臭くなり、世間の噂などどうでも好いことになつて行く。更らに慢性に毛がはえ出すと、そろ／＼公然になつて遂にはとんでもない醜態を演ずるものである。彼女も亦其の例に洩れず聽ては、男を我が寢室に然公伴ひ惚れた腫れたの痴わ狂ひに、煩い浮世を茶に濁してゐたのだつた。

處がそれをひどく苦にしたのは、亭主の實弟Nであつた彼は兄から手紙が來る度毎自分のことのように憤慨し意見がましいことも言つて見たが、それは馬の耳に風の吹き流しで、何んの手ごたへもなかつた。却つて養姉の淫蕩生活は、益々向上するのみであつた。

そこで健氣なNは、御國の爲めに生命を投げ出し盡してゐる兄と、淫蕩的なふしだらな養姉とを比べて見た。其の結果ふしだらな養姉を懲らしめることは、國民の義務であると信じた。そして、それは軍人の弟として、當然とるべき責任だと確信したのであつた。

で彼は蒸し暑い月夜の晩、それを實行する爲めに、多くの麻繩を懷中にねぢ込み、片手に鎌を持つて養姉の寢室に踊り込んだ。そして、先づ蚊帳の釣り手を四隅とも切り落した。其の咄嗟の出來事に、男も女もひどく狼狽し素つ裸の儘蚊帳から遁がれ出ようとしたが、もがけばもがく程却つて、深く蚊帳の中にもつれ込んで了つた。

Nは得たりかしこしと蚊帳に二人を丸め込み其の儘、麻繩で二重三重に縛りつけ夜の明けるのを待ち蚊帳の包みを臺八車に乘せ、ごろり〳〵と音高く警察署へ曳き込んだのであつた。其の時の光景は、全く珍無類の見ものであつたらう。

警察で「これは何んだ」と係りの者が聞いた時「まあ開けて見て下さい、開ければ解りますから」と答へたので、麻繩を解いて見ると、そこから男女の裸體が二つ飛び出したので、流石の警官達も其の珍奇な出來事にひどく驚いたと言ふ話であるが、其後どうなつたものか、二た昔も以前のことであるから、さつぱり記憶がない。殊に自分が體驗したことでなく、人の話であるから、其の眞相も保證の限りでない。

兎に角、これで本項の終りを告げ次回は『東京人が觀た大阪の魔窟」を書くことにする。

來たら乘せます乘せたら出ます
出たら吹きます汽車の笛

可愛らしげな十五の妻よ
　ひざにもたれて泣き寢入
私やあなたにほの字とれの字
　後の一字が耻かしい
夏は木の下寒中は炬燵
　はなれともない主のそば
お前見た樣な見た樣な牡丹の花が
　咲いて居ります來る道に
信州信濃の新そばよりも
　私やあなたのそばがよい
福知山町は山町は流れよが燒けようが
　一町殘れよ猪崎町
思ふてお呉れよ十五や六で
　一人夜道が通はれよか
米の飯食ふか島田と寢るか
　米の飯食ふて寢よ島田
お墓參詣りの乙女の袖に
　來ては蝶々がもつれつく
水の垂る樣な島田と二人
　罰の當る程寢て見たい

ロップスの秘戯畫

"In more ways than one do men sacrifice to the rebellious angels," says St. Augustine, and Beardsley's sacrifice, together with that of all great decadent art the art of Rops or the art of Baudelaire, is really a sacrifice to the eternal beauty, and only seemingly to the powers of evil.

——Arthur Symons——

南江二郎

La Faunesse

とうめいな薄黄緑(うすきみどり)の渾沌とした宇宙に向つて、リンガを啣へた美しい半獸半女が、そのリンガのせんたんからしやぼんだまのやうなものを次から次へ吹き出しながらしづかに座つてゐる。彼女は宇宙創造の女神であつて、その愛すべき白玉！……の一つはもう既に地球に似た形をしてゐる。これはDecadence Latine（羅甸衰頽期）の耽美畫家フエリシアン、ロップス君のみづみづしい秘戯畫 "La Faunesse" の構圖なのだ。

もしこれを山東庵の主、京傳に示せば、彼はたゞちに彼一流の駄洒落と皮肉とをもつて、色則是空、空則是色、と畫讃するであらう。或はまた半獸半女を彼の戀女房お百合さんにかへて、好色本そのまゝ「紅毛新艶道通鑑」などと題し・

（ロップス畫）

たらふくたらふくたんたらふく酒によふて、うつら〳〵世に多き物を思ふに、道路に鉢開きの僧尼あり、辻に相嫁あり是皆色ならぬはなく……

と、序し、菱川師宣が繪草紙「なり平たわれ草」に模し、

むかしなりひらのちうじやう、たけうちのだいじんのあとをたづねて、このみちをつたへてよりこのかた……

などと、蕩々として盡くるところなく、なまたまごのやうな彼の所謂名文卑文をつらねるかも知れない。それとも、秘戯畫の描法を物ずきにも細記した林守篤の如く、司馬江漢が知つたかぶりの西洋畫談に先んじて、「ろぷすの秘戯畫揩法」なる一文を創するであらうか。だが、若し當時、彼がゴンクウルの著「青樓の畫家歌麿」の第二篇を一讀したとすれば、彼はたゞちに筆を投げうつだらう。彼もまた一代の才子だつたから…………

La Fleur lascive

私はあらゆる人間のうちで、一番孤獨なひとりで、他の人達の愛情や友情から離かれ、最もいやしい動物にすらも、ずつと劣るものでございます。でも……このやうなあたしでも、不滅な「美」の理解と享樂の爲に出來てゐるのでございます。ヴィナスさま！　どうぞこのわたくしの悲しみと狂亂とをお憐み下さいまし。

――ボードレールの散文詩「ヴィナスと道化」より――

ボードレールよりも十餘年おくれて、一八三三年七月七日に白耳義のナミユール市の中產階級の家に生れ、同じ異端の畫家ビアズリの死んだ年、即ち一八九八年の八月廿三日ビアズリよりも數ケ月おくれて佛蘭西セーヌ・エ・オアーズのエッソンヌで逝つた Felicien Rops はビアズリの畫集の序及び「ボードレール論」第一章でアサア・シモンズが云つてゐる如く、ボードレールやビアズリと共に、「單に表面から見れば惡の力に犧牲を捧げた」anarchical Bohemianism の生活を送つ

た。Diabolist"（惡魔派）の一人であつた。

人間に各々一個の神の存在を認めながら、その神の人格を認められないやうに信ぜられ時代に生れたロップスは、彼もまた、その自然科學的絶望的な宿命觀にとらはれ、若くして懷疑幻滅を感じ、たゞ、肉慾的な官能の怪畸な愉樂によつてのみ、僅にそこに靈の安定を見出さうとした一人であつた。この數年のボヒミアン生活に父の遺産を殆んど全部使ひ果して了つてからも、ジョセフ・ペラダンの「至上惡德（ヴヰース、スユプレーム）」及び「好奇人（キューリユーズ）」や、バルベイ・ドーレヴヰリイの「惡魔的（レ、デヰーアボリグ）」や、ヴォルテールの「ザーデキブ」テオフィル・ゴーチヱの小說等に插畫をかく事に依つてその生活の資としながら、苦（にが）く且つ甘美な酒と女に滿ちた耽美の生活を續けてゐたのである。

然し彼もまたボードレールの謂所、ヴィナスに向つて嘆願する厚化粧するピエロであらねばならなかつた。一度ハシーシュに醉ひ、芳烈なアブサントの强い香に陶醉した彼は、地上の肉慾的な慾情から切り離れて、初めて靈の安定を得ると云ふ涅槃の福音に滿足しきれないで、ヴィナスに縋つたのである。けれども、ヴィナスの瞳はたゞあらぬ彼方をいつまでも凝視してゐるに過ぎなかつた。それでも若し、ビアズリのやうに幻想をもつていつまでもピエロの厚化粧と假裝を保つ事が出來たら、彼も幾分は慰ぐさめられた事であらう。然しそれをいつまでも保つ事の出來なかつた彼にとつては、現實にむしろ恐怖であり、戰慄であつた。さうして、この怖ろしさから逃れる爲に彼はまたをのづからアブサントの害毒を充分知りながら、その偸樂の誘惑に勝ち得ないで、それを再び口にしなければならなかつたのである。なぜならば、この甘つたるい惡魔的な恐怖夫れ自身のなかに飛び込む事によつてのみ、それがほんの瞬間々的とは云へ涅槃の境に似た靜閑と人間的な喜びとあきらめを得る事が出來たから……彼の藝術が極めて鋭く强い苦味と甘味の混じた諷刺と機智と諧謔に滿ちてゐるのはその爲である。

"The *Devil* is in heaven / Alls *Wrong* with the World!,,

このブラウニングなまりのヒユネカアのボードレールに對する評語をそのまゝ繪畫として表現されたものが、ロツプスの「惡の種子を蒔く者」である。この巴里ノツトル・ダーム上の蒼空に現はれた惡魔によつてまかれた女の「幼蟲（ラールブア）」は、全世界に蒔きひろげられて彼の“La Fleur lascive”（好色萬花）となつて芽えたのであらう。そこに巴里の、南國の、印度の日本の、色とりどりのにほやかな惡の華が、絢をあらそひ、艶をきそつて、美しく咲き誇つてゐる。さうしてこの美しい惡の華の成長がやがて彼の傑作「アブサントを好む女」となり「傀儡（パレタン）を持てる女」となり、テオフイル・ゴーチヱが小說“Mademoiselle de Maupin”の主人公となつたのであらう。

夫等の彼の傑作に就いては旣に森口多里氏がその著「異端の畫家」に於いて詳細に紹介せられたものであつて、今更、その驥尾に附す蒼蠅の如く創見なき駄文を綴る勇氣もない。たゞ、同著で敢て紹介されなかつたロツプスの秘戲中には、夫等の傑作にも比すべき優れたものが多く見出されるので、厚顏無恥なる自分に最も適切なる仕事として、敢てこれを紹介しやうと思ふのである。

Eine Marria Magdalena

大空は熱に病む人の腦味噌のやうに、ひくゝ重く垂れ下り、壓しひしがれた地平の彼方は、物怪（もののけ）の幽靈の如く薄墨色（うすゞみいろ）に彿ひ擴り、中空（なかぞら）には濁りきつた暗赤色（だいだいいろ）の月がおぼろにかすむでゐる。粘（ねば）ねばと濕（しめ）つた腐れかゝつた漆黑な土上には、太い十字架の墓標が一つ、なゝめに建てられ、その中央に巨大なリンガが結びつけられてゐる。そのリンガの圓頭には聖フリスト樣の後頭に輝く圓光がほのかに照りかがやいてゐる。十字架の前には抱愛の美と、爐邊の淫樂に醉ひつかれながら、尙その遊情な逸樂をむさぼらうとする夜の女が仰臥し、その蒼白な顏にみだらなほゝえみをたゝへて、べつとりとぬれた唇から虹のやうな芳烈なアブサント强い香を吐きながら、上眼使ひにぢつと十字架上のリンガを凝視してゐる。しかもその瞳はリンガの發する光輪に映つてほのじろく、裸形は鉛色（なまりいろ）に潤ひ、その人さし指は彼女のやはらげなヨニのなかふかく入れられてゐる。

Coloaire

陽(ひ)が西に沒し、髑髏(どくろ)の地が陰慘な虛無の色に蔽はれると、間もなく幾千年來、死刑臺柱に磔(は)りつけられてゐる惡魔をめぐつて、無數の鬼火(おにび)はゆらめきわたり、忽然として復活(よみがへ)つた惡魔は、その隆々たるものと蠢動(しゆんどう)する淫らなリズムに合せて、ある時は高く、ある時はひくゝ、酒池肉林の宴に亂れ流れる戀慕祕曲のかず〲を口ずさむ。すると、はやもうその足もとには臙脂の技巧(わざ)美しい裸形の女がぴつたりと吸ひ寄せられて、うつとりとしてその歌に聞き入つてゐる。その嚠喨(りうりやう)たるうたのしらべは激しい女のあいえぎにつれて亂れ媚び、媚びなまめく女の嬌態はその一節一節の甘美なリズムに狂ふてゆく……さうして、惡魔の長たらしいしつぽはやす〲と女の白い首にからみついてゆく……

L'enleoement

「ファウスト」のメフィストフエレス以來惡魔は誘惑の天才だ。髑髏(カアルヴエル)の地の惡魔は受難の君！ 聖クリストさまにならつて、涙多い女ごころをそそつたが、この惡魔は男らしい慘忍さをもつて、あくがれ勝ちな女ごころを奪つたのだ。

裸形の女をかゝへて、暗黑の天空高く逃れゆく惡魔は、むごたらしく女の急所をゑぐつてゐる。彼は何を掠奪しやうとしてゐるのか、おそらくそれは「惡の種子を蒔く者」に手渡すべき女の幼蟲(ラールブア)か、その精根であらう。

Lidole

あらゆる女は偶像(リドール)を禮讚するものだ。レ・サタニイツクの中に住む女の偶像は半獸半人神(サタイヤー)だ。彼女は今、あらゆる假面と衣裳をぬぎ捨てゝこのなつかしい、半獸半人神(サタイヤー)に縋りついてゐる。

瞬間！　半獸半人神(サタイヤー)の髪は逆立ち、兩側の巨大なリンガの偶像は天に向つて火焰を吐く……それが、憤怒の爲か、はた喜びの爲か、私には解らない。たゞ、私に解つてゐる事は、その足下で波羅門の乙女に戀すると云ふ神象がにたにたと笑つてゐることだけだ。

Der Damon der Geffall'sucht Fleur hypocrite!

天國と地獄のとけ合つた此處にも、婀娜奴(あだもの)の姿みだらな僞善の花が、美しく咲き誇つてゐる。

薔薇色につゝまれて立つ豐麗な肉體を今にもすべり落ちさうな黑天鵞絨(くろびろうど)の裳(もすそ)のはしを、そつと兩手にかゝへながら、露出された臀部を鏡に寫したまゝ、女は、ぢつとそれに見入つてゐる。爛熟しきつたそのなめらかな桃色の肌には、天鵞絨の黑色が強い反射を與へて、すきとほるやうに美しい。おそらく彼女の工夫凝らした眠り床。天蓋にはこのやうな鏡を張りめぐらし、その敷布はやはらかげなる黑絹(くろぎぬ)でつゝまれ、むせるやうな甘つたるい香で滿されてゐるのであらう。女は、その夜ごとの淫らな戲れの効果を檢(ため)すやうに、濡れた唇をなかば開いたまゝ、頽廢したうすむらさきの瞳をこらして、ぢつと鏡に見入つてゐる。

その鏡は、醜惡そのものゝやうな猿公の手でひやゝかに捧げられてゐるのだ。この怖ろしい顰面(ひんめん)の猿公瞳に寫るものは同じロップスのEcce diabole mulier〟に見られる半肉半骸骨の奇怪な婦人像かも知れない。

勿論、之等のロップスの秘戲畫からは、春信、歌麿などのものに表現されたやうな、蕩〱してとろけゆくやうな官能美と盡きない情緒を感じる事は出來ない。けれどもボードレールの Les Fleurs du Mal（惡の華）に對して捧げられたと同じ讃辭は呈されるであらうと思ふ。

尙、ロップスの秘戲畫はこの外にも澤山あるが、殆んど前述のものと大同小異なのでこれを略する。エチングやペンで畫かれた素描風のものも多いが、之等は全く彼のいたづらがきで、非常な諷刺と諧謔に富んだものもあるが、露骨に非倫理的な感銘を人に與へ、むしろ醜惡なるもの多く、從つて藝術味もなく、全く笑に惰するに過ぎないものであると思ふ。

参照書目

(1) Illustrierte Sittengeschichte.
(2) Geschichte der Erotischen Kunst.
(3) Das Sexualproblem in der Modernen Literatur und Kunst.
(4) Moll. Handb uch der Sexual Wissenschaften.
(5) 森口多里著「異端の畫家」

古代東洋性慾
教科書研究

——（承前）——

酒井潔

第二章 抱擁

▽カーマ、スートラの此の部分は性交の問題を取り扱つてゐる。そしてそれは六十四と呼ばれて居る。或る昔の學者は、かく呼ばれるのは此の本の內容が六十四項に別れて居るからだと云ふ。或は聖バーンチャラ編成のリグ吠陀は六十四歌を含んで居る。それで六十四と云ふのはリグ吠陀を尊敬するあまり、此の本の此の部分も六十四と名づけたのである。バーブラビアの弟子達は、此部分には八の主意がある。即ち、抱擁、接吻、爪の搔傷、咬傷、同衾、呻吟、擬男性交、

口唇性交の八項である。各項部は亦各々八に分れて居るので都合六十四種になる。然しヴーツチャーヤナの意見では、猶此の部分には次の様なものがある。即ち、打擊、啼泣、交接間に於ける男性の行爲、交接の種々相、其の他もあるが六十四と云ふ命名はまあ偶然なされたものと見てゐる。恰も、チプタパルナと云ふ七葉樹、パアンシヤバルナと云ふ五色の御供米の如く、(木は必しも七葉でなく、米は五色でなくとも、)其の概數を云つたものである。

▽男女が互の愛情を示す(性交前に)方法が四種ある。

一、接觸。
二、密接。
三、摩擦。
四、抑し合ひ。

これ等の名によつて動作の意味が決定されて居る。

(一)、男子が何氣なき樣で正面或は側面より女子の身體に觸れるのが、「接觸」である。
(二)、女子が人なき所で、何か取る樣子をして立ち、或は坐して居る男子に密接する。男子は亦女子を抑へる。これを密接と云ふ。

以上二種の抱擁はまだ男女が自由に活きない時に行はれる。

(三)、二人の情人が小暗き淋しき場所を散步する場合二人の身體が摩擦し合ふを「摩擦」と云ふ。
(四)、これと同樣に壁又は柱に凭れて堅く身體を抑し付け合ふを「抑し合ひ」と云ふ。

以上二種の抱擁は旣に相互の心を知り合つた間に行はれる。

▽次の四種の抱擁は性交の場合に行はれる。

一、ラターヴエーシユテイカム(蔓草の如く纏ふこと)

二、ヴリクシヤードヒルードハカム（木に登る如くする）
三、テイラタンドウラカム（罌粟と米粒の如く混入すること）
四、クシーラニーラカム（乳と水と混入すること）

（一）、女子が男子に蔓草が木に纏ふ様にまつはり付き、接吻する爲に彼の頭を引き寄せ（スウー・スウー）と輕い音を立てゝ、男の顔を愛まし氣に眺める。これがラターヴエーシユテイカムである。

（二）、女子が片足を男子の片足の上に置き、片足を男子の腿にのせ、男の腰と肩とを持ち、しめやかに小さな音を立てながら、接吻のために男の方へ身體を曲げる。これをヴリクシヤードヒルードハカムと云ふ。

以上の二種は立ち乍らなされる。

（三）、男女が床について、腕と腿とで堅く抱き合ふ。右腕を女の左腋に通し右足を女の腿の間に入れる。其の反對にも抱き合ふ。これを罌粟と米とが混り合ふ即ち、テイラタンドウラカムと云ふ。

（四）、男女が烈しく愛し合つてる場合、何んの不安もない時は立つて居ても、坐つて居ても、寢て居ても、相互の身體が溶け込む程抱き合ふ。これをクシーラジヤラカムと云ふ。

以上の二種は交接の場合に用ゐる。

が此八種の抱擁があると、バーブラヴイーヤは云ふ。

▽スヴルナナーブハによれば、猶身體の各部を接する四種の抱擁がある。

一、腿の抱擁。
二、ジヤグハナ、即ち臍と腿の間にてなされる抱擁。
三、乳を接する抱擁。
四、顔を接する抱擁。

（一）、男女が腿と腿とを接して互に力限り締め合ふ。これを腿の抱擁と云ふ。
（二）、男女が生殖器を押しつけ合ひ、女子は髪もふりさばいて男子に乘りかゝり、爪、指で男を傷け、嚙み、打ち、接吻する。これを臍と腿との間（生殖器）にてなされる抱擁と云ふ。
（三）、男女が乳を押し付け合ふを乳を接する抱擁と云ふ。
（四）、男女が口と口、眼と眼、額と額を接するを顏を接する抱擁と云ふ。
▽或る學者はマッサージも抱擁の一種とする。身體と身體との接觸がある爲に。
△然しヴーツチャーヤナはマッサージを抱擁とは考へない。それは行ふ時も違ふし、其の目的も違ふ、特に其の性質は抱擁と云ふ事を得ない。
▽抱擁の完全なる主意を知つた人及これを聽き又これを話す人の心中には自然に性交の希望が起るであらう。
▽カーマ・シャストラ（愛の經典）の中には性交の快感の瞬間に於ける抱擁の事は記載してないが、他にも愛情を增加さす方法はあるであらう。
▽經典の敎示は普通の人々の熱情に關して說いてあるので、一度性交の動作が開始されたら、經典も敎示もあつたものでない。

第二章抱擁終り。

第三章　接　吻

▽抱擁の爲の、接吻、爪の搔傷、等は別に順序はない。それ等は皆交接以前になされる。然し、打擊と呻吟とは交接中になされる。ヴーツチャーヤナは如何なる場合でもいいと考へてゐる。愛は心配も順序も時間も持つものでないから。最初の性交の時はあまり長く以上記載されてある樣な技巧はしてはならぬ。然しそれが度々なされた後なれば、愼しむ必

要はない。其れ等技巧を長く續けてもいい。愛の情火を掻き立てる爲に全部の技巧を一度になす可である。接吻は次の場所に於てなされる。額、目、頰、咽喉、胸、乳、唇、口腔内部。ラータ地方の人々は腿關接、腋下、臍の下部に接吻する。ヴーツチャーヤナは、人々が興奮の頂點に達した時、又は其の地方の習慣なればそれ等の場所に接吻するのも惡くはないが、他地方の者がそれを眞似る事はよくないと云ふ。

▽處女に有用な接吻は左の三種である。

一、表面上の接吻

二、震動。

三、押し付け。

(一)處女が愛人の口に自分の口を置き、自分からは何もしない。これ表面上の接吻である。

(二)處女が愛人の口に自分の口を置く時羞ひの爲に下唇丈を一寸震はせ、上唇は動かさない。これ震動である。

(三)情人の唇を自分の舌で押へ、目を閉ぢ、手で男の手を捕へる。これ押し付けである。

▽或る學者は猶四種の接吻を擧げてゐる。

一、眞直

二、傾斜

三、廻轉

四、壓迫

(一)男女の唇が眞直に合ふのを、眞直と云ふ。

(二)互に頭を傾け合つて其の位置で接吻するこれを傾斜と云ふ。

(三)相手の頭と頤とを支へ、顏を廻轉させて接吻する。これを廻轉と云ふ。

（四）下唇を力强く押し付ける。これを壓迫と云ふ。

▽第五の接吻と云ふのは相手の下唇を二本の指で持ち、それに舌を置いてから自分の唇で烈しく押す。これを非常な壓迫と云ふ。

▽接吻の内で早く相手の唇を捕へ合ふ遊戯をすることが出來る。若し女子が負けると、泣き出して、男子を打ち、背中を見せ、「仇討させて！」と云ひながら喧嘩するであらう。更に二度目も女が負けると、一層哀んで、男が止めるか睡るかすると、男の下唇を自分の齒で捕へて、もうそれは逃さぬと云ふ樣子をする、それから大聲で笑ひ出し、男を嘲弄し、踊り上り、眉を擧げ、目を丸くする。

▽この樣に接吻には遊戲と爭ひとが伴ふ。然し、爪の搔傷、齒の咬傷、痴話喧嘩等もこれと同等に律せられる。

▽これ等は熱情の烈しい人々にのみよつてなされる。

▽女子が男子の下唇に接吻した時、男は女の上唇を接吻する、これを上唇の接吻と云ふ。

▽男女の中で一方が他の兩唇を自分の唇で挿へるのを、締め付ける接吻と云ふ。尤も男に鬚がなければ女も是れを行ふ。

▽此の場合一方が他の齒、舌、上顎に自分の舌で觸れるのを舌の戰ひと云はれる。

▽實際の場合、これと同様に、自分の齒で相手の口を壓す事がある。

▽接吻に四種ある。（潔曰、此の處リズー譯は甚だ簡單也故に泉　譯を引用する）

（一）サマ、直、腿關節、胸部、腋下に唇を當てる場合、（二）ヒーデイタカム、幾分押つけるやうにする。これは乳房、頰、臍の下部。（三）アンチタム、胸の基底部、腋下と胸との間に唇を當てる。（四）ムリドウ、眼、額に輕く觸れる。かくの如く接吻せらるべき部分の性質に隨つてその特殊な形が記される。

▽女子が眠てゐる情人の顏を見て、自分の慾望を示す爲に接吻する。これを愛の情火をかき立てる接吻と云ふ。

▽男子が何か事件に沒頭してる時、或は喧嘩して居る時、或は他の物を見入つて居る時男の心をこちらへ振り向かしめる

接吻を、氣をまぎらせる接吻と云ふ。

潔白、泉師本には此の外、男が醉ひし時、眠らんとする時の二つの場合を擧げて居る。

▽男子が夜遲く歸つて眠て居る女子に、自分の慾望を示す爲に接吻する、それを、覺ます接吻と呼ぶ。其の場合、女子も男の歸つたのを知りながらも、男の慾望を知る爲と自分を顧慮して貰ひ度い爲に睡つた眞似をする。

▽壁の鏡の中、或は水中に寫つた情人の姿に接吻しやうとする。これを愛を示す接吻と云ふ。

▽男が愛人の面前で子供に接吻し、又畫像、彫像等に接吻するのを、愛を引き渡す接吻と云ふ。

▽夜中、劇場內、又は親族の會合の場合に男が女子の前へ行つて其の手を（立つてる場合）又其の足指（坐してる場合）に接吻し、又は女子が愛人をマッサージして居る時、睡たげな風をして男の腿の上へ顏を置き彼の情熱を涌き上らす様に腿或は拇指に接吻するのを、指示的の接吻と云ふ。

▽此の主題に關して次の項がある。

▽如何なる事でも總て男女の間で一方が他になした事は、他も同樣になして返さねばならぬ。一方が打てば、こちらも打ち返し、接吻すれば、それを返さねばならぬ。

第三章接吻終り。

第四章 爪の搔傷

▽情愛が烈しくなれば、爪でもつて相手の身體を引つ搔き傷けるものである。次の樣な場合にもそれは起り得る。最初の性交、旅行の出發、歸還、怒つた情人との和睦、女子の醉つた時。

▽爪での搔傷は烈しい情熱の持主である愛人間に普通行はれる。嚙むことを好む者もやはり其の連中である。

▽爪の搔傷には其のつけられた形に隨つて八種ある。

一、Bonorl 爪音立てる
二、半月
三、圓
四、線
五、虎の爪跡
六、孔雀の爪跡
七、兎の一躍
八、蓮瓣

▽爪の搔傷の場所は、腋下、咽喉、乳、唇、le iahana 身體の中央部それから腿。

泉師本には腋下、乳房、頸、脊、臀部、腿とあり

▽然しスヴルナナーブハは劇しい熱情を持つ人達には爪傷の場所を區別する様な事はないと云ふ。

▽優秀な爪の特質は、輝き、平らかき面、よく整つてゐる、完全で、中高で、しなやかに優美であらねばならぬ。

泉師本には、(一)線なきこと、(二)平らかな面を有すること、(三)輝けること、(四)垢のつかぬこと、(五)砕けないこと、(六)生長せること、(七)しなやかなること、(八)滑かにして美しきこと、

▽爪は大きさに從つて三種に分つ。

一、小
二、中
三、大

大なる爪は指を優美に見せる。女子はそれを見て心を惹かれる。ベンゴール人は其の種の爪を持つ。

南方人の爪は小さくて色々の事に適するが、特に愛の搔傷を作つて女子に喜を與へるに適當する。

中位の爪は右二ツの長所を兼備してゐるマハーラーシュトラ人が此の爪を持つ。

潔曰、泉師本には Pesits, mogens, grands, を短、中位、長と譯しあり小、中、大とするより此の所にては適譯ならんか

（一）頰、乳、下唇、他のジャハナ等につける搔傷は、ごく輕く、爪跡がつかぬ位にする。つまり爪の當つた皮膚の毛が立つ位の感じで其の時小さな搔き音を立てる。これが、爪音を立てる搔傷と呼ばれる。これは少女の場合で男が情人をマッサージする時、頭を搔いたりして少女を困らせる時に役立つのである。

（二）半月形の搔傷は首の廻り、乳等になされる。

（三）此の半月形が向ひ合つて出來た時は圓滿月と云ふ。臍、臀部の小さき凹所、股關節等になされる。

（四）單に線の搔傷は身體の各部になされる。

（五）曲線の跡なれば虎の爪と呼ばれ胸に作られる。

（六）五指を以て胸へ曲線を作る時は孔雀の足跡と云ふ。

（七）五指の爪跡を乳房に作る時は兎の一躍と云はれる。

（八）胸又は腰へ蓮瓣の形をつける。

▽旅行に出發する時、腿又は胸に搔傷を作るこれは追想の印と呼ばれる。又其の時三三條の爪跡をつける事もある。

▽爪の搔傷はこれで終る。だが各自勝手な方法で上に記述した以外の搔傷をつける事は出來る。昔の學者達の注意に從つて此の技術を修めた人々の間には無數の階級があり、又それ丈此の印の付け方も無數にある。愛情の附屬としての爪の搔傷の如き事は多くの違つた種類が有ることは斷言出來る。ヴーツチャーヤナによれば、愛と云ふ物が色々の方法を必要と感ずるなれば、其の色々な方法を製り出す。何故かの娼婦が其の情事に於て種々巧な方法手段を持つかと云ふは、それは他の遊戲譬へば弓術の如きに於ても種々のやり方があるのと同樣である。從つて愛の學問に於て其の種々の方法

を探究することの必要さは當然な話である。
▽爪の掻傷は他人の妻につけてはならない。但し、秘密な愛の想ひ出の爲に女の秘密な場所へ爪の傷をつける事はかまわない。
△此の主意に關して次の頌がある。
▽吾が身體の秘密の場所に愛の爪跡を持つ女は、其の昔しの樂しき夢を思ひ出すであらう、若し其の爪の印を持たぬ女は長く打ち絶えて居る間にはいつしか昔の戀も忘れ果てゝ仕舞ふだらう。

註　一

▽遠くから、其の胸の上に爪跡を持つた若き女を望む時は、知らぬ人間でも嘆美の心を起し心情を生ずるであらう。
▽同様に爪跡や齒跡を持つた男子は女子に對して吸引力が强い。
▽爪と齒とでなされた動作の結果程、愛を増すものはない。

註一　昔の印度人は高貴な婦人でも、王女でも皆胸を露出させて居た。アジャンタ其の他の窟の壁畫に其の證據を見る事が出來る。

（第四章爪の掻傷終り）

第五章　齒の咬傷

▽上唇、口腔の內部、目以外の接吻に適する場所は齒の咬傷にも適する。
▽優れた齒の性質は、齒なみよく、輝き、色に對して敏感であり、適當な釣合を保ち、尖端は細い。
▽悪い齒は、缺損し、齒齦が突出し、粗くて、もろく、大きな、並びの悪い齒である。
▽齒の咬傷に次の八種がある。

一、秘密の咬傷

二、腫れる咬傷
三、點の咬傷
四、點線の咬傷
五、珊瑚と寶石の咬傷
六、寶石の線の咬傷
七、斷雲形の咬傷
八、野猪の咬傷

▽(一)咬まれた所が、ひどく赤くならず、不明瞭である場合、「秘密の咬傷」といふ。
▽(二)兩側が凹む程、强く咬むのを「腫れる咬傷」と云ふ。
▽(三)二本の齒丈で小部分を咬むのを「點の咬傷」と云ふ。
▽(四)右同樣の場所を全部の齒で咬むを「點線の咬傷」と云ふ。
▽(五)齒と合せた唇とでなされる咬傷を「珊瑚と寶石の咬傷」と云ふ。唇が珊瑚で、齒が寶石である。
▽(六)全部の齒を以てなされる咬傷を「寶石の線の咬傷」と云ふ。
▽(七)齒の隙間の爲に出來る不正圓形の咬傷を「斷雲形の咬傷」と云ふ。これは乳の上にもなされる。
▽(八)長き齒痕が多く相次いで施され、其の中間の部分では紅潮を呈する。これを「野猪の咬傷」と云ふ。胸及び肩になされる。右の二つは熱情强き男女の間に行はれる。

註、泉譯とは異點がある。同師譯を左に引用する、「咬傷には次の八種がある。(一)グードハカム、(二)ウッチューナカム、(三)ビンドゥ、(四)ビンドゥマーラー、(五)プラヴーラマニ、(六)マニマーラー、(七)クハンダーブフラカム、(八)ヴラーハ、チャルヴイタカム。」

「▽女の下唇が男の唇と齒との間に捉へられ傷かぬ程度に少しく紅くされる。これがグードハカム（グードハ＝秘密）である。蓋し咬まれたことが明かに露はれぬから。」

「▽上記の動作が一層強く行はれ、部分が膨れるのをウッチュフーナカム（ウッチュフナ腫れること）と云ふ。」

「▽上の動作は、ビンドゥと共に下唇の中間に施される。」

「▽ウッチュフーナカムは、プラヴーラマニと共に頰にも亦施される。然しこれは左方の頰に限る。」

「▽花かざり、接吻、及び爪齒の傷は婦人の左頰の飾りである。」

「▽女の體の或る特種な部分へ、傷つけるに至らぬ程度に、齒と唇とで反覆的になされた紅潮の點をプラヴーラマニ（プラヴーラ＝珊瑚）と云ふ。」

「▽同じ方法でこの種のものが列をなすに至るものをマニマーラー（マーラー花鬘）と云ふ。」

「▽女の體の或る部分の皮膚が少し引張られ、齒を以て咬まれ皮膚薄きためその部分に小さき傷を生ずるをビンドゥ（滴）と云ふ。」

「▽この種の點の一列が同じ方法で體の或る部分になされたものをビンドゥマーラー（滴の花鬘）と云ふ。」

「▽此の二種のマーラー（花鬘）は頸、腋下、鼠蹊部に施さる。その部分の皮膚は弛め易いから。」

「▽ビンドゥマーラーは亦額、腿にも施される。」

「▽斷雲の形が齒でもつて作られる。これをクハンダーブフラカムと云ふ。不整形の雲の一片に似てゐるから。これは胸の基底部に施される。」

「▽長き齒痕の多くが女の胸の基底部に次から次へと咬まれて相接して作られ、中間の部分は紅潮を呈するものをヴラーハチャルヴイタカムと云ふ。野猪の咬みたるに似てゐるから。」
▽秘密の咬傷、腫れる咬傷、點の咬傷は下唇に施される。又腫れる咬傷は頰の上にもなされる。珊瑚と寶石との樣に。
▽接吻、爪の搔傷、齒の咬傷等は左の頰になされる。頰を問題にする場合は必ず左頰に限ると知らねばならぬ。
▽點線咬傷と、寶石線咬傷は咽喉、胸下、股關節、になされる。然し點線咬傷は額及腿になされる事がある。

▽愛人の所有物である額の裝飾品、耳の裝飾品、花鬘、ベテールの葉（印度產胡椒の一種）タマラの葉等に爪の搔傷、齒の咬傷をつけるのは其の愛人に自分の愛情を表示する事である。
▽これで種々の齒の咬傷の記述は終る。
▽其の國々の女子を滿足さする爲に男子は性愛の術を學ぶ可きである。
▽恒河、ジャムナー地方の女は高尙で爪の搔傷、齒の咬傷等を嫌ふ。
▽バルヒカ地方の女子は男に打たれ戲むれかゝられると意のまゝになる。
▽アヴティカの女子は性交を好み、良風俗でない。
▽マハラーシュトラの女は性交六十四種に達し、言語も野鄙で相手にも同じく野鄙な言葉を使はせたがる。そして性交を急ぐ。
▽パタリピユートラの女子はマハラシヤトラの女と同性質ではあるが、性交の希望を秘密に表示する。
▽トラビダの女は性交の時摩擦されたり押へられたりすると徐々に精液を分泌する。そして、ゆるゆる性交をなし終る。
▽ヴナヴーシの女は穩和で、總ての情事を好み自分の身體の事は隱して、粗暴野鄙なものを叱責する。
▽アヴンテイの女は接吻、搔傷、咬傷等を嫌ふ。然し性交のあらゆる種類を好む。
▽マルヴの女は傷をつけない抱擁接吻を好み、男に打ち戲れられて身を委す。
▽アブヒラの女又は五河地方（パン●ジャブ）の女は口唇性交をなす。
▽アパラテイカの女は熱情家で(sitt)と云ふ音を出す。
▽ラットの女は一層情が強く、同じく(sitt)と云ふ音を立てる。
▽ストリーラジヤ、コーショラーの女は非常に性慾が強く、精液を多量に出す。そして精液分泌を圓滑にする爲に藥品を用ゐる。

▽Audhra の女は柔かい身體を持つて居て、性交を樂む。
▽ガンダ女は柔和で穩に談話する。
▽スヴルナナーブハによれば、情事に際して國々の習慣に從ふよりも相手の女の性質に適する方法を用ゐる事が大切である。それで習慣は其の時と場合に從ふ可きものである。ある地方の快樂とか、習慣とか、實行方法とか遊戯とかは新しく變化するものである。それで情事の際などには其の地方のオリヂナルを尊重せねばならぬ。
▽前の方で述べた、抱擁とか、接吻とか其の他の技巧は第一に女の慾情を増す爲にせねばならぬ。變態的なぐさみをなすのは其の次にす可きである。
▽以上の問題に關して頌がある。
▽男が無理亂暴に女を嚙めば、女は二倍丈の力でそれをやり返す、即ち點の咬傷を與へれば女は點線の咬傷を、男が點線の咬傷を與へれば、女は斷雲の咬傷を返報する。そして女が甚しく發奮して居れば直に痴話喧嘩が初まる。其の時女は男の髮の毛を捕へ、頭をまげさせ、其の下唇を嚙み、目を閉ぢ愛の激情の爲に男の所々を咬むであらう、

註、次の一節リズーに無し、泉譯を引く。

「一方の手を背に回して情人を抱き、男の胸に身を凭せ、他方の手に頤を支へて男の顔を扛げて女は男の頸の回りにマニマーラー(上に述ぶ)や、ふさはしいその他の咬傷を施すであらう。

▽甍中人ごみの中で男子が其の情人によつて施された愛の印を本人に見せる時は、女は只微笑するのみで、非難する樣に貌をそむけ男に怒つた樣を示し、自分の身體にもつけられた傷を見せるであらう。この樣に互に愛し合ふ男女の愛情は一世紀を經ても消滅することはないであらう。

第五章齒の咬傷終り

第六章　性交様態の種々

▽高部族との性交の場合、ムギリー（牝鹿）族の女はヨニを廣げる樣に寢ねばならぬ。
▽低部族との性交の場合、ハスチニー（牝象）族の女はヨニを狹める樣に寢ねばならぬ。
▽相對應せる種族の性交は普通の狀態に於て行ふ。
▽ヴタヴー（牝馬）族の女の動作も前二者と同樣にす可きである。即ちアシユヴ（牡馬）族の男子にはヨニを擴げ、シヤシヤ（兎）族の男には狹め、ヴリシヤ（牡牛）族の男子には普通の狀態をなす。
（五）上のやうにして横りて婦人はその情人をジヤグハナ（生殖器）を以て捉へるべきである。即ち男子の生殖器を婦人の生殖器の中へ受入れるであらう。

註、此の（五）の一節泉譯にありて、リズー譯になし。

▽低部族の性交に於て、女子は、彼等の慾情を、すみやかに滿足させる爲、秘藥などを用ふ可きである。
▽牝鹿族の女に三ツの寢方がある。

一、大きく開く法
二、欠伸する樣に開く法
三、インドラ妃の法

▽（一）女が頭を下げ臀部を高く上げる。此時男は挿入を容易ならしめる爲膏藥を用ふ。

註、膏藥を用ゐる事泉譯にはなし。

（九）男根が完全に挿入されるや否や男女の何れかは引かればならぬ。若し婦人の場合には腰部でなす。若し男子の場合ならば足を延して生殖器の接合が安全であるやうになすかくて交接動作を續けて行く。

註、此の(九)の一節泉譯にありリズー譯になし

▽(二)女が兩腿を廣く離し高くあげる。

▽(三)女が足の上部を合して兩腿を身體の方へ引きよせる。これをインドラ妃の法といふ、これは更に高き性交にも適應する。

註、ラメーレス譯には「腿の上にて、足を交へる、これは常に練習を要す」とあり、泉譯「(10)婦人が兩腿及兩膝を合して兩脇に着け兩腕でこれを雙方へ離して支へる。これは幾分練習を要する。この狀態に於て女根は上記の二つの狀態より一層廣げられる。この方法は帝釋妃インドラーニの發明にかゝると稱してインドラーニカムと云ふ」とあるが三者とも其のポーズは解つた樣な解らぬ樣な變なもので、讀者泣かせの表現である。

▽高部族の女、即ち牝象、牝馬、牝鹿族達が低部族の男、即ち兎、牝牛等と交る低い性交、或は更に低い性交に於て、『緊着』。「壓迫」。「捻り合ひ」。「牝馬の如き」。四ッの方法がある。

▽男女ともに足を眞直に伸して寢る。これを「緊着」と云ふ。

▽「緊着」に二種類ある。横臥するものと、仰臥するものとである。

▽寢る時、男は左脇を下にし、女は右脇を下にして寢る可きである。この方法はどの部族にも適應される。

▽女が緊着の方法にて同衾する時、男をその兩腿で強く壓するのを、「壓迫」と云ふ。

▽女が自分の腿と男の腿とを交らせるのを「捻り合ひ」と云ふ。

註、泉譯には女自身が其の兩腿を交叉するとあり。ラメーレス譯はリズーに同し。

▽女が自分のヨニを以て男のリンガをつかりと締める。これを「牝馬の如き」方法と云ふ。これは練習を要する。この方法はアンドラ國の女達が通曉して居る。

註、アンドラ國云々は泉譯になし。

▽次にスヴルナナーブハの性交法を記する。
▽女が兩腿を眞直に上げる。これを「上げる」方法といふ。
註、泉譯には「婦人は仰臥して兩腿を結合して高く上げ、その位置に保ち、男子は兩膝の間にこれを保ち、兩手を以てこれを抱き緊めつゝ交る。これをブフグナカム（破壞）と云ふ。蓋し兩腿の上になれる女の足は膝關節の部分に於て挫折せる形狀を呈するから。」
▽女は兩足を男の肩にのせる。これを「欠伸」の方法と云ふ。
註、かうすると女のヨニが欠伸した樣に開くからである。
▽女は兩足を折り、男はそれを自分の胸で壓する。これを「壓迫」の方法と云ふ。
▽前の場合に於て、女の一足は男の胸を壓し他の一足を床上に延すのを「半壓迫」と云ふ。
▽最初は女の一足が男の肩に置かれ、他の一足は床上に伸べられる。次には、この反對に行ひ、此の動作を操り返すのを「竹の割裂」と云ふ。竹が風の爲に相合して相離れる有樣に似てゐるから。
▽女の一足が男の頭上に置かれ一足は床上に伸ばされる。これを、「釘を打つ」と云ふ。この動作は練習を要する。
▽女の兩足が折りまげられて男の腹部に置かれて交接するのを「蟹の如き」方法といふ、女の足が蟹の鋏の樣だからである。
▽女の兩腿を交替に重ね合せる。これを「荷包」と云ふ。
註、泉譯では「荷包」を「壓迫」とあり。同意ならん。
▽女の兩足を曲げ左足を右腿に、右足を左腿に置かせる。これを「蓮華座」と云ふ。
註、ラメーレス譯にはこの方法もインドラ妃の名によつて指示されるとある。
▽交接に最中に、男は女との抱擁を離れずに女の周圍を廻る樣にする。其の時女は始終男に抱擁されながら性交を續ける。
これを「他方に向く」と云ふ。練習を要する。
▽スヴルナナーブハは水中でも横臥、正座、佇立等の性交が陸上のそれよりも一層容易になされると云ふ。然しヴーッチ

ヤーナは水中の性交は宗教上より禁ぜられてゐる故、行ふ可きでないと云ふ意見を持つてゐる。

▽男女互に柱壁等に凭れて交接するのを「凭れかゝり」と云ふ

註、泉譯にては「凭れかゝり」を「佇立」とあり

▽男は壁に凭れて立ち、両手の指を組み合せて垂れ、その上に女を腰かけさせ、女は男の首に抱きつき腿を男の身體に押しつけ、自分の足で男の凭れて居る壁を突き身體を動搖させて交接する。これを「吊り下り」と云ふ。（此の性交姿態は司税官の蒐集品中、古代性的浮彫の模造物に表はれて居る）

▽女は四ツ匐になり、男は後方より乘りかゝり性交する。これを「牝牛」と云ふ。

▽此の場合、女の背中は、普通交接する時の胸に當るのである。

▽猶次の如く種々な性交法がある。「狗の如く」「牝山羊の如く」「牝鹿の如く」「驢馬の如く」「猫の如く」「虎の如く跳ね」「象の如く壓迫し」「猪の如く摩擦し」「馬の如く突進する」、これは各々動物の性交法に準じて了解すべきである。

▽一人の男が同時に二人の女と交接する場合には「共合」と云ふ。

▽一人の男が同時に多數の女と交接するを「牡牛と牝牛との交接」と云ふ。

▽水の中で象が戯れる様な交接、野羊の如き交接、鹿の如き交接、それぐ其の獸の交尾に似せて行ふ。

▽グラマヌリー地方では一人の女が多ぐの男と戯れる時、一人が女を膝に保ち、一人は戯れ、一人は接吻し、一人は女の腹の上にのる。

▽同様に一人の娼婦が多數の男を相手にする時、後宮の女達が一人の男を共同に樂しむ場合も同じ様に說明される。

▽南部地方では女の肛門に於て交接する。これを「下部の交接」と云ふ。

▽これで性交の種々なる方法の敍述は終つた。これに關して次の二つの頌がある。

▽男子は家畜、野獸、鳥類の性交方法を研究して女子に應用す可きである。

▽女子の嗜好、地方の慣習に隨ひ女子と性交をなすものは戀着と愛と賞讃とを得るであらう。

第五章性交樣態の種々終り

第五章の補足

オビッドは、女子のコケツトリーの爲に色々な姿態を述べて居る。

若しあなたの容貌が美で輝く樣だつたら、仰向に寢るがイヽ。若しあなたの尻が素張しく立派であるなら、それを、あから樣に見せるがイヽ、若しあなたの足がよく整つて居たら、それを愛人の肩にかけなさい。(丁度アタラントの足をメラニヲンが肩へのせた樣に。)あなたの身體が小さければ戀人はあなたの馬になつてくれるでしやう。

ありとあらゆる愛の戯れに精通してゐるビーナスは、最も簡單で疲勞の少い姿勢は右横に寢るのだと云ふ事を知つてゐる。

性交のポジシヲンについては、近代でこそ學理から出發してとやかく云ふが、古代では隨分フリーであつたらしい。例のコーランにも「女は汝の畑なり。汝行きて思ふがまゝ耕せ。」と云ふ有名な句が明記してある。兎に角古代東洋人は性交が人性に必須の仕事である事を信奉して、眞面目に、勇敢に、考へ行つた。隨つて、種々なる點で性愛技巧は深刻になり徹底したので、性交姿態なども現今から見て其の方法が澤山あるのも決して不思議でない。勿論現代人だつて性交を人間の一大事として眞劍に思考してゐる人はあるに違ひないだが、その考へを實行すると云ふ事になると我々は行き詰まらざるを得ない。我々にはやる事或はやらうとする事が多過ぎる。猶其の上に性交と云ふ大きな荷を負はされて惱んで居る。――尤も此の重荷は好きで背負ひ込むのではあらうが――其の哀れな男が、牧師が神と語る樣に、大銀行の頭取が頭取室で上等の葉卷をふかす樣に、政治家が雛妓の手を握る樣に、しかく第一義的に性交を實行出來るだらうか。若し我々に、エネルギーを浪費せぬ方法で現在の性交快感と同樣の快感を與へられたなら、否、何んの不自然さなく性慾を取り去る事を得るのみでさへ我々はニユートンならずとも、一滴の精液を洩す事を拒絶したかもしれぬ。此の樣に現代人は性交を片手間仕事にして仕舞つたので、從つて性交のポジシヲンを眞面目に發明する程の熱心もなければ暇も持たない。それのみならず我々の祖先が發明して置いてくれた姿勢を復習するさへ臆腔がつて居る。これから以後の研究中アラビアなどの古典中には隨分無理だと思へる性交姿態の說明があるが、それを我々が一概に不可能だと斷定する事は早計である。片手間仕事の我々には無理に見えても、人性の三分の一を惜し氣もなく性慾と云ふ仕事にほうり込んだ昔の人達には出來たかもしれない。而も彼等は少し困難なポーズには必ず練習する勢を廻避しなかつた。

Docteur Debay は姙婦または腹部の肥滿した女子との交接姿態を左の如く說いて居る。

「姙娠又は肥滿した女子との交接は『綯り合せた姿勢』を取る可きである。それでなければ短少な男根は女陰に屆かないからである。然し男根が長大で子宮を傷ける恐れある場合はブールレ（木製又は金屬製のツバの如きもの）を嵌めて其の長さを制限せればならぬ。」

猶右と同樣の主題に關して「匂へる園」には次の如く細敍されて居る。

「女が姙娠して大きな腹をして居る時は、女を横に寢させ、兩腿を腹に觸れぬ程度で、腹の方へ曲げさせ、男は女の後ろに寢る。そして、男根と女陰とが向き合ふ樣にし自分の足を女の脚、腿の上まで上げる樣にして男根を挿入すれば、それを全部入れる事が出來る。」

一人の男が同時に幾人の女と戯れ得るか、一人の女が同時に幾人の男と戯れ得るか、此の二つとも、東洋でも西洋でも結局は同樣らしい。

（一人の男と數人の女）

兩手兩足で四人の女の女陰を摩擦する。

一人の女とは正常な交接をなし。今一人の女とは接吻或はカンニリングスをなす。

即ち男一人に女は六人が最大限である。

（一人の女と數人の男）

兩手兩足で四人の男の男根を保ち、一人とは普通の交接、一人とは接吻或はフェラチォ。今一人とは肛門に於ける性交。都合七人の男を引き受けられる。其の引き受け得る人數が男より一人多いのは面白いでないか。

第七章　打擊と叫聲

性交は本來鬪爭性なもので、其の動作は屈曲性であり敵對性である。
▽熱情の極、女の身體を打つ事がある。次の場所が特に打たれる場所である
一、肩
二、頭
三、乳の間
四、背部
五、臀部
六、脇腹
▽打擊には左の四種の方法がある。
一、掌の背面で打つ。
二、少し狹めた指で打つ。
註、泉譯には此の(二)の場合「手を擴げて打つ」とあり。
三、拳にて打つ。
四、開きたる掌にて打つ。
▽打擊の苦痛から起る叫聲には左の八種がある。

一、ヒン
二、雷の樣に大きな聲
三、クークー云ふ聲
四、泣く樣な聲
五、フー
六、フア
七、スー
八、プラツ

△此の外「お母さん!」と云ふ意味を持つ叫聲がある。それは禁止、充分、自由になり度い希望、苦痛、稱讃等を表現したもので、鳩、時鳥、綠の鳩、鸚鵡、蜜蜂、雀、紅鶴、家鴨、鶉、などが性交時に發する音に結びつける事が出來る。

註、泉譯と多少の相異を見ろ。

「打擊によつて起される叫聲に次の八種がある。(一)ヒンカーラ(ヒンの如き特殊な低聲)。(二)スタニタ(うめき聲)、(三(クージタ(クーの如き低き鋭き聲)、(四)ルディタ(泣き聲)、(五)スートクリタ(スーの如き聲)、(六)ドウトクリタ(ドウと云ふが如き聲)(七)プフートクリタ(プフーといふ聲)この七種は意義不明了な叫聲である。第八は意義ある言語であつて、(八)「阿母(アムバー)」の意義を有する語、苦痛の結果として抵抗、脱出十分等の意を表はすもの。」

「鳩、パラブリタ、ハーリータ、鸚鵡、蜜蜂、ダーテイウーハ、白鳥、カーランダヴ、ラーヅカ等の大概摩擦音より成り、交互に性交時の間に發せられるものである。」

▽拳の打擊は女が男の膝の上に居る時其の背の上になさる可きである。

▽女は其の場合、怒つた樣をして、(三)、(四)の叫聲を發し男を打ち返さねばならぬ。

▽交接最中には掌の背面で女の乳の間を打つ。最初は輕く、だん／＼強くして最後には女が滿足する迄打つ。
▽其時女は各種の叫聲を其の習慣に從つて交互に發す可きである。
▽男が(六)の叫聲を聞いた時は「少し狹めた指」で女の頭を打つ。この動作をプラスリタカと云ふ。
▽此の打擊の場合、女は(二)の叫聲に從つて、ファ、フー、の叫聲を口の中で發する。
▽性交の終りには溜息をつき、泣く樣な叫聲を立てる。
▽ファと云ふ音は、竹の割れる時の音を眞似たのである。
▽フーと云ふ音は、果物が水中へ落ちる時の音である。
註、泉譯には、此の一節を、(七)バダニの果實が水に落つる時の如き音をプフートクリタと云ふ。上顎を舌端にて押しそれを急に押しつけるやうに引く時に發する音である。
▽接吻、抱擁を男子より與へられたる時は女はシーシーと云ふ樣な音を出して答へねばならぬ。性交中、女が打擊される習慣がなかつたら、抵抗、充分、脫出を意味する唸り聲を出し、「お父さん！」とか「お母さん！」とか云ふ言葉を溜息號泣、高き叫と共に切れ切れに發せねばならん。
註、性愛學の熟練家は色々な種類の女を知つて居る。性交中に溜息や其の他種々な音を立てる女、優しく話して貰ひたがる女、淫猥な話を好く女、ひどい事を云つて貰ひ度い女。それから性交後恍惚境に入る時、靜かに瞑目する女、或は大騷ぎする女等樣々なものがある。
▽性交の最後に至つて、男は開いた掌で女の胸、尻、脇腹に强い打擊を加へる。女は鶉又は鵝鳥の樣な聲を發する。
▽以上で此の主題の敍述は終る。次に頌がある。
▽身心の强壯と性急な性質は男子の本領で柔弱、慈愛、敏感性で苦痛を避ける傾向の著名なのは女子の本性である。然し熱情のため、又は習慣上から男女の性質が反對する事があるが結極は、自然の狀態として、前述の正しさに歸るであらう。

▽前述の四種の打撃に更に次の四種を加へて八種とする。
一、胸に與へる楔式の打撃
二、頭に與へる鋏式の打撃
三、頰を貫通する道具式の打撃
四、胸及び脇腹に與へる摑み上げる式の打撃
註、泉譯には右の四種の打撃を一層詳細に記述してある。左の如くである。
一、キーラ（楔）、食指、中指、拇指を尖端に於て結び合せてこの三指を下方に向けて男子は女子の胸を打つ。
二、カルタリー（劍）、總ての指を一列に並べ劍狀をなして女子の頭部を打つ。
三、ヴイツドハ（貫通せられたもの）拇指を食指中指、若くは中指無名指の間へ穿通拇指の尖端が掌の背面に現はれるやらに拳を作り、この拇指の尖端で女の頰を打つのである。
四、サンダンシカ（咬むもの）拇指を食指若しくは中指と結合して男は女の胸の部分或は脇腹部を摑み筋肉をそれから引き出すやうにつれる。
▽以上四種の打撃法は南部地方に於て行はる。然しこれ等の打撃は特別な習慣であつて、斯うした苦痛であり野蠻であり卑賤である事は實行しないがイ丶とヴーッチヤーヤナは云ふ。
▽同樣に或る一地方で行はる丶殘忍な習慣は他地方では行ふ可きでない。これを行ふとしても愼重な態度で行ひ、なる可くならば避けた方がい丶。
▽これが危險であると云ふ例がある。パンシヤラ國の王は娼婦マドハヴアスナと性交した時楔式打撃を與へてこれを殺した。
▽クンタラ王シヤタカルニー、シヤタヴアハナは鋏式打撃でマラヤヴアティー妃を殺した。

▽ナラドヴァは貫通する式の打撃で一人の踊子を盲目にした。（頬へ行く可き指がそれて眼へ行つたのである。）
▽次に頌がある。
▽此の事に關して、一定の定められた規則はない。一度性交が開始されたら、熱情のみがあらゆる行動を支配するものであるから。
▽此の熱情的な動作、愛の姿態等は性交中の興奮によつて起るもので、丁度夢の様に不規則なものである。
▽全速力で走る馬が盲目の様になつて前途に横はる、穴、洞穴、柱等を見ない様に、性交に興奮した男女は、それによつて起る危險などは氣付かない。
▽故に性愛學に通じた人は、自分の情婦の熱情、力量等を知つて適當に行はねばならぬ。
▽快樂の種々の樣態は、總ての時、總ての女に向つて行つてはならぬ。その國又はその地方の習慣に從つて適應させねばならぬ。

第七章打擊と叫聲終り

第八章　擬男性交と性交の準備

▽性交中、男が疲勞した場合、女は男の許可を得て、男の上へ乘り、擬男性交をなすであらう。それは、男の好奇心を滿足させる爲、又は自分の新奇な希望からなされる。
▽此の擬男性交に二タ通りの方法がある。一ツは普通の性交姿態から快樂を中斷せずに廻轉して女が男に乘る。今一ツは一度普通性交を中止して、女が男の上にのり、更に交接を初めるのである。
▽此の時、女の髮の毛はとけて花と共にちらばり、笑ひ聲と溜息とは相交り、しば〳〵男の頭に接吻する時、女の乳は男の胸を壓迫するであらう。女は前に男がした通りに眞似て、「おまへは私を引つくり返して、粉にした、今度は私がおまへを引つくり返して粉にしてやる」と云ひながら威嚇し打ち、それから耻しさうに疲れたから止めやうと申します。女は

この様にして男の仕事をするのである。

▽男が女に快樂を與へる爲になす動作を「男の仕事」と呼ばれる。それは次の如しである。

▽女が床に横はつて男の話しに聞き入る時、男は女の下着をゆるめる。女がそれを威嚇するならば、默らせる爲に接吻の雨を降らさねばならぬ。それから勃起したリンガを靜かに優美なやり方で女の身體の各部に觸れさせる。女が初會の交接の爲耻ぢて居る場合は、男は女の腿の間に手を辷り込ませる。これはごく若い娘の場合も同樣である。先づ第一に女が自分の手で隱さうとして居る乳を捕へ、次には、腕の下や頸の下へ手を差し入れる、反對に經驗ある女の時は、其の時の狀態に適應させて、愉快を得ねばならぬ。續いて接吻を與へる爲に前髮を捕へるか頰を指先でつまむかする。此の場合若い娘は耻しさの爲に目をつむるものである。この間に男は女が如何に交接を樂しむかを知る可きである。

▽交接中に女は快感の爲に瞳を廻轉する事がある。男は其の時の場所をよく覺えて置て其の場所を突く樣にせねばならぬとスヴルナナーブハは云ふ。

▽女が快感の極に達した時の兆候としては、身體がグツタリし眼を閉ぢ、耻を忘れ、出來る丈二人の生殖器を強く接觸させやうとする。

▽女がまだ充分快感を味はぬ印は・手を打ち合せ、男の起きるをさまたげ、戰ふ樣にし、嚙み、打ち、男が終つた後でも猶ゆするであらう。

▽故に男は交接の前に女の激情を幾分靜める爲、象が鼻でなす樣に、指や手でヨニを攪き廻し、其の後にリンガを挿入すき可である。

▽性交動作には次の九種がある。

一、前より押す

二、摩擦し攪拌する

三、刺貫
四、摩擦
五、壓迫
六、一擊を與へる
七、野猪の一擊
八、牡牛の一擊
九、雀の啄み
▽(一)男女生殖器を適當に、眞直に合す。これを「前より抑す」と云ふ
▽(二)男。リンガを手に持ちて、女のヨニの中を攪き廻す。これを「攪拌」と云ふ
▽(三)ヨニが低下し、リンガがヨニの上部を突くを「刺貫」と云ふ。
▽(四)(三)の反對にヨニの下部を突くを「摩擦」と云ふ。
▽(五)リンガで長くヨニを壓するを「壓迫」と云ふ。
▽(六)リンガを一時ヨニから抜き出し、次に強く突き込むのを「一擊を與へる」と云ふ。
▽(七)ヨニの一側丈を強く突くを「野猪の一擊」と云ふ。
▽(八)ヨニの兩側を摩擦するを「牡牛の一擊」と云ふ
△(九)リンガをヨニの中に入れ、全部抜く事をせず出入の動作を速く行ふのを「雀の啄み」と云ふ。これが性交の最後の動作である。

註、泉譯には此の性交動作を十種と記載し、第十番として左の一節を加ふ。

「サムプタは己に述べた、即ち男女兩脚を眞直に伸して交接するのである」

「上の方法は女の嗜好と精力とに從ひ、或は緩かに、或は強く行ふべきである。」

ラメーレス譯にもリズーと同樣の九種の性交姿態を記載す。

▽擬男性交には次の三種がある。

一。ピンセット式

二、獨樂式

三、ブランコ式

▽(一)ヨニの中へリンガを保ち、引き、締めして此の狀態を永く續ける。これをピンセット式と云ふ。

▽(二)交接中に女はコマの樣に廻る。これを「獨樂式」と云ひ、練習を要する。

▽(三)これと同じ狀態で男は身體の中央の部分を上げ、女は其の上で廻る。これを「ブランコ式」と云ふ。

▽女は疲勞すると交接したまゝ自分の額を男の額にのせて休む。

▽女が疲勞した場合は、男は女を下にして乘りかゝり再び交接を開始する。

▽これに關して次の頌がある。

▽女は羞恥心から、たとひ自分の嗜好を隱す事が出來ても男の上へ乘つて擬男性交をなす時は何もかも現はして仕舞ふものである。

▽此の性交によつて、男は、女の特質や熱情の性質やを、其の擧動から知り得る。

▽月經、産後の或る期間、懷胎、此の場合の女は擬男性交をしてはならぬ。

第八章擬男性交と性交の準備終り。

第八章の補足

Petrone, Satyrion CXI. に面白い一節がある。

一人の母親がユーモルプの所へ娘を連れて來た。すると此の老人は床の上へ寢て、娘を自分の上へ引き上げ、身體と身體とをピッタリ合せてから、奴隷のコレアスを、寢床の下へ辷り込ませ、腰で自分を持ち上げる様に命令した。此の命令は靜かに行はれた。コレアスは充分の熟練を持つて此の命令に服從して平等にゆり動かした。然し、この試みが最後に近くにつれて、老主人は、一層烈しくゆする事を奴隷に命じた。そして自分は少女と奴隷の間にゆられながら、ブランコ遊をして居る様であつた。

現今吾が國の娼婦間一般の習慣では、通常變態性交は拒絶する傾向がある。江戸期の諸書にも、女郎買の第一秘傳は執拗でない事を縷々述べて、地女と娼婦との區別を明白にして居る。初會からしつこい事をしたら嫌はれる事受合なり。故に此の擬男性交を相手が承諾したら、ヤ、意を强するに足りる。

第九章　口唇に於ける性交

この Auparishtaka (Congrès Buccal) 口唇性交。即ち現今のカンニリングス・フエラチオは古代印度の或る地方で行はれたものである。二千年も前の醫書 Shushruta には歯によつて傷けられたリンガの治療を澤山に記載してある。そして此の口唇性交實行の痕跡は八世紀まで續いて居る。Orissa の Kattak 附近 Shaiva から Bhuvaneshwara にかけての多くの寺院には口唇性交を表した彫刻が存在してゐる。それでこれ等の彫刻から類推して、其の當時口唇性交が或る地方で普通に行はれた事は解るが、現今では昔ほど盛に行はれていない。

▽兩性不具者には二種ある。一は男子の形なるもの、一は女子の形なるものである。

▽女子のユーニューク(兩性不具者)は、衣裝、會話、擧止、愛らしく、臆病で、單純、柔和、叮嚀等すべて女の様である。

▽普通の性交の動作を女子形ユーニュークの口唇で行ふのをアウパリシユタカ (Auparishtaka) と云ふ。

▽女子形のユーニユークは口唇性交の動作によつて想像的の滿足を得、且つ生計の資を得る。さればこの種の者は娼婦の習俗を示すもので、これが女子形のユーニユークである。
▽男子形のユーニユークは自分の秘密を隱して、職業に從事する場合はマッサーヂを撰む。
▽彼等が顧客をマッサーヂする時は、恰も抱擁する樣にして客の腿を引きよせ、次には、客の腿の基底部に觸れ、遂には男根に觸れる。
▽そして客のリンガが勃起するのを見れば、其の勃起を永續させる爲に手に握つて摩擦する。
▽若し客が彼の心中を察しながらも、口唇性交を要求せぬ場合は、彼自身それを初めるであらう。反對に客がそれを彼に命令すれば、まづ拒絶はするが結局しぶ〳〵承知するであらう。
▽口唇性交には次の八種類がある。これはユーニユークによつて順々になされる。
一、表面上の交合。
二、側面を嚙む。
三、外面の壓迫。
四、內面の壓迫。
五、接吻。
六、磨く。
七、マンゴーを吸ふ。
八、呑み込む。
▽一々の動作の終りに於て、ユーニユークはこれを止め度い樣な風をする。
▽然し客の方では、第一の動作が終つたら、第二 第三と最後までなす樣に要求する。

▽(一)リンガを掴み、それを唇の間に入れ、口で輕く摩擦する。これを表面上の交合と云ふ。

▽(二)指先を花の蕾の樣に集めて、客のリンガの尖端を掴み、唇及齒にて其の側面を壓す。これを側面を咬むと云ふ。

註、泉譯には「拳にて男根の尖端を捉へ、その下方大部分を殘して彼は唇を以てその全面に亘つて掴む。然し齒を當てることをせぬ。この程度まで爲して彼は主人に媚びつゝ、「此處までのみ、もはやこれ以上はすまじ」と云ふであらう。これをパールシュヴトー・ダシュタムと云ふ。男根はパールシュヷ(側面)が咬まれ(ダシュタ)た意。ラメーレス譯はリズーと同じ。

▽(三)繼續を懇望されてユーニユークは客のリンガの尖端を唇の内部で壓し、それを外へ引く樣にする。これを外面の壓迫と云ふ

▽(四)猶それを强ひられると客のリンガを一層深く口の中へ入れ、唇で壓迫し、それから引き出す。これを内面の壓迫と云ふ。

註、泉譯には「この動作をなす間に若し更に、主人から今少し口腔内に入れろやうに强ゐられると、彼はマニパンドハ（男根の尖端のくびれた處）まで男根の表面の皮を下方に抑し下げて尖端を裸となした後それをなすであらう。その部分を吸ひたる後口から唾を吐くであらう。これをアンタフ、サンダンシャと云ふ。男根の内面が吸はれるから。

▽(五)手に客人のリンガを持ち下唇に接吻する樣にする、これを接吻と云ふ。

▽(六)その接吻をなしたあとで、舌をもつてリンガの全面を撫で、特にリンガの尖端を愛撫する。これを磨くと云ふ。

△(七)かくして、口からリンガを半分も引き出し强く接吻し吸ふ。これをマンゴー(果物)を吸ふと云ふ。

▽(八)最後に、客の希望によつて、リンガを根元まで全部口中に入れ、呑み込む樣にする。これを呑み込むと云ふ。

▽猶此の口唇性交の間には、打擊、搔傷等も伴ふ。

▽口唇性交は放埓な女や婢女や、女マッサージ師によつてもなされる。

▽アシャルヤス（昔の尊敬す可き學者）の意見によれば、口唇性交は犬のやる事で人間のやる可き事ではない。これは聖

典にも卑しい禁ず可き事として記載されて居る。それにこれをなせば男自身も其のリンガを傷ける。

▽然しヴッチャーヤナは口唇性交は娼婦に於ては許さる可きで、なしてはならぬのは結婚した女であると云つて居る。

註、二節ラメーレス譯には無く、泉譯とは多少相違せり。泉譯は左の如し。

「この動作はなすべきでない。男女の行動を規定した社會上の法則に違し、且つ徳ある人々は野鄙であると考へてゐるから、又若し人上の動作をなした後、その婦女と接吻するならば嫌忌の念を生じ、その非禮の所業を悔いるであらう。かく學者たちは云ふ。

「娼婦などにはこの所業は罪とならぬ。然し非禮等の他の立場から云はゞ、この所業はそれらの婦人に於てすら爲さるべきでない、かくヴーチャーヤナは云ふ。

▽東部印度地方の人は口唇性交をなす女とは交はらぬ。

▽アーヒチユハトラの人々は、そうした婦人と交るが口唇に接吻する事はしない。

▽サーケータの人々はこれ等の女と平氣で交り口唇性交も辭せぬ。

▽ナガラ人は、その事は避けるが、他の事はなんでもする。

▽シユラセナ人はこれを平氣で行ふ。

▽彼等は此の行爲について左の如く辯明する。女と云ふものは不自然な生物である。女の品性、清淨、行爲、習慣、誓約、言語に信頼を置く事は出來ぬ。然しそれ丈で女は棄られるものでない。女の清淨さは法典の規定に於て求む可きである

▽犢の口はそれが不潔なものと思はれて居ても、それに餌を與へる時の口は淨く、狗の口は狩場で獲物を捕へる時は淨く小鳥の口は果實を木から啄み落す時、それを鴉や他の鳥が喰ふので不潔であると思つてもその時の小鳥の口は淨い。同樣に女の口も性交にあたつて接吻其の他の性的行爲をなす時は淨いものである。

▽とにかく、總ての性愛技巧を尊重し、自分の國の習慣と自分自身の傾向とに從ふがよいとヴーチヤーヤナは云ふ。

こゝに次の頌がある。

▽下男は主人の爲に口唇性交を行ふ。

註、泉譯はこれより委しく記す。左の如し。

「或る男子精力減退、老齢、肥滿、若くは他の原因で婦人に快感を與ふることが出來ず、而も尙ほ何等か性交の慾望ありてその生殖器を刺戟して精液の發射と想像上の快感を欲する場合には、美しき耳飾りなど着けた少年を雇ひ、アウパリシユタカをなさしむ　これら少年は――その召使ひなどであらうが――主人の男根をその口に接受して慾望を滿足せしむる。

▽都會人で仲のよい二人の男同志は御互に口唇性交をなし合ふ。

▽ハレムの女達は相愛するあまり互に口唇性交をなす事がある。

▽或る男は女のヨニに口唇性交（即ちカンニリングス）をなす場合がある。それは女の口に接吻するのと同様にするのである。

▽男女同時にこれをなす場合は、男女反對の位置に寢て、相互の生殖器を口で捕へる。これを鴉の交合と云ふ。（その形狀恰も鴉が汚物をその嘴で相啄むに似てゐるから。と泉譯にあり）

▽これ等の理由で娼婦が立派な情人を捨てゝ下賤な奴隷又は象の番人などゝ相愛する事がある。

▽學問ある婆羅門、宰相、名聲ある人士は決して口唇性交をなす可でない。

▽法典にこの動作が規定されてあると云つて必しも、それをやる理由はない。それは特別の場合にのみ局限されて居るのである。

▽醫方の中には狗の肉が精力增進にイ、と記載されて居るが、賢者がそれを食はねばならん理由はない。

▽然しそれにも拘はらず、或る種の人、或る地方、ある場合には、これが行はれる事もある。

▽故に人は場所と、時と、その實行方法、及び自分に適するかどうかを考へてからなす可きである。

▽然しこの動作は秘密になされ、又男の心は種々であるから、果して此の動作を、如何なる人が、いつ、誰の爲に何んの

理由でなしたか知る事は困難である。、

第九章口唇に於ける性交終り。

第九章の補足

コングレ、ビユーカル、即ち口唇性交は二千年も前に印度に發生して八世紀頃まで續いたと聞くと如何にも此の性愛技巧が稀なものの様であるが、案外そうでないから面白い。昔はユーニユーク即ち兩性不能者が專ら行ふ動作であつたのがだん〱時勢が降るに從つて男女の變態的愉悦を刺撃する爲の動作になつてしまつた。ローマなどでも Domitien 時代などに盛んに是が流行したのは Martial の著書の中から隨時に拾ひ出せる例によつて明かである。Livre IV のエピグラム（四十三）でコラシニユースのカンニリングスを非難して居る。同、エピグラム、（五十）、に『タイスよ！ 何故わしは老人だと云ふ事を繰り返して云はねばならんのだい？ あれをやるに年寄り過ぎると云ふ様な事があるものか』

Livre XII エピグラム、（八十六）、フアビユリユースに對して、『オ、、フアビユリユースよカンニリングスとは如何なる感じの物なるか我に語れ。』

巴里などにもこれを職業的に行ふ女の居る家があつて老年の獨身男などは、浴湯へでも行くと同じ様に此の家へ行つた。此の話はラメーレスが書いて居るのだから年代で云へば千八百九十年頃で、かなり近世の事である。所でこの口唇性交は印度に於ては八世紀以後甚だ稀になつたと云ふが、ヨーロッパの文明國では近世になる程、盛になつて來た様だ。現今などは、カンニリングス、フエラチオなんかは最早性交學の常識で、誰も珍とするものでない。筆者がまだ少年――善良少年（尤も今でも善良青年だが）時代に或る本で、イタリーの公娼は、客の性慾を興奮させる爲に、犬の様な事さへすると書いてあつたのを見て、犬の様な事とはなんであるか、どうしても解らなかつた、どう致しまして決して怪しい本ではなかつたんですよ。冒險世界の魔窟退治號かなんかであつたんです。世界柔道武者修業を夢みて居た此の善良な少年にはついにイタリー女の犬の様な動作が不可解であつた。現在歐洲各國で、これが盛んであるのは、その春的寫眞を見れば一番よく解る。十枚あれば五枚まではコングレ・ビユーカルの光景である。然し日本に於ては、それ程此種の動作がポピユラーであるとは思はれぬ。勿論普遍されて居ないと云ふのは程度問題であつて西洋諸國よりは尠いと云ふに止まり、日本にだつて盛に行はれて居るのは疑ない事實である。只筆者の考へでは、日本に於ては、主として智識階級乃至有産階級の好奇心刺擊、衰退性慾の强制的興奮、つまり催淫的酒類や藥品を用ゐると同樣な意味で行はれるので、大部分の勞働階級には行き渡つて居らぬ樣に思へる。其の動かぬ證據の一ツとしては、この行爲が比較的上流の者を客とする藝者に多く、下級な者を客とする娼妓に少い事である。職工、勞働者、等を常客とする公娼が客から此種の行爲を强請される事は甚だ稀であるらしい。それに反して、藝者になると、此の動作は、巧みに三味線を引き、唄を歌ふより重大な務であるさうだ。それに關する實例は腐る程ある。

此の口唇性交の專門家である可きユーニユークは第一に後宮の婦女監督の爲に採用されたものであるが、近代印度の回敎徒の間ではこれを一種の道化者、玩弄物として養ふ樣である。貴人の館へ歌舞の爲に呼ばれる舞妓達も時としては、男である事もある。

東洋に於ける浴場附のマツサーヂ師は殆んど男で、客の玩弄物になつて居る。

支那にもこれのあつた事は明かで、肉蒲團、和尚奇緣、情海奇緣等の諸書に見えて居る。

未央生が香雲の身體からいゝ香が發散するので不思議に思つて尋ねると、香雲は次の樣に答へた。

『それは妾の身内から自然に泌み出るものです』

『身内にこんな香氣があるとは信ぜられません。もしそれが本統でしたら、あなたの皮肉も一つの寶ですわ。』

『妾は平生何のすぐれた所もございません。只これ丈けが外の女と違つてゐます。妾が生まれます時、一むらの紅い雲が空に飛んできたが、それに香氣があつたそうで、妾が生れてしまふと、その雲は散つてしまつたが、香氣だけはそこに殘つて、妾の身内にとまつたといふ話です。妾の名が香雲といふのは、そこから取つてつけたのだそうです、坐つてぢつとして居る時は別に何とも覺えませんが少し働いて汗の出るようなことがあると、その香味が毛穴の中から泌み出て來ます。それも自分にだけ知れて、人には判りません。この間扇中であなたとお逢ひした時、ツイあなたを見染めて扇子をさしあげましたが、その後お出でがなく、今日やつとお目に掛ることができて、本望を達することができました。』

未央生はこれを聞き、香雲の身體を委しく調べてみたところが、どの毛穴も一つとして香氣のないものはない。これこそ本統に目に見えない絶世の佳人と知り、いきなり抱きしめて、かわい〳〵と呼び立てた。

『其香氣以外に、まだ一所の香氣あるところがあります。あなたに味はつて頂きませう』

『それはどこです』

香雲は未央生の指を握り、自分の陰部の中に一寸つけて。

『この中の香氣は又別ものです。もしおいやでなかつたら、一寸かいてごらんなさい』

と言つたので、未央生は身をかゞめ、鼻先をそこへ持つて行つて、何度も〳〵かいで這ひ上つて來て、

『全く寶だ、もう何にも言ふことはない、あなたの身體の上で死んでしまつてもよい』

と言つて、未央生はからだを縮めその寶を開けて舌で甜り始めた。

（繪圖風流奇談、卷三、第十二回、穿窬家傑浪揮金、露水夫妻成結髮。より抜萃）

では昔の日本人は、この口唇性交をどんな態度で取扱つたかと云ふに、あまり古い時代の事は知らないが、例の日本最古の春的繪巻と云はれて居る蘿頂の巻（艶本目錄參照）に此の行爲が描かれて居たと思ふ。それから鳥羽僧正筆といはれて居る男女合戰の大繪巻及同系統に屬す可き畫風の變態性交方法を描きならべた小繪巻（北齋あたりの戯畫に非ざるか）には口唇性交が戯畫的に表されて居る。菱川風の美濃判本（『男女玉てばこ』と記憶す。）雪鼎らしき逸題の小本等でも發見した。それから降つて、春信、春章、政演、歌麿、北齋等になると、あまり見受けない。あまり此種の繪は描かなかつたかもしれぬ。國貞以下になるとザラにある。中で國貞の有名な源氏物の中にある僧侶が姫君にカンニリングスをやつてゐる圖は此の種のもの丶內で最上等の一枚であらう。末期の赤本等は面倒臭いから云はぬ。フェラチオの方はカンニリングスより、その記載された例が尠い。

處で艶本等にある諸例で見ると、其の時代の人達は此の口唇性交を肉體的の快樂の爲にのみ行つたのではなく、むしろ愛情の確立及び其の表示の爲の要求であつた樣に思はれる。此の顯著な例を引用する。

「凡男女密通して互にふかく云かはし、その末を契るに起證誓紙を書き或は指をきり、髪を切などは定りたることなれども誠其眞義を表す事は互に男根と陰門を嘗合ふ事此上の眞實はなし。惚れたる同士は如何様のむさき所をもさほどに思はぬものなれば是を嘗合こと、此上の誓ひはなし、起證誓紙には虚言あれども、これ斗は思はぬ人の男根玉門は義理にも嘗められがたき物なれば、これを嘗に偽なし。』　（女才學絵抄）

然し現在では、もつとフリーな状態で行はれて居るのは前に述べた通りである。

第十章　性交前後の用意と愛の喧嘩

▽都會人は其の寢室を花にて飾り香を焚き、友人、婢僕の助をかり、今し入浴を終へ、化粧しを仕舞つた女を歡待し、酒を供する。

▽男は女を左方に坐さしめる。

▽男は女の髮、衣服を捕へ、最後に下着の結目をつかむ。

▽男は右の手をもつて女を優美に抱擁する。

▽男は種々な主題に關して愉快な會話をなし適度の諧謔や多少いかゞはしい話をもする。

▽身振りはなくとも、歌は唄ひ、樂器は奏す可きである。

▽美術に關する談話をなす可きである。

▽御互に酒を飲み合ふ。

▽かくして女が愛情と希望とで一杯になつた時男は周圍の連中に、花香、ベテルを與へて退かしめる。

▽男女が二人のみ殘りし時、男は前に述べた技巧を用ゐて女を樂ましめる。

▽これが性交前になさる可き事である。

▽かくて性交が終つた時、二人は相知らざる風をして、別々に化粧室へ退く。
▽男女は又元の座に復し、ベテルの葉を噛み、男は綺麗な手で女の身體へ栴檀其の他の香料を塗る。
▽男は左の手で女を抱擁し、愛情をもつて語り、自分が盃を捧げて女に呑ませる。或は水を與へる。
▽男女は砂糖漬又其の他のものを食し jus frais.（印度に於ては椰子や、海棗や、檳榔樹の絞汁を呑む。然しこれは甚だ早く醱酵するから、彼等はリキユールとして蒸溜する）ボタージユ（スープの濃いもの）、肉類、冷菓、マンゴーの絞汁、シトロンの汁に砂糖を交ぜたもの、其の他を、各自の嗜好及其の習慣に從つて飲食する。

註、泉譯は左の如し

「アツチヤラサの汁、又は粥類、燒肉、氷製の菓子、マンゴー果、乾肉、若くは砂糖に交ぜたマーツランガの菓子などが嗜好と地方の慣習とに隨つて供せられる。」

▽これらを食する時、これは美味なり、これは柔かし、これは淨よしなどと云ふ可きである。
▽愛人達は宮殿又は住宅の露臺へ出て、月光をあびながら、愉快な會話をなすであらう。
▽此の時女は男の膝に凭れかゝり顔を月の方へ向ける。
▽男は女に色々の星座を指し示す。特に、曉の明星、北極星、或は七聖の星座（大熊星）を指す。かくの如くにして性交に關する記述は終る。

註、泉譯にはリズー譯に缺て居る左の數章を載せて居る。

「この關係に於て次の頌がある」

「性交の終に於てすらも、甘味あるものを供するごとき、情事、其他隔意なき談話をなすなどによつて慾情は更に喚起せられるであらう。」

「相互の嗜好に適へる抱擁や接吻などの心ゆく動作によつて、一時は腹立ちて相背きても直ちに歡樂の笑かたむけて相見るであらう。」

「又種々の歌舞を伴ふハルリーサカを舞ふ。女の眼が熱情に燃え、歡樂の涙に潤ひたるによつて、又月を眺むることによつて。」「又始めて相見し過ぎし日、如何に二人の相別れん日の悲しかるべきを語ることによつて、又二人の愛に纒はる事件を繰り返すことによつて。」

「これ等を語れる後、互に抱擁し接吻することによつて。」

▽若き男女の愛はかくの如き方法を用ゐて增すことが出來る。

▽性交には次の七種類ある

一、愛の性交
二、後日の愛の性交
三、不自然な性交
四、移動させた性交
五、ユーニュークの如き性交
六、不當の性交
七、自然の性交

▽(一)男女最初相まみえた時から愛し合つたが、困難を經て漸く性交を成就せし場合、又は長き旅行の後、又は愛のいさかひの後和睦して相會した時、かゝる場合の性交を、「愛の性交」と呼ぶ。

▽(二)二人の愛人の愛情がまだ芽生時代にあるのを、「後日の愛の性交」と云ふ。

註、泉譯は左の如し。

「時として始めて男女相會して、兩者の間に極めて微かな愛があり、相見て喜びを感じたるが、後に至つて何等かの理由でその愛が日ましに增大する。これをアーハールヤ・ラーガと云ふ。愛が外的原因のために增すものであるから。」

▽(三)男が性交の六十四態によつて刺擊されてそれを實行する時、又は彼等の各自が他の人を愛してゐるにもかゝはらず、

一緒に交渉を持つのを、「不自然な性交」と云ふ。この場合はカーマ・シャストラの指示に従つてあらゆる方法をやらねばならぬ。

註、泉譯は左の通りだが、筆者は右のリズー譯に贊成し度い。泉譯では一寸意味がとれかねる。

「男女の愛が性交の六十四態によつて增大し、若くは他の人々の上に互の心が向けられたために相互に愛するやうになる。これなクリトリマ・ラーが（感ぜられた愛＝現實にあらざる）と云ふ。」

▽（四）男が一人の女と交接する時、その最初から最後まで、此の女でない、自分の愛して居る他の女の事ばかり考へて、あらゆる技巧を弄するのを、「移動させた性交」と云ふ。

▽（五）男が、身分の低い、水汲み女とか下婢とかと性交するのを（只自分の慾望を滿足させる爲に）「ユーニユーク（不能者）の如き性交」と云ふ。此の場合は接吻抱擁の如き情事は行はれない。

▽（六）娼婦が田舍者と交り、都會人が田舍娘と交るのを「不當の性交」と云ふ。

▽（七）極めて打らとけた二人の愛人が、其のフアンタジーの爲に性交するを、「自然の性交」と云ふ。

▽これで性交の種類の記述は終る。

▽扨て次には愛の喧嘩の事を語らう。

▽夫を愛する妻は、夫が其の情婦の話をするのを嫌ひ、不注意にも、其の女の名を呼ぶのを厭ふ。

▽これ等のことで愛の喧嘩が始まると、女は號泣、激怒、髮をふり亂し、情人を打ち、寢床又は腰掛の上へ身をうち伏し花や裝飾物を投げ捨て、右左に轉げ廻り、ついには床の上に仆れて仕舞ふ。

▽此の時夫は適當な言葉をもつて妻を宥めると同時に、女を寢床の上へ抱き上げる。

▽然し女は夫には一言も返答せず、猶怒りの樣子をして、彼の髮を引き、幾度も其の手や頭や胸や背を打ち、部屋を出る樣な風をして出口へ行く。

▽然し女は外へ出る事によつて不貞淑の嫌疑を招かぬ爲、戸口に坐つて、涙を流す可きである。
▽此處で再び男に宥めの言葉をかけられ、和解するが、抱擁されながらも、猶烈しく男を非難せねばならぬ。然し其の間性交の望みあるを男に知らせる樣にする。
▽若し女が自分自身の家で男と喧嘩したなら女は男に自分の怒を表明してから、男の側を去らねばならん。

註、泉譯と和違せり、泉譯は左の如し。

「若し女が同居せる娼婦、妾なりとも、上に述べたと同樣な方法同樣の理由で男と喧嘩をなし、同樣にして男に當るであらう。」

▽其時男は、諧謔者、道化者、物語をする藝人の類を、女を宥める爲に遣すであらう。女はこれ等と一緒に家に歸り、其夜は男と同衾す可きである。
▽以上にて愛の喧嘩の記述は終る
▽約言すれば、バーブラヴィーヤによつて說かれた六十四藝に堪能な男子は最上の女子の間にも歡迎されるであらう。
▽たとひ、他の種々なる事に通じて居ても、此の六十四藝が未熟であれば、學者達に尊敬せられぬであらう。
▽然し此六十四藝に達すれば、男女の總ての社會に重視される。
▽此の性愛の學六十四藝が、學者、賢人、娼婦達によつて尊重される事を知つたら、それを同じ樣に尊敬せぬ者があるだらうか。
▽此の六十四藝が尊敬さる可き理由は、それが持つ魅力、それが Cheres aux fewwes と呼ばれる女達の天性の魅惑につけ加へる才能によつてである。

註、泉譯によれば。

「法典の中、學者たちはこの學藝を次の語で稱へて居る。

(一)ナンディニー（あらゆるものを與へるもの）

(二)スブハガー（總てによりて愛せらるゝもの）
(三)スブハガンカラニー（愛らしさを與へるもの）
(四)ナーリーブリヤー（女に愛せらるゝもの）

▽此の性愛の學六十四藝を知るものは處女により、他人の妻により、娼婦によりて愛敬せられる。

第十章性交の種類及愛の喧嘩終り。以上にてカーマ・スートラ第二品性交篇終る。

第十章の補足

六十四種の學藝と云ふのはカーマ・スートラの根本をなす重大なものである。第一品總説篇、第三章、性愛の學及びそれに關係せる學藝の中に列記してある。

上段はリズー譯

(一)歌謠
(二)器樂
(三)舞踊
(四)歌謠及器樂よりなる舞踊
(五)繪畫
(六)入墨
(七)祭神を花、又は米にて種々に裝飾すること
(八)花をもつて飾つた寢床や、地面に蒔いた花を處理すること
(九)歯、衣類、髪、爪等を染める、つまり身體中を彩色すること
(十)床板等に色硝子を入れること

下段は泉譯

(一)同上
(二)同上
(三)同上
(四)繪畫
(五)木葉などを或る形に剪り額上の記標とすること
(六)祭神の莊嚴のために彩色した米種々の花を種々の形に排べること
(七)花を以て床などを飾ること
(八)歯、身體、衣服を染めること
(九)家の或る部分、床の上などに寶石を彫めること
(十)人の趣味と狀態とによりて臥床を整へること

（一一）臥床を整へる術。
（一二）水を湛した硝子の樂器を奏すること。
（一三）溝渠又は水道、貯水池などへ水を貯へること。
（一四）繪畵、整頓、装飾。
（一五）珠數の製造、頸飾り、冠、花飾の製造。
（一六）チユルバン、羽毛の飾、花を編むこと。
（一七）演劇の稽古。
（一八）耳飾りの製造。
（一九）香料の用意。
（二〇）衣装に寶石や裝飾品を施す事。
（二一）幻術、魔法。
（二二）手の器用敏捷なる事。
（二三）料理法。
（二四）リモナー、デソレベツト、酸性飲料水、心持よき色附けの佳香ある酒精飲料
（二五）裁縫。
註(1)
（二六）羊毛や糸で鸚鵡、花、羽根飾、房、花束、球、結目などを作る。
（二七）謎を解く遊び。

（一一）水にて太皷のやうな音樂を奏すること
（一二）水を掬ひ或はサイレンのやうな器械にかけて灌ぎ出して樂音を出すこと
（一三）藥物調合、呪術。
（一四）粧飾若しくは神に捧げるために花環を作ること。
（一五）頭髮の粧飾、シエーカラ若くはアーピーダの形に花環を作ること
（一六）衣裝を着ること、花若くは粧飾にて飾ること。
（一七）象牙、貝類にて耳飾の類を造ること。
（一八）香料の製造
（一九）親しく粧飾品を造り或は寶石を挿入する等にて古きものを改造すること。
（二〇）幻術の類によりて物の姿を現すこと。
（二一）藥物によりて精力、體力を増進すること。
（二二）手の器用にして敏捷なること。
（二三）食品の調理。
（二四）飲料等の調理。
（二五）裁縫
（二六）糸にて行ふ手品、或はあやつり人形
（二七）ヴイーナー或はダマルカを彈奏すること。

(二八) 歌の尻取り遊び、負けた人は罪金を出さねばならぬ。
(二九) 身振手振眞似の技量。
(三〇) 朗唱
(三一) 難解な章を早く讀む。主として女や子供の遊び。其の言葉が間違つたり惡い發音になり易い章句を歌ふ。
(三二) 劍術棒術、弓術の練習。
(三三) 辯證法。
(三四) 指物細工。
(三五) 建築術。
(三六) 寶石、金銀の鑑別法。
(三七) 化學、鑛物等。
(三八) 寶石、眞珠等の染色法
(三九) 鑛山、石切場の發掘
(四〇) 庭園術、樹木の手入、保護法及樹齢を知る事。
(四一) 鷄、鶉、羊を鬪せること。
(四二) 鸚鵡、駒鳥に人語を話させること。
(四三) 膏藥を應用して身體に佳香を與へ、ポマードを髪に塗り編む。
(四四) 暗號文字を書き、それを讀むこと。
(四五) 言葉の姿を變へて話す術。言葉の前後を變化させたり、シラブルの中間に無意味な字を入れること。
(四六) 地方の言葉を知ること。

(二八) 謎を出したり解いたりすること。
(二九) 頌の連誦。
(三〇) 難解難踊の頌を歌ふこと。
(三一) 叙事詩の朗唱。
(三二) 戯曲物語の智識。
(三三) 半連詩作。
(三四) 籐竹などにて編む家具の製作。
(三五) 木片金屬類にて男根模擬品を作ること。
(三六) 木工。
(三七) 土工、特に方位、材料、衛生、狀態などを注意すること
(三八) 寶石鑑定。
(三九) 錬金術。
(四〇) 水晶、寶石を染めること、發見の場所、發掘の方法。
(四一) 藥草の栽培。
(四二) 羊、鷄を鬪はせること。
(四三) 鸚鵡に人語を敎へ使ひをさせること。
(四四) 洗浴、身體摩擦、結髪など。
(四五) 種々の意味を表すやうに作られた文字を判讀すること
(四六) 言語解讀法。

（四七）花で車を編む法。
（四八）不思議な作圖を引く術、花を結んで美しい奇妙な物を作る及と。
註(2)
（四九）文章、文字でやる謎の遊戲
（五〇）詩の構想。
（五一）辭書及單語の智識。
（五二）自分の身を變じ、又他人を變裝させる術。
（五三）物品を變化させる法。綿を絹の如くに、粗末な物を高貴なものに變へる。
（五四）種々の遊戲。
（五五）魔法によつて他人の所有物を得る法。
（五六）若者達の行ふ遊戲に熟達する。
（五七）社交法に通じ他人に對して禮法を守る。
（五八）戰爭、武器を持つて闘爭する術。
（五九）體育術。
（六〇）人相術。
（六一）作詩法。
（六二）算術競技。
（六三）造花法。
（六四）粘土にて塑像を作る。

（四七）諸國の言語の智識。
（四八）前兆を知ること。
（四九）花で車、乘物、馬、象などを作ること。
（五〇）器械、器具、武器の製作。
（五一）記憶術。
（五二）詩歌朗吟競技。
（五三）有名なる詩歌の故らに省略せられたる部分を塡めること
（五四）詩歌作法。
（五五）辭典學の智識。
（五六）修辭法.
（五七）受動、能動、人稱がわからぬやうに違へてある文章を判讀すること。
（五八）布片にてなす遊戲。
（五九）博戲。
（六〇）骰子遊び。
（六一）球や人形の遊び。
（六二）日常の作法。
（六三）日常の作法。
（六四）身體の發育を計る智識

註(1)、ラメーレス譯には、

(二六) 羊毛、糸にて作る壁飾り刺繡、deo perroquets. 花、羽根飾、房、飾釦、浮彫の様な刺繡を作る法。

註(2)、の完譯は左の如し。

(四九) 一部分のみの章を完全にすること、或は他の章にまぎれ込んで居る數行を補足して意味をなせる、或は母音と子音とが不規則に離して書いてある章又はそれが全然缺けて居る章を整頓すること、或は抽象的に表はされたフレーズの詩句を置く遊戯。これ等は當時の人達によつて盛に行はれた。

これら六十四藝は性愛の學の一部をなすものであつて、パーンチャーラの數ふる六十四の技術は第二品性交篇の各所に述べてある。

兎に角、以上でカーマ・スートラの眼目である第二品性交篇は完結した。然し眼目だとは云へ、これ丈讀んでカーマ・スートラを卒業されては心外である。全編三十六章、六十四項目、七品、一千二百五十頌の聖典一章一句と雖も珠玉である。機會があつたら御熟讀願ひ度い。筆者としても出來る事なら全部紹介し度いのだが、それ程大部なものを雜誌へ載せる事は不可能だし、其の外研究す可き事はあり過ぎるし、致方なく、最も重大な箇所丈發表するにとめねばならぬ。甚だ不本意だが止を得ない事である。

次に、此の研究中、泉譯がどうだ、リズー譯が、ラメーレス譯がと、ごた〳〵書いたのでさぞ讀みづらかつた事と思ふが、筆者だつて實際面倒臭かつた。それを敢てしたのは理由がある。

それは斯うした難解な古典を只一本によつて研究するよりは他の善本と對照した方が忠實だと思つたので、その手數を顧慮せずに敢てごた〳〵と比較研究して見たのである。

即ち尊敬す可き古典と、親愛なる讀者と、筆者たる自分の良心とに、いさゝか忠實であつた所以を明記して置く。

世界珍書解題（五）

梅原北明

素女秘道經

現代人の想像も出來ぬ様な古代文明の華が咲き揃つて、それから多くの實が出來た。實の種類は千差萬様。そうした古代の支那に、印度、アラビヤ、等に比敵する深遠な性慾研究が行はれて居たのは當然な事で其の性慾研究といふ眞赤な花が實を結んで、

▽素女秘道經
▽玄女經
▽素女方
▽玉房秘訣

▽玉房指要

など〻云ふ世界的の珍果が二千年後の今日まで遺された。

▽洞玄子

これ等の珍書については上田恭輔氏も云はれた通り、明確な著作年號は不明だが、隨分古いものであるのには間違ひない。所が之れ等の書物はどうしてわけか肝腎の支那本國では、**隋書經籍志子部醫家類**に**素女秘道經**一卷、並に**素女**又經**素女方**があると出て居る丈で現物は傳はらなかつた。それで支那人は、單に名のみの本だらうとタカをく〻つて居ると、日本寛平年間の書目の中に**素女經**が立派に載つて居るのを知つて吃驚した。日本の寛平は昭宗の時だから、唐時代瀕繁に交通して無性に支那の書物を輸入した日本の事だから、道德や修養の本と一緒に拾ひ込んで來たものらしい。其の當時の勉强好きの日本人のおかげで天下の珍書が後世にまで遺された事になる。

然しまだ現物を見ぬ支那人は書目丈ではと相變らず馬鹿にして居ると、此度は日本永觀二年丹波康頼の例の**醫心方**廿八巻中に麗々と**素女經**が引いてある。永觀二年は宋の雍熙元年、唐が滅びて間もなくである。これでやつと前掲の**珍書**が存在してゐた事を、環りの鈍い支那人も承知したらしい。

此經皆玄房中之事又載養陰養陽

と公言してゐる位だから、內容は絶對に春本淫書の類ではない。立派な性慾科學書である。

▽**素女經**

これ矢張り一番重要な書物で、さしづめ印度なら**カーマ・スートラ**に當る。よく諸書を集大成してある。日本で尤もよく知られて居る**黄素妙論**なんかは勿論**素女經**の片割れで、あれ位で支那の性慾書を片付けて居たらとんでもない間違がある

巻頭

黄帝問素女曰吾氣衰而不和心内不樂身常恐危將如之何素女白凡人之所以衰微者皆傷於陰陽交接之道云々より始まり五十章の妙論卓說がもられて居る。

交合之術は天地陰陽と相通じ四季に從つて變ずと云つた高尚な理論から、『交合法の實際』『玉莖に五常之道ありと云ふ珍說』、『女之快に五徵ある事』

夫五徵之候一曰面赤則徐々合之二曰乳堅鼻汗則徐々内之三曰嗌乾咽唾則徐々搖之四曰陰滑則徐々深之五曰尻傳液則徐々引之

『十動之效の說』、『九勢の法』

この九勢の法は**黃素妙論**にも引用されて居るがもとよりこちらが本家である。其の名稱が少し違ふから二者を並記して見やう。

素女經

（一）龍　翻
（二）虎　步
（三）猿　搏
（四）蟬　附
（五）龜　騰
（六）鳳　翔

黃素妙論

（一）龍飛勢
（二）虎步勢
（三）猿搏勢
（四）蟬附勢
（五）龜騰勢
（六）鳳翔勢

(七) 兎吮毫
(八) 魚接鱗
(九) 鶴交頸

(七) 兎吮勢
(八) 魚接勢
(九) 鶴交勢

其のポーズの說明も多少相違して居る樣だ。『陰陽に七損八益ある說』『年齡による交接度數』

素女曰人有强弱年有老壯各隨其氣力不欲强快强快即有所損故男年十五盛者可一日再施瘦者可一日一施年廿盛者曰再施羸者可一日一施年卅盛者可一日一施劣者二日一施盛者三日一施虛者四日一施五十盛者可五日一施虛者可十日一施六十盛者十日一施虛者廿日一施七十盛者可卅日一施虛者不寫

『氣候と胎兒との關係』

黃帝曰人之始生本在於胎合陰陽也夫合陰陽之時必避九殃者日中之子生則歐逆一也夜半之子天地閉塞不瘖則聾盲二也日蝕之子體戚毀傷三也雷電之子天怒興威必易服狂四也月蝕之子與母俱凶五也虹蜺之子若作不詳六也冬夏日之子生害父母七也弦望之子必爲亂兵風盲八也醉飽之子必爲病癲疽痔有瘡九也（これではいつ子を產んでイヽのかわからない）

『秘藥方』で終つて居る。勿論以上擧げた項目はほんの一部で、これ以外に重用な項目が澤山ある事は御想像の通りである。

▽**素女方**

この書は殆んど醫書で、實に委しく生殖泌尿に關する處方が集めてある。其の點で珍とす可きであらう。

▽**玉房秘訣**

此の書は例の**醫心方**の中に盛に引用されてゐる。哲學者に婦人科の講義をさした樣なもので、甚だ神韻漂渺たる寫實味のある內容ならで前書**素女方**の全然醫學的なのと對照して見て面白い。

夫陰陽之道精液爲珍即愛之性命可保凡施寫之後當取女氣以自補復建九者內息九也厭一者以左手殺陰下還精復液也取氣者九淺一深也以口當敵口氣呼以口吸微引二无咽之致氣以意下也至腹所以助陰爲陰力如此三反復淺之九淺一深九九八十一陽數滿矣

九淺一深と云ふ事が出て來たから説明して置かう。

一寸入れるを琴絃
二寸入れるを菱齒
三寸入れるを嬰鼠
四寸入れるを玄珠
五寸入れるを谷實
六寸入れるを愈鼠
七寸入れるを昆戸
八寸入れるを北極

たとへば八深六淺とは、深く入れて息を八度つき、淺く拔いては息を六度をする事で、深く入れては八度突き、淺く拔いては六度突く事ではない。淺と云ふのは琴絃から玄珠まで深と云ふのは谷實から北極までを云ふのである。

▽玉房指要

此の書には益々愉快な事が書いてある。

仙經云還精補腦之道交接精大動欲出者急以左手中央兩指卻抑陰囊後大孔前壯事抑之長吐氣幷喙齒數十過勿閉氣也便施其精精亦不得出但從玉莖復還上入腦中也此法仙人以相授皆歃血爲盟不得妄傳身受其殃

蛇床。遠志。續斷。縱容

右四物分等爲散日三服方寸七曹公服之一夜行七十女

ヘルキュールは一度に何十人かの處女を犯し、**匂へる園**の中にも玉葱を喰べて數十日勃起を保存し多々益便と云つた豪傑の事が書いてあるが思ひ切つて居て有難い。

▽洞玄子

隋唐の書目にも出て居ない。文章から見て六朝時代でないかと推される。此書に載せてある三十のポーズは後世秘戯の濫觴だと云はれて居る位だ。即ち至極すさまじい本である。

カーマ・スートラ第二品性交篇に概當する珍書である。

三十法

一、敍綢繆

二、申繾綣

不離散也

三、曝鰓魚

四、騏驎角

已上四勢之外遊戲皆是一等也

五、蠶纏綿
女仰臥兩手向上抱男頸以兩脚交於男背上男以兩手抱女項跪女股間即內玉莖
六、龍宛轉
女仰臥屈兩脚男跪女股內以左手推女兩脚向前令過於乳右手把玉莖內玉門中
七、魚比目
男女倶臥女以一脚置男上面相向嗚口咂舌男展兩脚以手擔女上脚進玉莖
八、鸛同心
令女仰臥展其足男騎女、伏肚上以兩手抱女頸女兩手抱男腰以玉莖內於丹穴中
九、翡翠交
令女仰臥拳足男胡跪開著脚坐女股中以兩手抱女腰進玉莖於琴絃中
十、鴛鴦合
令女側臥拳兩脚安男股上男於女背後騎女下脚之上豎一膝置女上股內玉莖
十一、空翻蝶
男仰臥展兩足女坐男上正面兩脚據床乃以手助爲力進陽鋒於玉門之中
十二、背飛鳧
男仰臥展兩足女背面坐於男上女足據床低頭抱男玉莖內於丹穴中
十三、偃蓋松
令女交脚向上男以兩手抱女腰女以兩手抱男腰內玉莖於玉門中

十四、臨壇竹

男女俱相向立嗚口相抱於丹穴以陽鋒深投於丹穴沒至陽臺中

十五、鸞雙舞

男女一仰一覆仰者拳脚覆者騎上兩陰相向男箕坐著玉物攻擊上下

十六、鳳將雛

婦人肥大用一小男共交接大俊也

十七、海鷗翔

男臨床邊擎女脚以令舉男以玉莖入於子宮之中

十八、野馬躍

令女仰臥男擎女兩脚登右肩上深內玉莖於玉門之中

十九、驥騁足

令女仰臥男蹲左手捧女項右手擎女脚即以玉莖內入於子宮中

廿、馬搖蹄

令女仰臥男擎女一脚置肩上一脚自攀之深內玉莖入於丹穴中大興哉

廿一、白虎騰

令女伏面跪膝男跪女後兩手抱女腰內玉莖於子宮中

廿二、玄蟬附

令女伏臥而展足男居股內屈其足兩手抱女項從後內玉莖入玉門中

廿三、山羊對樹

男箕坐令女背面坐男上女自低頭視内玉莖男急抱女腰磣勒也

廿四、鵾鷄臨場

男胡蹲床上坐令一小女當抱玉莖内女玉門一女於後牽女衿裾令其足快大興哉

廿五、丹穴鳳遊

令女仰臥以兩手自擧其脚男跪女後以兩手據床以内玉莖於丹穴甚俊

廿六、玄溟鵬翥

令女仰臥男取女兩脚置左右髆上以手向下抱女腰以内玉莖

廿七、吟猿抱樹

男箕坐女騎男脚上以兩手抱男男以一手扶女尻内玉莖一手據床

廿八、貓鼠同穴

男仰臥以展足女伏男上深内玉莖又男伏女背上以將玉莖攻擊於玉門中

廿九、三春驢

女兩手兩脚倶據床男立其後以兩手抱女腰即内玉莖於玉門中甚大俊也

卅、秋　狗

男女相背以兩手兩脚倶據床兩尻相柱男即低頭以一手推玉物内玉門之中

身邊雜記

◇旅行して歸つて來ると、すぐ病氣。病氣と云つても例のやつ。が、今度のやつは餘程根强く盛り返したと見え、十日間と云ふもの熱が三十八度を下らない。

◇酒井は歸國して留守だつたが、原稿に馬力をかけてくれたので大助り。佐藤君に手傳つて貰つて、やつと校正を終えた。今度は、ものも相當面白いし、紙もグッとよくしたし、おまけに印刷も贅澤にして見た。金のことなど考へたくない。

◇日本にゐるのが全くいやになつた。やれ警視廳でござい。やれ内務省でござい。等、等……。尻の穴の小さい小役人の横行する國。全く日本は成つちやいない

◇本誌も之れで足掛け三年になる。その間に、内容が色々と變化した。儲かつた月は昨年の七月號と十一月號だけ。あとはいつも缺損々々。が、此の損のために藝者買ひをせずに濟んだ。

◇上森が發藻堂と云ふ出版屋さんの主人公になつた。そして雜話叢書と云ふ六冊ものを先づ手がけるとのこと。尾崎久彌君の編輯で、同君の江戸軟派や藤澤君の軟派もの、及び泉芳璟師の印度旅日記などの隨筆ものを出すんださうだ。旣に東洋諸國の民族的軟文献に凝り出した吾々に今頃「江戸もの」でもないが、肩の凝らないものなら無論うけるにきまつてゐるが、最近の十二史のやうな程度のものなら失敗するだらう。中途半端な軟派ものぢや鼻もちならぬ。軟派の軟派で奴を期待する。この點、上森を力づけて置く。上森が出版屋さんとして商賣人の仲間入りをしたことは一寸冒險かも知れぬ。失敗せずに大いにやれ。先生のこつた、萬々へまなぞやるまいが……。凡ては大いに祝福してよい。が、彼が遂に商賣人になつて了つたと云ふことが、僕にとつて一番寂しい。

◇世間の噂ほど當てにならぬものはない。現に此の僕なぞは、世間的に素晴しい商賣人だと噂されてゐると云ふが、その當人が始終損ばかりして、儲けやうと云ふ字と商賣人と云ふ字とを、世界中の辭典からオミットして了ひたいと願つてゐる人間の一人なんだから、おかしなものだただ商賣が甘いと云ふ變な噂のために、ときたま有難いのは、損をしてやりくりがつかぬ時、誰れでも二つ返事で貸して呉れることだ。噂と云ふ奴の有難いのは金を借りる時だけか？チェッ！

（一九二七年八月三十日、滿支に旅立つに際して）

宣言

涼しくなつた。讀書三昧に浸るには、もつてこいの時季。禁斷の木實を食ふも良し、お互に、よりよく馬鹿々々しく世の中を無意識に空費しやうぢやないか。宜敷しく賴む。

一九二七年九月吉日

尾高三郎　齋藤昌三
小座間茂　佐藤紅霞
坂本篤　酒井潔
石角春洋　梅原北明

大正十四年十一月二十七日第三種郵便物認可
昭和二年九月十五日印刷納本
昭和二年十月一日發行（毎月一回一日）

編輯人　梅原北明　東京市牛込區赤城元町三四
發行印刷人　梅原貞康　東京市牛込區赤城元町三四
發行所　文藝市場社　東京市牛込區赤城元町三四　振替口座東京六四一〇四番　電話牛込三九〇六番

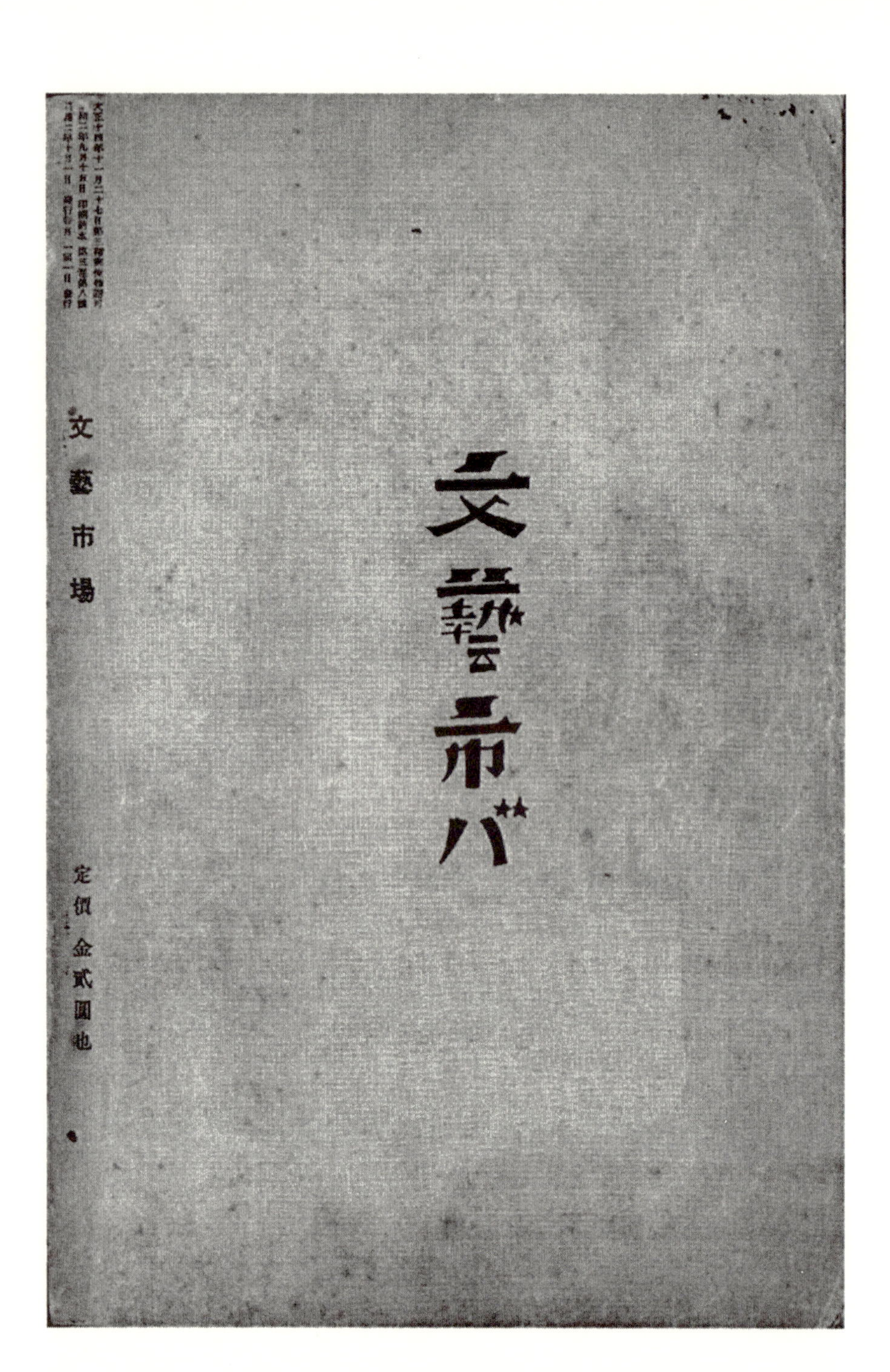
大正十四年十一月二十七日第三種郵便物認可
文藝市場
定價金貳圓也
文藝市場

叢書エログロナンセンス第Ⅱ期

文藝市場／カーマシヤストラ　第2巻

2016年12月15日　印刷
2016年12月22日　第1版第1刷発行

[監修]　島村輝（しまむら てる）
[発行者]　荒井秀夫
[発行所]　株式会社ゆまに書房
〒101-0047　東京都千代田区内神田2-7-6
tel. 03-5296-0491 / fax. 03-5296-0493
http://www.yumani.co.jp
[印刷]　株式会社平河工業社
[製本]　東和製本株式会社
落丁・乱丁本はお取り替えいたします。　Printed in Japan
定価：本体22,000円＋税　ISBN978-4-8433-4854-3 C3390